HANDBUCH DER LITERATURWISSENSCHAFT

HERAUSGEGEBEN VON OSKAR WALZEL

ANDREAS HEUSLER

DIE ALTGERMANISCHE DICHTUNG

Unveränderter Nachdruck

der zweiten neubearbeiteten und vermehrten Ausgabe

HERMANN GENTNER VERLAG

DARMSTADT

Lizenzausgabe
der Akademischen Verlagsgesellschaft Athenaion m. b. H.
Konstanz am Bodensee

Dem treuen Freunde und Helfer

WILHELM RANISCH

dankbar zugeeignet

Erschienen 1957
Druck des Textteiles: Fotokop Darmstadt

VORWORT VON FREUNDESHAND

Als Andreas Heusler, beinahe 75jährig, am 28. Februar 1940 von uns ging — er war am 10. August 1865 geboren, Geburt wie Tod erfolgten zu Basel —, lag zwar die Druckfertigkeits-erklärung dieser hier folgenden zweiten Auflage seines neuartigsten, ganz einmaligen und unnachahmlichsten Werkes von seiner Hand vor, die zweite Korrektur war gelesen; aber das Erscheinen des erneuerten Buches selbst verzögerte der zweite Weltkrieg noch weit über seinen Tod hinaus.

Auf den ersten Blick scheint der Verfasser diese zweite Auflage so ausschließlich wie großartig nur um die Abschnitte 18, 19, 20, die von der Saga handeln, vermehrt zu haben, also um das berühmte Kapitel seiner ersten Liebe im Bereiche der Wissenschaft, dem auch seine letzte galt, und in der Tat zeigt sich nun, wie man im Sagastil schon lange vermutet hatte, daß sein letzter Hieb nicht schwächer als sein erster war. Sieht man aber genauer zu, so bemerkt man staunend, daß hier buchstäblich jedes Wort neu durchgeprüft und durchgekostet wurde. Die zahllosen Neufassungen, die dem Meister nötig schienen, erstrecken sich von einzelnen Sätzen über Satzteile und Wörter, darunter selbst Fachtermini, auf bloße Wortformen bis in die Tilgung oder Setzung des Endungs-e. Man beobachtet Kürzungen, Streichungen von ganzen Sätzen, Umstellungen, Absatz- und Abschnittsänderungen; der Stil war noch nicht heuslerisch genug gewesen, nun ist er es völlig. Zu alldem begegnen wir natürlich auch stofflichen Änderungen, etwa bei Skaldenstil, Preislied und Runenherkunft, auch Erweiterungen, etwa bei Ballade und Spruch. Wir treffen Einschübe verschiedenster Größe, die ergänzen, erklären, Neues bringen, kurze Warnungen ausrufen, Bezugnahmen und Anmerkungen einfügen, knappste Kritiken an neueren und jüngsten Arbeiten äußern. Die alten Kapitel sind durchaus geblieben, aber wo früher Seite 181 endete, endet jetzt Seite 191. Und ganz neu, wie gesagt, als eine Krönung des Ganzen, fügt sich von Kapitel 154 bis 198 die Darstellung der altnordischen Saga hinzu, obwohl gerade sie vom Verfasser, selbst in ihren mündlichen Vorstufen, nicht für gemeingermanisch gehalten wird. Dann erst schließen sich die 6, früher 5 Seiten des Rückblicks, stark neu geformt, wieder an. So ward durch planvollste Sorgfalt im Kleinen wie Großen eine ungewöhnliche Vollendung erreicht.

Seinen Zeitgenossen war Heuslers Name ein fester hoher Begriff, der keiner Erläuterung weiter bedurfte, Sinnbild seltener Vollendung und Einheit. Ein großer Teil seiner Lehren wird in die Schicht jener Selbstverständlichkeiten eingehen, von denen in den nächsten Geschlechterfolgen kaum einer mehr weiß, wem man sie eigentlich verdankt. Gewiß ist das der schönste Lohn gelehrten Lebens, jedenfalls ihm selbst wäre das so erschienen. Aber es darf trotzdem erlaubt sein, sein Bild und den Umriß seiner Verdienste gerade im Vorwortersatz dieses Buches in die nächsten Geschlechterfolgen hinüber zu retten.

Um die Jahrhundertwende drohte die Germanistik sich in drei Teile aufzulösen, man mochte diese dann etwa Nordistik, mittelhochdeutsche Textkritik und neuere deutsche Literaturgeschichte benennen. Inzwischen ist das grausliche Wort Nordistik wieder verschwunden, sein Inhalt hat sich zum breiten unablösbaren Grunde der deutschen Philologie überhaupt ausgedehnt; die mittelhochdeutsche Textkritik ist von der Herstellung zur kühnen Deutung übergegangen; und die neuere deutsche Literaturgeschichte hat auf dies alles hin die Verbindung mit den anderen Teilen wieder aufnehmen können. Das Ganze ist wieder ein Fach, eine Wissenschaft geworden, die vom germanisch-deutschen Menschen und seiner Geistigkeit handelt. Eben an dieser Rettung ist Andreas Heusler wesentlich und in erster Linie beteiligt gewesen. Er erst hat dem jungen Anfänger von damals, dem schon der Sinn seines Faches zu entschwinden drohte, diesen Sinn wiedergeschenkt und damit erreicht, was nun eine Selbstverständlichkeit ist. So war er die letzen Jahrzehnte hindurch der ungekrönte König unseres Faches, das vor ihm schon seit langem keinen König mehr besaß. ,,Wohl erlebt ich eindrucksvolle Dozenten,'' schrieb er später selbst in einem kurzen Lebenslauf, ,,aber keinen Meister, der mir im eigenen Fach begeisternde Wege gewiesen hätte.'' Über so etwas wie eine Krönung würde er sich sehr ergrimmt gestellt haben, aber gelegentlich, wie auf dem Erlanger Philologentag nach seiner Rede über das Hildebrandslied, war es doch nahe daran . . .

Sein Leben erfüllte sich großartig, indem gerade das, was er zuerst als einen leidvollen Zwiespalt ansehen mußte, das Wissenschaftliche und das Künstlerische in ihm, zu einer schönen Einheit seiner wissenschaftlichen Persönlichkeit verschmolz. Zu gewichtigerer Geltung, als er gelangt ist, kann ein Geisteswissenschaftler in so politisch bewegten Jahrzehnten, wie den unseren, nimmer gelangen. Die ungeheuren Erfolge des neuen Reiches mitzuerleben, hätten ihm alle seine Freunde gerne gewünscht, denn wie alle wirklich großen Schweizerdeutschen stand er mit Herz und Wort beim Reich. ,,Unter Deutschlands Leiden leide ich täglich,'' schrieb er früher einmal. — Es war auch ein seltsam klares Leben, das sich in der natürlichen Folge von Lernen, Forschen-Lehren und Darstellen-Schreiben in ihm vollendete. Sein Berliner Lehramt nämlich (1890—1919) war von vielen bahnbrechenden Einzeluntersuchungen begleitet, deren Löwenanteil die Berliner Akademie erhielt; sehr früh schon verrieten sie den großen Künstler eigenen Stils, eines gehobenen Sprechstils, dem der Saga wahlverwandt. Heusler wußte um die Einheit von Sache und Stil, von Gedanke und Form auch im Bereiche der Wissenschaft. 'Schlank' sind die Sätze nicht, aber zuchtvoll geformt, meisterhaft knapp, eindrucksvoll in einmaliger Wortwahl durchweg geprägt, weil der innewohnende Gedanke schon vorher aufs klarste geformt und geschliffen wurde. So eben tönen hier wirklich Gedanken, nicht Worte. Der Gewinn all dieser Forschungsaufsätze für die Wissenschaft war ungewöhnlich groß. Auch sein klassisches 'Isländisches Elementarbuch' entsprang der Lehrtätigkeit: es wurde ein Kunstwerk an Darstellung der Lautlehre, der Formenlehre und auch der Syntax der Sagasprache. Aber erst nach der längst schon ersehnten Niederlegung des großen Berliner Lehramts, nach der Heimkehr — in Basel handelte es sich nicht mehr um ein Vollamt im Berliner Sinn — kam seine darstellende Zeit, Einbringung einer großen Ernte für die Fachgenossen wie für breitere gebildete Kreise: Das Nibelungenbuch, unser Buch über die altgermanische Dichtung und die drei Bände deutscher Versgeschichte, Werke, die mit jeder Zeile den Zauber seiner Persönlichkeit auch dem vermitteln, der sie nicht unmittelbar erlebte.

Altnordgermanien war ihm zwar nicht völlig gleichbedeutend mit Germanien überhaupt, aber er vornehmlich lehrte es uns doch wieder als Hauptzeugen Germaniens erkennen; war es doch auch bei uns schon so weit gekommen, daß man, wie noch heute meist in Skandinavien, die Götter der Edda ausschließlich für Götter des Nordens hielt, nicht auch für die unserer Vorfahren. So wußte unser Buch über die altgermanische Dichtung, das 1923 in erster Auflage erschien, aus der Überlieferung aller Stämme ein wunderbar einheitliches Bild zu fügen. An die Stelle einer Sammlung von kleineren oder größeren Sprachdenkmälern der verschiedenen Stämme trat das geschlossene schöne Bild der Dichtung und der Geistigkeit eines ganzen hohen Volkes mit tiefer und einmaliger Veranlagung. Heusler prägte das Germanenbild der nachromantischen Zeit, die Zwischenzeit hatte überhaupt keines besessen. So hielt er ihm begreiflicherweise alle nur irgendwie romantischen Züge fern, sehr überlegen und manchmal geradezu mit einer herausfordernden Strenge. Schwer zu unterscheiden, ob er dies Bild mehr nach dem großartigen nordgermanischen *mikilmadr* (*mikil* = groß, *madr* = Mann) der Sagazeit prägte — „Gefördert hat mich (nämlich in der persönlichen Entwicklung) auch das Einfühlen in die altnordische Krieger- und Herrenethik," schreibt er im Lebenslauf — oder unbewußt auch nach sich selbst, denn wenn irgendwo so war hier wirkliche Wahlverwandtschaft, und wir wissen ja alle, wie sehr der Philosoph seiner Epoche, Nietzsche, der freilich in Heuslers Leben zu spät trat, um noch sein Gewissensbefreier werden zu können, in der Saga die Charaktere gefunden hätte, von denen er träumte. Aber in jener ungleich ärmeren Zeit gab es die Sammlung „Thule" noch nicht; sie wurde erst möglich durch das begnadete Zusammenwirken Heuslers mit Eugen Diederichs, wahrhaft zweier „Könige in Thule", wobei wir Felix Niedner als Dritten im Bunde nicht vergessen wollen. Aber der Eingeweihte weiß, wie sehr man die Sammlung Thule getrost mit unter Heuslers Werke rechnen kann; die Njalssaga würde in aller Welt keinen gemäßeren Übersetzer gefunden haben als ihn.

Heuslers „Deutsche Versgeschichte" führt so anmutig wie feinen Sinnes das eigentümlich deutsche Versgefühl vom Stabreim- bis in den Endreimvers, von der Urzeit bis in die Gegenwart vor: sie ist mehr als nur eine Vers- oder auch Dichtungsgeschichte, sie ist eine Musikgeschichte, die nur ein musikalischer Künstler, der er denn durch und durch war, hat schreiben können; an seine geliebte, süß klingende Geige war er gefesselt, solange sein Körper es nur erlaubte. Dies Buch erlöste die deutsche Versgeschichte auch von den letzten Resten antiker Betrachtungsweise, von der „toten Metrik des Auges". Sie gab vielmehr dem musikalischen Takt sein Recht in der germanisch-deutschen Verslehre, gab dem falschen Prinzip der Silbenzählung in ihr den Todesstoß, lehrte vielmehr die völlige Freiheit der Versfüllung in der vorgeschriebenen Hebungszahl erkennen und damit das Verbindende zwischen Stabreim- und Endreimverskunst. Hier war schon germanische Kontinuität im Großen erfaßt und auf einem riesigen Gebiete freigelegt, nach der wir heute überall graben.

Heuslers drittes und bislang verbreitetstes Meisterwerk, „Nibelungensage und Nibelungenlied", zog den Überlieferungszusammenhang bis in die staufische Zeit, verteilte wohl nur die schöpferischen Kräfte zwischen den beiden Epochen Germanisch und Staufisch nicht ganz endgültig, prägte aber die nun wohl lange gültige Ansicht über die Entstehung des Buchepos aus den zwei „eddischen" Urliedern, die seine Keimzellen bilden. Wiederum mußte er sich dabei, wie in der Metrik, gegen die klassische Philologie in ihrer Verbindung mit der Romantik, gegen die alten Lehren Lachmanns wenden, denn die Zwischenzeit hatte auch hier kein eigenes großes Bild besessen. So sanken dahin die Begriffe Sammeltheorie der Lieder und Episodengedichte, die es im Germanischen so niemals gab. Die Edda erhielt Maßgeblichkeit mit ihrer Liedform, und die Entstehung des literarischen Buchepos aus dem mündlich überlieferten knappen Liede ergab sich durch den künstlerischen Willen zur stilistischen Aufschwellung. Besonders mit diesem Werke erreichte Andreas Heusler die Stufe, von der aus er auch Einfluß auf andere Philologien gewann. Wer das Glück hatte, damals in Erlangen das Gespräch zwischen ihm und dem führenden klassischen Philologen Eduard Schwartz über Lied und Epos mit anzuhören, erhielt eine erste Ahnung davon, welchen Einfluß sein Nibelungenbuch auf die Homerphilologie gewann und gewinnt, womit sich eine frühere Stufe der Wissenschaft nunmehr mit umgekehrten Vorzeichen wiederholt. Aber überhaupt war Andreas Heusler der Mann, der unserer germanistischen Wissenschaft und ihrem Stoff zum erstenmal durch die gediegene Vornehmheit seiner Person wie seiner Methode den klassischen Philologen die Achtung abgewann, deren sie so dringend bedurfte, um Germanien-Thule neben Hellas und Rom als dritte und letzte geistig-sittliche Schöpfermacht des Abendlandes erscheinen zu lassen.

Bonn a. Rh., in den Tagen der Besetzung Thules durch Amerika.

Hans Naumann.

1. Isländische Landschaft. Hornsvik mit Vestrahorn.
(Aufnahme Luftschiffbau Zeppelin.)

I. UMFANG UND QUELLEN
DER ALTGERMANISCHEN DICHTUNG

1. Der Name 'altgermanische Dichtung' weckt gewisse Vorstellungen; aber landläufig ist er nicht und sein Inhalt keineswegs scharf umrissen. Machen wir uns klar, was wir darunter verstehn, und wie wir unsre Aufgabe begrenzen!

Schon eh die germanischen Stämme unter die Erziehung der Kirche und den Einfluß der antiken Buchwelt kamen, hatten sie eine Dichtkunst. Viel davon lebte auch nach der Bekehrung weiter. Es war eine nach Stoff und Form eigenartige, heimische Kunst: sie stand außerhalb der Dichtarten Roms, des alten wie des kirchlichen.

Man dürfte sich nicht wundern, wenn diese unrömische Dichtung ganz und gar verschwunden wäre. Denn es war eine buchlose Kunst. Das Bücherschreiben lernten die Goten, die Engländer, die Deutschen, die Skandinavier erst von der Kirche. Erst als Glieder der christlichen Völkerfamilie kamen sie zu einer Literatur. Und lange Zeit verstanden sich nur Geistliche aufs Schreiben.

So kommt es, daß der größte Teil von dem, was germanische Federn im Mittelalter buchten, in der Kirchensprache, im Latein, geht; daß sehr Vieles auch von den landessprachlichen Werken kirchlich-zwischenvölkischen Inhalt hat. Die heimisch-weltlichen, die wurzelhaft germanischen Schöpfungen blieben in der Regel ausgeschlossen von der Aufzeichnung

2. Das angelsächsische Runenkästchen aus Auzon bei Clermont-Ferrand. London, Brit. Museum. Schnitzerei auf Walfischknochen, wahrscheinlich aus dem 8. Jahrhundert. Oben: Schilderungen aus dem Leben des Meisterschützen Egil, des Bruders Wielands. Mit Hilfe seiner Frau verteidigt dieser sein Heim. Unten links: Baduhild kommt zu Wieland in die Schmiede. Unten rechts; Egil als Vogelfänger.

durch die christlichen Schreibekundigen. Das lag nicht nur an dem Gegensatz von Welt und Kirche, es hatte auch andere Gründe (§ 19 f.). Wir werden sehen, daß Island eine Ausnahme macht. Oft aber hat die volksmäßige Laienkunst mit ihren Inhalten oder ihrer Form hinübergewirkt auf das Dichten der schriftgelehrten Kleriker.

Damit ist gesagt, daß uns eine 'altgermanische Literatur' als geschlossene Masse nirgend erhalten ist. Nur Splitter, Ausläufer, Absenker werden uns sichtbar in den christlichen Literaturen der mittelalterlichen Germanen. Die einzelnen Sprachkreise stellen sich verschieden zu dem außerkirchlichen Gute; daher die sehr ungleiche Ergiebigkeit dieser Literaturen fürs Altgermanische.

2. Ob die gotische, von Bischof Wulfila begründete Schriftsprache jemals, auf dem Balkan, im italischen oder spanischen Gotenreich, dazu diente, weltliche Dichtung festzuhalten, wissen wir nicht. Uns haben die Goten außer lateinischen Denkmälern (Historien, Lehr- und Rechtsbüchern) nur biblisch-erbauliche Schriftstücke hinterlassen.

Von dem deutschen Schrifttum der ersten vierhundert Jahre (rund 750—1150) gilt im großen: zum Ziele setzt es sich nicht die Verewigung oder Fortbildung der heimisch-weltlichen Kunst, sondern umgekehrt ihre Bekämpfung und Ersetzung. Es ist in hohem Grade Zweckliteratur, im Sinne der kirchlichen Volkserziehung. Die zwei gewichtigsten Versbücher der Karolingerzeit sind eine sächsische und eine fränkische Evangelienharmonie. Am Hofe Karls und dann der Ottonen dichtete man Latein, desgleichen in den Klöstern, soweit man nicht

3. Steindenkmal des Skalden Thorgeir.

erbaulich auf die Menge wirken wollte. Auch die Prosa der Chronisten und Rechtsaufzeichner stieg noch nirgends zur Landessprache hinab. Die volksläufigen Dichtgattungen blieben auf die Analphabeten eingeschränkt, und die waren nun die 'Ungebildeten'. Auch sie sind viel früher als in England und Skandinavien zu der fremden Form, dem kirchlichen Reimvers, übergetreten.

Als im 12. Jahrh. weltliche Stoffe und Kunstarten buchfähig wurden; als der Spielmann und der Ritter neben den Pfaffen in das Schrifttum traten, da war Deutschland schon weit abgerückt von der altgermanischen Stufe und öffnete sich eben der zweiten fremdländischen Kulturwelle, der französisch-ritterlichen. Doch hat diese Welle in glücklichem Zusammenwirken mit den Spielmannsüberlieferungen des bayrischen Südostens die Heldenepen hervorgebracht, die stofflich mit dem Lager der altgermanischen Dichtung fest verknüpft sind.

3. In England, das auffallend rasch nach der Bekehrung zu einem Schrifttum gelangte (7. Jahrh.), war das Stärkeverhältnis zwischen Heimisch und Fremd ein andres. Dies zeigt schon der Umstand, daß man in der Muttersprache von Anfang an Gesetze aufzeichnete und dann auch die Annalenschreibung der Alten nachahmte, — während man freilich die höheren Aufgaben der Geschichtschreibung in Sprache und Geist der Kirche angriff (Bedas Historia ecclesiastica um 730; Assers Vita Alfredi um 900). Auch für die heimische Dichtung hatte die Geistlichkeit mehr Herz als im Frankenreiche. Nicht als ob sich die Federn der Schriftgelehrten geradezu in den Dienst der weltlichen Versemacher gestellt hätten: nur vereinzelt ging man so weit, dem Erzeugnis eines Laien das Pergament zu gönnen; hierin war es ziemlich so wie in Deutschland. Der Unterschied war der: neben den Geistlichen, die ganz zum Latein und den fremden Stoffen hielten, gab es nicht wenige, die dem weltlichen Dichter seine Sprach-

und Verskunst ablernten für ihre kirchlichen Gegenstände; und es gab auch solche, die zugleich mit den heimischen Formen weltliche Stoffe erwählten. Dem verdanken wir die frühesten Heldenepen des mittelalterlichen Europa, aber auch ein zeitgeschichtliches Epos, ein großes Merkgedicht, Rätsel- und Spruchmassen. Dazu hat die altdeutsche Literatur keine Gegenstücke.

In England, zumeist wohl in den nordenglischen Klöstern, vollzog sich um 700 eine Vermählung antik-kirchlicher und germanisch-weltlicher Bildung, wie sie weder in Deutschland noch in Skandinavien geglückt ist. Sie verkörpert sich sinnbildhaft in dem geschnitzten Schrein, der das Jesuskind, Titus und Romulus neben Wieland und dem Meisterschützen abbildet und sie mit heimischen Versen in heimischen Runen begleitet (§ 74). Sie prägt das angelsächsische Schrifttum. Seine 30.000 stabreimenden Verszeilen sind mit bescheidenen Ausnahmen Geistlichenwerk; aber ihre Form, ein paarmal auch ihr Inhalt zeugen ausgiebig von weltlich-germanischem Dichten.

Schon vor der Normannenzeit brach diese altertümliche Kunstart ab, und im Hochmittelalter lebten in England — trotz der Fortdauer stabreimender Versarten — viel weniger altgermanische Überlieferungen als im Donau- oder Sachsenland. Etwas wie das Nibelungenlied wäre für den englischen Minstrel unter Johann ohne Land nicht mehr in Frage gekommen.

4. Schwebt der skandinavische Norden als der eigentliche Bewahrer germanischer Dichtkunst vor, so gilt dies doch nicht von den drei Stammlanden. Dänemark, Schweden, Norwegen haben auf diesem Felde die spärlichste Ernte eingebracht. Zum Teil lag dies an dem späten Einsetzen der Schreibzeit, um 1200, da nun bald schon ritterliche und bürgerliche Dichtarten den Anteil an sich zogen (Ballade, Abenteuerroman, Verschronik). Aber noch muß es, zumal in Schweden, viel alte Überlieferungen gegeben haben —: das Entscheidende war doch wohl, daß diese Überlieferungen nicht in das Sehfeld der schreibenden Kleriker traten. Die große Ausnahme ist der dänische Geschichtschreiber Saxo, um 1200, dessen Begeisterung für die vaterländische Heldenzeit eine wundervolle Sammlung von Geschichten und Gedichten zuwege brachte, freilich in volksfremdestem Kunstlatein. Isländischen Gewährsmännern aber verdankte er den größten Teil dieser Sammlung.

Ebenso einsam steht in Norwegen das große Sagenbuch der Thidrekssaga (um 1250): in heimischer Prosa stellt es neben die damals begehrten welschen Geschichten deutsche Vorzeitsmären, wenn auch im ritterlichen Gewand seines Zeitalters.

Nur die ferne nordische Siedelung, Island, entschädigt für die Verluste der andern Länder. Was Island, wesentlich im 13. Jahrh., aufgezeichnet hat, setzt überhaupt erst instand, von 'altgermanischer Dichtung' Zusammenhängendes zu sagen. Ohne Island käme man über einen kahlen Grundriß mit einigen farbigen Flecken nicht hinaus. Die Insel macht in der Tat eine Ausnahme von dem Gesagten: in ihrem Schrifttum ist das Heimisch-Weltliche nicht nur geduldet; der größte Teil dieses Schrifttums liegt außerhalb der gemeineuropäischen Familie, besteht aus unrömischen und unwelschen Gattungen.

Landeslage, gesellschaftliche, kirchliche, politische Zustände hatten dahin zusammengewirkt, daß die heimische Gesittung am Steuer blieb. Eine *weltliche Bildung*, nicht vom Klerus geprägt und gepachtet, gibt es vor dem Hochmittelalter nur auf Island. Der kirchliche Einschlag fehlte keineswegs, aber er behielt bis zum Ende des Freistaats (1264) eine mehr dienende Rolle. Auch der Geschmack an der französischen Fabelwelt kam erst später. Die frühe Befruchtung durch die Kelten, namentlich Irlands, warf nicht aus dem angestammten Gleis hinaus. Die kenntlich isländische Sonderart erwuchs ohne Riß, ohne die gewaltsame Sinnesänderung, wie sie die führenden Geister der stammverwandten Länder erlebten. Nicht nur Altes bewahrt hat die Insel: ihre Dichtung enthält viel Nurisländisches; vollends ihre Prosa — die *Saga* mit nordischem Stoff — ist ein von Grund auf isländisches Gebilde. Doch darf man sagen, daß auch die isländischen Stile noch unter den Begriff des Germanischen fallen — in betonterem Sinne als das sächsische Jesusleben.

Darüber sehe man doch nicht hinweg, daß auch die Isländer als Bekenner des Christenglaubens, sechs bis zehn Menschenalter nach der Taufe, ihre Dichtung gebucht haben. Durch das Sieb der Kirche ist auch diese Überlieferung gegangen. Wenngleich die Kirche hier duldsamer und volksnäher war als anderwärts: die heidnische Dichtung im engeren Sinn, die von gläubigem, gottesdienstlichem Klange, ist nur selten durchgeschlüpft. Ganze Gattungen, woran dem Sammler altgermanischer Kunst viel läge, fehlen auch auf dem isländischen Bücherbrett!

4. Der kleinere Runenstein von Jellinge, Amt Vejle (Jütland). 10. Jahrh.

5. Übergangen haben wir noch die Runeninschriften. Sie sind die unmittelbarsten Urkunden altgermanischen Lebens; hier vermittelt keine geistliche Schreiberhand. Stücke nordischer und englischer Kleindichtung sind uns in Runen bewahrt. Wir werden sehen, wieweit der Runenbrauch den Satz von dem schriftlosen Dichtbetriebe einschränkt (§ 17).

Der rasche Überblick über die germanischen Literaturen mag gezeigt haben, wie es um die Quellen unserer Darstellung beschaffen ist. Man sieht, unsere Denkmäler der 'altgermanischen Dichtung' sind nicht nur ein Fragment der Fragmente, wie dies alle Literaturen der Vorzeit sind. Mehr als das, sie sind zusammengelesener Stoff aus weitgetrennten Zeiten und Ländern, sprachlich bunt. Schon ihre Auswahl muß einer gewissen Willkür unterliegen. Dem Darsteller der altgriechischen, der altenglischen ... Dichtung ist sein Boden abgesteckt, urkundlich, durch Sprache und Zeitraum. Uns lassen beide Merkmale im Stich. Wir haben es mit Ausschnitten mehrerer Sprachkreise zu tun. Eine einfache Zeitgrenze nach unten ist unmöglich. Wie das germanische Altertum, so ist sein Kernstück, die altgermanische Dichtung, kein zeitlicher, sondern ein Kulturbegriff. Die Gesittung, die Geistesart, die man 'altgermanisch' nennt, weicht langsam vor der christlich-romanischen zurück. Das Jahr 1000 ist weder für Süd- noch Nordgermanen ein Endpunkt. Schon die amtliche Bekehrung der einzelnen Stämme verteilt sich auf über 700 Jahre; um 350 begann sie bei den Westgoten, um 1100 endet sie bei den Schweden. Der Bruch mit dem Alten war ungleich scharf, die Widerstandskraft des Alten in jedem Lande wieder anders. Die Brechungen des alten Lebensstils mit dem neuen geben das mannigfachste Bild. Das Schrifttum spiegelt dies.

Außer der Kirche aber mit ihrer buchfähigen Literatur kam noch eine Macht aus Rom herüber, die sich mit Dichten abgab, einem von der Kirche verfolgten Dichten niederer Art. Das waren die *Mimi*, die Joculatores, Histriones, die fahrenden Spielleute beiderlei Geschlechts. Ihre Kunst stand zunächst außerhalb der germanischen Überlieferungen; sie bildete in mancher Hinsicht einen scharfen Gegensatz zum germanischen Wesen. Aber die Abgrenzung fällt hier schwerer. Das spielmännische Dichten wird uns erst spät erkennbar, in Deutschland seit Karls Zeit, in England noch später. Da löst es die altgermanische Kunst ab. Aber schon viel früher ist mit der Möglichkeit zu rechnen, daß der Mimus nicht nur als Possenreißer, sondern auch mit seinen Versen Eindruck machte auf germanische Hörer. Wir können nicht in Abrede stellen, daß einige unsrer Dichtarten vielleicht vom Spielmann befruchtet waren. Diesen im Grunde ungermanischen Einschlag vermögen wir nur ausnahmsweise zu erfassen[1]). Von Bedeutung ist aber, daß das ganze skandinavische Gebiet bis ins 12. Jahrh. herab keinen dichtenden Spielmann kennt; nach Island ist er überhaupt nie gedrungen. In unsrer altnordischen Poesie kommen spielmännische Einflüsse jedenfalls nur mittelbar in Rechnung.

Die Abschließung gegen den Mimus lassen wir also im folgenden weg.

Die Frage: welche Dichtwerke sind 'altgermanisch?' können wir nicht nach Jahreszahlen, nur nach Eigenschaften beantworten. Als altgermanisch im vollen Sinne wird man gelten lassen die Werke, die von Weltlichen stammen, außerkirchlichen Inhalt haben, keine römische Kunstart nachahmen, nicht aus Büchern schöpfen und für buchfreie Weitergabe bestimmt sind. Dazu das Merkmal der Form: der Stabreim; weit mehr als eine Äußerlichkeit: mit ihm gehn gewisse Rhythmen und sprachliche Stilmittel Hand in Hand.

Wo all dies zusammentrifft, da haben wir den engsten Kreis. Um ihn lagern sich weitere Kreise. Von den genannten Eigenschaften ist oft nur ein Teil vorhanden: es gibt ungleiche Mischungsgrade, Übergangszonen... Man muß sich entscheiden, wie weit man die Außenkreise mitnehmen will.

Die kleineren Stabreimwerke weltlichen Inhalts ziehn wir heran, auch wo geistliche Urheber gewiß oder zu vermuten sind. Der trennende Schnitt wäre hier gefährlich. Kirchliche Dichtung, die nur durch ihre Form mit dem altgermanischen Lager zusammenhängt, kommt des Stiles halber in Betracht. Auf die eigentlichen Schriftstellerwerke: das Buchepos insgesamt, auch wo es Heldensage behandelt, fallen Ausblicke. Umgekehrt haben wir des Stoffes wegen auch reimende, prosaische und lateinische Denkmäler in Sehweite zu behalten, vorab beim Zeitgedicht und beim Sagenlied.

Als Zeugnis germanischen Formgefühls müssen wir die Prosakunst der altisländischen *Saga* heranziehn. Ein Teil dieser Erzählwerke hat Anrecht auf den Namen Dichtung; und unter altgermanische Dichtung darf man ihn begreifen, weil dieses 'von Grund auf isländische Gebilde' noch innerhalb der Germanenfamilie liegt und zum christlich-romanischen Geiste Abstand wahrt.

[1]) Vgl. unten § 35. 72 Ende; 85f. 98, auch 63.

6. Aus dem Gesagten folgt, daß uns das Wort altgermanisch einen andern Sinn hat als 'urgermanisch' und 'gemeingermanisch'.

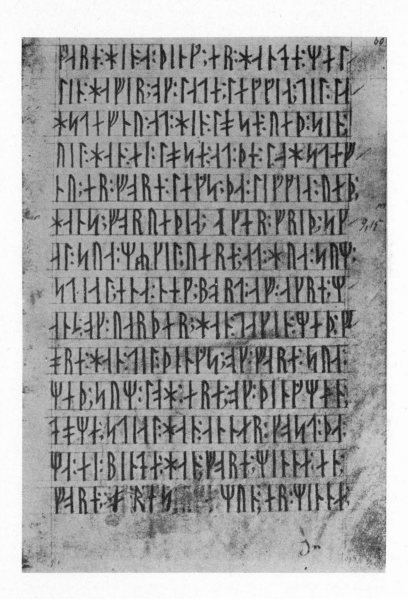

5. Eine Seite aus dem Codex Runicus der Universitätsbibliothek in Kopenhagen.
Handschrift vom Ende des 13. Jahrhunderts.
(Aus Palæografisk Atlas.)

Altgermanisch ist uns ein Kulturbegriff ohne Jahresgrenzen: das von Kirche und antiker Bildung nicht greifbar bestimmte Germanentum, dessen dichterische Spuren bis tief ins Mittelalter herabreichen.

Der Begriff *urgermanisch* schließt eine zeitliche Grenze in sich. Wir verstehn darunter das Germanentum in dem Zeitraum, da es nach Sprache und Glauben noch eine verhältnismäßige Einheit bildete, und da die Germanenmasse noch räumlich und durch nachbarlichen Verkehr zusammenhing.

Die untre Grenze dieses Zustands kann man um das Jahr 200 unsrer Aera setzen. Damals begannen die großen Verschiebungen, die zunächst die Goten und verwandte Stämme von dem geschlossenen Germanenraum lostrennten und an das Schwarze Meer verpflanzten. Bis dahin, darf man glauben, haben sich noch alle Germanen untereinander mühelos verstanden. Das Wulfilanische Gotisch um 350 dagegen muß denen am Wänersee oder an der Weser schon recht fremd geklungen haben.

Uns bildet mithin die 'urgermanische' Dichtung einen engern Kreis innerhalb der 'altgermanischen'. Der älteste unsrer Zeugen, Tacitus, gilt noch der urgermanischen Stufe. Innerhalb dieser Stufe wagen wir Älteres und Jüngeres kaum zu scheiden.

Endlich *'gemeingermanisch'* meint, streng genommen, was sich über alle Germanenstämme ausgebreitet hat – wohlgemerkt, in ältrer oder jüngrer Zeit: urgermanisch muß es keineswegs sein; es schließt keine Altersvorstellung in sich. Gemeingermanisch seit urgermanischer Zeit war das Wort *Gott* für 'deus', seit etwa dem Ende der Völkerwanderung das Wort *König* für 'rex' (den Goten noch unbekannt), seit einigen Jahrhunderten das Wort *sagen* als Einführung direkter Rede.

Am schärfsten kann die Sprachgeschichte den Begriff gemeingermanisch handhaben. Wenn sie, beispielshalber, dem Adjektiv zweierlei Beugung zuerkennt und in der einen, der 'starken', eine Mischung nominaler und pronominaler Endungen findet, so darf sie diese Sprachneuerung mit Bestimmtheit auf alle germanisch sprechenden Menschen erstrecken. Die Dichtungsgeschichte ist selten im Fall, eine Kunstform usw. als gemeingermanisch in diesem strengen Sinne auszugeben; uns sind doch immer nur wenige Stellen der germanischen Welt beleuchtet! Am ehesten wird man, was als urgermanisch zu erschließen ist, so den Stabreim, für gemeingermanisch halten dürfen. Seit der späteren Wanderungszeit erkennen wir dichterische Einfuhr von Stamm zu Stamm: Frankenland, Südskandinavien, England, später Norwegen und Island nehmen Teil an Stoffen und Kunstformen, die vom gotischen Süden ausgestrahlt sind. Der Zusammenhang der Volksfamilie bekundet sich in der Dichtung nach wie vor. Man mag immerhin den Namen gemeingermanisch in freierem Sinne gebrauchen für Erscheinungen, die wir sowohl bei Süd- wie Nordgermanen antreffen oder voraussetzen, auch ohne daß wir sie für alle Süd- und Nordgermanen behaupten dürften. Von einem 'gemeingermanischen *Zeitraum* oder Zeitalter' zu reden, dient der Klarheit kaum. Der Ausdruck stände in Wettbewerb mit unsrem 'urgermanisch', weckte aber den trügenden Schein, als hätte von einer Zeit ab das Gemeingut der Stämme aufgehört. Auch käme man zu ungeschickten Wendungen wie: 'die gemeingermanische Zeit kannte manches Nicht-gemeingermanische'.

Die 'altgermanische' Dichtung umfaßt mehr als die gemeingermanische: sie kennt auch Arten, die nur-westgermanisch, nur-englisch, nur-westnordisch, nur-isländisch sind. Es sind gar wenige Gattungen, die uns in allen drei Hauptliteraturen — der deutschen, der englischen und der nordischen — in stabenden Denkmälern vorliegen: Zauberdichtung und Heldenlieder, dazu das Kleinzeug der Formeln. Mehr Arten gibt es, die wir doppelt, in England und Island, vertreten sehn.

II. NEBENQUELLEN. RICHTLINIEN DER DARSTELLUNG

7. Bei diesem höchst trümmer- und lückenhaften Bestande an landessprachlichen Dichtwerken wird man sorgsam beachten, was sich an Quellen zweiter Hand darbietet. Es sind die 'Zeugnisse' und die Aufschlüsse, die der Wortschatz gewährt.

Die Zeugnisse bestehn aus Angaben über germanischen Dichtbrauch: über Art und Wirkung des Vortrags, auch über den Inhalt des Werks. Derlei beginnt für uns früher als die Denkmäler selbst; es führt auch zu Stämmen, die uns keine Verse vermacht haben. Tacitus ist unser erster Gewährsmann. Aus seinen mehrdeutigen Worten den sachlich zutreffenden Sinn zu fassen, ist nicht leicht. Als Ohren- und Augenzeuge redet er nicht. Dies tut erst Kaiser Julian (um 360), dessen Ohr der alemannische Gesang am Oberrhein beleidigte, und dann sehr viel ausgiebiger und feiner der griechische Gesandte Priskos, der beim Gelage Attilas den Vortrag zweier Hofdichter erlebte. Mit dem Goten Jordanes, um 550, setzen die Zeugen germanischer Abstammung ein. Viele der Chronikenschreiber bis herab ins 12. Jahrh. geben einen gelegentlichen Beitrag. Dazu kommen die Aussagen mit praktischer Spitze: die Bannsprüche und Anklagen, die in Konzilbeschlüssen, Gesetzen und Predigten die mißliebige Laiendichtung treffen.

Aber auch Gedichte in heimischer Sprache, Quellen erster Hand, stellen sich zugleich in die Reihe dieser 'Zeugnisse', sofern sie über die Tätigkeit des Dichtersängers aussagen. Das englische Merkgedicht ist dafür eine Quelle ersten Ranges. Ihm treten zur Seite die nordischen Skaldenlieder mit ihren häufigen Ausblicken auf den Kunstbetrieb. Vollends die isländischen Sagas schenken uns Auftritte, ganze Lebensläufe von Skalden, wo das Hofdichtertum, auch sein bäuerliches Gegenstück, uns anschaulich wird.

Statt der knappen Inhaltsbezeichnung gibt uns der Lateiner da und dort eine Nacherzählung des germanischen Gedichts, von der farblosen Skizze bis zur belebten, redehaltigen Wiedergabe. Den Gipfel bezeichnet der Däne Saxo grammaticus, der seine kleinen und großen Versquellen in lateinischen Metren nachformt und uns ganze Heldenlieder in dieser Umsetzung gerettet hat.

All diese Zeugnisse werden wir je an ihrer Stelle unterbringen. Sie kommen fast allen Gattungen der altgermanischen Poesie zugute; manche wichtigen Fächer können wir nur mit 'Zeugnissen', nicht mit lebendigem Inhalt füllen.

Vgl. Hans Naumann, GRMon. 15, 258ff. (1927).

8. Eine zweite Art von Nebenquellen haben wir im Wortschatz.

Die Ausdrücke für Dichter und Dichtung, für einzelne Arten, für Vortrag und Vers . . : dies kommt unsrer Anschauung zu Hilfe; der Name kann etwas als vorhanden bezeugen, wo die Sache uns verloren ist. Auch verneinende Schlüsse ergeben sich wohl einmal; daß ein gemeingermanisches Wort für den 'Dichter' fehlt, gibt zu denken (§ 95).

Ihren Wert erhalten diese Kunstworte nur da, wo wir ihren Sinn greifen. Dies trifft meist nur auf die Überlieferung Islands zu. Die zeigt uns die Namen am lebenden Modell; aus Überschriften und Zitaten erfahren wir, welcherlei Gedichte *Kvida* oder *Drâpa* oder *Flokkr* hießen. Für den sprachlichen Stil und noch mehr die Verskunst sind wir besonders gut versorgt, indem Lehrschriften — 'Schlüssel oder Liste der Versmaße', 'Sprache der Skaldschaft', grammatische Abrisse — eine Menge von Namen anbringen und erläutern. Wie alt nun diese Benennungen sind und wieweit ihnen der scharf begrenzte Sinn im lebenden Brauche zukam, bleibt meist fraglich. Viel haben jedenfalls die Systemmacher des 12. und 13. Jahrh. festgelegt. Der größre

Teil dieser Kunstsprache muß isländischer Abkunft sein; über die westnordische — d. h. norwegisch-isländische — Sonderentwicklung geht blutwenig hinauf.

Ungünstiger sind wir bei Engländern und Deutschen gestellt. Die vielen Ausdrücke zum Dichtwesen finden wir losgerissen vom Kunstwerk, zumeist in Glossen. Die geben zwar den lateinischen Gegenwert, aber damit noch lange nicht den wirklichen Gehalt der germanischen Vokabel. Der altenglische *drêam*, die althochdeutsche *sisua* bleiben mehrdeutig, obwohl jener gegenübersteht einem 'concentus, jubilatio, melodia', diese einem 'neniae, funebria carmina'. Etymologien sind außer Stande, solche Unklarheit zu beseitigen; gegen das, was der Sprachgebrauch verrät, fallen sie nicht in die Waage.

Die zusammengesetzten Glossenwörter — sie machen die Hauptmenge aus — hat oft erst der Zwang, das lateinische Wort zu übertragen, hervorgetrieben. Augenblicksbildungen stecken oft auch in den Composita der Dichter, zumal der englischen. Die vielen Bildungen mit 'Lied' und 'Leich' dürfen uns nicht verführen, ebenso viele Gattungen der Dichtkunst aufzustellen. Auch aus den sicher sprachüblichen Worten darf man nicht vorschnell technische Bedeutung herauslesen und eine bestimmte Dichtart oder Vortragsweise oder Berufsstellung in ihnen suchen.

Was von diesen sprachlichen Hilfen einigen Wert hat, wollen wir in seinem Zusammenhang aufnehmen.

9. Altgermanische Dichtung ist kein gewohnter Gegenstand gelehrter Darstellung. Lehrbücher hat man nur den Einzelliteraturen gewidmet, der gotischen, deutschen, englischen, den verschiedenen nordischen. Diese Werke, besonders die über den deutschen Zweig, pflegen, nach dem Vorgang Wilhelm Wackernagels, im Eingangsteil die Zeugnisse zu sammeln, die der 'vorgeschichtlichen' Zeit, den Vorstufen der hoch- und niederdeutschen Überlieferung, gelten. Und wo in dieser Überlieferung augenscheinliche Lücken klaffen, tut man einen beiläufigen Griff auf englische, auf nordische Werke.

Rudolf Kögel als erster ist über dieses Verfahren hinausgeschritten und hat in Band I seiner 'Geschichte der deutschen Litteratur bis zum Ausgang des Mittelalters' (1894) ungefähr gegeben, was man eine Geschichte oder besser eine beschreibende Buchung der altgermanischen Poesie nennen darf. Für Kögel sind diese Dichtwerke, die greifbar vorliegenden und die nur erschlossenen, keine bloße Unterlage zu gelehrtem Verknüpfen: er liebt sie wie ein Sammler seine Kostbarkeiten; Gehalt und Form sind ihm wichtig auch an der unscheinbaren Kleinkunst. Seine Literaturgeschichte ist z. B. die einzige, die dem stabreimenden Sprichwort Raum gönnt. Keiner hat so eingehend die Spuren des Heldenlieds in den lateinischen Chroniken verfolgt. Er bemüht sich ernstlich um die dichterischen Gattungen, ihre Merkmale und ihre Abfolge: zu einer Zeit, die noch nicht von 'Gattungsforschung' sprach. Viele Fragen hat Kögel zum ersten Mal aufgeworfen.

Das von jugendlichem Feuer durchzogene, nach keiner Seite hin schulfromme Buch stieß auf Lob wie Abgunst — und wenig Nachfolge. Kögel selbst hat noch einmal eine gedrängtere Darstellung unternommen, in manchem geklärt, nicht in allem ein Fortschritt[1]). Die altdeutschen Literaturgeschichten von Golther, Friedrich Vogt, Ehrismann, Siebs-Unwerth, Hermann Schneider traten in das Wackernagelsche Gleis zurück, gaben also die gemeingermanische Warte auf. In der Tat hätten sie sonst Mühe, den althochdeutschen Resten, ihrem eigentlichen Anliegen, die rechte Beleuchtung zu schaffen.

Einen knappen Umriß, der das Gebiet vollständiger als Kögel zu umspannen suchte, gab der gegenwärtige Verfasser in Hoopsens Reallexikon der germanischen Altertumskunde 1,

439—462 (verfaßt 1909, erschienen 1912). Die vorliegende Darstellung, in 1. Ausgabe 1924, führte jenen Grundplan aus. Da sie auf ähnlichem Raum wie Kögel sehr viel mehr Denkmäler berücksichtigte, mußte sie ganz anders auf Entstofflichung sinnen. Die drei Abschnitte über die isländische *Saga* (XVIII—XX) sind erst in dieser zweiten Bearbeitung herzugekommen.

1938 erschien die gedrungene, nichts weniger als skizzenhaft blasse Darstellung Helmut de Boors: 'Dichtung', als Teil des Sammelbands 'Germanische Altertumskunde', herausgegeben von Hermann Schneider, S. 306—430. Bei ziemlich übereinstimmender Abgrenzung des Feldes geht de Boor seine eigenen Wege. Seine mehr weltanschaulichen Fragestellungen und die mehr formgeschichtlichen des vorliegenden Bandes können sich vielleicht nützlich ergänzen.

[1]) In Pauls Grundriß der germ. Philologie, 2. Aufl., II 1, 29ff. (von Kögel unvollendet hinterlassen, von Bruckner zu Ende geführt). — Mängel an Kögels Arbeit bestehn u. a. in folgendem. In dem nordischen Stoffe ist er nicht ganz zu Hause. Sein Trieb nach steinzeitlichem Alter verführt ihn, gewisse nur nordische, innerlich späte Bildungen ins Urindogermanische zu setzen. Der eigentliche Umriß der Gattung 'Preislied-Zeitgedicht' ist ihm nicht aufgegangen, daher läßt er die skaldischen Vertreter beiseite, und der Unterschied des Heldenlieds vom geschichtlichen Liede bleibt unklar. Die scharfe Zweiteilung des Heldenlieds in 'strophische Ballade' und 'unstrophische Rhapsodie' ruht auf Irrtümern. Tief zu bedauern ist, daß Kögel, der für den Versbau so viel übrig hatte, den germanischen Rhythmenstil verkannte, ihn dem Mönchsstil des Reimverses gleichsetzte.

Unter den Gesamtdarstellungen des altenglischen Schrifttums hat uns am meisten geboten die von Brandl dank der planmäßigen Ausbeutung der Zeugnisse und der nüchtern-kritischen Stilbetrachtung.

An zusammenfassenden Werken über die altnorröne Literatur sind zu den stoffreichen Lehrbüchern von Finnur Jónsson und von Eugen Mogk seit 1923 getreten: das Heft von Neckel, die Skizze von Friedrich Ranke, die grundrißartigen Bände von Erik Noreen und von Jón Helgason und das auch schriftstellerisch schätzbare Buch Fredrik Paasches. Schücks Behandlung des altschwedischen Schrifttums beachtet auch die norrönen und die südgermanischen Beziehungen.

Die Titel all dieser Werke nennt das Verzeichnis der Abkürzungen.

Das Folgende führt diese Gesamtdarstellungen nur ausnahmsweis an. Unsre Noten sollen nur die nächsten Hilfen an die Hand geben. Polemik wie Bibliographie vertrugen sich nicht mit der Anlage des vorliegenden Versuchs. Die Titelsammlung am Schluß von de Boors Arbeit wollen unsre Noten weder wiederholen noch überbieten.

10. Bedenkt man die in § 5 angedeuteten Schwierigkeiten, so kann man wohl fragen, ob der Versuch berechtigt ist, die altgermanische, also die vor- und außerkirchliche Dichtung herauszuheben aus ihren überlieferten Zusammenhängen und zu einer neuen Einheit zu ballen.

Wir dürfen hinweisen auf die gewohnte Behandlung der germanischen Religion und Mythologie. Auch diese pflegt man zusammenfassend, als ein allgermanisches Stoffgebiet, darzustellen, und bei ihr muß man recht ähnlich die zerstreuten Trümmer aus entlegenen Fundorten zusammentragen, aus mehrsprachigen und fragmentarischen Palimpsesten einen sinnvollen Text gewinnen. Auch bei der Heldensage ist es nicht viel anders, schon wenn man sich auf die Stoffe südgermanischen Ursprungs beschränkt.

Geistige Einheit hat die altgermanische Dichtung, wie sie hier begrenzt wird, immer noch in höherm Grade als die landesübliche althochdeutsche Literaturgeschichte. Auch der Umstand, daß wir, bei allem Achten auf die Zeitstufen, unmöglich zu einer *Geschichte* der altgermanischen Dichtung gelangen: auch dieses Los teilt unser Gegenstand mit dem althochdeutschen, im Grunde auch mit dem altenglischen Schrifttum: auch da kann man zwar nach Zeiträumen einteilen, aber keinen Ablauf, keine Entwicklung vorführen.

Aber dies ist klar: berechtigt wird eine Darstellung der altgermanischen Poesie nur dann, wenn sie anderes will, als aus den Literaturgeschichten der drei Sprachkreise die Paragraphen ausschneiden, die den mehr oder weniger weltlichen Werken gelten. Die Aufgabe fordert eine andre Einstellung des Auges. Man muß das sprachlich und zeitlich Getrennte aneinander rücken und das Gemeinsame an ihm hervorkehren. Dies bedingt die Einteilung nach Gattungen, nicht nach Zeit und Ort.

Es bedingt aber auch Verzicht auf Vieles, was sonst zur Literaturgeschichte gehört. Nicht nur die philologischen Fragen der Überlieferung und Textkritik, der Zeit und Heimat, der Quellen und Verfasserschaft; auch die mehr sittengeschichtliche Seite, die Erklärung der Werke aus einer bestimmten Umwelt: all dies müssen wir als gegebene Vorarbeit der einzelnen Dichtungsgeschichten hinnehmen. Unser Augenmerk wird einseitiger das fertige Dichtwerk sein nach seiner Kunstart, seinem Stil im weitern Sinne. Auch der äußere Betrieb zwar, die gesellschaftlichen Formen der Dichtpflege, sind uns wichtig; aber auch da haben wir das Einzelne und örtlich Besondre, die Menge der Namen und Jahreszahlen, tunlich zu vereinfachen.

Endlich bringt es der hier gewählte Plan, sowie der vom Sammelwerk zugestandene Umfang mit sich, daß die kleinen und die großen Denkmäler nicht im Verhältnis zu ihrem Gewicht mit Raum bedacht sind: die höheren Kunstschöpfungen, denen die Einzellehrbücher naturgemäß den Löwenanteil gönnen, nehmen mit bloßer Skizze vorlieb. Unser Stand ist am Fuß der Bergkette; wir sehen die Gipfel in Verkürzung. Hierin wie in anderm möge dieser Versuch auf wenig gebahntem Wege als eine Ergänzung der vorhandenen Literaturgeschichten Dienste tun!

III. GESITTUNG. SPRACHE. FREMDE EINWIRKUNGEN

11. Einen geschlossenen Kulturhintergrund zu unserm Gegenstande können wir nicht zeichnen: dafür hat das Gebiet viel zu wenig Einheit. Folgende Hauptzüge dürften im ganzen auf die Germanenstämme zur Zeit ihrer Bekehrung zutreffen und die Stufe ihrer Gesittung, auch einiges von ihrer Eigenart kenntlich machen.

Die Germanen lebten als Landwirte, namentlich Viehzüchter, an den Küsten auch als Seeleute. Zugleich waren sie, dank alter Volkserziehung, ein ausgeprägtes Kriegervolk, ohne daß sie 'der Kasernen, des Exerzierens, der künstlichen militärischen Organisation, der strengen Disziplin' bedurften (Hans Delbrück). Die Einrichtung des Alltagslebens ersetzte diese Dinge. Schon die Knabenspiele bereiteten auf den Waffenernst vor. Man müßte sich wundern, wie folgerecht auch unsre isländischen Quellen schweigen von allem, was nach Ausbildung und Kadettenwesen hinüberläge, — gölte nicht gleiches Schweigen auch der landwirtlichen, der seemännischen, der dichterischen Erziehung, der ganzen 'pädagogischen Provinz'! — Um so eindrücklicher lehren uns die Quellen: es sind die Eigenschaften des harten Kriegsmanns, die man schon vom Halbwüchsigen verlangte und nur dem morschen Greise nachsah. Zu dieser Einstellung stimmt es, daß die zwei obersten Arten germanischer Dichtkunst um den Heerkönig und den Helden kreisen, den Mann der Waffe im Leben und in der Verklärung.

Seit alters lebten die Germanen in Staatsverbänden mit geregeltem Ding, wo man Recht sprach und Gesetze erließ. Sie waren einer richtigen Kriegsführung fähig — das hatten sie in der Auseinandersetzung mit dem Römerreich bewährt. Sie kannten richtigen Hausbau und nicht niedrigstehenden Schiffbau, Schmiedekunst und ein gewisses Kunsthandwerk. Es gab Tempel mit Bildnissen menschengestaltiger Götter; es gab ein Priestertum mit Aufgaben außerhalb des Zauberwesens. Man kannte Menschenopfer, aber keinen Kannibalismus.

6. Germanenkopf von einem Grabrelief aus Neumagen,
Kr. Bernkastel, im Provinzialmuseum Trier.

Rückt dies von den Wilden ab, so sehen wir anderseits die Grenze gegen gereiftere Kulturen in folgendem.

Die Faustrechtstufe waltet vor: der Gekränkte findet Schutz weniger bei der Staatsgewalt als bei der eigenen Waffe und der opferwilligen Partei. Fehde ist landläufig, Blutrache der ehrenvollste Austrag ernster Händel.

Man wohnt noch nicht in Städten beisammen. Noch haben sich Handwerk und Handel nicht verselbständigt. Der behäbige Bauernhof deckt den eigenen Bedarf an Nahrung, Kleidung und Gerät, auch an der niederen Schmiedeware. Auf Handelsfahrt geht der Sohn des Hauses, wie in Fürstendienst, eh er seßhaft wird. Kleinhandel im Gau mag der Mann ohne Ar und Halm treiben. Bau- und Bildkunst stehn auf handwerklicher Stufe, die Musik ist urtümlich: nur in der dichtenden Kunst betätigt sich ein höherer Ehrgeiz.

Man kennt kein eigenes Münzwesen und keine Geldwirtschaft. Es fehlen die prunkvollen Feste, der Festkalender. Der Glaube war eine an Opfer und Abgaben gebundene Mehrgötterei ohne Mysterien und ohne den Begriff der Rechtgläubigkeit.

12. Den Verfassungen eignete ein aristokratischer Grundzug, mit oder ohne königliche Spitze. Beim Eheschluß und in der Abstufung der Mannesbußen trat die Schätzung der besseren

7. Kampf eines Germanen mit einem römischen
Reiter. Relief an einem Marmorsarkophag des 1. Jahrhunderts n. d. Ztr. Rom, Kapitolinisches Museum.

oder geringeren Geburt besonders scharf
hervor. Aber was sich in der altgermanischen
Welt 'Adel' nannte, war nicht eine kleine
Minderheit fürstlicher Beamten: es war die
breite Schicht der Grundeigentümer, der
Kern des Volkes. Landwirte waren sie alle-
samt, und die gemeinsame bäuerliche Le-
bensweise hielt alles fern, was einem Kasten-
wesen gliche. Es gab keine Berufsstände,
keine trennende Standesbildung. Der Berufskrieger (s. u.) war mit dem spätern Ritter
nicht zu vergleichen. Auch die Priester
waren keine Zunft, die ein Geheimwissen
vererbte. Wie es um den Hofdichter stand,
werden wir sehen. In Glauben und Kunst
unterschied die Germanen scharf von Kelten
oder von Indern die Freiheit von zünftiger,
fachlicher Absonderung, das Fehlen der
Zeremonienlast.

Nicht politisch und gesellschaftlich, aber nach Erziehung und Sinnesart machte das Volk,
die Masse der Freien, eine leidliche Einheit aus. Den Begriff der 'Oberschicht' darf man in altgermanischen Dingen ja nicht überanstrengen, am wenigsten im Sinne einer zweigeteilten
Geistesbildung. Die Maßstäbe der Herrenethik galten für alle: an dem Kleinen, selbst an dem
Hörigen, schätzte man die gleichen Tugenden, nur daß sie der Freie und der Hochgestellte
in anderm Spielraum ausleben sollten.

Das Weib, in seinen Lebensformen vom Manne überall unterschieden, altväterhaft auf
das Regiment im Hause beschränkt, genoß in dieser Schranke hohes Ansehen, teilte des Mannes
Selbstgefühl und Gesichtskreis und erschien im Helden-
lied gleichen Ranges würdig wie der Held und der Herrscher. In vielen der dichterischen Arten kommt weibliche
Mitarbeit in Frage; in der Kleinkunst der Weissageverse
mag sie überwogen haben.

So wichtig im altgermanischen Leben das Band der
Blutsverwandtschaft, die Sippe, war: für die höhere
Dichtübung hat eine andre menschliche Gruppe weit mehr
zu sagen, und dies war nun eine ausgemacht männliche
Region: die Gefolgschaft des Kriegerhäuptlings; das
was mit gemeingermanischem Ausdruck *Drucht* hieß.
Tacitus gebraucht die römischen Rechtswörter *comitatus*,
comites.

Der Fürst unterhält eine Schar Krieger als seine Hof-
und Tischgenossen. Er ist ihr *Druchtin*, 'Gefolgsherr', sie
sind seine Leibgarde, die Kerntruppe auf Kriegszügen;
'in pace decus, in bello praesidium'. Es sind zumeist junge
Adlige, d. h. Erbbauernsöhne, die einige Jahre diesem

8. Rundscheibe aus Wiskauten, Kr.
Fischhausen. Prussia-Museum, Kö-
nigsberg. 10. Jahrh.

9. Das Wikingerschiff von Oseberg in Norwegen.

Hofdienst leben, eh sie heiraten und ein eignes Gut bewirtschaften. Auch landflüchtige Männer, 'Recken', stehn im Gefolge und gereifte Berufskrieger, darunter der (Waffen-) Meister, der als Gefolgschaftsältester vom Fürsten auf den Nachfolger übergehn und als Erzieher des jungen Herrn auftreten kann.

Das Treuband, das den Druchtin mit der Drucht verknüpft, bedenkt schon Tacitus mit hohen Worten: man sieht, wie schon damals, urgermanisch, diese Einrichtung blühte, die dann für Geschichte und Verfassung der mittelalterlichen Länder so folgenreich wurde.

Für die Dichtung hat die Herrenhalle mit dem Gefolge doppelte Bedeutung: als der Schauplatz, der die beiden höhern Kunstarten pflegt, sie wohl auch erzeugt hat, und als der Kreis, der so vielen heroischen Geschichten die wiederkehrende Bühne samt den Spielern hergibt: die männlichen 'Helden' der Sage sind in erster Linie die Fürsten und ihre Herdgenossen, ihre Achselgestallen (wie englische Dichter sie nennen); und die Stellung des Gefolgen zum Herrn, in Treue und Verrat, ist ein Hauptvorwurf der Dichtung. Epische und elegische Verse, bis in die altdeutschen Heldenbücher hinein, preisen das Mannenverhältnis.

Wo man von 'höfischer' Dichtung der ältern Germanen redet, da hat man an die Leibkrieger in der Fürstenhalle zu denken.

13. Das Werkzeug der Dichtung, die germanischen Sprachen, sind schon vor unsern Buchtexten weit auseinander gewachsen. Annähernd urgermanisches Aussehen bewahrt die Sprache der skandinavischen Runeninschriften vom 3. bis 7. Jahrh., das 'Urnordische'.

Die Schallwirkung der altgermanischen Mundarten können wir uns nur in ihren rohen Umrissen vergegenwärtigen. Die Sprachmelodie z. B., Höhe und Tiefe der stimmhaften Teile, ist uns ja unbekannt. Der Eindruck auf die Römer war der von etwas Wildem, Widerhaarigem, kaum Sprechbarem. Das beruhte auf dem starken Atemdruck der Tonsilben, auf den fremdartigen Reibelauten *ch* und þ (englisch *th*) und auf den gehäuften Konsonantenverbindungen, dem Überwiegen der Mitlauter vor den Selbstlautern. Die Sprache hatte, wie der aus ihr gebildete Vers, einen andern *Stil* als die römische. Sie war 'knochig und knorplig, sehnig und zäh'[1]). Ihr Reiz lag nicht so sehr in der glatten Folge von Klängen als in den ausdrucksfähigen Geräuschen.

Das Tempo der altgermanischen Prosa dürfen wir uns langsam denken, pausenreich, wie es unstädtischen Freiluftmenschen ansteht, mit großem Atemaufwand; die Stärkeabstufung der Silben deutlich und im Eifer noch gesteigert, desgleichen die Dauer der Starktonsilben fühlbar wechselnd. So war schon die Prosa ein ausnehmend rhythmenhaltiger Stoff, weit verschieden von der romanischen, die ihre mehr gleichmäßigen Silbenketten nur vor den Satzpausen stärker einschnitt und darum ganz anderen Versgrundsätzen entgegenkam.

Seit dem Aufkommen der germanischen Stärke- und Anfangsbetonung — lange vor unsern geschichtlichen Zeugnissen — war für die Sprache als Versstoff das folgenreichste Erlebnis: das Verstummen der schwachen End- und Mittelsilben. Es wird im 3. Jahrh. eingesetzt haben und hat aus der urgermanischen Sprachform etwas klanglich Neues gemacht. Die lastenden langen Wortbilder, wie wir sie in den urnordischen Inschriften noch finden, erleichterten sich um eine oder mehrere Silben. Was einst in Norwegen mit 13 Silben lautete (und etwas früher muß es bei allen Germanen ziemlich so gelautet haben:) *ek Hagustaldar hlaiwidô magu mininô* ('ich Hagestalt begrub meinen Jungen'), das schrumpfte nun durch die Synkopen auf sieben Silben zusammen: *ek Högstaldr hlœda mög minn*. Zu den kürzesten Sprachformen drang das Nordische durch, es hat auch mit den vortonigen Silben aufgeräumt: *viss* für *gewiß*, *fara* für *be-*, *er-*, *verfahren*. Eine hochdeutsche Zeile wie: *Hadubrant gimahalta, Hiltibrantes sunu* ('Hadebrand führte das Wort, Hildebrands Sohn') hätte im Altnordischen fünf Silben weniger: *Hödbrandr mœlti, Hildibrands sunr*. Bei den längsten Wortformen verblieb das Gotische; es ließ die Mittelsilben bestehen; bei Wulfila würde jener runische Satz nur eine seiner 13 Silben verlieren.

Man ermesse, wie dieser Silbenschwund auf die Versmöglichkeiten wirkte. Ein gleicher Versrahmen konnte nun mehr Worte, mehr Gehalt aufnehmen, oder er bekam, bei gleicher Wortzahl, getrageneren Rhythmus. Darum wollen wir doch nicht die feineren Versregeln, die zugleich mit den höhern Dichtarten aufkamen, als blinde Folge des lautgeschichtlichen Vorgangs, des Silbenschwunds, nehmen,

[1]) Diese Ausdrücke gebraucht O. v. Greyerz vom lebenden Schweizerdeutsch: Schweizerische Monatshefte für Politik und Kultur 2, 34. Vgl. Scheffler, Geist der Gotik 48.

14. Nicht nur im Gedicht, auch in der isländischen Erzählprosa sind die altgermanischen Mundarten mehr oder weniger ausgeprägte Nominalsprachen: sie drücken vieles durch Haupt- und Beiwort aus, was sich durch Verbindung mit Zeitwörtern sagen ließe, und das Erfinden wirft sich fast ganz auf das Nomen (§ 188).

Hierbei aber handelt es sich vornehmlich um Zusammensetzungen. Und diese sind zum kleinsten Teil gemeingermanisch, sie müssen überwiegend einzelsprachliche Neuschöpfung sein. Die Dichter sind darin vorangeschritten. In der urgermanischen Prosa waren die Zusammensetzungen hauptsächlich durch Eigennamen vertreten.

Die Art, zweistämmige Männer- und Frauennamen zu bilden, war indogermanische Erbschaft. Näher berührt sich der keltische Namenschatz. Aber fast alle germanischen Namen sind neue, eigne Bildung.

Viele dieser Namen sind wie ein kleines Gedicht, nach Inhalt und Klang. Auch wenn wir davon abstehn, sie nach früherer Weise als Ganzes zu übersetzen: *Sigi-friþus* 'der siegreiche Friedefürst' (Sigfrid) und dergleichen; auch wenn wir sie nur als Zusammenrückung der zwei Hauptwörter nehmen[1]) (Sieg-Friede), wecken sie gehobene, meist heldische Vorstellungen: *Ansu-gîslas* 'Ase-Geisel', *Hluþa-harjis* 'Ruhm-Heer' (Lothar, Luther); *Hrabna-hildjô* 'Rabe-Kampf', *Aþala-þrûdis* 'Adel-Kraft'. Einige sind auch als sinnvolle Appellativa in der Dichtung entstanden und dann erst Namen geworden: *heru-wulf* 'Schwertwolf', *gund-wini* 'Kampffreund', dichterische Umschreibungen für 'Krieger'[2]).

In der weströmischen Welt waren diese stolzen, volltönenden Namen etwas Neues; sie gefielen und drangen in Menge zu den Romanen, während die biblisch-romanischen Namen erst Jahrhunderte nach der Bekehrung bei den Germanen bräuchlich wurden.

Lehnwörter außerhalb der Namen ergossen sich seit der frühen Kaiserzeit und dann wieder durch die Kirche in Menge in die germanischen Sprachen. Da sie zunächst einen werktäglichen oder dann ständischen, volksfremden Klang hatten, fanden sie nicht so bald Eingang in die Dichtung; denn deren Wortwahl neigte zum Gehobenen und zum Altertümlichen: die vielen Neubildungen bestritt man mit den heimischen Wurzeln. Die deutsch-englischen Stabreimgedichte, auch die von Geistlichen, sind lehnwortarm: der Beowulf hat etwa 20, die Elene 30, der Heliand einige 50 Lehnwortstämme; meist sind die alten, vorkirchlichen, stark in der Mehrheit.

Doch begegnet bei nordischen Hofdichtern auch dies, daß sich der Vers mit Wörtern schmückt, die offenbar frisch aus der Fremde kamen und erst später oder überhaupt nie sprachläufig wurden.

[1]) E. Schröder, Zs. f. Namenforschung 14, 104 (1938). [2]) Kluge, Deutsche Sprachgeschichte (1920) 197.

15. Wie weit zurück können wir germanische Dichtung verfolgen? Die Frage ist nicht ganz zu umgehen; auf unsichere Jahreszahlen verzichten wir gern.

Erkennt man 'prägermanische', d. h. aus urindogermanischer Stufe ererbte Anfänge? — Bei Teilen der Zauberdichtung hat man dies seit Alters bejaht. Auch für den germanischen Vers hat man eine ursprachliche Grundform gesucht. Weitere Vermutungen wären noch unsicherer. Forderte man für die Heldendichtung der Germanen und der Griechen gemeinsamen Ursprung: dies verschlüge zurück ins dritte Jahrtausend (die Jonier kamen um 2000 an die Aegäis). Also eine Heldendichtung mit Steinwaffen . . . und danach hätten unsre Ahnen wohl 2500 Jahre lang auf der Stelle getreten, bis endlich die Stoffe der Völkerwanderung alles bisherige wegfegten . . .?

Neben der prägermanischen Stufe wäre eine 'vorgermanische' zu erwägen. Vorgermanisch meint die Bewohner der germanischen Urheimat, eh sie die indogermanische Sprache annahmen und daraus das germanische Idiom machten. An diesen Hergang glauben wir, vor allem weil die Schallform des Germanischen so gewaltsam abweicht von der der Ursprache und der Schwestersprachen: eine Abweichung dieser Art konnte nur entstehn, wenn die Ursprache in den Mund Fremdsprachiger — eben der 'Vorgermanen' — geraten war. Vorgermanisches Wesen glauben wir zu erkennen in den Steinbildern der schwedischen Landschaft Bohuslän; diesen Denkmälern, die seit einigen Lustren als aufschlußreichste Urkunde des vorgeschichtlichen Germanentums paradieren. Zwei Seiten an ihnen widersprechen schroff dem, was wir anderwärts als germanisch kennen: die inhaltliche Seite, die ausgeprägt geschlechtliche und phallische Einstellung — die gestaltliche Seite, der urtümliche Wirklichkeitssinn der Bilder (Wirklichkeitskunst wäre hoch gegriffen) ohne nennenswerten Anlauf zum Ornament; während sonst, was germanisch heißt, seit der Bronzezeit durch zwei Jahrtausende hin den Hang zur naturfernen Zierform bekennt; 'die von der Sache unabhängige Linienphantasie, das Spiel mit abstrakten Gesichtsbildern' (Dehio). Gesetzt, die Schöpfer dieser Steinbilder gingen in

10. Prachtfibel aus Gotland in Schweden. Museum zu Stockholm.
(Nach Salin, Altgermanische Tierornamentik.)

11. Kelch des Herzogs Tassilo [† 794].
Kupfer mit niellierten und vergoldeten Silberplättchen. Stift Kremsmünster.

12. Seite aus einem Evangeliar der Stiftsbibliothek in St. Gallen mit dem Bilde des
Apostels Marcus. Irische Handschrift aus der Mitte des 8. Jahrhunderts.
(Nach Zimmermann, Vorkarolingische Miniaturen, Berlin 1916.)

dem nordgermanischen Volke auf: in der Gesittung, die wir 'altnordisch' nennen, dürfte dieser phallisch-natursüchtige Einschlag schwer zu erspähen sein. Wer die alten Nordländer, den redenden Zeugen zum Trotz, für tanz- und maskenfrohe *Gaillards* hält, der wird darin einen 'vorgermanischen' Strang sehen (§ 35. 84). Wir wüßten keine Stelle in den Resten altgermanischer Dichtung, die den Schluß auf Vorgermanisches — in dem hier gemeinten Sinne — herausforderte.

Steigen wir in geschichtlich hellere Zeiten herab! Von fremden Einwirkungen auf die Germanen überragt alle anderen die römische, seit dem 4. Jahrhundert verkörpert durch die missionierende Kirche. Wir rechnen es zur Artbestimmung der 'altgermanischen' Poesie, daß sie außerhalb dieses Machtbereichs wurzelt; weder den germanischen Versstil noch eine der schriftlosen Dichtgattungen hat man auf römische Muster zurückführen können, wie auch Mauerbau oder Hausanlage der Römer, überhaupt das meiste ihrer stofflichen Gesittung, bei den Bewohnern Germaniens keine Nachahmung fand. Abhängigkeit im einzelnen wird man immer im Auge behalten; dem Ungelehrten konnte etwas aus einem Buche zufliegen; besonders aber die mehr unterirdischen Zuflüsse aus der Gegend der römischen Mimi erkennen wir als möglich an (§ 5).

Der Erbe des Römerreichs, der Fortsetzer seiner Einwirkung, ist seit Chlodwig, um 500, das fränkische Großreich: in mancher Hinsicht eine ausländische Macht. Auch zu dem Betriebe der altheimischen Dichtkunst stellt sie sich eindämmend, feindselig, sofern sie die kirchliche Volkserziehung erstrebt. Unter den Merowingern, Karolingern und Ottonen hat man die völkische Kunst erfolgreich am Emportauchen in das Schrifttum gehindert. Der große Karl selbst machte eine merkwürdige Ausnahme (§ 20).

Um 600 begann der Einfluß der keltischen Iren. Keltische Gesittung hat in vier Wellen auf germanische Völker gewirkt.

In den letzten vorchristlichen Jahrhunderten auf die Germanen in ihren alten Sitzen. Der Einfluß gibt sich klar im Gewerbe zu erkennen (La Tène-Kultur), aber auch die Sprache weist darauf, undeutlicher die Religion, und leicht mag auch das Dichten daran Teil gehabt haben. Doch ist in dieser Jugendzeit der germanischen Sonderart der keltische Einschlag kaum als etwas Fremdes abzutrennen; er gehört zu den Komponenten des Germanentums. Die Sprachgeschichte hat es als unmöglich erkannt, zwischen keltisch-germanischer Urverwandtschaft und ältester keltischer Lehnschicht im Germanischen zu scheiden. Wer die germanische Runenschrift auf 'norditalische' Vorbilder zurückführt, wird auch dies noch zugunsten der ersten keltischen Welle buchen.

Die zweite keltische Welle gehört dem 7. bis 9. Jahrh. Es ist die ausgeprägt christliche Einwirkung der irischen Sendboten und Gelehrten auf Nordengland und das Frankenreich. Sie dürfte mitgeholfen haben, bei den Engländern das stabreimende Buchepos hervorzubringen, überhaupt jene 'Vermählung antik-kirchlicher und germanisch-weltlicher Bildung' (§ 3).

Die dritte Bewegung ging von den Iren auf die Norweger und die Isländer, zuerst in der Wikingzeit (9., 10. Jahrh.), dann wohl wieder, durch die Orkaden vermittelt, im 12. Jahrh. Anerkannt ist die irische Wirkung auf das Zierhandwerk, nicht unbestritten die Befruchtung der skaldischen Kunstform, des Sagavortrags, der Merkdichtung und der Verstheorie. Dazu kommen noch keltische Erzählstoffe, die meist erst in isländischer Prosadichtung des 12., 13. Jahrh. zutage treten. Ein Teil dieser Entlehnungsfragen fällt in unsern Kreis.

Die vierte keltische Welle, die im 12., 13. Jahrh. Europa mit den epischen Lieblingsstoffen beschenkte, der 'Matière de Bretagne' (König Arthus und Genossen), war durch die Franzosen vermittelt. Sie liegt außerhalb unsres Bereichs.

16. Soweit der Westen Europas. Im Südosten fallen uns die Goten der Wanderjahrhunderte in die Augen als Vermittler fremden Einflusses. Wir streifen nur eben die kirchliche Seite: die Begründung des germanischen Arianertums, der gotischen Buchschrift, die sich auf der griechischen aufbaute. Weiter zurück reichen gewisse weltliche Wirkungen.

Im skythischen Südrußland waren die Goten um 200 Nachbaren und Herren geworden von Völkern, die von der Hauptmasse der Germanen weit getrennt saßen. Sie lernten hier einen vereinfachten Ableger der griechischen Gesittung kennen. Ihr Kunsthandwerk nahm eine ganz neue Gestalt an. Neue Zierformen, beherrscht von verschlungenen Flechtbändern, die in naturferne Drachen- und Vogelglieder auswachsen — das 'animalisierte Linienornament', nach der Entstehung richtiger: das in Zierat umgedachte Tier —, dies gaben die Schwarze-Meer-Goten an ihre Stammverwandten ab, und einige Jahrhunderte durch kennzeichnet das Tierornament überall in Europa die Hinterlassenschaft der Germanen. Seine feinste Ausbildung und auch seine längste Dauer erlebte es bei den Nordländern.

Mit diesen Zierformen wanderte noch anderes von den Goten nordwestwärts zu den Daheimgebliebenen. Wir möchten die Runenschrift dazu rechnen; die Runenreihe eine Erfindung der pontischen Goten bald nach 200, nach dem Vorbild lateinischer und griechischer Kapitalbuchstaben. Doch gibt es über den Runenursprung heute noch ein Vierteldutzend weiterer Ansichten . . . Zur pontisch-gotischen Ausfuhr wird auch Mythisches gehört haben: der gefesselte Loki, ursprünglich ein Erdbebenriese des Kaukasus, ein Vetter des Prometheus[1]); die Klage um den toten Balder, ein dichterischer Abglanz der semitischen Tamuz- und Adonisklagen[2]). Wogegen bei der höheren Wodansverehrung das deutsch-keltische Grenzland am Rhein bessern Anspruch hat als der gotische Südost[3]).

Wichtiger als all dies ist für uns die Frage, wie es mit der mutmaßlichen Neuschöpfung der Goten, Preislied und Heldenlied, samt dem Amte des Hofdichters, zusammenhing. Hat irgend ein Nachbar am Pontus oder auf dem Balkan diesen Aufschwung angeregt? Wir nehmen die Frage in § 124 auf. In und mit dem gotischen Heldenlied kam gotische Heldensage zu den andern Germanen. Doch weist dies nicht mehr in den fernen Osten zwischen Don und Dnjestr; die Goten werden dies aus ihren späteren Wohnsitzen, zu den Zeiten Attilas und Theoderichs, an die West- und Nordnachbarn abgegeben haben (§ 125). Ob sie auch hunnische Gesittung an den Westen vermittelten, ist an zwei Stellen zu erwägen (§ 44. 124).

Viel später, im 9.—11. Jahrh., ragte wieder der Osten, der russische und der byzantinische in den Gesichtskreis der Nordgermanen herein: durch die Züge und Herrschaftsgründungen der Waräger (der Wikinge des Ostens); durch den Dienst in der Leibtruppe des oströmischen Kaisers. Außer einigem Erzählstoff hat dies dem Dichten der Nordleute nichts eingetragen[4]).

[1]) Olrik, Ragnarök (1922) Kap. 5. [2]) Neckel, Balder (1920). [3]) Neckel, ZsAlt. 58, 225ff.; F. R. Schröder, Altgermanische Kulturprobleme (1929), 45ff. Kein Zeugnis für Herkunft der Odinsverehrung aus dem Gotenreich sind die euhemeristischen Wanderungslegenden isländischer Literaten im 12., 13. Jahrh.: Vf., Die gelehrte Urgeschichte im altisl. Schrifttum (1908). [4]) F. R. Schröder, GRMon. 1920, 204ff., 281ff.

IV. RUNENSCHRIFT. MÜNDLICHE ÜBERLIEFERUNG UND DIE NIEDERSCHRIFT

17. Als eine Schöpfung umstrittenen Ursprungs nannten wir die Runenschrift. Sie scheint früh, nicht nach dem 3. Jahrh. unsrer Rechnung, nordischen Boden erreicht zu haben und erst von hier wieder südwärts zu den Westgermanen gedrungen zu sein. Doch ist sie in deutschen

13. Runenstein mit Darstellung eines Reiters.

Landen gegen die lateinische Schrift nicht recht aufgekommen. In England waren, außer Handwerkern, einige Geistliche für sie empfänglich. Ein kräftiger Bestandteil der Volkssitte sind die Runen nur bei den Nordgermanen (nicht auf Island) geworden; da gehn die Denkmäler, meist Grab- und Gedenkinschriften, in die Tausende.

Der Linienzug der Runen läßt schließen, daß Holz das bestimmende Material war; uns aber sind fast nur Denkmäler aus dauerhafterem Stoff erhalten. So überschauen wir auch nicht, wieweit man diesen alphabetischen Runen, den Lautzeichen, zauberischen Sinn beilegte, und wie sie sich darin verhielten zu den Wort- oder Begriffszeichen, die schon Tacitus für die Zweigweissagung bezeugt. Daß Lautrunen auch für Worte und Sätze magischen Inhalts dienten, ist eine Sache für sich.

Unterscheiden wir dreifache Verwendung von Lautzeichen: *Inschrift — Brief* (Urkunde) — *Buch*, so darf man von den Runen sagen: die dritte Art, das Aufzeichnen eigentlicher Sprachdenkmäler, der Wettbewerb mit der gedächtnishaften Weitergabe, war seltene Ausnahme. Die Germanen wurden durch die Runenschrift kein literarisches Volk.

Das gelegentliche Übergreifen der Runen in den Buchbereich — im bezeichneten Sinne — hatte wohl immer bestimmten Anlaß. Aus dem altnordischen Schrifttum sind hervorzuheben drei Sagastellen, die eine in der lebenstreuen Egilssaga, mit der besonderen Sachlage: die Dichtung eines Sterbenden will man auf Holz einritzen. Wir brauchen dies als Kulturzeugnis nicht anzuzweifeln, aber die Meinung ist deutlich, daß nur der Todesfall die Niederschrift nötig macht. Eine Ausnahme, die in der Tat die Regel stärkt. Wer am Leben blieb, sorgte für mündliche Weitergabe seiner Verse[1]).

Etwas anderes ist, daß man auch Inschriften in Verse fassen konnte. Gegen 200 Kurzverse in nordischer und englischer Sprache sind uns so bewahrt, meist Merkdichtung, selten ritual. Dies also ist Kleinkunst, die für die Aufzeichnung und die Weitergabe durchs Auge bestimmt war. Diese kleine Ecke der *Inschriftenverse* durchbricht die Aussage, daß 'altgermanische' Dichtung nur in Mund und Gedächtnis lebte.

Eine abgeleitete Art von Inschrifttexten haben wir da, wo man ein *Zitat* eingrub, d. h. einen Text, der nicht erst für diese Stelle geschaffen war. So ist in den Türring einer schwedischen Kirche eine Rechtssatzung gemeißelt und auf den Grabstein eines Schweden eine Strophe über Dietrich von Bern (§ 74). Der Hauptfall ist das englische Steinkreuz von Ruthwell (8. Jahrh.): da hat man eine Dichtung, die der geistliche Urheber mit Feder und Pergament geschaffen hatte, hinterher auf Stein übertragen. Gleiches ist ja auch unsern Denkmälern geläufig.

[1]) Anders denken darüber O. v. Friesen, Rökstenen (1920) S. XI, und M. Olsen, 'Edda' 5, 242ff.

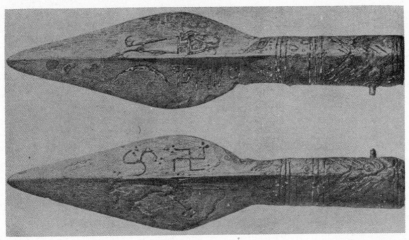

14. Speerspitze, gefunden bei Müncheberg in der Mark Brandenburg. Verzierungen und Runen-inschrift bestehend aus eingelegten Silberfäden. (Nach Rudolf Henning, Die deutschen Runendenkmäler.)

18. So war die vor- und außerkirchliche Dichtung der Germanen kein Schriftstellerwerk: ihre Lebensluft war der freie Vortrag und die mündliche Vererbung.

Daraus folgt: ein Werk oder eine Gattung, die für ein Menschenalter oder länger aus dem Vortrag ausschieden, waren damit unwiederbringlich dahin. Ferner: da die gedächtnismäßige Überlieferung mancherlei Freiheiten erzwingt oder auch erlaubt, konnte ein langlebiges Gedicht mit der Zeit Form wie Inhalt stark wandeln, ohne geradezu ein neues Lebewesen zu werden. Zwischen Identität und wurzelhafter Verschiedenheit zweier Texte gibt es mehr Zwischen-stufen als bei buchlichen Schöpfungen.

Daher ist wenig gesagt, wenn man ein Werk wie das Hildebrandslied oder einen Zauber-segen auf Grund einiger Sprachformen datiert: 'um 780'. Damit datiert man die eine Fassung, die uns zufällig aufgehoben ist. Ältere Fassungen können vorangegangen sein ohne jene sprach-lichen Handhaben, wie auch jüngere Fassungen mit wieder neuen Sprachformen folgen konnten. Bei der starren Datierung der Eddagedichte, oft auf Grund von zwei, drei Oberflächenerschei-nungen, hat man die Lebensbedingungen der mündlichen Tradition besonders auffällig mißachtet.

Ein so unfestes Zersingen aber wie bei den spätmittelalterlichen Balladen gab es bei den höhern Gattungen der Stabreimpoesie kaum; schon darum, weil die Gemeinplätze, das bereit-liegende Formelgut, viel beschränkter waren (§ 135). Je kunstreicher die Form war, um so mehr schützte sie vor Zersingen; die Strophen im skaldischen Hofton wird man am wörtlichsten auswendig gelernt und wiederholt haben.

19. Die angeborene Schriftlosigkeit der altgermanischen Dichtung war der Hauptgrund, daß auch die Schreibezeit so wenig davon gerettet hat. Wir haben dies gleich im Eingang hervorge-hoben. Man pflegt zu viel zu machen aus der Feindschaft der Religionen, aus dem Abscheu der Christen vor dem Heidentum. Gewiß, man kann eine ganze Blütenlese sammeln von Stellen, wo der Kirchenmann die volkssprachliche Dichtung mit Namen betitelt wie: 'cantica diabolica,' 'va-nissima carmina avitae gentilitatis', 'neniae inhonestae', 'obscena et turpia cantica'. Aber wir müssen doch fragen, auf welche Teile der Dichtung diese Scheltworte zielen können. Die Antwort

wird lauten: auf die Kleindichtung, die Anstoß gab einerseits durch greifbar Heidnisches (Götternamen, Zauberei), anderseits durch Geschlechtliches, 'Unanständigkeiten' in Wort und Gebärde[1]).

Das wären also die Gattungen der heidnisch-liturgischen und der Zauberdichtung mit einem großen Teil der geselligen Lyrik; auch die göttermythischen Erzählstücke, wo es solche gab. Die Hauptmenge der Spruch- und Merkgruppe und dann vor allem die beiden vornehmeren Arten, Zeitgedicht und Heldenlied, die hätte auch ein enger Mönch schwerlich als 'teuflisch' oder 'unflätig' bezeichnen können. Ihr kriegerischer Geist, für den hatte man auch unter den Pfaffen etwas übrig. Der sehr fromme Dichter des Beowulfepos sieht mit Liebe auf die Preis- und Heldengesänge, die das fürstliche Gelage verschönen; und dies war bei seinen englischen Standesgenossen die herrschende Stimmung.

'Heidnisch' im vollen Sinne war eben nur ein Teil der altgermanischen Dichtung. Man lasse sich nicht blenden durch gewisse neuere Schriften, die uns die alten Germanen als gotterfüllt schildern wie die Ebräer des Alten Testaments und als zauberversessen wie die finnischen Schamanen des Kalevala! Damit wischt man das Kenntliche am Germanen aus. Seine Luft war dünner, seine Einbildung diesseitiger, als manche es wahr haben möchten. Was die Heldenlieder etwa an anstößig Heidnischem, an Götterwesen, enthielten, das streiften sie nach der Bekehrung leicht ab, ohne zu zerbrechen. Das 'Incende, quod adorasti!' konnte nur gewisse Gattungen treffen. Die 'carmina gentilia', die Kaiser Ludwig der Fromme in reiferen Jahren verstieß, waren nicht die fränkischen Heldenlieder, die sein Vater gesammelt hatte: es waren die Werke der alten Heiden Vergil und Ovid! Gerade der künstlerisch wertvollere Bestand an volkssprachlicher Dichtung war so wenig heidnisch, daß ihm — auch außerhalb Englands — Klosterleute oder Domherren wie Paulus Diaconus, der Walthariusdichter und der Sachse Widukind, und nun gar der Däne Saxo, bewundernde Wärme entgegenbringen konnten.

Wenn auch diese Männer nur lateinische Nacherzählungen und Umdichtungen geben; wenn, allgemeiner gesagt, auch die hochgespannte Helden- und Fürstendichtung ungeschrieben blieb, so hatte dies den einfachen Grund: auch der Wohlwollende spürte keinen Antrieb, diese Unterhaltungsstücke aus dem belebten Vortrag in das stumme Buch zu verbannen. Wer diese Lieder liebte, der mochte sie anhören, wie sie der Skop oder Spielmann, in der Halle oder auf dem Platze, zum besten gab!

Wir kennen freilich Gestrenge, die auch diese Vorträge verpönten. 'Sermones patrum, non carmina gentilium' verlangt Alkuin, der 'Horaz' an Karls Hofe, als Unterhaltung beim englischen Priestermahl; und der Zusammenhang zeigt, daß er bei den 'heidnischen Gedichten' an ernste Heldensage denkt (§ 122). Aber er spricht, wohlbemerkt, zu einer Domherren-Tafelrunde. Ob die Geistlichkeit das edle weltliche Lied auch in der Herrenhalle bekämpfte, dafür haben wir keine Zeugnisse[2]). Wohl aber für das Gegenteil, zumal in England.

[1]) In der Sprache eines Italieners des 10. Jahrh.: cantiunculae, quarum aliae *maleficiorum* aliae *stupri* causa canuntur; s. Novati, Mélanges offerts à Wilmotte 2, 440. [2]) Kelle 1, 36f. stellt dies unrichtig dar.

20. Unter diesen Umständen brauchte es glückliche Zufälle oder besondre geschichtliche Fügungen, damit überhaupt etwas von der heimischen Dichtung aufs Pergament kam. Die Niederschrift des deutschen Hildebrandlieds, des englischen Hengestlieds, auch der außerkirchlichen Segen, war ein glücklicher Zufall. Man übersehe nicht, daß die großen englischen Vershandschriften fast nur Buchdichtung geistlicher Verfasserschaft enthalten; auch das Merkgedicht und die Elegien wird man dazu rechnen müssen.

Ein Zufall höherer Art, d. h. ein Ausfluß persönlicher Geistesbildung, war es, daß Karl

15. Eine Seite aus der älteren Edda. Handschrift des 13. Jahrhunderts.
(Nach Palæografisk Atlas.)

der Große eine Sammlung deutscher Heldenlieder anlegte (§ 122): derselbe Karl, der an seinem Mahle Augustins 'De civitate dei' vorlesen ließ, daneben auch den Musikanten nicht verschmähte, und der in seiner antikischen Hofakademie den Künstlernamen David trug! Kein Zweifel, mit jener Liedersammlung wollte Karl nicht dem Vortrag der Skope dienen: die hätten mit dem Buche gar nichts anzufangen gewußt. Die Lieder müssen ihm als geschichtliche Denkmäler der Bewahrung würdig erschienen sein. Es war ein wissenschaftlicher Belang, so gut als bei seiner 'Grammatica patrii sermonis'. Galt ihm das höfische, stabreimende Heldenlied schon als ein Altertum, das man vor Torschluß bergen mußte?[1])

In ähnlichem Lichte ist auch der isländische Sonderfall zu sehen (vgl. § 4. 81). Auf Island erstarkte mit der Schreibezeit, seit den Tagen der Gelehrten Ari und Sämund, ein geschichtlich-philologischer Eifer, der die Vorzeitsurkunden sammelte und bearbeitete. Dazu gehörten auch die eddischen und skaldischen Gedichte. Die Liederbücher waren nicht als 'Soufflierhefte' für den praktischen Gebrauch bestimmt: sie schlossen sich der Reihe der Sagas an als Denkmäler alter Geschichte, Mythologie und Lebensweisheit. Wozu der eigen isländische Grund kam: die noch gepflegte Skaldensprache war nicht zu verstehn ohne Kenntnis der alten Sagen.

Damit leugnen wir die Freude am Unterhaltsamen und Künstlerischen nicht, weder bei Karl noch bei den Isländern. Nur hätte diese Freude allein schwerlich zur Buchung von Werken geführt, die ganz und gar auf ein mündliches Dasein eingestellt waren.

Scheiden muß man bei dieser Frage immer die beiden Dinge: einmal, daß wir nichts haben, weil kein Grund zur Niederschrift bestand; zweitens, daß eine Kunstübung erlosch, weil sie keinen Anteil mehr fand. Wenn z. B. Schweden kein Heldenlied hinterlassen hat, dürfen wir noch lange nicht behaupten, die Geistlichkeit mit ihrem Sündenbegriff habe dieser Kunst den Todesstoß gegeben[2]). Wir ahnen ja nicht, wie tief die Heldendichtung in die schwedische Christenzeit herabreichte! Oder wenn in deutschen Handschriften vom alten bis zum jungen Hildebrandslied, 600 Jahre lang, die Heldenlieder fehlen, wissen wir doch, daß sie die ganze Zeit über kräftig blühten. Hätten alle Geistlichen gedacht wie Alkuin, so würde dies erklären, daß keine Heldenlieder aufs Pergament kamen: wie lange die Gattung im Saft stand, hinge davon nicht ab.

[1]) Lamprecht, Deutsche Geschichte 1², 339.   [2]) Nerman, Svärges hedna literatur (1913) 23.

V. NIEDERE UND HÖHERE GATTUNGEN.
EDDISCH UND SKALDISCH

21. Nehmen wir die Einteilung nach Arten als gegeben (§ 10), so bleiben immer noch Schwierigkeiten.

Zwar wird zunächst eine Zweiteilung, obwohl sie bisher nicht anerkannt ist, einleuchten: die Teilung in niedere und höhere Gattungen. Mehrere annehmbare, wenn auch nicht beweisbare Merkmale trennen die beiden Lager:

1. Das Alter: die niederen Gattungen dürfen wir, wenn auch nicht in ihren sämtlichen Arten, schon der urgermanischen Zeit zuschreiben; die höheren scheinen in der Völkerwanderung einzusetzen: bei Tacitus finden wir sie noch nicht eindeutig bezeugt.

2. Die gesellschaftliche Stufe: die niederen Arten gelten uns als 'Gemeinschaftsdichtung' — worunter wir kein romantisches Geheimnis verstehn, nur dies, daß alle Kreise die Verse hervorbringen und genießen; daß Dichten und Vortrag keine berufliche Ausbildung und Löhnung kennen. Wogegen bei den höhern Gattungen Standesgrenzen und persönliche Kunstübung spielen. Damit hängt zusammen:

3. Daß die höhern Gattungen voraussetzungsreichere, entwickeltere Gebilde enthalten nach Umfang, innerm und äußerm Stil, wahrscheinlich auch Versbau.

Wiegende Gegengründe gegen diese Hilfsstützen hat man nicht aufgeführt. Der Leser urteile am Ende der Wanderung, ob die so geordnete Masse überzeugend wirke.

Als niedere Gattungen rechnen wir diese fünf, mit kurzen Stichworten bezeichnet: Ritualdichtung, Zauber-, Spruch-, Merkdichtung, Kleinlyrik. Als höhere Gattungen rechnen wir diese zwei: Preislied, Erzähllied. Dazu käme dann noch der buchmäßige Nachfolger, das Epos.

Allein, einen schlechtweg zweiteiligen Grundplan haben wir damit nicht gewonnen! Die Lage wird verwickelter — aus folgenden Gründen.

22. Jene niedern Gattungen sind gewissermaßen über sich selbst hinausgewachsen; sie haben *entwickeltere Sproßformen* getrieben, die zwar immer noch die Namen 'Zauberdichtung, Merkdichtung ..' verdienen, die aber nach Umfang und Kunsthöhe nicht mehr niedere Gemeinschaftsdichtung sind. Es sind innerlich jüngere Erzeugnisse, die man sich nicht so leicht als urgermanisch vorstellen wird.

Solche Gedichte treffen wir in unsrer englischen, besonders aber in der nordischen Überlieferung. Auch der Teil der Edda, den man unsern niedern Gattungen beizählen darf, ist weit überwiegend 'entwickeltere Sproßform' in dem eben genannten Sinne. Das ganz Anspruchslose, Unpersönliche hat man eben selten, auch auf Island, der Aufzeichnung wert gefunden!

Nennen wir zwei Beispiele! Das große eddische Sittengedicht (§ 65) ist mit seinen siebzig makellosen Sechszeilern eine entschiedene Steigerung eines schlichten Spruchtypus, ein Gewächs, das schwerlich an beliebiger Stelle der germanischen Welt seinesgleichen fände, — wenn auch durchaus volksmäßig und unbuchhaft.

Dann der englische Fürsten- und Völkerkatalog Wîdsîth: zweifellose 'Merkdichtung', in sichtbarem Zusammenhang mit der alten, urgermanischen Gattung — aber in Masse und Kunst der Umrahmung darüber hinausgestiegen, ja sogar mit Spuren geistlicher Feder.

Es fragt sich: weisen wir solche Denkmäler zu den höheren Arten? Deren Zahl würde dann zunehmen. Oder lassen wir sie bei ihrer Gattung, im Fache der Spruch-, der Merkdichtung? Dann umschließen all diese Fächer nicht bloß die alten, urtümlichen Typen, sondern dazu noch ihre kunsthafteren Nachkommen. Die äußerliche Zweiteilung 'niedrig — hoch' wird von innen heraus durchkreuzt.

Wir ziehen das zweite Verfahren vor.

Auch dies lockert den Zaun zwischen den beiden Hauptlagern, daß die höhere Kunst auf die niedere herübergewirkt hat. Nehmen wir mit Recht an, in und mit dem Preis- und Erzähllied entstanden der festere Periodenbau und die strengere Versfüllung (§ 31), dann haben wir zu schließen, daß diese Technik über die beiden Kunstarten weit hinaus griff: auch Zaubersprüche, auch schlichte Inschriftenverse können jenen Grundsätzen mehr oder weniger genau folgen.

Dazu kommt endlich noch eine Erscheinung eigner Art, die innerhalb der westnordischen Dichtung — der Dichtung Norwegens und seiner Tochterländer — die Grenzlinien der dichterischen Gattungen überspringt und eine neue, nur-nordische Zweiteilung herstellt. Es ist die Zweiteilung, die man mit den modernen Prägungen 'eddisch' und 'skaldisch' benennt.

23. Eddisch sind die mannigfachen *objektiven* Gattungen: deren Stoffe auf einer allgemeinen, unpersönlichen Bühne liegen. Skaldisch sind die *subjektiven* Gattungen, die ihre Stoffe

dem Leben oder der Umwelt des Dichters entnehmen; in der Hauptsache die zwei: das Preislied und die Alltagslyrik; die größere und die kleinere Gelegenheitsdichtung. Bei den objektiven Gattungen herrscht die namenlose Überlieferung; bei den subjektiven pflegt man den Namen des Urhebers zu kennen und zu vererben.

Aber dieser Unterschied hätte nicht genügt für die merkwürdige Zweiteilung, die in keinem andern Schrifttum ein Gegenstück hat. Dazu brauchte es noch den Unterschied der Form. Sprachlicher und metrischer Stil sind in den beiden Lagern ungleich: in dem eddischen einfacher, prosanäher, in dem skaldischen kunstreicher, prosaferner. Dieser Formunterschied ist der wesentlichere, doch zugleich der fließendere, denn es gibt viele Grade der Künstlichkeit, und es gibt Mischungen sogar in einem Gedicht. Mit diesem Vorbehalt kann man *skaldisch* und *eddisch* als Stilgegensätze behandeln.

In unsrer Überlieferung gehn die beiden Stile zeitlich nebeneinander her. Schon aus der ersten Hälfte des 9. Jahrh. haben wir Preisliedstrophen unter dem Namen des Norwegers Bragi. Zwei der Fürsten, die Bragi besang, können wir geschichtlich fassen: den Schweden Björn, das ist der Bern des hl. Ansgar a. 830, und den Normannen Ragnar, der in den 840er Jahren in Frankreich heerte. Bragis Gesätze nun gehn schon in ausgeprägt 'skaldischer' Art; es ist der nahezu vollreife kostbare Stil. Früher als Bragi können wir keinen unsrer Eddatexte datieren. Innerlich älter aber ist die eddische Form: sie ist den gemeingermanischen Überlieferungen viel näher geblieben. Die Skaldenart zeigt entschiedene Neuerungen, metrische und sprachliche, die nur so weit reichen als die westnordische Dichtkunst.

Diese Neuerungen haben also von einem Teile des westnordischen Dichtens Besitz genommen: wahrscheinlich zuerst von dem vornehmen höfischen Preislied, dann auch von der Kleinlyrik. Die anderen, die objektiven Gattungen blieben im ältern Gleis. Im einzelnen gab es Übergriffe über diese Grenzen (§ 40. 111. 136. 137).

So hatten sich in der Dichtung des norwegischen Stammes *zwei Familien* gebildet, die über den Gattungen standen: eine kunstbewußtere, anspruchsvollere und eine bescheidenere, die auf Recht und Ruhm des Urhebers verzichtete. Obwohl die Alten die Zweiteilung nirgends gradezu aussprechen, empfand man die skaldische Art als die vornehmere. Es ist kein Zufall, daß Snorris Poetik (um 1220) im ersten, stofflichen Teil nur eddische, im stilistischen Teil fast nur skaldische Verse anführt. Persönlich oder gar ständisch brauchten die Verfasser der beiden Familien nicht auseinander zu fallen: auch ein mit Namen bekannter Hofskald kann Gedichte eddischer Art geschaffen haben; nur daß er hier mit dem andern Stil die herkömmliche Namenlosigkeit befolgte (§ 127). Wir dürfen 'Skalden' und 'Eddadichter' nicht so gegeneinander stellen wie im deutschen Mittelalter die dichtenden Ritter, Spielleute, Geistlichen und Bürger.

Das Verhältnis der beiden Familien zueinander ist nicht das von Mutter und Tochter. Denn nicht in allem stehn die skaldischen Gattungen auf jüngerer Stufe. Ihr eines Hauptmerkmal: die subjektive Kunst bedeutet der Edda gegenüber keine Neuerung; Preislied und Kleinlyrik sind nicht aus den unpersönlichen Arten geworden. Sodann haben beide Familien nach der Trennung noch, nach 800, neue Schosse getrieben. Dies müßte man abziehen, wo man den ursprünglichen Stand der norrönen Dichtkunst erschlösse. In der äußern Gestalt freilich ist die Eddagruppe diesem zu erschließenden Stande viel näher geblieben (§ 116).

24. Es ist eine der großen Streitfragen, ob und wieweit die skaldischen Neuerungen unter fremder Einwirkung entstanden sind[1]). Als fremde Anreger kommen die Iren, daneben die

Engländer in Betracht. Mit beiden berührten sich die Norweger seit dem Wikingwesen, seit rund 800. Schon in den 820er Jahren gab es in Irland ansässige Nordleute[2]). Die damaligen Dichtformen der Iren waren großenteils die spätlateinischen in irischer Ausgestaltung.

Die Neuerungen sind zu verschiedenen Zeiten eingetreten.

Den Endreim scheint ein berühmtes Gedicht des Isländers Egil Skallagrîmsson, die 'Haupteslösung', nach 930, eingeführt zu haben. (Die Skalden gebrauchen Endreim nie für sich, stets neben dem Stabreim.) Letzten Endes muß er auf den lateinisch-kirchlichen Reim zurückgehn. Vermittelt haben könnte die irische oder die englische Dichtung. Gesetzt, das englische 'Reimlied' (hg. Englische Studien 1931, 181 ff.) wäre älter als Egils Gedicht, so hätten wir in ihm wohl das unmittelbare Muster.

Eine jüngere skaldische Neuerung ist ferner das vierhebige monopodische Versmaß (das *Hrynhent*):

> Mínar bídk at múnka réyni   méinaláusan fárar béina[3]).

Das bildet den achtsilbigen Trochäus nach, einen Hauptvers der Kirche (*Apparebit repentina*). Hier kann lateinischer Kirchengesang unmittelbar eingewirkt haben.

Schon vor 900 erscheint in Norwegen eine bestimmte Spielart der heimischen Langzeile, der *Kviduhâttr* (§ 30). Die planvoll silbenzählende Sonderung der Zeilenhälften wiese auf fremde Anregung. Ein klares Vorbild ist nicht nachgewiesen.

Aber die folgenreicheren Neuerungen, die recht eigentlich den skaldischen Stil begründeten, sind älter. Sie liegen schon in den genannten Bragistrophen vor. Es ist vor allem das dreihebige, sechssilbige Versmaß mit seinen Binnenreimen: das *Drôttkvætt*, der Hofton (genauer: 'das vor der Drucht Vortragbare'):

> Þas hráfnbláir héfndu   hárma, Erps of bármar[4]).

Vier Langzeilen wie diese ergeben eine Strophe.

Aus den germanischen Formen läßt sich dieses Grundmaß nicht überzeugend ableiten. Entschieden fremde Züge sind seine Silbenzählung, die starre Kadenz, die starre Auftaktlosigkeit des Abverses. Auch die Binnenreime wären kaum als bloße Steigerung heimischer Ansätze zu erklären. Ein genaues Vorbild zeigt die irische Dichtung freilich nicht, aber eines, das in der Gesamtwirkung dem nordischen Hofton ungleich näher steht als irgend eine der ältern germanischen Formen. Es ist das beliebteste Maß der Iren: der dreihebige Siebensilbler mit Silbenreim nebst Stabreim, und zwar die Art mit trochäischem Schluß (wie der Hofton):

> a Emain idnach ôibinn   asa fidrad ad-fêdim[4]).

Dieses Muster wird ein norwegischer Skald — Bragi oder ein Vorläufer — freier, mit Angleichung an heimischen Versbrauch, nachgebildet haben. Eine persönliche, kunstbewußte Erfindung, nicht etwas pflanzenhaft Gewachsenes, müssen wir in dem Hofton der Bragistrophen sehen[6]). Jahre- oder jahrzehntelanges Zusammenwohnen mit den Iren brauchte es dazu nicht: ein Kriegsgefangener männlichen oder weiblichen Geschlechts genügte — wenn nur seine Anregung an den schöpferischen Abnehmer geriet!

Auch die unabänderliche Zeilenzahl der Strophe war nach germanischem Herkommen etwas neues und geht auf das irische, letztlich lateinische Vorbild zurück (hier waren es vier Kurzverse).

Wir rechnen den Hofton zu dem frühen westlichen Lehngut der Wikingzeit. Sein Vorkommen in einer schwedischen Inschriftenzeile des 11. Jahrh. beweist ebenso wenig gemeinnordische Bodenständigkeit wie Ursprung aus volkstümlicher Magie[7]). Wir wissen heute, daß Kulturgüter von oben nach unten zu sickern pflegen. Es gibt Ausnahmen, gewiß. Aber der Hofton, sollte man denken, trägt seine 'obere' Herkunft mindestens so klar zur Schau wie das Menuett oder das Spitzenmieder unsrer Bäuerinnen.

Weitere metrische Neuerungen, innerhalb und außerhalb des Hoftons, können aus heimischen Keimen erwachsen sein.

In den Hoftonliedern entstand der neue sprachliche Stil. Die Skaldensprache zeichnen vor allem die mehrgliedrige Gleichnisumschreibung (die *Kenning*) und die zerstückelte Wortfolge. Hierzu hat man Muster oder Gegenstücke aus irischer Dichtung nur in bescheidenem Maß beigebracht. Die Art der Umschreibung in den beiden Lagern ist bei näherm Zusehen doch recht ungleich[8]). Wie weit schon das vorskaldische Preislied in diesen Sprachkünsten ging, wissen wir nicht.

Wir vergegenwärtigen uns den Skaldenstil später, bei der Kleinlyrik und beim Preislied-Zeitgedicht (§ 87. 113ff.).

Weil Jahrhunderte lang die selben Landschaften, oft gewiß die selben Männer in der einen und der andern Art gedichtet haben, konnte es nicht fehlen, daß die gesteigerte Skaldensprache da und dort abgefärbt hat auf Gedichte der eddischen Familie. Man muß sich wundern, daß es nicht öfter geschehen ist; daß die Grenze der Gattungen mit der der Stile immerhin leidlich zusammenfällt.

[1]) Hauptschrift: S. Bugge, Bidrag (1894). Sieh auch u. § 98. 104. 110. 113f. Jeden westlichen Einfluß verneint F. Jónsson, Lit.-hist. und Norsk-islandske Kultur- og Sprogforhold (1921) 146ff. Gegen ihn Sydow, Folkeminnesforskning och Filologi (1922) 3ff. Die metrischen Punkte erörtert Vf., Dt. Versgesch. § 272. 311. 395ff.   [2]) Marstrander, Bidrag til det norske sprogs historie i Irland (1915) 7f.   [3]) 'Den falschlosen Aufseher der Mönche(= Gott) bitte ich, meine Fahrten zu fördern'.   [4]) 'Als die Rabenblauen rächten den Harm, Erps Brüder'. Zu den geforderten drei Stäben (hier *h*-) treten die Binnenreime: im Anvers Halbreim *hrafi* -: *hefn*-, im Abvers Vollreim *harm*-: *barm*-.   [5]) Das Beispiel bei Kuno Meyer, A primer of Irish metrics (1909) 13. Das Verspaar hat vier vokalische, zwei *f*-Stäbe; Binnenreim bilden *idnach* : *fidrad*; der Schluß *fédim* bildet Endreim mit dem Schluß der folgenden Langzeile. Stab- und Silbenreim haben also ganz andre Stellung als im Hofton.   [6]) Mogk 661.   [7]) O. v. Friesen, Fornvännen 1912, 6ff.; M. Olsen, 'Edda' 5, 234f.; E. Noreen, Eddastudier 38f. (die feste Silbenzahl eine Folge der Buchstabenzählung!). Ob die Inschrift zauberisch ist, stehe dahin.   [8]) Dies kann Wolfgang Krauses Schrift nur bestätigen: Die Kenning als typische Stilfigur der germ. und keltischen Dichtersprache 1930. Krause macht aus der Kenning eine gemeingermanische Kunstform (vgl. u. § 114) und greift bis auf die La Tène-Zeit zurück.

VI. VERSKUNST. VORTRAG

25. Um altgermanische Dichtung nachzuerleben, muß man ihren Rhythmus kennen. Ein großer Teil ihrer Ausdruckskraft liegt in der rhythmischen Linie. Der germanische Versbau hat in hohem Grade Stil.

Sein Abzeichen ist der Stabreim[1]). Er scheint die Dichtung aller germanischen Stämme durch Jahrhunderte beherrscht zu haben. Einzelne metrische Zeilen konnten sich ihm entziehen. Wir treffen solche Verse da und dort in der Kleindichtung[2]); z. T. mögen sie ja schon das Abdorren der Stabreimkunst bezeugen. In Inschriften, Sprichwörtern und Gesetzen schließt man am zuverlässigsten auf Versrhythmus, wo Stabreim da ist (vgl. § 59).

Endreim als planmäßige Versbindung haben die Germanen erst aus der Kirchendichtung erlernt. Wo er nicht nur neben den Stabreim tritt, wie in skaldischen Maßen (§ 24), sondern den Stabreim ersetzt, da stehn wir außerhalb des 'altgermanischen' Bereichs.

Der germanische Stabreim ist kein lose angehängter Schmuck wie die Silbenreime: er trägt und stützt recht eigentlich den rhythmischen Bogen. Nur Wurzelsilben in Hebung bringen ihn zur Geltung, und die nach dem Satzton gewichtigeren Hebungssilben darf er nicht übergehn: die stabenden Silben sollen sich als Gipfel emporwölben.

Dies ist die erste Aufgabe des germanischen Stabreims. Dadurch macht er die Abstände zwischen Stark und Schwach größer und unterstreicht die gehaltvollen, sinnschweren Silben. Denn diese sind seit der urgermanischen Akzentverschiebung die starken. Der germanische Stabreim hat emphatische Wirkung, nicht melodische wie der Silbenreim.

Den Stärke- und Anfangston setzt er voraus, braucht ihm aber nicht auf dem Fuße gefolgt zu sein. Als frühestes Zeugnis für Stabreim gilt die Dreiheit *Ingvaeones* — *Istvaeones* — *Erminones* bei Plinius (beliebige Vokale staben aufeinander): diese Namen wird die Poesie zwar nicht geschaffen, aber ausgewählt und zusammengeordnet haben; zufällig staben sie kaum. Bald setzen auch die Fürstenstammbäume ein mit Namen gleichen Anlauts. Es ist nicht glaubhaft, daß der Stabreim bei den Namen, überhaupt außerhalb des Verses, seinen Anfang genommen habe.

Also die erste Kaiserzeit ist untere Entstehungsgrenze. Wir dürfen annehmen, daß schon die niederen Dichtarten urgermanischer Stufe den Stabreim besaßen und ihn dann an die höhere Kunst des 5. Jahrh. abgaben.

Die Verwendung des Stabreims ist eine ganz andre als bei Italikern, Spätlateinern und Iren. Beliebige Häufung der Stäbe ist nicht das Ziel. Die sehr einfachen Stellungsregeln folgen aus dem r h y t h m i s c h e n Bau. Suchen wir von diesem ein Bild zu gewinnen![3]

[1] Vf., RLex. 4, 231 ff.   [2] § 41 f. 48. 53. 59 f. 74.   [3] Eingehender Vf., Dt. Versgeschichte Bd. 1 (1925).

26. Der Einzelvers, *Kurzvers*, ist zweigipflig; er hat das Grundmaß von zwei langen Takten (VierVierteltakten):

Jeder Takt kann eine bis etwa sechs Silben aufnehmen. Vorangehn kann Auftakt bis zu vier oder mehr Silben.

Die Silbensumme bewegt sich in ungemein weiten Grenzen. Die sprachliche Füllung ist von Vers zu Vers mannigfaltig und frei. Die Freiheit wird gezügelt durch Rücksicht auf die natürliche Silbendauer, vor allem aber durch genauen Einklang der Vershebungen mit der natürlichen Silbenstärke.

Das Eigene des germanischen Versstils liegt darin, wie er die zwei gewichtigen Silben über die Fläche hinausreißt. Wir nehmen die Beispiele aus dem Hildebrandslied.

Die Wortfolgen: *ibu dir diu ellen taoc* ('wofern dir deine Kühnheit taugt'), *do sie to dero hiltiu ritun* ('da sie zu diesem Einzelkampf ritten') könnte der R e i m v e r s so modeln:

Nach dem ältern, germanischen Stil erhalten sie den Zeitfall:

Der Gegensatz ist vielsagend: dort das gleichmäßige Auswalzen des Inhalts über den Vers; hier die starken Kontraste, das Zusammendrängen des Gewichtlosen in den Auftakt, das nachdrückliche Verweilen bei dem Sinnschweren.

Einen Schritt weiter tut der germanische Vers mit seinen 'Überlängen': eine lange Silbe oder eine kurze mit folgender Senkung (‿͜) kann drei oder vier Viertel des ersten Taktes beherrschen:

     miti Deotrîche ('mit Dietrich')

     hwer sîn fater wâri ('wer sein Vater wäre')

     dat inan wîc furnam ('daß ihn Kampf dahinnahm')

Dazu erkühnt sich der jüngere Stil nicht mehr; der kennt im allgemeinen keine größern Zeitwerte als zwei Viertel, er muß jede Hebung im Versinnern durch eine eigne Silbe ausprägen. Den eben genannten Zeilen gäbe er die Kurve:

Wo der Auftakt anschwillt, verstärkt sich das Ungestüm:

     wili mih dinu spéru ‿ wérpàn ('willst mich mit deinem Speere werfen'):
     ibu du dar enic réht ‿ hábes ('wofern du dazu einiges Recht hast').

Doch auch ruhige Bewegung, wie wir sie aus sonstigen Metren gewohnt sind, läßt das Grundmaß zu:

     wánt her dò ab ármè   wúntàne báugà ('wand er da vom Arme gewundene Ringe').

27. Diese Versart bildet den Gegenfüßler zum Jambus und seinen Verwandten, in zwiefacher Hinsicht.

Erstens, sie verwirklicht keine von Vers zu Vers wiederkehrende Rhythmenfigur, sondern in jedem Verse lebt sich der Eigenrhythmus des Prosasatzes aus. Ein Grundmaß als durchgehende Einheit ist zwar da, aber es hat so viel Spannweite, daß es den wechselnden Satzrhythmen ein Mindestmaß von Gleichmachung auflegt.

Zweitens, die Stilisierung des Prosafalls geht nicht auf Ebnung, harmonische Schmeidigung, sondern auf Steigerung, auf Vergrößerung der Kontraste, die schon in germanischer Prosa beträchtlich waren (§ 13).

In dieser Steigerung spricht sich Leidenschaft aus, Ergriffenheit, eifriges Wichtignehmen. Das Ziel ist Ausdruck, die kenntliche, vielsagende Schallgebärde. Man spreche sich unsre Beispiele aus dem Hildebrandslied vor! Bei einigen darf man gradezu von Bildkraft des Zeitfalls reden.

Dieser Versstil neigt dazu, jeden Inhalt auf einen Kothurn zu heben. Im Plauderton sind diese Zeilen unsprechbar. Auch harmlose Aussagen, etwa in Inschriften, können, durch den Zeitfall, eine eigentümliche Größe bekommen.

Eine tiefe Kluft trennt dieses Formgefühl vom mittellateinischen und romanischen. Da wird ein ebenmäßiges Auf und Ab, eine ruhige Schaukelbewegung:

♩ ♩ ♩ ♩ · · · ·   oder   ♩ ♩ ♩ ♩ ♩ ♩ · · · ·

großenteils unabhängig vom Prosaton durchgeführt:

> ut prófundé laténtiá   cernát altá mystériá;
> damé, qui mén cuer áves prís,   ie suí li vós loiáus amís[1];
> psállat chorús in novó carminé . . .
> ámours, qui má done, ié len mercí . . .[2]).

Der Stabreim, sagten wir, stützt die rhythmische Linie. Genauer: alle ersten Verstakte mit gewichtigen Wörtern haben notwendig den Stab. In unsern Beispielen wären die *ellen*, *hiltiu, Deot-, fater, wîc, speru, reht* ohne Stäbe nicht denkbar. Die mit den Stäben gegebene Verstärkung rechtfertigt das Wichtignehmen dieser Versteile, ermöglicht es, e i n e r Silbe (*wîc, reht*) so viel Zeitwert zu schenken.

Man darf vermuten, der Stabreim hat auch mitgeholfen bei der S c h a f f u n g dieses Versstils. Die Stellen im Verse, die man den beherrschenden Wurzeln, eben den stabtragenden, einräumte, die ordneten sich als Haupttikten den anderen, den Nebenikten, über, und so straffte sich das einstige Maß von vier Kurztakten — der indogermanische Urvers — zu dem von zwei Langtakten.

[1] 'Herrin, die ihr mich ins Herz geschlossen habt, ich bin euer treuer Freund'. · [2] 'Liebe, die mich beschenkt hat, ich danke dir dafür'.

28. Demnach hat der Kurzvers z w e i mögliche Stellen für Reimstäbe.

Wo er für sich, *unpaarig* steht, müssen beide Ikten staben. So in den Formelversen, die bis heute leben:

> líeb òder· léid;   gegen fréund und gègen féind   usw.

Hier ist der Stabreim nur Gipfelbildner und Schmuck.

Aber er versieht eine weitere Aufgabe: als Gruppenbildner. *Langzeilen* zwar, d. h. Verspaare mit irgendwie gesondertem Zeitfall, waren schon eher da als der Stabreim; das zeigt die Vergleichung mit Griechen, Italikern, Indern. Aber die gleichen Anlaute wurden nun eine gute Klammer. Der Stabreim heftet also zwei Kurzverse, *An-* und *Abvers*, zur Langzeile zusammen.

In der Langzeile pflegt man den letzten Iktus vom Stabe auszuschließen; der vorletzte stabt regelmäßig ('Hauptstab'); im Anvers können der erste oder der zweite oder beide Ikten staben ('Stollen'), doch untersteht diese scheinbare Freiheit dem Stärkeanspruch der Iktussilben. Die Langzeile hat also von der Mitte, vom dritten Iktus ab entschieden fallenden Nachdruck; ihre Bewegung im Anvers ist wechselnder.

Die neuen, mehr als zweihebigen Skaldenmaße (§ 24) übernahmen die Form mit zwei Stollen + Hauptstab (a a | a x).

Über diese wenigen Stabstellungen geht die altgermanische Kunst nicht nennenswert hinaus. In den eigentlichen Gedichten ist die Langzeile die einzige vom Stabreim beherrschte Periode; es ist Zufall, wenn einmal mehrere Langzeilen nacheinander gleichen Stablaut haben. Zu Versverschränkungen, wie beim Reime (a b a b; a a b c c b usw.), taugt der Stabreim nicht. Ihm fehlt das Vermögen zu reicherer Gruppenbildung.

29. In bescheidener Spruch- und Merkdichtung begegnen Reihen unpaariger, nur in sich stabender Kurzverse[1]). Zuweilen sind drei Verse zusammengestabt. Daneben kennen wir freies Durcheinander von Kurzvers und Langzeile: das *Gemenge*. Hauptbeispiele der nordische Urfehdebann und das englische Rechtsformular Anspruch auf Land (§ 42. 59); auch Inschriften, Rätsel und Zaubersprüche gebrauchen diese Mischung (§ 49. 52. 68. 73). Ein Rest davon sind die einsamen Kurzverse zwischen den Langzeilen in altenglischer Gnomik und Lyrik. Rechtstexte, Zaubersprüche und Inschriften können mitten in der Periode von Prosa zu Vers übergehn. Metrische und syntaktische Gruppe decken sich, am Langzeilenschluß liegt ein Satzeinschnitt: *strenger Zeilenstil*.

Es ist erwägenswert, daß über diese niederen Stufen der Gruppenbildung die urgermanische Dichtung noch nicht hinausstieg und daß die uns vorliegenden geregelteren Versmaße erst mit und in den höheren Gattungen entstanden.

Dieser Versmaße gibt es außerskaldisch zwei. Das *epische Maß*, durchgeführte Langzeilen, beherrscht die ganze deutsch-englische Stabreimdichtung und gegen drei Viertel der Eddapoesie. Es ist augenscheinlich die Form, worin das Heldenlied um 500 die germanische Welt eroberte[2]). Das *gnomische* oder *dialogische Maß*, je eine Langzeile + ein unpaariger Vers ('Vollzeile'), eignet einem starken Viertel der eddischen Dichtung. Es scheint nordische (oder enger: norwegische) Schöpfung zu sein: seine gemeingermanische Vorstufe war die Gelegenheitsgruppe : ‾‾‾‾ die sich im Zusammenhang des *Gemenges* einstellen konnte. Diese Gruppe, verdoppelt, ergab die Sechsversstrophe, die sich früh gegen die längeren und kürzeren Spielarten durchsetzte.

Dieses zweite Metrum, bei Snorri *Ljôdahâttr* genannt (wörtlich 'Zauberliedweise'), dient in unsrer Überlieferung vorwiegend der Spruch- und der Merkdichtung, aber auch Scheltszenen und erzählenden Redeliedern. Das meiste sind ausgeprägt unsangliche Stücke, und dazu stimmt der innere Versbau (§ 30). Es hat irregeführt, daß man den Ljôdahâttr als 'Gesangsweise' behandelte. Ein Recht hat er auf den Namen 'Redeweise'; denn so gut wie nie dient er unmittelbarem Bericht. Zu Kettenreimerei — Thula, Priamel — läßt er sich kaum hinab. Er ist das formhaltigere und wählerische der beiden Maße. Das ältere, das Langzeilenmetrum, hat sich noch in allen Gattungen und Arten behauptet, nur im Sittengedicht schaltet die Redeweise, der 'Spruchton' (§ 65f.).

[1]) Umfänglichere Vertreter die isl. Thula § 70 Ende, das sächsische Abecedarium § 75. Sieh noch § 59. 62 (schwedische Spruchreihe).   [2]) Eine Spielart des epischen Maßes heißt bei Snorri *Fornyrdislag*, wörtlich 'Maß der Vorzeitsrede'. Man gebraucht dies heute als umfassenden Namen des Langzeilenmaßes.

30. Aber die Gruppenbildung ist nur die eine Seite. Auch der innere Bau, die Versfüllung, sondert die Arten.

Das epische Maß beschränkt die an sich möglichen Füllungen durch eine Reihe kunstmäßiger Vorschriften. Im großen zielen sie darauf ab, die leichtesten, magersten Füllungen (nicht bloß die unter 4 Silben) und anderseits die schwersten fernzuhalten, also eine mittlere Zone auszuwählen. So leichte Verse wie ae. *sǽt ⏌ smíþ*; as. *úr ⏌ áftèr*; ahd. *líd zì gelíden*; an. *sól ⏌ skínn; héidnìr ménn; rǽkr ⏌ ok rékinn; medan móld ⏌ ér* werden gemieden, und so schwere wie ae. *Émercan sòhte ic and Béadecàn*; an. *ok frámm kòmnum éyrì; fra gúdi ⏌ ok gódum mònnum* erscheinen nur unter besondren Bedingungen.

Im einzelnen stellen sich die Literaturen, Gattungen und Gedichte zu diesen Regeln sehr ungleich. Manche Grundsätze aber kehren auf englischer, deutscher und nordischer

Seite so übereinstimmend wieder, daß man den Ausgangs- und Trennungspunkt nicht in graue Urzeit legen wird. Das wahrscheinliche ist, daß sich diese feineren Füllungsregeln in den höhern Gattungen des 5., 6. Jahrh. ausbreiteten zusammen mit dem festeren Periodenbau.

Die nordische Schöpfung, die Redeweise, der Spruchton, hat nur wenig von solchen Füllungsschranken angenommen: sie läßt leichteste Verse zu neben sehr gedrängten. Darin also folgt sie dem frühern Brauch. Diese stark wechselnde Füllung rückt den Ljôdahâtt vom Sangbaren weiter ab als den Durchschnitt der Langzeilenlieder. Mit den mannigfachen Füllungsformen hebt er die Strophenglieder gegeneinander ab und erreicht so — immer noch in der Linie der urgermanischen Freiheit — einen Formreichtum über das andre Maß hinaus. Den echt germanischen Versstil zeigt die Redeweise in seiner Vollendung.

Auch beim Langzeilenmaß hat nur die nordische Dichtung den Schritt getan, die ungleichen Füllungsgrade auszunützen zum Sondern metrischer Spielarten. Schon im 9., 10. Jahrh. bauen Skalden Preislieder, die einerseits die schwereren Typen zum Durchschnittsmaß erheben, anderseits leichte, dreisilbige Anverse mit viersilbigen Abversen paaren (der *Kviduhâttr*, o. § 24). Die erste Art hat im eddischen Lager einen großen Vertreter gefunden, das grönländische Atlilied[1]).

Diese Entwicklungsmöglichkeiten der Langzeile haben die Westgermanen brach liegen lassen. Ihre zehntausende von stabreimenden Versen fallen unter eine metrische Art. Spuren des alten freieren Füllungsbrauchs sind auch in den außerepischen Werken spärlich.

[1]) Man nennt diese Spielart *Mâlahâttr*; bei Snorri der Name der nächstverwandten silbenzählenden Species. Die übliche Dreiteilung der eddischen Maße: *Fornyrdislag, Mâlahâtt, Ljôdahâtt* ist schief: 3 ist eine greifbar verschiedene Gattung, 1 und 2 sind nur Füllungsspielarten des einen, 'epischen' Maßes, und ihre scharfe Zweiheit zerrinnt, sobald man die sämtlichen Spielarten ohne silbenzählerische Befangenheit würdigt.

31. Im übrigen gingen die nordischen und die englischen Neuerungen auf entgegengesetzter Linie. (Hier ist nur mehr von dem epischen Maß die Rede.)

Der nordische Vers neigt zu knapperen Formen. Die Mehrzahl der Eddastücke zieht sich auf die leichteren Füllungen zurück, die an der untern Grenze liegen, und nähert sich fester Silbenzahl (vier Silben). Ausging die Silbenzählung vom Hofton der Skalden, also mittelbar von irisch-lateinischer Kunst. Auch in ihren übrigen Maßen huldigten die Skalden diesem ungermanischen Grundsatz; Snorri, dem Skaldenzögling, ersetzt eigentlich die Silbenzahl den Zeitfall.

Engländer und Deutsche bleiben bei der freien Silbensumme mit vier Silben als untrer Grenze. Auftakte und Senkungen sind gern silbenreich, zuweilen so, daß es den Takt löst. Die Neigung zu schwerem Versinhalt gipfelt in der Neuerung der kirchlichen Buchdichter: den *Schwellversen*, die, meist gruppenweise, durch gedrängte, verlangsamten Vortrag heischende Füllung abstechen.

So ist der rhythmische Gang fühlbar verschieden: in der Edda getragen, feierlich, oft sangbar; bei den Westgermanen stürmisch, beredt, eine eifrige Rhetorik.

In ähnlicher Richtung wirkt das zweite: daß sich der Periodenbau im Norden strafft, im Süden lockert.

Dem kunstmäßigen Liede des 6. Jahrh. weisen wir den Zustand zu, den die Vergleichung von Wölund- und Atlilied, Finnsburg- und Hildebrandlied ergibt: Nach einer oder nach zwei

16. Kolossalbüste einer „Germania". London,
British Museum.
(Nach Kossinna, Die deutsche Vorgeschichte.)

Langzeilen, beliebig, kam ein syntaktischer Ruhepunkt: *freier Zeilenstil*. Unter den größern. inhaltlichen Gruppen trat die von vier Langzeilen hervor.

Die Edda nun behielt den freien Zeilenstil, also das Langzeilenpaar als sprachlich geschlossene Größe; die vierzeilige Gelegenheitsgruppe aber erhob sie mit der Zeit zur durchgehenden *Strophe*. Diese Bindung der Verszahl geschah, ebenso wie die der Silbenzahl, unter skaldischem Einfluß. Ganz durchgedrungen ist sie nur in wenigen Eddastücken. An urtümlichen Chorgesang in Norwegens Tälern ist also beim eddischen Strophenbau nicht zu denken: das Geregelte daran stammt letztlich vom Hymnus der Kirche.

Westgermanisch dagegen fing man an, die Sätze über das Langzeilenpaar hinweg zu führen. Die englischen Buchepiker sprengten vollends den freien Zeilenstil, indem sie die Satzenden mit Vorliebe hinter den Anvers, also in die Mitte der Langzeile, legten. Die lateinischen Hexameter mit ihren Satzübergriffen werden dazu angeregt haben. Dieser *Bogenstil*, die Kreuzung von sprachlicher und metrischer Gruppe, wirkte jedem Anklang an Strophenbau und Sangbarkeit entgegen; zusammen mit den langen Auftakten führte er zur rhythmischen Verselbständigung des Kurzverses. Er brachte, unterstützt durch die sehr ungleiche Länge der Sätze, die Wirkung des Entfesselten, Wogenden, uferlos Strömenden hervor. Ein starker Gegensatz zu der gebauten Symmetrie der eddischen Strophen.

Den Bogenstil begrüßten die Buchdichter als Belebung ihrer langen Versreihen: er schmeidigte die kantige Form. Auch für Kleineres kam er in Gunst; ein paar Jahrhunderte war er *der* Stil der dichtenden Geistlichen.

Diese Neuerungen der Angelsachsen hat der niederdeutsche Heliand übernommen und weitergeführt. In der Handhabung des gemeingermanischen Langzeilenmaßes sind Gegenpole gewisse Eddalieder und der Heliand (§ 153).

Versucht man, den *Wert* der altgermanischen Verskunst in kurzen Worten zu bezeichnen, so wird man etwa sagen: Sie kennt fast unerschöpfliche Füllungsformen, wechselnd von Vers zu Vers. Sie bringt in ihnen eine hochgestimmte Leidenschaft zum Ausdruck; die natürlichen Satzfälle hebt sie ins Denkmalhafte. Sie stilisiert den Prosafall stark, aber so schonend, daß Sprachbeugung oder schwebende Betonung da nichts zu suchen haben. So naturhaft ist dieser Vers aus den heimischen Bedingungen gewachsen.

Arm ist diese Kunst im Gruppenbau und darin, daß sie nur ein Grundmaß kennt, den Zweitakter. So füllungsbunt der ist, zu einer Vielheit von Versarten ist es nicht gekommen. Abstände wie zwischen Hexameter und Trimeter gibt es in der gemeingermanischen Verskunst nicht. Die Skalden haben derartiges erreicht, doch unter Preisgabe wesentlicher germanischer Eigenschaften.

17. Schwerverwundeter Basterne.   18. Schwerverwundeter Basterne.
       Seitenansicht.   Vorderansicht.
            Marmorbüste. (Nach Furtwängler.)

32. Gern wüßten wir genauer, in welchem Umfang die altgermanischen Verse gesungen wurden, d. h. eine der Sprachmelodie übergeordnete, wiederkehrende Tonfolge hatten.

Aus dem metrischen Bau ist zu folgern: unsanglich war das Langzeilenmaß, sobald es den freien Zeilenstil durchbrach. Also die Hauptmasse der westgermanischen Dichtung. Auch deren lange Auftakte bedingen Sprechvortrag.

Dichtung im strengen oder freien Zeilenstil würde Gesang vertragen. Die Weise konnte dort wie hier nur über eine Langzeile spannen; sie mußte sich der stets wechselnden Taktfüllung beweglich anschmiegen, wie im nachmaligen Volkslied. Wo die Füllung so wenig geebnet ist wie in gewissen eddischen Langzeilern (altem Atlilied, Hamdirlied, Hunnenschlacht) und in den Stücken der 'Redeweise', wäre wiederkehrende Melodie schwer denkbar.

Schlüsse aus Inhalt und Stimmung sind unsicherer. Sitten- und Merkgedichte, Rechts-verse und Scheltszenen sind nach ihrem Baustoff unsanglicher als Zaubersprüche, rituale und gesellige Lyrik, epische Lieder.

Befragen wir die unmittelbaren Aussagen unsrer Quellen, so stoßen wir auf das Hindernis, daß die meisten Vokabeln mehrdeutig sind. Wir mustern fünf gemeingermanische Ausdrücke.

Singen, Sang, auch von außermenschlichen Schällen, besonders Klängen gebraucht, be-zeichnet das Sprechen, wo es stark klanghaltig wird (auf den Zeitfall zielt es nicht): so bei Wulfila das Vorlesen; auch Otfrid läßt die Bücher singen; Moses und die Propheten haben gesungen usw. Gesang im technischen Sinne beweisen also die Wörter noch nicht. Das einzige nordische Lied aber, das einen Namen auf Sang führt, der *Grottasöngr* (§ 137), ist nach Inhalt und Stil überm Durchschnitt sangbar.

Im Norden ist stehender Ausdruck für Vortrag von Versen nicht singen, sondern *kveda*.

3

19.   Bronzefigur eines knieenden Germanen.
Paris, Bibliothèque Nationale.

Das Zeitwort meint südgermanisch 'reden, sprechen', auch altnordisch steht es für *inquit*, an einigen Stellen jedoch zielt es auf richtiges Singen[1]). Beim gewohnten Vortrag der Fürstenlieder und der Alltagslyrik müssen wir uns für Sprechstimme entscheiden, weil die hundert Sagastellen an ihrem *kveda* keiner sanglichen Seite gedenken.

Lied mit seinen Ableitungen ging von Hause auf etwas Musikalisches; es war das germanische Wort für *Melodie*. Darauf deutet unter anderm ahd. *leodslaho* für 'Dichter': der *Liedschläger*, der auf der Harfe die *Weise* schlägt (wie bei Venantius Fortunatus die 'harpa barbaros *leudos relidens*'). Auch in Glossen: *liudod* melodiam, *liudeon* harmonia. Mehrere Composita, west- und nordgermanisch, bewahren den Sinn 'Weise, Musik', ohne Beziehung auf Worte. Noch der jüngere Notker kann sagen (im Gedanken an kirchlichen Gesang): 'das heißt *geliudot*, daß man Freude mit Tönen bezeigt ohne Worte'.

Mit der Melodie fiel zusammen die metrische Periode. Daher kann der Singular *Lied* die *Strophe*, der Plural das (mehrstrophige) *Lied* bezeichnen. Gruppenbildung über die Langzeile hinaus folgere man daraus nicht. Der Isländer Egil wird bei seiner Neubildung für 'Zunge': *ljóðpundari* 'Liedwage' eher an Strophe als an Weise gedacht haben.

Deutschen und Engländern blieb *Lied* etwas sangbares, da sie es mit *singen* und *galan* (s. u.) verbinden. Im Norden tritt zu Lied meist das neutrale *kveda*, aber die gesprochenen Skaldenstücke heißen niemals *Lieder*, die gesprochenen Eddagedichte nur in drei oder vier Fällen, wo ein nordischer Sinneswandel mitspielen mag (RLex. 1, 442): Lied, *ljóð* hatte den Sinn 'Zauberweise, Zauberspruch' angenommen: dem Südgermanischen gegenüber doch wohl Verengung, aus sangarmen Kreisen stammend, denen die Weise zumeist Zauberlitanei war. In jungen kirchlichen Bildungen, wie *Sólarljóð* 'Sonnenlied', wird das deutsche *Lied* herüberwirken. Das stehende Wort für die (unsangliche) Strophe ist nicht mehr Lied, sondern *vísa*, eigentlich 'Weise, habitus, forma'.

Gleiche Sinnesverengung wie das nordische *Lied* hat das west- und nordgermanische Zeitwort *galan* erfahren: ursprünglich 'singen', gern das der Vögel (ahd. *nahti-gala*), auch Hahn, Krähe, Adler 'gala' im Norden; dann im besondren der Vortrag von Zaubersprüchen (§ 53), und hierzu die Ableitungen an. *galdr*, ae. *gealdor*, ahd. *galdar* und *galstar* 'Zauberlied, -spruch'.

Hinter dem nordischen *óðr* m. 'Dichtkunst, Dichtung' und dem englischen *wôþ* f. 'Stimme,

Gesang' (*wôpcræft* 'Dichtkunst', *wôpbora* 'Dichtersänger') steht ein Wort **wôpa-*, das wohl ein urgermanischer Ausdruck für 'poesis' sein mochte. Auf eigentlichen Gesang braucht es sich so wenig wie *singen* beschränkt zu haben, es stützt also nicht etwa die Meinung, die Germanen hätten eine Zeit mit lauter gesungenèn Versen durchgemacht (§ 96). Die urverwandten Wörter lat. *vâtes*, altkeltisch *vâtis* 'Seher, Prophet' bezeugen das Alter der Sippe und ihre mantische Abkunft. Die Auslegung der Losrunen, die Wiege der Stabreimkunst (§ 38), dies mag der urgermanische *wôpa-* gewesen sein.

Schließen wir gleich ein Wort an von ebenfalls prägermanischem und religiösem Ursprung, das nur im Norden überlebende *bragr* m. 'Dichtkunst, Gedicht'. Es hat indische und irische Verwandte, die auf Zauberspruch, Gebet, Opferwesen deuten. Neben *bragr* steht *Bragi:* so heißt einerseits der westnordische Dichtergott, vielleicht ein verselbständigter Beiname Odins als des Zauber- und Dichtmeisters, — anderseits der geschichtliche norwegische Skalde (§ 24. 104), auch da doch wohl ein ehrender Beiname: 'der Dichter' vor anderen[2]).

Verscheuchen wir noch rasch den alten Irrtum, als habe die Zwillingsformel 'singen und sagen' den Gegensatz oder das Nebeneinander von Gesang und Sprechvortrag bezeichnet. Dazu taugte sie schon deshalb nicht, weil *sagen* nirgends, in alter oder neuer Zeit, aufs Gehörmäßige, auf eine bestimmte Vortragsart geht. Wo das Wort noch nicht zu ''dicere, inquit' verblaßt ist, hat es den Sinn 'erzählen, kundmachen'. Man kann durch Gebärden, Bilder, Buchstaben 'sagen', man kann 'einen Sang, durch Gesang sagen', d. h. künden. Die Bedeutung 'sprechen, rezitieren' hat die Wissenschaft des 19. Jahrh. sprachwidrig dem Worte aufgedrängt. Die Formel 'singen und sagen', die weder ur- noch gemeingermanisch war, sondern in der Geistlichensprache Englands, dann Deutschlands aufkam, bildet lateinische Wendungen nach wie 'cantare — narrare' und hat zunächst einheitlichen Sinn: 'preisend verkündigen' und ähnliches.

[1]) Die Stellen betreffen Ritual- und Zauberlied (Eir. s. rauda 16, 22; 17, 2; Laxd. 37, 27), Arbeitslied (Heimskr. 3, 373, 20), ein heiteres Lied beim Reiten (Knytl. c. 119, in Dänemark unter Waldemar I., wohl schon die neue südliche Kleinlyrik). Der Gesang aus Kerkerhaft, Grett. c. 86, 13f., ist nicht aus altnordischen Verhältnissen gewachsen. [2]) Gleichsetzung der beiden Bragis erst bei Christen des 19./20. Jahrh. (RLex. 1, 306; 2, 235).

33. Eine Reihe von Stellen bezeugt für Goten, Franken, Engländer und Friesen das L i e d z u r H a r f e. Es handelt sich um gesellige Kleinlyrik, namentlich aber um das höfische Preislied und das Heldenlied; Werke, die der Einzelne vortrug.

Die Harfe sichert den Gesangsvortrag. Gesprochene Verse zu Harfenspiel, also *Melodram*, wären vorstellbar nur dann, wenn die Harfenbegleitung aus akkordischen Griffen bestanden hätte. Dies ist aber fürs frühe Mittelalter musikgeschichtlich ein Unding; die Harfenbegleitung kann nur einstimmige Weise gewesen sein. Und zu der gehörte gleichstimmiges (homophones) Singen, eine Melodie im vollen Sinne, unmöglich ein Hersagen im Sprechton. 'Ore manibusque *consona voce* cantando' heißt es vom (römischen) Harfenspieler. Nicht jeder Silbe der Singstimme brauchte ein Harfengriff zu entsprechen: der Einstimmigkeit tat es keinen Abbruch, wenn zu längeren Auftakten oder Senkungen nur ein oder zwei Saitentöne traten. Dagegen die einfachen Melismen — mehrere Harfentöne auf einer ausgehaltenen Silbe — mußte die Singstimme mitmachen.

Also geharfte Texte sind gesungene Texte. Südgermanische Zeugnisse für Einzelgesang ohne Harfe haben wir kaum. Man darf zu Gesang und Harfe keine Dichtung im Bogenstil (§ 31f.) hinzudenken. Mit den unsymmetrischen Satzschlüssen des Bogenstils hätte sich jede

20. Trauernde Germanin. Brüstungsplatte aus Kalkstein. 1. Jahrh. n. Chr. Mainz. Sammlung des Altertums-Vereins. (Nach Tacitus Germania herausgeg. v. Schweizer-Schwyzer 1912.) Gef. in den Fundamenten der röm. Stadtmauer vor dem Gautor zu Mainz.

Begleitweise unerträglich gekreuzt. Schon die beiden weltlichen Texte, Hildebrandslied und Finnsburg, mit ihrer Lockerung des freien Zeilenstils, dulden keine Melodie mehr, also auch keine Harfenbegleitung. Der notwendige Schluß ist, daß geharfte Lieder diese Lockerung noch nicht kannten, daß sie noch im strengen oder freien Zeilenstil gingen. Die Eddalieder epischen Maßes, die diesen Stil festhalten, vertrügen insoweit Gesang und Harfe; doch ist dem alten Norden zwar nicht das Harfenspiel, aber die Harfe zur Dichtung unbekannt.

Von der erhaltenen Stabreimdichtung gilt nach alledem, daß ein großer Teil innerlich unsangbar ist; daß ein weiterer Teil zwar Gesang zuließe, aber nur ein Hersagen kannte. Wie viel wir als gesungen ansprechen dürfen, bleibt fraglich.

Inrerer Bau und äußere Beglaubigung zusammen sichern dem Hymnus Caedmons (§ 108) den Gesang. Diese neun Langzeilen in freiem Zeilenstil würden allein schon den Wahn widerlegen: der altgermanische Versfall, den wir kennen, sei überhaupt nur denkbar in gesprochener — und zwar taktfrei deklamierter — Dichtung.

Sieh das zu Dt. Versgeschichte § 112 Angeführte.

34. Es bleibt die Frage, wieweit altgermanische Dichtung mit rhythmischer Leibesbewegung, mit Tanz, Marsch oder Umzug, verbunden war.

Mit dem germanischen Worte 'Leich' pflegt die Literaturgeschichte diese Verbindung zu bezeichnen. Offen bleibt dabei, ob der Text gesungen oder gesprochen war. Auch wir verwenden den bequemen Ausdruck.

Schon die Bedeutungsentwicklung von *Leich* (got. *laiks* usw.) mit den zugehörigen Verba und Zusammensetzungen wirft Licht auf unsere Frage. Die Hauptlinien sind diese.

Die Grundbedeutung treffen wir mit den Worten 'spielerische, lustbetonte Leibesbewegung' ('hüpfen, auf und ab springen' wäre zu eng). Dies schon urgermanisch durch Einfühlung ausgedehnt auf Bewegungen der Tiere und der Elemente[1]). Auch den bestimmteren Sinn 'leibliches Spiel, Sport' dürfen wir schon dem gemeinsamen Ausgangspunkt zusprechen.

Also ein Vorstellungsgebiet noch außerhalb der Kunst. Der *Leich* war urgermanisch weder 'Tanz mit Dichtung' noch 'musikalisches Spiel'.

Das Alte hat sich gut erhalten nordisch, auch englisch, während es deutsch spärlicher zu Tage tritt. Auch Wulfila hat *laikan* für 'hüpfen'; sein einmaliges *laiks* für χορό; 'Tanz' sichert dem gotischen Worte noch nicht den musischen Sinn, um so weniger als für das eigentliche, musikbegleitete Tanzen (ὀρχήσασϑαι) alle dreimal ein Lehnwort aus dem Slavischen, *plinsjan*, erscheint. Die vielen nord- und südgermanischen Mannesnamen auf *-leich* nötigen nicht über die urgermanischen Bedeutungen hinaus. Der Sinn 'verspotten' (in got. *bilaikan*) und 'betrügen' (in engl. *forlâcan* usw.) entspringt aus 'hüpfen' oder 'spielen'.

21. Relief von der Marcussäule. Der Quaden-
könig Ariogais und die Seinen werden von
römischen Auxiliarsoldaten in die Gefangenschaft abgeführt.

22. Relief von der Marcussäule. Hinrichtung
von sechs markomannischen Edlen.
(Nach Kossina, Die deutsche Vorgeschichte,
Würzburg 1914.)

Der altnordische Sprachgebrauch blieb zunächst in dem außermusischen Kreise; nur
daß er den alten Sinn 'Spiel, Sport' ausgedehnt hat auf das Spielen überhaupt (die Wurzeln
spielen und *plegan*, englisch *to play*, fehlen dem Norden), auch auf Saitenspiel und ähnliches.
Leikari übersetzt schon im 9. Jahrh. den Spielmann. In jüngeren Quellen nimmt *leika* auch die
Bedeutung 'tanzen' an. Aber, worauf es ankommt, den Sinn 'Leich', = Lied zu Leibesbewegung, hat das Altskandinavische nicht entwickelt. Das neunorwegische *leik* kann seine
landschaftliche Bedeutung 'Tanz(musik)' sehr wohl aus '(musikalischem) Spiel' gefolgert haben.

Mehr geneuert hat das westgermanische Gebiet. Im Althochdeutschen hat *leich* den
Sinn 'Melodie, Ton' angenommen (wozu auch *leichôd* 'hymenaeus'). Das erklärt man am besten[2])
aus dem Übergang 'Spiel → Saitenspiel → Melodie'. Zum Unterschied von *Lied*, dem älteren Wort
für Melodie (§ 32), bezeichnet das jüngere *Leich* (zuerst bei Notker Labeo) die kirchlichen Se-
quenzen; später deren deutschsprachige Nachbildungen: in dem mittelhochdeutschen *leich*
'durchkomponierte Arie' tritt unsre Vokabel ein zweitesmal unter die Kunstworte der Poetik.

Danach wäre auf deutscher Seite ein 'Gesang mit Leibesbewegung' nicht zu erschließen.
Für England fordert man diesen Sinn als Durchgangsstufe. Denn hier bedeutet das einfache
lâc meistens 'Opfer, Darbringung, Geschenk'. Aus 'kultischen Umzug, Opferleich'? (Das einzige Beispiel ist das langobardische in § 37.) In Zusammensetzungen wahrt *-lâc* noch den Ursinn: *heaðu-lâc* 'Kampfspiel' u. aa. Zu denken gibt, daß die Bedeutungen 'Tanz' und 'Tanz-
weise' in England und Deutschland mangeln, in England auch die Bedeutung 'Musik, Gesang'[3]).

Den gewünschten Sinn sucht man noch hinter altenglisch *brŷdlâc*; altdeutsch *hîleich*,
niederländisch *huwelijk* 'Heirat, Hochzeit'. Aus 'Hochzeitsreigen, -leich'? Zu erwägen wäre
auch 'Hochzeitssprung' wie bei *Brautlauf* § 43; auf deutschem Boden auch 'Hochzeitsgesang'.

Wir kommen zu dem Schluß: der technische Sinn, den wir heute dem Wort *Leich* bei-
legen, ist auf älteren Stufen nirgends zu greifen; vermuten kann man ihn an zwei Stellen, namentlich als Vorstufe zu altenglisch *lâc*.

23. Relief von der Marcussäule. Gefangener
Germane und Germanin.

24. Relief von der Marcussäule. Gefangene Ger-
maninnen.

¹) Dem richtigen kommt nahe Kauffmann, ZsPhil. 47, 157.   Zusammenhang mit 'den sakralen Gebräuchen des Kultus' läßt nur das Ags. mutmaßen.   ²) Mit W. Wackernagel, Altfranz. Lieder 226. ³) Denn bei *lâcan*, Rätsel 32, 19, kommt man mit 'spielen' aus.

Das nur deutsche *Spiel* mit seiner Sippe hat ähnlichen Grundsinn wie *Leich*. Im Ahd. hat es die Bewegungsseite, den Ausdruck für 'Tanz', an sich gezogen, der dem Vorgänger fern blieb. Vgl. E. Schröder, ZsAlt. 74, 45f. (1937).

35. Getanzte Verse beglaubigt die Sippe *Leich* weder für den urgermanischen noch den nord- oder ostgermanischen Kreis.   Wie steht es um anderweitige Zeugnisse?

Da ist eine Tatsache ersten Ranges, daß das nordische Altertum nicht tanzt.   Seine 'orchestische Dichtung' beschränkt sich auf Schlachtgeschreie und Arbeitsverse.   Seine Opferszenen, seine Hochzeiten, seine Totenfeiern kennen nichts Leichartiges. Der gesellige Tanz,

mutmaßlich von lyrischen Vierzeilern begleitet, taucht seit 1100 in Island auf;
eine anerkannt neue Einfuhr aus dem
Süden (§ 84). Bis dahin wissen die vielen
und genauen Beschreibungen nordischer
Geselligkeit nichts von Tanz. Das kann
kein zufälliges Schweigen sein[1]).

Was die Südgermanen betrifft, so
scheidet der zuerst von Tacitus erwähnte
'Schwerttanz' aus, da er mit Wort und
Weise nichts zu tun hat. Beim Leiche
müssen wir den geselligen Tanz trennen
von Marsch, Umzug, Ritt, Arbeitsbewe-
gung. Diese letzte Gruppe geht nicht
ganz ohne Zeugnisse der Kaiserzeit aus,
sieh § 44 (?), 46. Es ist glaubhaft, daß
diese männlicheren Bewegungsrhythmen,
im Kultus und außerhalb, urgermanische
Sitte waren. Fragwürdig ist dies bei dem
musikbegleiteten Tanze als gesellschaft-
lichem Vergnügen, wobei wohl immer die
Frauen eine Hauptrolle hatten.

Wir erinnern uns, daß ein urgermanisches Wort für Tanz nicht besteht und
daß auch Wulfila ein slavisches Lehnwort
gebraucht. Gemeingermanisch wurde erst,
seit dem 12. Jahrh., die Sippe von *dance,
dancier:* die ist von Frankreich ausgestrahlt, mag auch eine germanische Wort-
wurzel zugrunde liegen[2]). Was man als
ältesten Beleg für gotischen und überhaupt germanischen Tanz bucht, werden
wir unsrer Volksfamilie aberkennen müssen. Es ist der Schleiertanz, den der Grie-

25. Relief von der Marcussäule. Germanische Edle,
von Römern überfallen.

che Priskos am Wohnort Attilas, einem Dorfe der Theißebene, sah. Mädchen zogen vor dem
Hunnenherrscher her in vielen Reihen unter hochgehaltenen weißen Schleiern; dazu sangen
sie 'skythische Gesänge'. Das vieldeutige 'skythisch' können wir diesmal nicht mit 'gotisch'
übersetzen; die Sängerinnen werden sarmatische Landeskinder, keine Gotenmädchen gewesen
sein. Die dem Attila dienstpflichtigen Ostgoten wirkten zwar auf Hofhalt, Hausbau und Kriegführung ein, aber solche weiblichen Schleierprozessionen waren nicht ihre Sache. Der ganze
Hergang nimmt sich fremd aus in der Linie germanischer Gesittung.

Wenig später beginnen die Zeugnisse für Tanzgesänge bei den Deutschen in Gallien. Seit
dem 7. Jahrh. wettert die Kirche im Frankenreich gegen die 'ballationes und saltationes' der
Laien (§ 84). Bei diesen zwischenvölkischen Konzilbeschlüssen usw. ist es unsicher, wieweit
sie auf deutsche Gemeinden zielen. Jedenfalls dürfen wir nicht gleich an Reste germanischen

Heidentums denken, wenn die Geistlichkeit diese Vergnügungen als 'gentilitas' brandmarkt. Es gab genug römisches, mittelmeerisches Heidentum, das unter dem Krummstab fortwucherte!

Die äußere und innere Wahrscheinlichkeit ist dafür, daß die lebhaften Lustbarkeitstänze, diese 'chori foeminei' mit ihren 'unanständigen und gemeinen Liedern', ein Erbstück des Römerreichs waren, vermittelt durch die Mimen, die von der Kirche so befeindeten *histriones* und *dansatrices*, und daß sie erst spät über den alten Römerboden hinaus zu der ungemischt germanischen Bevölkerung drangen. Zu den Skandinaviern kamen sie, wie wir sahen, erst um 1100, und mindestens von Island wissen wir, daß sie auch dort einen eifrigen Bischof sogleich als unzüchtiger Brauch stießen[3]).

Neben den romanischen Lehnwörtern für 'Tanz' begegnen in deutschen und englischen Schriftwerken seit dem 8. Jahrh. Ausdrücke aus heimischer Sprachwurzel: altengl. *tumbian*, ahd. *tûmôn* (zu *taumeln*); *rîhan* 'die Reihe bilden'; vielleicht *gartsang* und *zîlsang* 'Reihengesang'. Soweit diese Wörter nicht von den altheimischen Umzügen stammen, kann man sie für den neuen Tanzbrauch geprägt haben. Bestimmteres über die Form der Tänze verraten sie uns nicht.

So denken wir uns den Tanz im engern Sinne aus dem Bild der urgermanischen Dichtkunst weg. Unter den Begriff des Leiches können wir von den uns bewahrten Stabreimversen nur stellen die paar nordischen Heerrufe und das Arbeitsliedchen.

[1]) Die vielangeführten Verse über den schönen Ingolf im Seetal, Ende 10. Jahrh., enthalten keine Anspielung auf Tanz. Sie sagen nicht 'Alle Mädchen wollten mit Ingolf tanzen . . .', allerdings auch nicht 'sie wollten ihn heiraten', sondern einfach 'sie wollten mit ihm gehn, sich zu ihm halten' (die Liebschaft ist sprachlich nicht ausgedrückt). Vgl. MSD. 2, 155; Meißner, Skaldenpoesie 25; W. H. Vogt, Vatnsdœla saga 101. Bei Völsungasaga c. 5, 18 denken wir nicht an Spottlieder zum Tanze (Kögel 1, 57), sondern an Stachelreden der Zuschauerinnen bei den Wettspielen der Bursche; vgl. Sturl. 1, 22f.; Hallfr. 86, 21ff.; Gîslasaga c. 18, 10. [2]) E. Schröder, ZsAlt. 61, 27ff. (1924); Verrier, Le vers français 3, 46ff. (1932); Bruckner, Gustav Binz-Festschrift 1935, 81. [3]) 'Blautlig kvæði ok regilig', Bisk. 1, 237, übersetzt gradezu das im Süden stehende 'carmina luxuriosa et turpia'.

Wir haben im obigen die Quellen reden lassen. Auf die Volksart haben wir uns nicht berufen. Unter den Versuchen, das 'eigentlich selbstverständliche' nachzuweisen: daß Gesang und Tanz den alten Germanen ebenso eigneten wie allen anderen Völkern, ragt hervor das Werk von Robert Stumpfl, Kultspiele der Germanen 1936. Notgedrungen führt dieser geistvolle und gelehrte Fürsprech seine Sache ohne die Quellen — oder wider die Quellen. Sie gebens nun einmal nicht her! — Da unser Gegenstand Altgermanische Dichtung ist, bietet Stumpfl unsrer Werkstatt keinen Stoff. Denn so weit geht er nicht, daß er dem Schweigen der Quellen durch eigene Dichtung aufhülfe.

VII. RITUALDICHTUNG

Wir vereinigen hier, was zu gewichtigen Handlungen gesprochen wurde und irgendwie feierliche, amtliche, herkommengebundene Haltung hatte; *verba concepta et solemnia*; *carmen necessarium*. Die Grenzen fließen nach der Zauberdichtung und der geselligen Lyrik, auch nach der Spruchdichtung hinüber. Auch die Unterabschnitte (Opfer, Weissagung, Hymnus und Gebet, Weihinschrift; Rechtsgeschäft, Hochzeitslied und Totenlied, Schlachtgesang) sind ungleich scharf umrissen.

36. Als Schweden noch heidnisch war, hatte ein deutscher Chronist, Adam von Bremen, Nachrichten eingezogen über den Opferdienst in Upsala. Er weiß uns mehr zu vermelden, als wir sonst bei seinen geistlichen Standesgenossen über dergleichen Dinge zu hören bekommen. Er nennt den Tempel mit seinen Götterbildnissen, den Tempelhain mit seinen Tier-

und Menschenopfern ... Aber als er auf das Gesprochene oder Gesungene kommt, die 'vielfältigen Lieder (*neniae*), die bei dieser Opfervollziehung stattzuhaben pflegen', da bricht er ab mit den Worten 'unanständig und darum besser zu verschweigen'.

So haben, zum Schaden für die Dichtungsgeschichte, auch die übrigen Gewährsmänner gedacht. Nicht einmal die Isländer machen eine Ausnahme: bei ihren Schilderungen von Tempelfest und Opferhandlung verschweigen sie uns die Worte, mit welchen Priester und Gemeinde die Riten begleiteten. Daß es großenteils stabende, auch gesungene Verse waren, ist anzunehmen; den Glauben, daß der geordnete Zeitfall Gewalt über die Jenseitigen ausübe (Nietzsche, Fröhliche Wissenschaft § 84), werden die Germanen geteilt haben. Aber überliefert haben die christlichen Federn so gut wie nichts von diesen heidnischen Liturgien; nicht einmal technische Namen für Opferverse können wir nennen.

Nur eine sehr mittelbare und getrübte Abbildung eines häuslichen Herbstopfers der Heidenzeit dürfen wir sehen in der isländischen Bekehrungsanekdote, die eine späte Königsgeschichte aufgenommen hat. Diese halb schwankhafte Novelle vom Völsi verzerrt den sakralen Brauch, unter anderm darin, daß sie die Opfergabe, einen Pferdephallus, als Gottheit der norwegischen Bauernfamilie, als richtigen Fetisch, hinstellt. Aber in den Strophen, die beim Umreichen dieses Völsi die Teilnehmer sprechen, bricht die ältere Anschauung durch. Jede Strophe wiederholt kehrreimhaft die Langzeile:

> *Es empfange Mörnir   dieses Opfer![1])

In den zwei vorangehenden Zeilen drückt der Sprecher seine Gefühle für den Völsi aus, das eine Mal in preisenden, gehobenen Worten:

> Gestärkt bist du, Völsi,   und zur Schau gestellt:
> Von Leinen umhegt   und durch Lauch gesteift.

Jede Schlußzeile enthält die Aufforderung an den Nachbar, den heiligen Gegenstand an sich zu nehmen.

Diese eigenartig gebauten Strophen haben nähere und fernere Gegenstücke in indischen, litauischen, lappischen Spendeformeln. Es steckt Überlieferung in ihnen, ein Urbild aus norwegischem Götter- oder Albendienst wirkt nach. Wir haben hier Verse, die der Einzelne spricht, mit z. T. festgelegtem, z. T. dem Augenblick entspringendem Wortlaut.

Das Gebet des opfernden Wolgaschweden, das ein Araber nach 920 ausführlich wiedergibt, läßt dichterische Prägung kaum erkennen; eine Formel ähnlich der beim Völsi könnte in der Anrede an den Bildstock liegen: 'dir hab ich dieses Geschenk gebracht'[2]).

[1]) Edd. min. Nr. 23; verdeutscht bei Genzmer II Nr. 31. 'Mörnir' kann Beiname des phallischen Fruchtbarkeitsgottes Freyr sein, aber auch pluralisch auf elbische Wesen gehn (solche wurden mit häuslichen Spenden verehrt). Rosén, Antikvarisk Tidskrift för Sverige 20 II (1914); M. Olsen, Indskrifter med de ældre Runer 2, 652ff. (1917); J. Loewenthal, Beitr. 47, 273. Ølrik & Ellekilde, Nordens Gudeverden 1, 166ff., sondern unter den Strophen uralte und ganz junge.   [2]) Thomsen, Ursprung des russischen Staates 31.

37. Rituale Verse mit Leibesbewegung, einen *Opferleich*, bezeugt für die Germanen eine einzige Stelle. Gregor der Große weiß von den eben noch heidnischen Langobarden, daß sie 'im Kreise laufend mit einem ruchlosen Gedicht' dem 'Teufel' einen Ziegenkopf als Opfer darbrachten[1]). Alles einzelne lassen die Worte dunkel: ob Tanz in geschlossener Kette, wie die späteren Reigen, gemeint ist; ob es Chorgesang war, usw.

Mit dem Worte *piganc* 'Begehung, Umzug' überträgt eine althochdeutsche Glosse 'ritus' und 'cultus'. Wir kennen Schilderungen kultischer Umzüge, zu beginnen mit dem Nerthus-

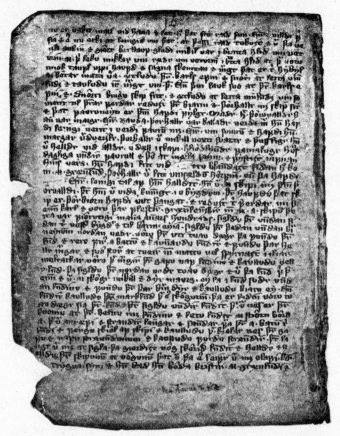

26. Eine Seite einer Handschrift der Saga von Eirik dem Roten.
15. Jahrh. (Nach Palæografisk Atlas.)

abschnitt der Germania, aber sie schweigen von Gesang. Der Frage, ob das germanische Heidentum *Festspiele* kannte mit mimischer Darstellung des Mythus, gottesdienstliche Dramen, können wir nicht nachgehn. Eindeutige Zeugnisse dafür fehlen, und die Versuche, erzählende Götterlieder der Edda auf solche Spiele zurückzuführen, entbehren des festen Grundes [2]).

Zwischen Opfer und Weissagung vermittelt eine eddische Strophe, wohl die einzige in dem ganzen Liederbuch, die nach praktischem Gottesdienst klingt. Sie steht in dem Spruchhefte (Hâvamâl 144), trennt sich aber nach Inhalt und Form von der Umgebung:

    *Weißt du, wie man ritzen soll?
    weißt du, wie man deuten soll?

Und so im gleichen Wortlaut durch die acht Verse: '. . . wie man färben, wie man erproben, wie man beten, wie man opfern, wie man senden, wie man schlachten soll?'[3]).

Die vier ersten Tätigkeiten gehn auf Runengebrauch, das 'erproben, versuchen' doch wohl auf Runen im Dienste der Wahrsagung. Die vier weiteren Verse führen zu Gebet und Schlachtopfer ('senden' ist das Umschicken der Speise am Opferschmaus). Verbindung von Opfer mit Orakel ist bezeugt. Die Strophe hat die Gestalt der Sammelfrage, die wir noch bei Rätseln kennen (§ 68). Mit ihrem starren Gleichlauf, rhythmisch und syntaktisch, wirkt sie einzigartig und sieht nicht nach Schreiberreimerei aus: man denkt an einen verflogenen Rest sakraler Dichtung. Der Fragende könnte etwa der Priester sein, der seine Unterweisung mit diesen Überschriften einleitet.

[1]) Vgl. Müllenhoff, De antiquissima Germanorum poesi chorica 12.   [2]) Sieh besonders Bertha Phillpotts, The elder Edda and ancient Scandinavian drama (1920). Einige Bedenken dagegen Arkiv 38, 347ff. Das Hauptwerk, Stumpfls Kultspiele (§ 35 Ende), lehnt die Ergebnisse der Phillpotts ab (S. 41f. 177. 195f.) und sucht die altgermanischen Dramen aus neuzeitlichen Quellen und fremdstämmigen Gegenstücken zu erschließen. Mit Dichtungsgeschichte berühren sich mittelbar auch zwei angrenzende Hauptarbeiten: Meulis großer Artikel 'Maske, Maskereien' im Handwörterbuch des dt. Aberglaubens 5, 1744—1852 (1932 bis 1933) und das Buch von Otto Höfler, Kultische Geheimbünde der Germanen 1934. [3]) Edda S. 40 Str. 144; bei Genzmer 2, 183. Zur Deutung: Agrell, Rökstenens Chiffergåtor 1930, 75f.

38. Bei dem Losorakel, das Tacitus beschreibt (Germania c. 10), deutete man die aufgehobenen Zweige 'gemäß dem vorher eingeprägten Zeichen', d. h. diese Zeichen, wohl Wortsymbole, hatte der Deuter aufzurunden zu seiner Wahrsagung. Nach einer fruchtbaren Vermutung geschah dieses Aufrunden in stabenden Verszeilen, so zwar daß jede aufgehobene Wortrune den Hauptstab lieferte zu einer Langzeile: die Nebenstäbe (Stollen) und die übrige Auffüllung hatte der Deuter zu finden. Dies mag der Ursprung des Stabreims gewesen sein[1].

Die spätern Zeugnisse, auch das nordische 'Werfen des Spanes', helfen uns da nicht weiter[2]. Von gestabter Deutung der Lose verlautet nichts.

Völlig andrer Art ist ein mantischer Hilfsgesang, den die Saga von Eirik dem Roten in Grönland erwähnt (um das Jahr 1000). Eh die berufsmäßige Seherin, die *Völva*, wahrsagen kann, müssen sich Weiber im Kreis um ihren Sehersitz stellen, und die einzige, die dieses 'Wissen' gelernt hat, singt ein Gedicht, welches *Vardlokkur* heißt, d. i. 'Anlockung der Schutzgeister' (der Haus- oder Landgenien)[3]. Sie singt mit so schöner Stimme, daß sich alle verwundern. Das Lied, erklärt die Völva, habe die Geister willfährig gemacht, und nun sei ihr vieles enthüllt. Sie weissagt nun das Ende des Mißjahres.

Das Lied ist also von der Weissagung deutlich getrennt; es ist eine Art Zauber: es übt Gewalt über Geister. Anderwärts heißt es von dem 'draußensitzenden' Wahrsager, er 'wecke Trolle auf' (die ihm das Wissen zuführen). Vom feindlichen Standpunkt: 'verruchte Anrufung der Dämonen'[4]. Doch beschränkt die Saga das Wort *seidr* 'Zauber' auf das Tun der Seherin, und von dem selbständigen Heil- oder Schadenzauber, den man sonst unter *seidr* versteht, liegt diese 'Geisterlockung' weit ab! — Die herausgehobenen Einzelheiten deuten auf wirklichen Gesang, der einige Schulung voraussetzt, mit einigem Aufwand vorgeführt wird und neben dem praktischen Zwecke Wohlgefallen weckt. Es ist Einzelgesang, der Text offenbar vorbestimmt. Von Inhalt und Art erfahren wir leider nichts.

Die Seherin-Episode des Wikingromans von Örvar-Odd, c. 2, nimmt sich z. T. wie eine Überbietung jenes nüchterneren Berichtes aus. Die weise Frau führt hier 15 Knaben und 15 Mädchen mit sich: 'das war ein Haufe mit starken Stimmen (*raddlid mikit*), denn wo sie auftrat, brauchte es großes Gesinge'. Der Erzähler scheint an Chorgesang zu denken, was im alten Norden ein Unicum wäre (§ 84); aber klare Anschauung verraten die Zeilen über den nächtlichen *seidr* nicht. Darin stimmt es besser mit den sonstigen Zeugnissen aus Nord und Süd, daß der 'Orakelsitz' (die altdeutsche *liodersâza*) im Freien, fern von Unberufenen, statthat, nicht in der Wohnstube vor dem Hausvolk. Das Wort *raddlid* nehme man nicht als Kunstausdruck ('Sangchor'), der auf den Frauenkreis der Eirikssaga anzuwenden wäre.

Die Wahrsagung selbst scheint nach dieser letzten Quelle schlichte Prosa zu sein. Ob sonst auch Verse aus dem Stegreif stiegen? Die Völvastrophen in zwei Vorzeitsagas beweisen dies nicht; sie können dichterischer Schmuck sein wie andre Sagaverse, wenngleich man der gut geschilderten Verzückung der Seherin in der Hrólfssaga wohl den Erguß in gebundener Rede zutraute. Für den Stil dieser Gesätze gilt, daß sie kein Klangvorbild heidnischer Kultrede verraten (de Boor). Schon mehr nach echter Mantik klingen einige Verse des Meermännchens und andrer Wunderwesen in der Hâlfssaga[5]; dazu die aus dem Leben geschöpften Traumstimmen § 88. Erwägen darf man, ob das Eddalied Völuspâ, eine große, kunstmäßige Seherinnenrede, in ihren kehrreimartigen Teilen Formeln der wirklichen Wahrsagung verwendet (§ 146); z. B.:

> Viel weiß ich der Kunde,   vorwärts schau ich weiter; —
> Wißt ihr ferner, und was?

¹) Vgl. oben § 32 über *wôþa*; Dt. Versg. § 384.   ²) Über das nordische Orakel: Meißner, ZsVolksk. 27, 1ff. 97ff. Nordén, Arkiv 53, 168ff.   ³) Die Form *vardlokur* ('Geisterverschluß' od. ähnl.) ist weniger gut beglaubigt und doch wohl Anlehnung des ausgestorbenen *lokka* 'Lockung' an das häufige *loka* 'Riegel'. Vgl. Strömbäck, Sejd (1935) 124ff. 139; anders entscheidet sich M. Olsen, Maal og Minne 1916, 1ff.   ⁴) Lex Visig. VI 2, 2: . . . qui nocturna sacrificia daemonibus celebrant eosque per invocationes nefarias nequiter invocant . . .   ⁵) Edd. min. 90f. Man vgl. den Ausdruck einer fingierten Vision bei Walther v. d. Vog.: E. Schröder, ZsAlt. 45, 439.

39. Ein merkwürdig vielseitiges Gebilde ist der altenglische *Flursegen*, der Begleittext zu Ackerbuße und erstem Pfluggang. Er vereinigt Zauberspruch, Preislied und Gebet. Er ist ein 'Musterstück von Verschmelzung heidnischen und christlichen Brauches' ¹). Die im ganzen kirchliche Anlage — die Aufzeichnung geschah erst um das Jahr 1000 — hat einige Zeilen aufgenommen, die wohl ebenso im heidnischen Flurgangshymnus stehn konnten:

> Die Erde bitt ich   und den Oberhimmel; —
> Erke, Erke, Erke²),   der Erde Mutter! —
> *Es gönne dir (der Allwaltende . . .)
> Äcker wachsend   und aufsprießend,
> Voll schwellend   und kräftig treibend . . .
> Und der breiten   Gerste Früchte
> Und des weißen   Weizens Früchte
> Und alle Erdenfrüchte! —
> Heil sei dir, Erdflur,   der Irdischen Mutter!
> Sei du grünend   in Gottes Umarmung,
> Mit Futter gefüllt   den Irdischen zu Frommen! . . .

Auf urzeitliche Grundlagen weisen Einzelheiten des Inhalts. Die hymnische Feierlichkeit bringt der germanische Zeitfall zu besonderm Ausdruck. Der Vers ist weniger gehobelt als in der landläufigen Epik; den strengen Zeilenstil hält er bis auf wenige Stellen fest. Auch die Sprachmittel sind die spruchhaften (Wiederholung, Gleichlauf), nicht die episch-lyrischen (rein-schmückendes Beiwort, Variation).

Nordisch führt uns nur eine Stelle so entschieden ins Hymnische. Und zwar ist sie heroisch gesteigert, nur mittelbar ein Abbild von Gebeten des Lebens. Die von Sigurd erweckte Walküre begrüßt das ihr neu geschenkte Licht³):

> *Heil, Tag! Heil, Tags Söhne!
>   Heil, Nacht mit Gesippen!
> Mit Augen ohne Zorn   schaut auf uns her
>   Und schenkt uns Sitzenden Sieg!
> Heil, Asen! Heil, Asinnen!
>   Heil der vielnützen Erdflur!
> Rede und Geisteskraft   schenkt uns Ruhmreichen zwei
>   Und Heilhände unser Leben lang!

Die Verse von der Erdflur berühren sich näher mit dem englischen Segen. Vor diesem hat der Nordländer die reicheren rhythmischen Möglichkeiten des Sechsversmaßes voraus. Der einprägsame Aufbau beider Strophen: die drei anaphorischen Glieder mit ihren Dehnungen, dann der fließende Abgesang, hat ein nahes Gegenstück im Großen Sittengedicht (§ 65). Auch Hymnen ferner Länder klingen an, hier wie in § 36⁴). Christliches hat hier gewiß nicht eingewirkt. Die Frömmigkeit ist die des gesunden und selbstvertrauenden, unzerknirschten Menschen.

¹) E. H. Meyer, ZsVolksk. 14, 130ff.; Grendon, Journal of American Folk-Lore 22, 155f. 172ff. 220.
²) Fraglich, ob mythischer Name (Braun, Japhet. Stud. 1, 65) oder Abracadabra (Grendon 155. 220. Vgl.

Singer, Handwb. d. dt. Abergl. 2, 889.   ³) Edda S. 186; bei Genzmer 1, 133.   ⁴) Winternitz, Denkschriften der Wiener Akad. 40, 44; eine irische *incantation* bei Squire. The mythology of the British islands 128.

40. So hochgestimmte Gebetsklänge hören wir bei uns nicht wieder. Eine Strophe, worin der Skald Egil den Norwegerkönig verwünscht, geht von Odins Nennung in dritter Person zum Vokativ über:

> Freyr und Njörd, verfolgt des   Landes Feind mit Schande!
> Treffe den tollen Frevler   Thors Zorn hart und dornig![1])

Überlieferte Formel steckt in dieser Hoftonkunst nicht mehr.

Sonst finden wir unmittelbare Anrede des Jenseitigen durch den Dichter, diese Marke hymnischer Poesie, nur noch in drei Strophen benannter Skalden[2]). Der alte Bragi sagt zu Thor: 'Wohl habt ihr, Spalter der neun Köpfe Thrivaldis (eines Riesen), eure Zugtiere heimgelenkt!' Zwei Spätere zählen dem Thor seine Großtaten wider die Riesen vor. Von den belehrenden Namenhaufen der Merkdichtung trennt sie fühlbar die 'Du'-Anrede (§ 71). Das eine Langzeilenpaar stammt von einem der Isländer, die dem Glaubensboten Thangbrand mit Hohnstrophen begegneten; der Dichter hatte's mit dem Tod durch die Waffe zu büßen. Hier nun finden wir ihn als Thorsgläubigen. Das bemerkenswerte kleine Denkmal in seinem kunstlosen Satzbau, das Gegenteil des 'berauschten Hymnenstils' § 134, sähe nicht übel nach kultischem Götterpreis aus. Doch ist der Vers nicht der altgermanische: es ist ein skaldisches Maß mit starrer Füllung (der fünfsilbige Dreitakter 'Hadarlag': $| \perp \times | \llcorner | \perp \times)$

> Lénde bráchst (der) Léikn!
> Láhm schlugst Thríváldi!
> Stíeßt zu Tál Stárkad!
> Stíegst auf Gjólps Léiche!

Aus Fürstenliedern nach Art der Schildgedichte brauchen diese paar Reste nicht zu stammen (§ 110f.). Es mochten recht wohl eigenständige Götterlieder sein, nur eben keine sachlichen Erzählstücke und keine Merkgedichte, wie wir sie in eddischem Kleid kennen, vielmehr von hymnischer Haltung. Die skaldische Familie hat hier über ihr gewohntes Gebiet, die subjektiven Arten, hinweggegriffen (vgl. § 23).

Noch urtümlicher hymnenhaft klingt eine einsame Zeile aus deutschem Gebiet, überliefert als Eingang eines nicht mehr heidnischen Krankheitssegens:

> Doner dûtîgo,   dietêwigo!

Der nach Zeitfall und Stabung gut altgermanische Langvers ist kaum anders zu verstehn denn als Anrufung des Gottes: 'Donar, du gepriesener (?), / volksewiger' (nach andrer Lesart: *dietmahtîger* 'großmächtiger')[3]).

Ein nordisches Gebet ohne Anruf in zweiter Person, im Hofton stilisiert, enthält die Wendung: 'Ich bitte die wirksamen Wesen (*rammar véttir*), die die Gestirne (?) schufen....'[4]). Im Mund einer weiblichen Sagenfigur (Oddr. 9):

> *So mögen dir helfen   gnädige Wesen,
> Frigg und Freyja   und der Götter mehr...

Wirkliche Gebetswendungen dürften sich auch spiegeln in den Versen (Hyndl. 50. 2):

> *Ich bitte, daß den Óttar   alle Götter fördern: —
> Bitten wir Heervater,   wohlgesinnt zu sitzen...

Wir ahnen hier etwas von der gläubigen Stimmung des germanischen Heiden.

Dazu die Verwünschungen, mit oder ohne begleitende Zauberhandlung: 'Gram ist euch Odin!' (Hunnenschlacht 14); 'Zornig seien die Mächte und Odin ...!' (Egilssaga c. 56, 91).

>   Zornig ist dir Odin,   zornig ist dir der Asenoberste (Thor),
>   dir sei Freyr feind! ...
>
>   Hörens die Riesen,   hörens die Reifthursen,
>   Suttungs Söhne,   und sie selbst, die Asenscharen,
>   Wie ich verbiete ...   (Skirn. 33f.).

Christliche Beteuerungen: 'So sei mir Gott hold, gram, wenn ich lüge!', auch breiter ausgesponnen (Edd. min. S. CV). Weiteres bei der Zauberdichtung § 55f.

Anreihen sich die kurzen inschriftlichen Weiheformeln, die dem Schutze des Donnergottes den Grabstein oder das Gerät unterstellen. Beweisbaren Versfall haben sie freilich nicht. Drei dänische Steine des 10. Jahrh. bieten: 'Thor weihe die(se) Runen' (oder 'dieses Denkmal'), ein schwedischer das einfache 'Thor weihe!', und in umgekehrter Folge steht auf der Nordendorfer Spange (hochdeutsch, 6. Jahrh.): 'Es weihe Donar!' mit vorangehendem Wodan[4]).

[1]) Egilssaga c. 56, 91, Nachdichtung von Niedner, Thule 3, 162. [2]) SnE. 1, 256ff.; bei I. Lindquist, Norröna Lovkväden I 1929, 92 unter den Überschriften 'Aus einem Hymnus an Thor'. [3]) Kögel 1, 265f.; Steinmeyer, Ahd. Sprachdenkm. Nr. LXX; Baesecke, Beitr. 62, 458f. [4]) Skjald. 1, 209 Nr. 9 (Thord Kolbeinsson), unsicher überliefert, s. Kuhn, ZsAlt. 74, 57. [5]) M. Olsen, Arkiv 37, 225f.; Feist, ib. 35, 262. Die acht Runen *üb*r Wodan sind immer noch ein Rätsel, vgl. de Vries, Altgerm. Religionsgesch. 1, 234. Sieh auch unten § 56.

41. Auch das *Rechtsleben* hatte seine Riten, die sich zu dichterischer Sprache erheben konnten. Wir treffen hier, wie im Vorangehenden, Sprechvortrag des Einzelnen: des Gesetzverkünders, des Dingleiters, auch des Klägers, des Schiedsmannes usf.

Was man die 'Poesie im Recht' genannt hat, besteht teils aus zeichenhaften Handlungen, teils aus Eigenschaften der Rede: Ausmalung des einzelnen Falles, sinnlich-blühende Einkleidung, rhythmisch gemeißelte Wendungen. Zugrunde liegt der Drang nach Anschauung, Gefühl und einprägsamen Umriß statt der abgezogenen Gedanklichkeit. Eine reiche Schatzkammer aus alt- und neudeutschem Gute öffnet das Buch Hans Fehrs, Die Dichtung im Recht 1936.

Der Grundbestand germanischer Rechtstexte war von allem Anfang an Prosa, ungebundene, taktfreie Rede; er ist es auch jederzeit geblieben[1]). Wo man Stellen mit Versfall einsprengt, wollen sie sich irgendwie abheben. Zumeist handelt es sich um Begriffs- und Gedankenformeln, gelegentlich um Sprichwörter. Dies gehört zu der nüchterneren Spruchdichtung (§ 59f. 62). Einzelne Strecken von rückblickender, chronikähnlicher Haltung fügen sich zur Merkdichtung (§ 72). Nur teilweise vershaft sind die umfänglicheren ritualen Stücke, die Jacob Grimm aus jüngeren Quellen gesammelt hat: RA. 1, 57ff. die Formeln der Verbannung und Verfemung; 1, 72ff. die Eidesformeln: beide dazu bestimmt, richterliche Handlungen zu begleiten; das meiste in dichterisch gesättigter Sprache, da und dort auch in Versfall und mit Reimen.

Ein Judeneid, der uns seit dem 9. Jahrh., erst lateinisch, dann deutsch, in üppiger Verzweigung vorliegt, zeigt die Bewegung vom Knappen, Enthaltsamen (anfangs nur mit einem reimenden Verszitat) zum Reichen, rednerisch Eindringlichen[2]). In solcher Richtung mag es sich auch anderwärts bewegt haben, und wenn unsre ältesten Gesetze, die angelsächsischen, verstandesmäßig spröde sind, die 600 Jahre jüngeren friesischen viel Saft haben, liegt dies zum Teil am Alter. Der berühmte friesische Abschnitt von den drei Nöten, der mit überquellendem Gefühl die Lage des Kindes vergegenwärtigt[3]), kann die allgemein-germanische

Art der Rechtssatzung nicht vertreten; schon sein breitwogender Satzbau deutet auf Einfluß der christlichen Predigt.

Für das altgermanische Lager können wir nur wenig ansprechen. Die in isländischen Sagas überlieferten Eidesworte, die man bei Rechtsgeschäften auf den Tempelring zu schwören hatte — echte Urkunden aus der Heidenzeit, auf der Grenze zwischen Kultus und Rechtsgang —, haben als ganzes keine Versform, nur einzelne stabend-metrische Glieder[4]). Solche blicken auch in dichterisch umschriebenen Eiden durch[5]). Dagegen eine Interdiktsformel in englischer Sprache, aus dem 10., 11. Jahrh., hat die zugrundeliegenden lateinischen Wendungen so übertragen, daß ein nicht zu verkennender, scharfer Versrhythmus entsteht. Zuerst acht Langzeilen des Baues:

> beon hi awérgᴸóde ⌣⌣ (tendê and drìncendê!
> ('seien sie verflucht essend und trinkend')

Und weiter: '.. verflucht gehend und sitzend!... sprechend und schweigend!' Z. 7'... im Haus und auf dem Acker!... zu Wasser und zu Lande!' Alsdann sieben Langzeilen der Anlage:

> awérgòde béon ⌣⌣ heora éagan ànd heora éaràn!
> ('verflucht seien ihre Augen und ihre Ohren')

'... ihre Schultern und ihre Brust!' usf. Es schließt mit fünf Langzeilen wechselnden Baues[6]).

Der strenge Gleichlauf hat seinen nächsten Verwandten in der heidnischen Fragestrophe der Edda § 37. Reimstäbe sind nicht beabsichtigt: sie ergeben sich dann und wann aus der vorbestimmten Wortwahl. Die stattliche Formel ist ein Beleg für *stablose Verse*, die nach Grundmaß und Füllung ausgeprägt germanischen Stil haben.

[1]) Den alten Herderschen Irrtum wiederholt E. v. Künßberg: 'Die Poesie geht dabei [in Rechtstexten] regelmäßig der Prosa voraus' (Panzerfestschrift 1930, 61, mit Berufung auf die sogen. Schallanalyse!). Im ganzen zutreffend Ahlström, Våra Medeltidslagar (1912) 1f.; Meißner Germanenrechte Bd. 6, XXXIV. [2]) MSD. 1, 220f. vgl. mit 2, 468, 470 (die Verstrennungen im ersten Text überzeugen nicht). Ehrismann 1, 345f. [3]) Scherer, Lit. gesch 16; Kögel 1, 254f. [4]) Bei Golther, Ares Isländerbuch[2] 37; Viga-Glúmssaga c. 25, 23. Vgl. RA. 2, 542ff. 554f. [5]) In mehreren Eddaliedern und im Beowulf 1098ff. [6]) Liebermann 1, 438f.

42. War hier kirchlicher Inhalt in weltliche Form gegossen, so zeigen uns die westnordischen *Urfehdesprüche* einen im Kern unrömischen Bau, der sich mit einigen Versen dem neuen Glauben angepaßt hat. Auch diese *Tryggdamál* ('Sicherungsformeln') führen den Gedanken aus: 'geächtet sei er!'; sie belegen mit Bann die künftige Fehde, nachdem sich eben die Teile Frieden zugelobt haben. Die Handlung steht außerhalb des Gerichtsganges, sie fällt unter das schiedliche Verfahren. Im einzelnen sind Zweck und Anlaß ungleich, denn wir kennen fünf stark abweichende Fassungen: das Hauptbeispiel von 'Zersingen', von Textspaltung in der ganzen Stabreimliteratur[1]).

Nachdem breit entfaltete Formeln die Versöhnung der Streitenden festgestellt oder dem Ankömmling Schutz zugesichert, dann zum treuen Halten des Vertrages aufgefordert haben, kommt das feierliche Mittelstück, das schon die unprosaischen Wortfolgen ins Vershafte heben: die Verwünschung dessen, der den Vertrag bräche. Er soll sein 'dem Wolfe gleich, gehetzt und vertrieben' — überall! Der Gedanke des 'Überall', des unbegrenzten Raumes, hat germanische Rechtssprache auch sonst gereizt zur Zerlegung in anschaubare Bilder[2]). So hören wir bei den Friesen: 'so weit als Wind weht und Kind schreit, Gras grünt und Blume blüht', oder mit gedanklicherer Schlußwendung: 'so weit als ... die Sonne aufgeht und die Welt steht'. Einige dieser Steinchen kehren an entfernten Orten wieder: sie waren urgermanisches oder später gemeingermanisch gewordenes Gut. Unser Urfehdebann steigert diese Ansätze zur zwanziggliedrigen Reihe. Es ist eine freie, bunte Auswahl aus dem nordischen Weltbild, alles erlebt, nichts aus Büchern. Die Glieder größernteils aus dem Menschenleben:'. . . so weit nur

Christenmenschen   Kirchen besuchen,
Heidenmenschen   im Heiligtum opfern, . . .
Knabe Mutter ruft   und Mutter Knaben nährt.
        Leute Lohe fachen,
Schiff schwimmt,   Schilde blinken . . .'

Dazwischen Eindrücke von den Elementen: 'so weit als

Feuer flammt,   Flur grünt, . . .
Sonne scheint,   Schnee fällt, . . .
Himmel sich wölbt,   Heim bewohnt ist,
Wind saust,   Wasser zur See fallen . . .'

Mit je einem Zuge kommen Pflanzen- und Tierreich: 'so weit als

        Föhre wächst,
Falke fliegt   frühlingslangen Tag,
Steht ihm Brise frisch   unter beiden Flügeln . . .'

An die Anregungskraft dieser Verse reichen wenig Naturbilder altgermanischer Dichter heran. Den Aufzählungston überwindet eine seherische Feierlichkeit — dank namentlich den Rhythmen, die das Quadergefüge dieser urzeitlichen Gedanken so deckend herausbringen. Hier erlauscht man den Puls altgermanischen Versstils, den Zusammenklang von Gedanken-, Sprach- und Verslinie. Die steten Gleichläufe und Gegensätze des syntaktischen Stoffes versinnlicht dem Ohre dieser Vers von zwei Langtakten, und zwar so zwanglos und selbstverständlich, daß fühlendes Nachsprechen der Übersetzung den germanischen Zeitfall gar nicht verfehlen kann.

Gruppenbau und Taktfüllung stehen auf jener altertümlichen Stufe, die wir in § 29f. zeichneten. Von den wuchtigen zweisilbigen Versen, in freiem Wechsel mit drei- bis achtsilbigen, geht eine besondre Wirkung aus. Dabei sind die Reimstäbe schon ganz nach den Forderungen des Satztons angebracht. Ob die stablosen Stücke durchweg als Prosa gesprochen wurden, ist unsicher; einiges davon ist formelhaft und legt metrischen Vortrag nahe.

Das Schlußdrittel begleitet den Schwur über dem heiligen Buche und den Handschlag mit anschaulichen Prägungen und klingt aus in Segens- und Fluchverse, die manchen der Gebete in § 39f. ähneln. Die deutlich kirchlichen Wendungen füllen wenig Raum. Der Kern des Urfehdebanns stammt aus der heidnischen, vorisländischen Zeit.

Während Liturgien des Götterdienstes nur in kargen Trümmern oder in Verkleidung zu uns reichen, hat uns das Rechtsleben auf Island dieses Prachtstück zeremonialer Rede vererbt.

[1]) Edd. min. Nr. 25; eine Fassung verdeutscht bei Genzmer II Nr. 32. W. H. Vogt, Altnorwegens Urfehdebann und der Geleitschwur 1936 (vgl. Ólafur Lárusson, Skírnir 1937, 217ff.), Arkiv 52, 325ff., Beitr. 62, 33ff., Zschr. der Savignystiftung 57, 1ff.   [2]) Verwandt sind die Bilder für die unbegrenzte Zeit, das 'Ewig', sieh Ganzenmüller 114, bes. die Stelle aus Hibernicus Exul.

43. Wir kommen in den Bereich des wahrscheinlich chorischen, von Bewegung geleiteten Gesanges mit den *Hochzeits-* und *Totenliedern*. Neben Gottesverehrung und Ding sind Heirat und Bestattung die mit ritualer Poesie geschmückten Lebensaugenblicke. Unsre Quellen bieten uns nur Beschreibungen und ein paar Namen, auch nicht einen Vers in der Ursprache.

Die älteste Stelle für Hochzeitsgesang ist zugleich das früheste Zeugnis für germanischen Tanz (§ 35). Der gallische Rhetor Apollinaris Sidonius, um 460, erwähnt unter den Bräuchen der Franken, die er in Nordgallien beobachten konnte: 'Am nahen Uferhang erschallte der barbarische Brautgesang, und unter skythischen Tänzen vermählte sich dem blonden Gatten die gleichfarbige Braut'. Ein von Gesang (Chorgesang?) begleiteter Tanz im Freien.

Deutsche, friesische und englische Quellen vom 11. Jahrh. ab nennen Gesänge ohne Tanz, mehrmals bei der Heimholung der Neuvermählten durch den Brautführer, wobei das Schreiten im Takt den Reigen ersetzen mochte. Die mannigfachen Spiele und vielnamigen Tänze seit dem Hochmittelalter sind jüngeres Gewächs[1]). Für den Hymenaeus kennen wir die alten Ausdrücke *Brautlied* und *Brautsang*, ahd. *leichôd*; die Wörter für 'Heirat', ae. *brŷdlâc* usw., deutet man sogar auf den zugehörigen Tanz, den 'Hochzeitsleich' (§ 34), der wichtig genug schien, dem ganzen den Namen zu geben.

Das Wort *Brautlauf* lassen wir besser außerhalb des dichterischen Bereichs. Den Sinn 'Hochzeit' (nicht 'Eheschluß') hat es seit Alters im Deutschen (dann auch Niederländischen) wie in den nordgermanischen

27. Nordische Krieger aus der Völkerwanderungszeit.
(Nach Sophus Müller, Nordische Altertumskunde.)

Sprachen (hier seit 1200 bezeugt). Man darf an den Ursinn von Lauf (*hlaup*) anknüpfen; das ist 'Sprung'[2]). Sprung und Tanz liegen nah beisammen, und so mag die alte Bildung Brautlauf für frühe Hochzeitstänze zeugen. Begleitende Verse wollen wir dem 'Brautsprung' nicht aufzwingen. Zu denken gibt ja, daß sich die vielen altnordischen Hochzeitsberichte ausschweigen über künstlerische Zugaben! Der phantastische Auftritt der jungen Bôsasaga mit seinen Harfenweisen und wilden Tänzen mischt ritterliche und märchenhafte Züge mit altertümelnd Heidnischem[3]).

[1]) Weinhold, Die deutschen Frauen 1, 389ff. R. Wolfram, Deutsche Volkstänze 1937, 21f. [2]) E. Schröder, ZsAlt. 61, 17ff. (1924); Meißner Anz. 46, 107 (1927). [3]) Die Bôsasaga hg. von Jiriczek 45ff. S. Blöndal, Dans i Island (aus Nordisk Kultur XXIV B) 163f.

44. Für Totenlieder besitzen wir zwei alte Berichte mit Inhaltsangaben. Hängen sie zusammen und wie?

Der Beisetzung Attilas, a. 453, widmet Jordanes eine lebhafte Schilderung (sie gründet sich auf den Zeitgenossen Priskos). Den auf freiem Felde aufgebahrten Leichnam umritten — 'ein wunderbares Schauspiel' — die erlesensten Reiter 'nach Art von Zirkusspielen' und verkündeten die Taten des Toten in einem Grabgesang (*cantus funereus*). Jordanes umschreibt seinen Inhalt (hier gekürzt): Der große Hunnenkönig Attila, Mundzuks Sohn, war Herr über

4

die tapfersten Völker, über Skythien und Germanien, schreckte beide Rom und nahm Zins von ihnen. Nachdem er alles glücklich hinausgeführt, erlag er nicht durch feindliche Wunde noch Trug der Seinen, sondern schmerzlos mitten im Jubel. Ein unverhofftes Ende, das keine Rache heischt!

Das zweite Zeugnis ist das Schlußbild des englischen Beowulfepos. Nachdem man an dem toten Beowulf, dem gautischen Landesherrscher, den feierlichen Leichenbrand, auch schon unter dem Wehklagen der Seinigen, vollzogen hat, folgt zehn Tage danach die kriegerische Totenfeier. Den Grabhügel, der die Reste des Brandes samt vielen Schätzen aufgenommen hat, umreiten zwölf edle Krieger, indem sie den König beklagten, 'seine Fürstenart kündeten und seine Heldentaten den Mannen priesen'.

Der christliche Epiker nach 730 konnte diesen Brauch nicht in seiner Umgebung finden: er muß hier einem alten Liede folgen[1]). Die entschiedene Ähnlichkeit des Schlußaktes mit dem Falle Attila spricht für ein germanisches Herkommen. Allein, der ganze Zusammenhang bei Jordanes zeigt klar, faß an Hunnen, nicht Goten gedacht ist. Den Kunstritt um die Bahre brauchte auch ein Reitervolk wie die Hunnen nicht von den Goten zu lernen. Es bliebe, im Blick auf den Beowulf, die Annahme, daß die Goten den Brauch von den Hunnen lernten und ihn, wie andres Gotische, an die Westgermanen weitergaben[2]). Denkt man sich hinter Jordanes' Bericht zwei getrennte Akte[3]): die Reiterkünste der Hunnen — einen Vortrag von Goten in der Halle (wie in § 97), so verflüchtigt sich die Ähnlichkeit mit dem Fall Beowulf.

Umdenken in germanische Verse kann man wohl die Umschrift des *cantus*: eindeutige Spuren weist sie nicht, am wenigsten im Satzbau. Den Schlußgedanken möchte man sogar widergermanisch nennen. Reimstäbe drängen sich nicht auf, so wie in dem langobardischen Text § 72[4]). Nur eine Wendung, 'non vulnere hostium, non fraude suorum', ergäbe zwanglos eine Stabzeile: 'nicht durch Feindes Waffe, nicht durch Freundes Trug'.

Unter diesen Umständen sehen wir davon ab, uns diesen hunnischen Leich weiter auszumalen. Der Beowulf seinerseits läßt im Dunkel, ob die Reiter im Chore vortragen oder sich ablösen; von einem Vorsänger verlautet nichts. Es steht keines der Worte für 'singen', nur 'sprechen' Stegreifdichtung verbietet der Zusammenhang; eine Schöpfung des berufsmäßigen Hofdichters, durch zwölf Krieger hergesagt, geht auch nicht! Also höchstens eine kunstlosere Vorstufe des Preis- und Erbliedes (§ 106. 118). Zum Heldenlied fehlt die Hauptsache, die epische Fabel.

Eine urgermanische Gattung wagen wir in diesem Totenleich nicht zu sehen. Das Schweigen des Tacitus, Germania c. 27, will weniger besagen, denn solche Schauspiele wird man nur Königen geweiht haben. Bedeutsamer ist, daß die nordischen Fürstenbestattungen, in Geschichte oder Sage, nichts derart kennen.

Aus den Feierlichkeiten um den toten Patroklos kann man nur vergleichen, was die zwanzig ersten Verse des Gesangs rasch andeuten: Achilleus und seine Myrmidonen umfahren zu Wagen dreimal den Leichnam und sättigen sich an Gram und Tränen. An ein Klagelied mit erzählbarem Inhalt denkt der Dichter nicht. (Die breit geschilderten Wettspiele nachher stehn außer Vergleich.) Der Einfall, hier könnte einmal Homer auf den Engländer eingewirkt haben[5]), wäre immer noch ernster zu nehmen als der andre: dieser kriegeradlige Brauch sei beiderseits aus der urindogermanischen Steinzeit ererbt.

---

[1]) Oder mehr als einem, s. Stjerna, Essays on . . . Beowulf 169ff. Aber zwei Lieder mit Beowulfs Bestattung brauchten es nicht zu sein. Vgl. Chambers, Beowulf (1921) 122f. 353ff. Eine Reminiszenz aus Jordanes erwägt E. Schröder, ZsAlt. 59, 243.   [2]) Dieses letzte nahm auch Kögel an (1, 50). Das ganze

hält für ungermanisch E. Schröder a. a. O. 240ff.   ³) Klaeber, PMLA. 42, 260f. (1927).   ⁴) Vgl. den Versuch Schüttes, Oldsagn om Godtjod 70. Kluge, Beitr. 37, 157ff., glaubt zwar, daß ein germanisches Urbild durchschimmre, aber nur etwa die erste Zeile herstellbar sei; *apalreiks Hûnê, Attila Mundjukuggs*. ⁵) Die Beziehungen des Beowulf zu Homer wägt aufs umsichtigste ab Ingeborg Schröbler, Beitr. 63, 305ff. (1939).

45. Klagechöre ohne das Reiterspiel nennt die und jene Stelle; z. T. scheint nur außerkünstlerisches Wehklagen gemeint zu sein, so in der Germania die 'lamenta et lacrimae'. Mitten in der katalaunischen Schlacht tragen westgotische Haufen ihren gefallenen König davon und preisen ihn mit Gesängen (*cantus*) ihrer mißtönenden, holprigen Stimmen (Jordanes c. 41). Da es sich hier um Unvorbereitetes handelt, hat man an kunstlosere, formelhafte Litaneien zu denken.

Die nicht-chorische Klage der einzelnen Fürstin beim Leichenbrand, Beowulf 1117f. (vgl. 3150f.), kann Prosa gewesen sein.

Kirchliche Verbote kommen öfter auf Gesänge zu reden, die ob den Verstorbenen, zuweilen bei Überführung nach dem Grabe, erschallen. Diese gewiß anspruchslosen Totenklagen des Privatlebens mögen ältere Wurzel haben als jene fürstlichen Riten; aber ob die Wurzel bei den Germanen lag? — Die skandinavischen Quellen schweigen auch hier. Bestimmtere Vortragsformen oder Inhalte zeichnen sich in diesen Andeutungen nicht ab — es wären denn gewisse Lieder von besonders anstößiger, magischer Haltung, die wir bei der Zauberdichtung unterbringen (§ 53).

Von den vielen landessprachlichen Namen mit dem Sinn 'Toten- oder Klagegesang' ist der größre Teil wohl junge Gelegenheitsbildung. Sprachüblich und alt scheinen altenglisch *lîclêoþ* (altdeutsch *lîchlied*) und *lîcsang* 'Leichengesang'; aber das sind Wörter von sehr unbestimmtem Inhalt.

Als eine der höheren altgermanischen Dichtarten, eine Nebenform des Preislieds, werden wir das monodische Klagelied kennenlernen, die Elegie (§ 177ff.). Denkbar wäre gewiß, daß diese kunstmäßige Elegie — von buchhaften Anregern hier zu schweigen — nicht nur das Preislied abwandelte; daß sie auch Wurzeln hätte in ritualem Leichengesang und ähnlicher Kleinkunst. Was uns bewahrt ist, läßt darüber nichts Bestimmteres aussagen. Unsicher wird auch bleiben, ob Fäden laufen von altgermanischen Anfängen zu den Totenklagen, die durch die Buchdichtung des Hochmittelalters gehn.

Gedanken hierüber bei Schwietering, Dt. Lit. Ztg. 1928, 1509ff.

46. Als rituale Kleindichtung lassen wir endlich die *Schlachtgesänge* und *Schlachtrufe* gelten. Ein Teil von ihnen bezog sich auf Gottheiten, war hymnischer Art.

Tacitus unterscheidet, Germania c. 3, zweierlei 'carmina' des Germanenheeres. Die zweite Art ertönt in der Schlachtreihe, unmittelbar vor dem Angriff, unter die vorgehaltenen Schilde. Es ist der berühmte *Barditus*, ein vielumdeutetes Wort. Für die Kriegs- und Sittengeschichte hat er mehr zu sagen als für die Dichtungsgeschichte. Alles erwogen, wird man ihn nicht als bloßes Hurra deuten, vielmehr als Feldgeschrei mit sinnvollen Worten oder sogar Sätzen. Man nehme die Vertreter, die uns Sagas aus Olafs des Heiligen letzter Schlacht (a. 1030) überliefern[1]:

fram, fram, bôandmenn!   ('vor, vor, Bauersleut!')

fram, fram, Krists menn,   krossmenn, konungs menn!
('vor, vor, Christi Leut,   Kreuzleut, Königsleut!')

knŷjum, knŷjum,   konungs lidar,
hardla, hardla   bôanda menn!
('knutschet, knutschet, Königs Mannen, feste, feste die Bauersleut!')

Diese Rufe beginnen das Losschlagen; von dem 'Heerruf' (*heróp*), der wohl ein bloßes Geheul war, scheidet man sie. Sie drängen geradezu auf scharfen metrischen Takt; die frei gesetzten Reimstäbe nebst den wuchtigen Wortwiederholungen stützen ihn. Von Singen reden die Sagas nicht. Zu den christlichen Feldgeschreien (auch: *Dex aie [Deus adjuvet]!; Kyrie eleison!* usw.) fehlen zuverlässige heidnische Gegenstücke. Ein dänisch-nordhumbrischer Ruf: *Tyr hœb* ('helfe'?) *us, ye Tyr ye Odin!* wird erst um 1800 bezeugt[2]).

Die erste Art der 'carmina' erschallt früher, beim Aufmarsch des Heeres. Sie besingen den Herkules, sagt Tacitus, als ersten (trefflichsten) aller Helden. Nehmen wir 'Hercules' hier, wie sonst, als Umschreibung für den Donnergott, dann wird die Wendung 'erster aller Helden (Heroen)' auf die Rechnung des Römers kommen: sie paßt zu dem antiken Herakles, nicht zu dem uns bekannten Donar-Thor[3]).

Wie weit nun diese Marschlieder an Umfang und Kunst über die genannten Schlachtrufe hinausgingen, wissen wir nicht. Spätere Quellen versagen Belege. An Dinge wie die epischen Thorslieder der Edda darf man bei diesen chorischen 'Leichen' nicht denken; allenfalls an jene Anrufe in § 40: 'Lende brachst du der Leikn!...'

Ein Versuch, die sonstigen Zeugnisse für germanischen Schlachtgesang auf diese beiden Arten aufzuteilen, wäre nicht rätlich. Schon die Aussage Ammians: die Westgoten hätten beim Angriff 'mit formlosem Lärm den Preis der Vorfahren geschnarrt', schielt nach beiden Seiten. Drei Stellen bei Tacitus über den *cantus* germanischer Heerhaufen zielen auf den Augenblick vor dem Losschlagen[4]); die eine, Hist. 2, 22, spricht vom Schütteln der Schilde über den Schultern, was zwar nicht zum Barditus stimmt, aber zu Plutarchs Angabe über die Ambronen: sie hätten, gemeinsam springend und im Takt die Waffen zusammenschlagend, ihren Namen oftmals erschallen lassen: ein richtiger Leich. Das Rufen des eignen Namens erinnert wieder an spätere Feldschreie: *Hie Mîzenlant!* u. ähnl.

Heimische Ausdrücke wie altenglisch *wíglêop*, mhd. *wícliet* 'Kampfweise, -lied', ae. *fyrdlêop* 'Heer- oder Marschweise' sind mehrdeutig. Für den Barditus als S c h i l d gesang darf man eine nordische Stelle in Anschlag bringen. Einer der ältesten norwegischen Skalden sagt: vor dem Versenden der Geschosse 'endete der roten Schilde Stimme'[5]).

---

[1]) Heimskr. 2, 486f.; Ólafssaga helga, 1849, c. 92.   [2]) Stephens, Aarbøger 1875. 109ff.; H. Petersen, Om Nordboernes Gudedyrkelse 97, vermutet *Thor* für *Ty*ᵛ.   [3]) E. Norden fiel auf den Gedanken, es sei Sigfrid gemeint: Germ. Urgeschichte 179f.   [4]) Ann. 4, 47; Hist. 2, 22; 4, 18. Das an erster Stelle erwähnte 'mit Gesängen im Waffentanz herumspringen' geht bezeichnenderweise nicht auf Germanen (Unwerth-Siebs 7[1]), sondern auf Thraker.   [5]) Neckel, ZsAlt. 51, 110f. Die Stelle mit *herecumbol* in der Elene 25 beurteile man mit Meißner, ZsAlt. 67, 201; sieh auch Much, Die Germania des Tacitus (1937) 49f.

VIII. ZAUBERDICHTUNG

47. Schon das vorangehende Kapitel hat uns mehrmals auf den Boden des Zaubers geführt. Sind doch Gottesdienst und Magie noch auf viel vorgerückteren Stufen verwachsen; in Schwüren und Verboten des Rechtslebens steckt Selbstverwünschung im Gedanken an außermenschliche Strafmächte.

Unsere Skizze muß sich, bei der Fülle der germanischen Zeugnisse, streng an das *Wort*, womöglich das versgebundene, halten und darf den Weg zu dem Zauberspruch jüngern Stils nicht verfolgen.

Nach auf- und abwärts reicht der Zauber — in seinen Grundgedanken zeitlos, in seinem Sprachgewand von den Zeitstilen bedingt — über unsre Grenzen hinweg. Sichtbar wird er uns bei den Germanen erst nach der Zeitenwende; das früheste klare Zeugnis sind die gotischen *haljarunae* bei Jordanes, das meint 'Helraunerinnen', Totenbeschwörerinnen. Das Zauberwesen des frühen Mittelalters aber ist ein Becken, worin fremdes und heimisches Heidentum mit Kirchlichem schwer scheidbar zusammenrinnt. Zwar galt dem christlichen Bekehrer die Zauberkunst der Germanen als eines der handgreiflichen und hassenswürdigsten Abzeichen des Irrglaubens. Er selbst aber brachte s e i n e Magie mit; die eine schwarze Kunst stand hier gegen die andre. Die eine heißt *maleficium*, die andre *benedictio*. Sie konnten sich in keuchendem Wettbewerb messen — nach dem Vorbild Elia-Baalspfaffen. 'Keinem Christenmenschen ist erlaubt . . . Kräuter zu sammeln mit irgendwelchem Zauberspruch, außer mit dem Paternoster und dem Credo . . .', sagt ein Engländer. Hätten aber die Geistlichen

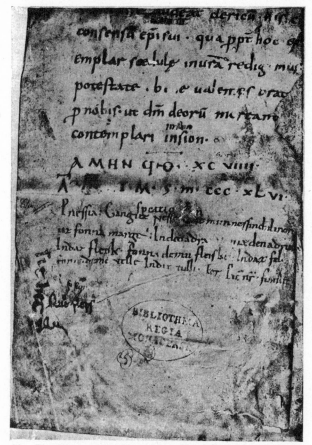

28. Der Wurmsegen: Pro nessia. Handschrift des 9. Jahrh.
(Nach Enneccerus.)

den Strich scharf gezogen, sie hätten uns auf ihren Pergamenten keine Sprüche mit Götternamen und andrem Unchristentum gerettet.

Wie vieles germanische Wurzel hat, ist Streitfrage. Keinesfalls dürfen wir hinter jedem christlichen Spruch ein heidnisches Urbild, hinter jedem Bibelnamen einen Dämon wittern.

Von dem Meisterzauberer Odin rühmte man, 'mit bloßen Worten' habe er seine Künste vollführt (Ynglingasaga 18 f.). Schon die indogermanische Urzeit kannte das formelhafte Zauberwort, wohl schon in Versgestalt; aber die sinnvolle H a n d l u n g — die bei Lappen, Wogulen und anderen dem magischen Zweck genügt — wird für gewöhnlich den Spruch begleitet haben. Nicht nur die prosaische Verhaltungsregel, auch das Kernstück unsrer Texte spiegelt mitunter die Gebärde, das Zeichen, das stoffliche Heilmittel (Arznei oder Amulett).

Vom Schadenzauber, der Verfluchung, geben nur nordische Quellen einen Begriff: bei Deutschen und Engländern ist fast nur der wohlmeinende, der Abwehrzauber aufs Pergament gelangt: Segen und (segnende) Beschwörung.

48. Einfachst und doch wohl auch ältest ist die *einteilige* Anlage: nur die befehlende Formel.

Wir haben einen hochaltertümlichen Vertreter in nieder- und hochdeutscher Sprache: 'Gegen Würmer' (die man sich im Marke nagend dachte):

> Geh aus, Wurm,　　mit neun Würmelein:
> aus von dem Marke　　in den Knochen,
> (aus) von dem Knochen　　in das Fleisch,
> aus von dem Fleische　　in die Haut,
> aus von der Haut　　in diesen Pfeil![1])

Ähnlich lautet ein altindischer Segen: '. . . aus dem Knochen und aus dem Mark, aus den Sehnen und Adern auch . . .' Hier darf man mit Zuversicht von einem Reste urindogermanischer Dichtung sprechen. Der deutsche Spruch bezeichnet eine Stufe frühesten Zauberglaubens: er weiß nichts von wirkenden Göttern, von schadenden Geistern; das Mythische liegt nur in der Vorstellung des Gewürms, das dem Menschenworte gehorchen muß; dem man 'menschenähnlichen Willen' beilegt. Die Sprache ist das äußerste an Einfachheit. Über Prosa heben sie nur ihre Wortwiederholungen zusammen mit dem Zeitfall. Der Imperativ zu Anfang ist die einzige Verbalform: das weitere ist Schleppe, vier genau gleiche Glieder. Die starre Wiederholung erinnert uns an frühere rituale Reihen (§ 37. 41). Auch der Vers ist urtümlich: außer Zeile 1 sind es stablose Zeilen; die von der Sache geforderten Hauptwörter, Mark, Knochen usw., gaben keine Reimstäbe her, und schmückendem Füllsel widerstrebt dieser Stil. Aber die Taktbildung hat unverkennbar die altgermanische Art, mit vorepischen Freiheiten, dreisilbigen Versen. Das stete Überwiegen des zweiten Iktus bringt eine eigene Kurve hervor. Die feierlich schleppenden Rhythmen legen sich dem Satzbau faltenlos an. Wir sehen hier keine zertrümmerte, sondern eine wohlbewahrte Urform. Nennenswert zersungen ist sie auch im hochdeutschen Texte nicht.

Die weiteren Fälle einteiligen Baues sind nach Gedanken und Form jung; meist mit christlicher Berufung und mit Hervortreten des Ich; z. B.: 'Ich mahne dich, Schwamm, bei Gott und auch bei Christus . . .'

[1]) Richtige Verstrennung MSD. 1, 17. Es versteht sich, daß die Präposition *in* nicht staben kann — was bei dem Adverb *aus* an sich möglich wäre.

49. Von den reicheren, *mehrteiligen* Formen scheint e i n e ebenfalls über die Germanen hinaufzureichen. Sie schickt der Beschwörung ein erzählendes Stück in der Vergangenheit voraus: einmal, und zwar unter mythischen Wesen, gab es auch schon einen Fall, wo die gewünschte Wirkung eintrat. Nach alter Denkweise 'Wort gleich Sache' glaubt man durch die Erzählung das damals Wirksame herzubannen. Man bereitet der befehlenden Formel den Boden. Im einzelnen ist das Thema ungleich ausgeführt.

Zwei besonders klare, wohlgerundete Vertreter sind die Merseburger Segen; beide außerkirchlich, der zweite auch in seiner Form ein kleines Denkmal aus dem engsten altgermanischen Kreise. Der Vorläuferfall ist hier der, daß zwei Götter, *Fol balder* 'Voll der Herr' und Wodan, in den Wald ritten und Fols Roß sich das Bein verrenkte. Vier mit Namen genannte Göttinnen sind alsbald zur Stelle und besingen den Schaden — vergeblich. Nun die Steigerung: 'Da besang ihn W o d a n, gut wie er es verstand'. Daran schließt dicht die magische Formel, so daß sie aus dem Munde des zaubergewaltigen Gottes kommt und zugleich der gegenwärtigen Verrenkung dient; sie schlägt die Brücke vom Damals zum Jetzt.

*Sei es Knochenverrenkung,   sei es Aderverrenkung,
           sei es Gliedverrenkung:
           Knochen zu Knochen,
           Ader zu Ader,
Glied zu Gliedern,   als seien sie geleimt!

Zu dieser Formel stellt sich wieder ein Verwandter aus dem indischen Zauberveda: 'Zusammen werde dir Mark mit Mark und auch zusammen Glied an Glied!... Mark mit Marke sei vereinigt... Blut erheb sich dir am Knochen...' Da stehn wir wieder auf ältestem Boden. Aber der Inder hat die Urgestalt in wortreiche Kunstsprache übersetzt: bei dem 2000 Jahre jüngern Deutschen ist an der innern Form schwerlich viel geneuert. Die zeitwortlose, in zwei Gleichläufen gehende Sprache ist vom selben Schlag wie vorhin im Wurmsegen. Die Gipfelsilben *bên, bluot-, lid-* kommen in den Überlängen der ersten Takte prachtvoll heraus (§ 26). Die vom Stabreim bewirkte Gruppenbildung steht auf der kunstlosen Frühstufe. Glatter ist der erzählende Eingang, doch auch nicht ohne Freiheiten in der Stabsetzung.

Der kleinere Bruder, der e r s t e Merseburger Segen, hat den flachern Zeitfall des Reimverses[1] und schwankt zwischen Stab- und Endreim. Sein Phantasiebild ist gut germanisch, und zwar kriegerisch. Er führt uns zu Wesen des niedern Mythus, den *idisi*, urtümlichen Gegenstücken der nordischen Walküren. Der epische Eingang zeigt diese Frauen, die sich 'gesetzt', vom Fluge niedergelassen haben, in dreifacher Tätigkeit: Bande heftend, das (feindliche) Heer hemmend und an Fesseln klaubend. Nur die dritte, die heilstiftende Handlung dient dem gegenwärtigen Wunsch als Vorbild; denn es ist ein Lösezauber, die Formel lautet, diesmal mit zwei Imperativen:

           Entspring den Haftbanden!
           Entfahr den Feinden!

Die Meinung ist kaum, daß die klaubenden Weiber diese Worte sprechen. Hier sind also Erzählung und Formel loser nebeneinander gestellt: was die Jenseitige durch Handlung bewirkt hat, erstrebt der Beschwörende durch das Wort. Den Segen hat sich, wie nordische Strophen zeigen, der Gefangene selbst zu singen (§ 54).

Auf begleitende Handgriffe oder Mittel bezieht sich keiner der Sprüche.

[1] Saran, Deutsche Verslehre 235. Verwandt ist die Hausbesegnung 'Wohl mir, Wicht, daß du weißt...' (Steinmeyer, Die kleineren ahd. Sprachdenkmäler 389).

50. Den erzählenden Teil des Verrenkungssegens kennen wir auch in *christlichem* Kleide. In hundert Fassungen läuft er in der Neuzeit um bei Deutschen, Engländern, Skandinaviern, Finnen, Russen. Dabei

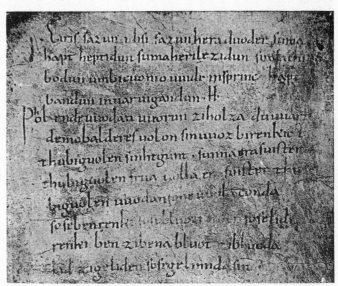

29. Die Merseburger Zaubersprüche. Handschrift des 9. Jahrh.
(Nach Könnecke, Bilderatlas zur deutschen Literatur.)

sind Jesus und ein Heiliger, meist Petrus oder Maria, die Handelnden. Einen niederdeutschen Text in Prosa (mit Krist und Sankt Stephan), einen sehr entarteten Vertreter, haben wir schon aus dem 9. Jahrh. (Trierer Spruch). Eine verhältnismäßig reiche dänische Fassung lautet so:

> Unser Herr Christus und Jungfrau Maria ritten Berg auf und ab. Unserm Herrn Christus sein Pferd verrenkte den Fuß. Ab stieg er und faßte an mit seinen heiligen zehn Gottesfingern und sagte:...

Neuere Forscher traten dafür ein, daß eine christliche Fassung die ursprüngliche, die heidnische die Umformung sei. Aber sichere Fälle kennen wir nicht, daß ein deutscher Heide in irgend einen kirchlichen Text seine Götter eintrug; einem Geistlichen werden wir solche Paganisierung schon gar nicht zutrauen. Die Alters- und Verbreitungsverhältnisse sprechen für den Vortritt der germanischen Form, nicht minder die innere Beschaffenheit: der Merseburger Spruch trägt alle Zeichen der ersthändigen Dichterschöpfung, der Trierer und seine jungen Vettern die der matten, salzlosen Travestie[1]).

[1]) Sieh F. v. d. Leyen, Älteste deutsche Dichtungen (1920) 201ff. Adhuc sub judice lis est! Für Ersthändigkeit des deutschen Spruchs entschieden sich: Neckel; I. Lindquist, Galdrar 54ff., W. H. Vogt, ZsAlt. 65, 124ff. Für Abhängigkeit von einer christlichen Form: Unwerth-Siebs; de Boor, RLex. d. dt. Lit. gesch. s. v. Zauber (1930), Ohrt, Danske Vid. Selskab 25 I, 13ff. (1938).

Man trenne die zwei Fragen: ob der einzelne Spruch germanisch-heidnischen oder kirchlichen Ursprung habe, und: wo die Gattung des episch-magischen Spruches ihre Wiege hatte.

51. Stärker als die deutschen machen die englischen Zaubersegen den Eindruck: das Alte ist das Gute. Die stabenden Sprüche haben Haltung, künstlerischen Ehrgeiz; nachher fällt es jäh in die Niederungen der Prosa und des Kauderwelsch — während in Deutschland noch die hübschen Reimverssegen anschließen.

Von dem altenglischen Dutzend sind drei Viertel gar nicht oder nur oberflächlich berührt von kirchlichen Gedanken[1]). Sie zeigen uns mannigfachere Bausteine als die früheste deutsche Gruppe.

Das erzählende Versstück kann, wie dort, den mythischen Helfer nennen:

> *... da ergriff Woden   neun Machtzweige,
> schlug dann die Natter,   daß sie in neun Stücke flog.

(Dies der einzige Fall mit einem heidnischen Gott.) Aber auch die Herkunft des Zaubermittels: dieses Kraut

> *entsandte ein Seehund   über Meeres Rücken
> zur Heilung vom Gift ...

Oder auch den mythischen Schädiger, den Urheber des Übels:

> *Hier kam herein gegangen   ein Spinnenwicht ...
> sprach, daß du sein Pferd seist,
> legte dir seinen Zaum auf den Nacken

(wodurch das Geschwulst entstand); sieh auch § 52. Der Beschwörer kann sich in erster Person einführen und sein Tun nennen:

> Ich fasse unter den Fuß,   ich fand es

(nämlich den zu werfenden Staub)[2]);

> *Ich umflocht die Wunden   mit dem besten Kampfgeflecht

(einem Amulett). Er kann seine Kunst oder das Mittel preisen:

> Ich allein weiß   das rinnende Wasser,
> Und was die neun   Nattern scheuen;

> Hei, Erde wirkt   wider jegliches Wesen ...

Der Befehl selbst kann sich an das Übel richten oder an das Heilmittel oder an den zu Besegnenden. Die scharf formelhafte Prägung, wie wir sie vom Festland kennen, ist recht selten. Oft ist es mehr Wunsch. Die Schwangere soll sprechen:

> *Dies mir zur Hilfe   von der leidigen Spätgeburt . . .,

und nach gleichem Modell heißt es zum Kopfwehbehafteten:

> *Dies dir zur Hilfe   vom Ansengeschoß,
> dies dir zur Hilfe   vom Albengeschoß . . .

Direkte Anrufung des Helfers kennen nur christliche Sprüche. Dagegen laufen zwei der stabenden Segen in kräftige, *Verwünschung* des Dämons aus, beidemal mit Anklang an nordische Fälle (§ 55), also Ererbtes:

> *Ganz schwinde hin,   wie Feuer Holz schwendet,
> wie Dornbusch die Hüfte,   wie Distel . . .;

> *Schrumpfe ein   wie Kohle auf dem Herd,
> schmore ein   wie Mist an der Mauer!

[1]) Aus der Reihe Grendons (s. o. § 39 Anm. 1) ist zu streichen A 15: ein Rechtsformular frei von Magie (u. § 59, Liebermann 1, 400). A 21 und 22 sind leichte Spielarten eines Denkmals. Dagegen als Mehrheit könnte man E 1 betrachten (Grein-Wülcker 1, 326f. Nr. VII). [2]) Meißner, Anglia NF. 28, 375f.

52. Aus diesem Gewimmel von Teilen schießen bunte Ganze zusammen. Sprüche von der straffen, klaren und zugleich vielsagenden, fast dramatischen Haltung der beiden Merseburger fehlen. Als *einteilig* mag der Geschwulstsegen gelten (Gr.-W. 1, 326): seine Verse erzählen nur von dem Erscheinen und dem Rückzug, der Urfehde der schädigenden Wichte und schließen mit dem Ausblick auf den Erfolg des Spruches; aber den Befehl ersetzt ein angeflicktes *Amen, fiat*.

Außer dem Flursegen (§ 39) und einem biblisch-namenbefrachteten Reisesegen sind die zwei stattlichsten Werke der Neunkräutersegen gegen 'Gift und Ansteckung' und der Segen 'Wider jähen Stich' (Kopfschmerz, wie die Schlußformel verrät). Beide gehn weit über Zweigliedrigkeit hinaus; beide wirken als Häufung gleichlaufender oder unvereinbarer Motive; als Einheiten, die erst auf dem Pergament entstanden. Sind es halbgelehrte 'Bearbeitungen' echt volkstümlicher Urtexte? Wobei doch der landläufige Buchstil der Kleriker fern blieb.

Der erste mit seinen 64 Verszeilen[1]) ist eine einzigartige Zauberbotanik: die neun Heilkräuter führt er mit Namen vor, er redet sie an, kennzeichnet sie preisend — es streift ans Hymnische:

> Und du, Wegerich,   der Würze Mutter,
> nach Ost offen,   innen mächtig . . .
> Allen widerstandst du   und strittst wider sie!

Wir erfahren, was diese Lieblinge einst ausrichteten. Der Zauberer erscheint hier als vielwissender Kräutermann — oder ist es eine Sie, ein Kräuterweib? Andre Bestandteile sind lose eingesprengt; in all dem Reichtum vermißt man die kenntliche Formel.

Ganz anders das dichterische Hauptdenkmal, der sogen. Hexenstichsegen[2]). Da quillt es von Formeln bester Art; nach Stil, z. T. auch Wortlaut treten sie zu den ältesten deutschen. Hier nur ein Teil:

> *Heraus, kleiner Speer,   wenn du drinnen bist!
> Heraus, Speer!   nicht drinnen, Speer!

Das erste ist die Hauptformel, dreimal steht sie im epischen Teil wie ein freier Kehrreim; das vierte Mal ersetzt sie der andre, noch gestrafftere Wortlaut. Man denkt an den nahen Verwandten in § 48 Neben die Formel des zweiten Merseburgers gehört:

> *Ob du seist in die Haut geschossen   oder seist ins Fleisch geschossen
> oder seist ins Blut geschossen . . .
> oder seist ins Glied geschossen . . .

Am Schluß zwei Imperativ-Kurzverse, die an die erste Merseburger Formel mahnen: gerichtet an den krankheitsstiftenden 'Speer' und an den Patienten:

> *Flieg dort ins Gebirg!
> Am Haupte (?) sei du heil!

Am Anfang aber steht ein doppeltes Erzählstück. Erst vergegenwärtigt es, stürmisch erregt und mit dem Schmuck epischer Beiwörter, die Schädiger, die elbischen Weiber:

> Laut waren sie, hei, laut,   da sie über die Leite ritten . . .

Gedeckt vom lichten Lindenschild, hat der Sprecher gestanden,

> wo die mächtigen Weiber   ihr Werk bereiteten[3]
> und sie gellende   Geere entsandten.

Dann erzählt es von der Fertigung des Heilgeräts:

> *Saß Schmied,   schlug ein klein Messer,
> ein Eisen gar ätzkräftig (?) . . .
> Sechs Schmiede saßen,
> Walspeere wirkten . . .

Das Wie und Warum dieser erzählenden Züge bleibt gutenteils halbklar: mit einer Unruhe, die sich der Verzückung des Schamanen nähert, reiht der Sprecher die lebhaften Augenblicksbilder auf. Die Logik des Hergangs tritt in der finnischen Widergabe klarer hervor. Im Zauber der Finnen ist es stehender Brauch, durch Bericht des übernatürlichen Ursprungs das Leiden zu bekämpfen. Der eine Fall liegt unserm englischen Segen so nahe, daß auf einen nordischen Verwandten zu schließen ist, der an die Finnen überging[4].

---

[1] Bei Grein-Wülker 1, 323 der Schluß als Prosa gedruckt; mit z. T. falscher Verstrennung bei Grendon 192ff.   [2] Horn, Hoops-Festschrift (1924) 88ff.   [3] 'ihre Zauberwirkung'; nicht 'ihre Heerschar ordneten'. Die heroische Tracht der nordischen Walküren dürfen wir den Elbinnen nicht anlegen!   [4] Ohrt, Kalevala, 1, 214ff.; Comparetti, Der Kalewala 273f. (Kögel 1, 94f.)

53. In den westgermanischen Zaubersegen lernen wir einen *Stil* kennen, der sich von dem der Epik und Elegie klar abhebt. Die dort tonangebende Figur der Variation ist kaum in Anflügen vorhanden. Aber schon die leiseren Zierate: schmückendes Beiwort und schmückende Vertretung (§ 133) stehen zurück. Vollends Wortverschränkung und Umschreibungen nach Art der Kenning nähmen sich fremd aus! Das ganze ist planer, prosanäher. Was die Prosa steigert, sind die beiden Formen der Gleichgewogenheit und abgezirkelten Sparsamkeit, der einhämmernden Wucht: Gleichlauf (mit Anapher) und Widerkehr. Der englische Neunkräutersegen ist ein Staatsbeispiel dafür. Beliebt ist die 'Dreigliederung mit Achtergewicht'[1] A B C (der Grundsatz von Stollen + Abgesang). So in beiden Merseburger Sprüchen, im zweiten ganze drei Mal.

Verwandtes Formgefühl prägt die Sprache der altindischen Opferliturgien; man höre diese Beispiele[2]:

Es sollen im Osten sich reinigen Götter und Priester; es sollen im Süden sich reinigen Monate und Manen; es sollen im Westen sich reinigen Häuser und Tiere ... Verehrung dem Herrn der Erde, Verehrung dem Herrn der Welt, Verehrung dem Herrn der Wesen ... Voll bist du, sei es auch mir; regelrecht gefüllt bist du, sei es auch mir; gut bist du, sei es auch mir ...

Dem stelle man entgegen die Proben aus dem berauschten Hymnenstil u. § 134.

Der metrische Ausdruck dieses Gleichwägens ist der Zeilenstil, und zwar fast durchweg der strenge: nur selten schmelzen zwei Langzeilen syntaktisch zusammen. Im übrigen bestätigen und verdeutlichen uns diese Sprüche nach allen Seiten jene urtümliche Entwicklungsstufe des Versbaues, die wir schon in Teilen der Ritualdichtung antrafen. Stücke wie der 'Hexenstichsegen' oder die dritte Viehdiebsformel (Gr.-W. 1, 325) bieten des versgeschichtlich Lehrreichen die Fülle. Stablose metrische Zeilen sind häufig. Das gelegentliche Verfließen von Prosa und Vers — besonders aus der Rechtssprache bekannt — erscheint auch in der indischen Zauberdichtung, auch da innerhalb des einzelnen Verses oder Satzes[3]).

Vorgetragen hat die Zaubersprüche wohl stets der Einzelne. Stegreifergänzung mußte sich in engen Schranken halten: die Hauptsache waren doch immer die vorbestimmten Worte, die man *wissen* mußte, die die Macht in sich bargen. Diesen Worten hat man seit Urzeiten rhythmische Bindung gegeben: zur Mehrung der Zauberkraft, auch als Gedächtnismittel. Erst späte Sprüche haben die Formel in Prosa.

Ob die stehenden Ausdrücke *galan* und *singen* eine richtige Melodie sichern (§ 32), stehe dahin. Es könnte auch ein Raunen und Murmeln, ein 'magicum susurramen' gewesen sein oder, wie man für *galan* vermutet hat, ein schrilles Gellen in Falsettstimme[4]). Für eigentliches Singen spricht eine Sagastelle, die beim Vortrag eines Schadenzaubers den 'schön anzuhörenden Gesang' erwähnt[5]). Man bedenke auch, daß *Lied*, der Ausdruck für 'Melodie', im Norden den Sinn 'Zauberspruch' annehmen konnte (§ 32). Einen nordischen Segen, der den Krieger feien soll, will der Kundige 'unter den Schild singen'[6]): das wäre die Vortragsart des sonst grundverschiedenen Barditus (§ 46).

Erwägenswert ist, daß in den mehrgliedrigen Segen nur die befehlende Formel gesungen, das übrige gesprochen wurde. Rhythmisch hebt sich die Formel, in einigen deutschen und englischen Fällen, durch leichtere Taktfüllung ab.

Gab es auch *chorische* und mit *Tanz* verbundene Zauberdichtung? — Die Kirche bekämpft mehrfach 'carmina diabolica', über dem Toten zur Nachtzeit, bei der Leichenwache, gesungen. Das muß etwas anderes sein als jene Klagechöre in § 45: das Wort 'teuflisch' zielt auf Zauber[7]); für 'carmina diabolica' setzen andre Fassungen *incantationes* 'Beschwörungen'. Ein früh veraltendes deutsches Wort, *sisu, sise-sang* — in Glossen für 'funebria carmina, carmen lugubre' gebraucht — wird diesen Totenzauber bezeichnet haben, der in dem einen oder andern Sinne auf die Abgeschiedenen wirken wollte[8]). Als sächsischer Aberglaube erscheint 'die Gottlosigkeit über Gestorbenen, *dâd-sisas* ('Totensisu') genannt'. An einer Stelle aber treffen wir das Singen dieser teuflischen Sprüche neben dem 'Ausführen von Tänzen, die die Heiden vom Teufel gelernt haben', und auf enge Verbindung der beiden Dinge weist vielleicht der niederdeutsche Ausdruck 'unreine *ses-spilon*', d. h. 'Sisuspiele, -tänze'. Wieweit sich solche Zauberleiche von den monodischen Segen unterschieden, ahnen wir nicht[9]).

---

[1]) de Boor, RLex. Lit. gesch. 3, 513f.; Magoun jr., EStud. 72, 1ff (1937). [2]) Aus Hillebrandt, Das altindische Neu- und Vollmondopfer 164 und 92. [3]) Oldenberg, Gött. Gel. Abh. 1917, 10. [4]) Lindquist, Galdrar (1923) 3ff. [5]) Laxdœlasaga c. 37, 26ff. Vgl. den magischen Gesang o. § 38. [6]) Hâvamâl 156 (Edda S. 42). [7]) Kelle 1, 68. [8]) Graber, Zschr. f. d. österr. Gymn. 63, 493f.; Kralik, Gött. Gel. Abh. 1915, 164ff. [9]) Vgl. Brandl 18 über eine neuenglische *likewake dirge*. Dazu Sieper, Die ae. Elegie 26ff.

54. Island, sonst unsre reichste Quelle, hat keine Gegenstücke zu all jenen deutschen und englischen Segen. Man müßte sie wohl in der eddischen Gedichtsammlung suchen; aber diese Sammlung geht im allgemeinen nicht auf solches Kleinzeug aus. Und doch muß es ähnliche Sprüche gegeben haben: soviel erkennen wir aus eddischen Strophen.

Zwei längere Gedichte, ein altes und eine Nachahmung aus der Schreibezeit, geben einen Katalog von Zauberliedern[1]): den Wortlaut, die Formeln selbst, unterschlagen sie; sie zählen nur her, und zwar mit Numerierung im Verse, für welche Lebenslagen ein Spruch zu Gebote steht und wie er wirkt. Es sind Inhaltsangaben; sie zeigen uns die Zauberlieder von außen.

Im Grunde ist dies Merkdichtung, auf Magie bezüglich; keine Zauberdichtung erster Hand. Nach Umfang und kunstgerechter Form sind es richtige Dichtwerke, sie zählen zu den 'entwickelteren Sproßformen' der niedern Poesie (§ 22). Doch wird das ältere Gedicht noch Fühlung haben mit der Zauberkunst: sein Verfasser kannte wohl diese kräftigen Sprüche, deren er sich rühmt. Bei dem Nachahmer, der die Liste in einen novellenhaften Rahmen stellt, argwöhnt man, er spielt nur noch mit der Form.

Die ältere 'Liederliste' (*Ljôdatal*) kennt Heil- und Schadenzauber: wie die Fessel zu lösen ist und der Pfeil zu hemmen, Feuer zu stillen und das Schiff im Sturm zu bergen, Krieger zu feien und Hexen heimzuschicken; wie man eine Galgenleiche zum Gehn und Sprechen bringt, wie man der klugen Dirne den Sinn verdreht; wie man dem Feind die Waffe stumpft und den Runenzauber des Gegners auf ihn selber lenkt. Das ist eine andre Welt als in den deutsch-englischen Sprüchen: dort war es — mit einer Ausnahme — der häusliche, bäuerliche Alltag, vor allem die Wunden- und Krankenpflege; Frauen, Kräuterweiber mochte man sich meist als Sprecher denken. Hinter den nordischen Versen sehen wir den Mann; Kriegerleben mit seinen Gefahren und Listen blickt durch. Es ist nicht die Bühne der Götter- und Heldensage, wohl aber der menschlichen Kreise, die solche Sage pflegten.

Die eine Strophe, die den Lösezauber beschreibt, sich also zum deutschen Idisi-Spruch stellt (§ 49), mag als Beispiel dienen:

> Ein viertes (Lied) kann ich,   wenn in Fesseln man mir
>   die Gelenke legt:
> Die Weise sing ich,   daß ich wandern kann;
>   mir springt vom Beine das Band
>   und von der Faust die Fessel.

Sehr ähnlich ist die Fassung in dem jüngern Gedicht, hier mit dem Schlusse:

> dann stiebt die Klammer vom Knöchel
> und von dem Beine das Band.

Beidemal ist der Gefesselte als Sprecher gedacht. Als Wortlaut der magischen Formel errät man etwas wie:

> Band vom Beine!
> Fessel von der Faust!

Dies wäre der zeitwortlose Befehl wie im andern Merseburger Spruch und sonst. Auf die zwei kurzen Verse wird sich das 'Lied' nicht beschränkt haben, aber ob ein erzählender Eingang dazu gehörte, bleibt ungewiß.

[1]) Edda S. 40ff., 298ff.; bei Genzmer II Nr. 27 und 28.

55. Verwünschungen in gehobener Sprache, mit Reimstäben und wohl auch metrischem Falle, begegnen mehrmals in Sagas. Ein Beispiel[1]):

Dies leg ich dir auf, daß du seiest
> dem Heile enthoben,
> allem Glück und Gut,
> aller Wehr und Weisheit
je länger je mehr   dein Leben lang!

Vom eigentlichen Schadenzauber trennt diese Flüche das Fehlen der magischen Handlung. Aber der vorbestimmte, überkommene Wortlaut eignet auch ihnen; von Anpassung an die besondre Lage ist wenig zu spüren. Nächstverwandte Formeln gebraucht die Rechtssprache (§ 41f.).

Einige Götter- und Heldenlieder der Edda legen ihren Gestalten Fluchverse in den Mund. Die beiden schönsten Stücke sind der Fluch der Sigrun im Liede von Helgis Wiederkehr (u. § 139) und der Fluch Skirnirs über die widerspenstige Riesenmaid (Skirn. 26f.). Einfache Wiedergabe praktischer Litaneien wird man hier nicht erwarten; doch klingt nach Ererbtem besonders der zweite Fall, daher die vielen Freiheiten im Gruppenbau, die geradezu vorstrophische Zustände vorzaubern. Ein Teil der Verwünschungsmotive erinnert an altenglische Fälle (§ 51). Die Zeilen mit der Anrufung der Jenseitigen haben wir in § 40 gebracht.

Auch als Verseinlage isländischer Abenteuerromane erscheinen Verwünschungsgedichte: ein kürzeres in lateinischer Wiedergabe bei dem Dänen Saxo (1, 49), ein nah verwandtes, aber zu 46 Langzeilen ausgewachsen, in der jungen Bósasaga: der 'Fluch der Busla'[2]). Ganz lebensfremd sind auch diese Gebilde nicht: Berührungen mit urkundlichen Hexensprüchen zeigen, daß sie aus ernstgemeintem Schadenzauber entlehnt haben. So erklären sich auch die Anklänge an ausländische Beschwörungen.

[1]) Grettissaga c. 78, 13. Ferner Egilssaga c. 56, 65f. (Bannspruch gegen Bergönund, wohl 15 Zweitakter unter Prosa); Sturl. 2, 277, 19 (5 Zweitakter).   [2]) Edd. min. Nr. 24; Genzmer II Nr. 29.

56. Wiederholt beziehen sich die Zauber- und Fluchverse auf begleitende Runen. Der Zusammenhang war verschieden. Einzelne magische Runen, auf ein Holz, ein Gerät geritzt, konnten den Kern des Zaubers enthalten, und die geraunten Verse waren die zugehörige Umschreibung oder Beseelung; Zeichen und Wort stützten sich gegenseitig[1]). Ob diese Zauberrunen Lautwert hatten; ob sie Wort- oder Begriffszeichen waren, ist dunkel. Mit den uns bekannten Lautrunen fielen sie mindestens nicht zusammen; darauf deuten die Namen der 'drei Stäbe' im Skirnirlied 36: Namen, die im Futhark unbekannt sind. Ein anderer Fall war der, daß man die Verwünschung in Lautrunen niederschrieb, vollständig oder abgekürzt, z. B. auf eine 'Neidstange', einen Schandpfahl, den man mit weiteren entehrenden Abzeichen wider den Feind errichtete[2]). Dann hielt die Schrift das Sprachdenkmal fest; wir stehn bei *Inschriftversen* magischen Inhalts.

Auf die erste oder zweite Art kann gehn die Aussage des deutschen Abtes Hrabanus Maurus um 830: die Nordmanni (Dänen) pflegten mit ihren Runen 'ihre Zauberlieder und Beschwörungen und Wahrsagungen auszudrücken' (*significare*).

Bewahrte Runeninschriften, die man mit Vertrauen als zauberhaltig ansehn darf, bieten an Dichtung wenig[3]). Vorwikingisch ist die klangmächtige Langzeile, die eine sonst ungedeutete Inschrift eröffnet[4]):

> Rûnô fâhi   raginakundô
> ('Runen zeichne ich, gottheitentstammte')

Formelhafte Wortwahl und Verstakt, wenn auch keine Stäbe, haben die Schlußwünsche auf vier dänischen Denksteinen des 10. Jahrh.; z. B.:

> Vergüten müsse es,
> wer diesen Stein schädigt
> oder von hinnen schleppt![5]

Dies klingt wieder mehr nach Rechtssprache als nach mythischem Schadenzauber. Doch geht in dem einen Falle die Anrufung Thors voraus (§ 40); ist der Gott als Vollstrecker des Wunsches gedacht?

[1]) So vermutlich in den Skirn. 32ff., auch in der Grettissaga c. 79, 3. [2]) Egilssaga c. 57, 56; Vatnsd. c. 33, 7: 34, 11. Alex. Bugges und M. Olsens Annahme, Egil habe zwei formgerechte Hoftonstrophen auf die Neidstange geritzt ('Edda' 5, 236ff. 244), überzeugt nicht. [3]) Linderholm, Svenska Landsmål 1918 H. 1, 51ff. Die zwei Fälle bei M. Olsen, 'Edda' 5, 234, scheinen, wie die Eggjuminschrift u. § 114 Anm. 2, zu unsicher gedeutet, um Schlüsse zu tragen. [4]) S. Bugge, Arkiv 22, 1ff. [5]) Wimmer, De danske Runemind. 1, LXXXV. LXXXVII; M. Olsen, Arkiv 37, 229; A. Kock, ib. 38, 1ff. (abweichende Deutung der 1. Zeile); I. Lindquist, Galdrar 173ff.; Beckman, Arkiv 52, 79 (1936).

57. Gegenstücke zu den Zauberspruch-Listen von § 54 sind die Runen-Listen (*rúnatöl*) der eddischen Sammlung: mehrere ineinander geschobene Bruchstücke, untergebracht in einem Heldenlied als Rede der erweckten Walküre[1]). Auch dies Merkdichtung, mehr kunstmäßig, doch dem Leben, dem praktischen Zauber, dienend, keine altertümelnde Sammlerarbeit (vgl. § 75). Wie dort zu magischen Liedern, erhalten wir hier zu magischen Runen Beschreibungen, Gebrauchsangaben: 'Siegrunen', auf dem Schwerte einzugraben unter Anrufung des Gottes Tyr (nach welchem auch eine Rune benannt war); 'Bierrunen' gegen Vergiftung des Trinkhorns; 'Entbindungsrunen' usw. Auf das begleitende *Wort* fällt ein paar Mal ein Seitenblick. Es ist wesentlich Abwehrzauber. Neben dem Kriegerischen tritt hier das Häusliche und Weibliche, die Heilkunde hervor. Dies rückt uns dem Gedankenkreis der deutsch-englischen Segen näher.

[1]) Edda S. 186ff.; Genzmer II Nr. 25. War auch 'Odin am Galgen' Einleitung zu einer Runenliste? Vgl. § 63.

IX. SPRUCHDICHTUNG

Spruchdichtung, das Wort hier in einem engern Sinne verstanden, meint das, was sonst 'gnomische Dichtung' heißt. Ihr Stoff sind Lebensklugheit, Beobachterscharfsinn, Ratekunst. Von den zwei vorangehenden Gruppen trennt sie die diesseitige, nüchterne Verstandesmäßigkeit, von der folgenden die Richtung aufs Praktische, auf Klugheit, nicht Wissen.

58. Fangen wir von unten an, so treffen wir zuerst die *Begriffs-* und *Gedankenformeln*, diese Urzellen spruchhaften Dichtens.

Die Hauptmasse entfällt auf die sogenannten Zwillingsformeln[1]): *freunde und feinde; lieb und leid; geben und gelten; oft, unselten; erde (war nicht) | (noch) aufhimmel.* Drillingsformeln: (friesisch) *allen witwen und waisen | und allen wehrlosen;* (gotländisch) *gehölz oder hügel | oder heidnische götter.*

Dazu viele andre Gefüge: *die nebeldüstre nacht;* (friesisch) *bei landes lage | und der leute lebzeiten; | wie vater zu sohn | oder sohn zu vater.* Auch mit Zeitwort: *solange gras grünt, | baum blüht (vgl.* § 42), usw. usw.

30. Bautasteine bei Björketorp in Blekinge.
Eine Runeninschrift enthält den Fluch über den, der diesen Denkstein zerstören würde.
(Nach Montelius, Kulturgeschichte Schwedens.)

Dies die Begriffsformeln. Für die Gedanken- oder Satzformeln drei nordische Beispiele: *Genieß heil der hände!* (= Glück auf zu deiner Tat!); *Der kriegte den hieb, dem er gehörte* (= es ging nach Verdienst); *Man solls mit geld büßen,* | *doch nicht den geer röten* (= Abfindung, nicht Fehde!). Man verwechsle dies nicht mit Sprichwörtern; es fehlt die Verallgemeinerung, das Wenn . . . , dann . . . Auch die gleichnishafte Langzeile:

bîta myndi nû **b**einfiskr, ef at **b**ordi mætti dragaz

'anbisse nun der . . fisch, ließe er sich nur an Bord ziehen' (Gisla saga c. 25, 11) verrät durch das 'nun', daß die naheliegende Ausdehnung zum Gemeingültigen ('was hilft es, daß . . . , wenn . . . ?') unterblieben ist.

Scharfer Umriß, eindeutige, anerkannte Prägung, die sich dem Hörer eingräbt: dies will die Formel. Sie erreicht es durch sprachliche Mittel, denen etwas Künstlerisches eignet: hier steigernde Verdoppelung, dort sparsame Zuspitzung; Sinnlichkeit, Gleichnishaftes; — sie erreicht es noch mehr durch das rhythmische Mittel: Versplastik mit Stabreim. Diese Formeln sind germanische Zweitakter, unpaarig oder gepaart; ihre Silbenfüllung, nur von sprachlichen Rücksichten beschränkt, schmiegt sich frei dem jeweiligen Bedürfnis an, wie wir dies noch an den heutigen Vertretern erleben (§ 28): *háus ⏜ und hóf; von seinem háuse und sèinem hófe* usw.

Viele der einfacheren Formeln kennen wir aus Süd und Nord. Leicht kann dies urgermanisches Erbe sein, älteste Verse stabreimenden Stils. Sie stehn hier dichter, dort spärlicher: das ist nicht bloß nach Werken oder nach Gattungen ungleich: auch nach Ländern, nach Mundarten. Die Stärke des germanischen Einschlags liest man hier ab. Das altnordische Schrifttum ist auch in dieser Formsache das germanischste; noch aus dem heutigen Isländisch wären die stabenden Formeln nicht wegzudenken. Am Formelärmsten ist Wulfilas Übersetzergotisch[2]).

Von *silbenreimenden* Formeln (*handel und wandel, richten und schlichten*) ist kaum eine gemeingermanisch. Im alten Norden sind sie noch ganz spärlich; im Deutschen bilden sie merkbar eine jüngere Schicht.

[1]) Salomon, Die Entstehung ... der deutschen Zwillingsformeln 1919; W. Krause, Kuhns Zschr. 50, 74ff.   [2]) Kauffmann, ZsPhil. 48, 169ff. Man lese laut und frage sich, wieviel von diesen gleichen Anlauten hörbar wird!

59. Am meisten muß der Sprache des Rechts an solchen Prägungen liegen. Sie stellen ihr gleichsam Definitionen und Zitate ('im Sinne des § . .').

> Der Zwist ist beigelegt durch Buße,
>> wie die Wäger es wogen
>> und die Zähler es zählten
>> und der Spruch sprach
>> und die Nehmer es nahmen
>> und fort es führten ...!:

das meint, nach allen Vorschriften über Bußentrichtung.

Von den sogenannten Gesetzesversen entfällt die große Mehrzahl auf Formeln im bezeichneten Sinne. Sie stehn einzeln oder schwarmweise, ganz gewöhnlich im Flusse prosaischer Perioden. Der Vortrag, so darf man sich denken, hob sie heraus durch die Stimmgebung: die unterstrich diese metrischen Schlagworte.

Im allgemeinen sind schwedische, norwegische und friesische Rechtstexte am reichsten. Der Hauptfall von gehäuften, dichtstehenden Formeln ist auf nordischer Seite der Rahmen des Urfehdebanns (§ 42), auf westgermanischer Seite der englische 'Anspruch auf Land'[1]): diese Anrede des Eigentümers an den Gegner kann man zwanglos, sprachgemäß in 46 Zweitaktern sprechen; sie stehn größernteils unpaarig; neun sind stablos, dreie haben Silbenreim.

In welchem Umfang wir *stablose* Stellen als Verse formen dürfen, ist unentscheidbar. Der Stabreim war wohl Stütze, gewiß nicht Voraussetzung des Verstaktes. Die Hauptsache ist, daß die Lage der Silben, der Sprachtöne auf metrische Ordnung drängt. Nur dann haben gleiche Anlaute den Gehörwert von Reimstäben[2]). Die Formel ist keine optische, auch keine grammatische Größe. Gotisch 'atta unsar' als Anrede kann den Gehörwert einer stabenden Formel haben: in 'atta unsar Abraham ist' fehlt ihm diese Wölbung und damit der hörbar gemachte Stabreim.

Zwillingsformeln, genau wie die anderen, nur ohne Stäbe, gibt es in allen Mundarten[3]): *mit händen und füßen; zu wasser und zu lande; leben und sterben* (nord. *lifa ok deyja*). An stabende konnte ein stabloses Glied antreten[4]): *mit urlaub, wissen und willen; los, ledig und müßig;* (altschwedische Definition des Spielmanns:) *der mit der Geige geht | oder mit der Fiedel fährt oder der Trommel.* Oder eine zweiversige Formel stabt nur im einen Gliede: altnorwegisch *Eru þeir î **m**álum **m**estir | sem **r**efr î **h**alanum* ('Sie sind im Reden am größten, wie der Fuchs im Schwanze') — wo die neunorwegische Fassung gerade umgekehrt verteilt: *Dei er störst i ordi | som **r**even i **r**ova.*

Von der echten Prosa, die zu sachlicher Verdeutlichung versmäßige Formeln einsetzt, trenne man jenen Prosastil, der als rednerischen Schmuck neugeschaffene, nicht formelhafte, nicht münzprägende Anlautspaare gebraucht. Die Wirkung ist so verschieden als möglich: dort treuherziger Bauernton, hier kostbarer Kanzelton. Diese stabende Halbprosa ist nichts Altgermanisches; Geistliche in England, später in Norwegen-Island schreiben sie[5]). Vorbilder bot das frühmittelalterliche, zuerst in Gallien gepflegte Rhetorenlatein.

¹) Liebermann 1, 400.   ²) Von den neueren Versuchen, ganze Sagastücke versmäßig zu modeln, beachte man den Genzmerschen: 'Ein Versauftritt in der Egilssaga' (GRMon. 1933, 187ff.). Stellt man — vom Stabreim abgesehen — an Taktfüllung und Gruppenbau, Satzbau und Stil so weitherzige Forderungen, dann läuft es auf die gefühlsmäßige Entscheidung hinaus: ob diese Teile eines unbestrittenen Prosawerks erst durch metrischen Vortrag ihren überzeugenden Ausdruck erlangen. Die Urfehdesprüche in § 42 bilden ein warnendes Gegenbeispiel.   ³) RA. 1, 20f., 28f.   ⁴) ib. 1, 21ff.   ⁵) RLex. 4, 234.

60. Eine Stufe über der Formel steht das *Sprichwort*. Hier kennen wir keinen ur- oder gemeingermanischen Bestand. Denn nur im Norden sind uns, in Prosawerke und Gedichte eingestreut, altertümliche metrische Sprichwörter in Menge überliefert[1]. Sie zeigen eine gewisse Eigenart, einen germanischen Gnomenstil: den erkennen wir wieder in einigen altenglischen Stücken, in dem friesischen Rechtssatze:

> Mórd mùß man mit mórde kühlen,

in dem altdeutschen Juwel (im Hildebrandslied):

> Mit dem géer nìmmt der mánn ⊥   gábe ⊥ entgégen[2].

Was dann Notker, um das Jahr 1000, und mittelhochdeutsche Dichter an Gnomen bringen, ist aus anderm Stoffe: jünger — oder fremder, denn beim Sprichwort noch mehr als beim Zauberspruch fließt die biblisch-antike Bildung herein. Doch haben von deutschen Sprichwörtern im Volksmund manche etwas von der alten Art festgehalten; zumal wo Stabreim blieb, konnte sich die ausdrucksvolle Gewichtsverteilung, die kenntliche Zackenlinie des germanischen Zeitfalls behaupten. So in diesen Beispielen:

> Wenn die máus ⊥ sátt ist,   ist das méhl ⊥ bítter.
> Wenn der wéin ⊥ niedersìtzt,   schwimmen die wórtè empór.
> Wéin ⊥ und wéiber   màchen alle wélt ⊥ zu nárren.

Die syntaktisch-metrischen Eigenschaften prägen das altnordische Sprichwort. Jenes nachdrückliche Hervorwölben des Wichtigen, das dem germanischen Vers eignet (§ 26f.), ist an diesen kleinen Kunstwerken gut zu beobachten; nur sind die Senkungen selten so vielsilbig, die knapperen Füllungen überwiegen. Aus dem Formgefühl des Jambentrabs darf man freilich diese Sprüche nicht anfassen, auch nicht aus dem des altdeutschen Reimverses[3]). Eine kleine Auslese soll die verschiedenen Formen veranschaulichen; der Urtext ist unentbehrlich, denn sinngetreue Übersetzung vermag den Zeitfall selten zu wiederholen.

1) Véldrat, sà er várar   'Keine Schuld hat, wer warnt'.
   Úlfr èr i úngum sỳni   'Ein Wolf, d. i. ein Rächer, steckt in dem jungen Sohne
                (des von dir Erschlagenen)'.
   Med lǫgum ⊥ skal lánd bỳggja   'Mit Gesetz soll man das Land besiedeln'.

2) þrǽll èinn þégar hèfnir,   en árgr — áldri
   'Der Sklav nur rächt sofort, aber die Memme niemals'.
   Sa skal háfa ⊥ hápp,   er hlótit ⊥ héfir
   'Der behalte die Beute,   der sie erlost hat'.
   Éngì er álhèimskr,   ef þégjà má
   'Keiner ist ganz Tor, wenn er schweigen kann'.
   Skámmà stúnd ⊥   verdr hǫnd ⊥ hǫggvi fègin
   'Kurze Frist wird die Hand des Hiebes froh'.

3) Ónd ⊥ vérdìr   skulu érnir klóask
   'Brust wider Brust sollen Adler sich zerkrallen'.

Er mer i hédin ⏑́ hvérn ⏑́ hándàr vǽnì
'In jedem Pelzrock verseh ich mich der (angriffsbereiten) Faust'.

Þjód ⏑́ véit ⏑́, Þat er Þrír ⏑́ vítu
'Das Volk weiß, was Dreie wissen'.

Fírnùm nýtr ⏑́, Þess er fírnùm fǽr
'Heillos genießt man, was man heillos erwirbt'.

Wir sehen hier Einzelverse, Doppelverse und Langzeilen, diese z. T. mit freier Stabsetzung. Über zwei Kurzverse scheint das eigentliche Sprichwort nicht hinauszugehen. Neunorwegisch hat man den Dreizeiler hergestellt:

Mangt mun heime   (Viel mag daheim
høvelegt vera   an Behagen sein,
og inkje i utferdom: doch wenig auf Wanderschaft)

das empfindet man als ein Stück Gedicht — o h n e die Straffung der Gnome. Hinter manchen dreiversigen Strophenhälften der eddischen Sittengedichte ahnt man den zweiversigen Gnomenkern.

So sehr der Stabreim hilft, die Kernworte und die Gegengewichte herauszubringen, gibt es doch auch *stablose* Gnomen von gleichem Wurf:

I Þǫrf ⏑́ skal vínar nèyta   'In der Not soll man den Freund nützen'.

Férr ⏑́ órd ⏑́, er um múnn ⏑́ líđr   'Das Wort läuft, sobald es zum Mund aus ist'.

Ein englischer Rechtssatz:

Twá niht gést ⏑́, Þrídde niht ógen hýwen
'Zwei Nächte Gast,   dritte Nacht Hausgenoß'.

Sprichwörter waren — sozusagen von Geburt an — dem 'Zersagen' ausgesetzt, schon innerhalb e i n e r Mundart; es war auch alltäglich, daß man sie ungenau, umschreibend zitierte. Dazu kam die notwendige Anpassung an jüngere Sprachstufen. Wie dabei der Stabreim erlöschen konnte, zeigt das altnordische:

Kóld èru kvénna ràđ   'Kalt sind Weiberräte'

gegen das deutsche (15. Jahrh.): *Frowen geben kalt rät* und das englische (bei Chaucer): *Wommennes counseils been ful ofte colde.*

Gegen die Sprüche o h n e metrische Ordnung ist die Grenze nicht sicher zu ziehen. S i l b e n r e i m ist verschwindend selten; ein alter Vertreter, der beide Reimarten vereinigte und sich neunordisch auf den Endreim zurückzog:

grísir gjáldà,   Þat er gǿmul svin váldà
'die Ferkel entgelten, was die alten Schweine verschulden',

telemärkisch:

Det dei store svine velle,   skal dei små angjelde[4]).

[1]) Sammlungen von F. Jónsson, Gering, Vrátny, Arkiv Bd. 30. 32. 33; Herrmann, Erläut. 2, 394ff.; Liestöl, Målreising (1927) 33ff. Zur Form altnordischer Gnomen: Vf., ZsVolksk. 25, 108ff.; 26, 42ff. (Wir gebrauchen 'Sprichwort' und 'Gnome' gleichbedeutend.)   [2]) Das angehängte 'Spitze wider Spitze' fasse man als Gedankenformel (§ 58): '(Setzen wir) hart auf hart!'   [3]) Merkwürdig vergreifen sich Kögel bei altgermanischen (Lit. 1, 70ff.), Seiler bei neudeutschen Sprichwörtern (Deutsche Sprichwörterkunde 1922, 194ff.). Wer sich den Tastsinn für altgermanischen Rhythmenstil erworben hat, durchmustre die Lese deutscher Rechtssprichwörter bei Fehr (§ 41) 163—180.   [4]) Nordbø, Ættesogor frå Telemark (1928) 72.

61. Unsre Beispiele mögen die Verdichtungs- und Schlagkraft dieses Gnomenstils bezeugen. Die Gedrungenheit geht in der nordischen Sprachform besonders weit (§ 13); sie gipfelt in viersilbigen Sprüchen wie:

Nýtr mangi nâs   'Keiner hat Nutzen, vom Leichnam'; Genzmer:
                                'Nichts taugt mehr wer tot'.

Das angeführte: Ulfr er i ungum syni sagt im Bilde gleiches wie der bei den Griechen als
geflügeltes Wort wiederholte Hexameter: *νήπιος ὅς πατέρα κτείνας παῖδας καταλείπει*[1]).
Subjektlose Zeitwörter, u. a. *skal* 'man soll', kehren wieder, dagegen ist die sonst so beliebte
Zeitwortverschweigung (*πλέον ἥμισυ παντός*; *Viel feind, viel ehr*; niederld. *So topke, so stertke*)
im Norden unbräuchlich. Nicht immer strebt der Ausdruck nach möglicher Kürze: einem
neunorwegischen *Bar er broelaus bag* 'bloß ist bruderloser Rücken' steht die alte Fassung gegenüber:

Berr er hverr â baki,   nema sêr brôdur eigi
'Bloß ist jeder am Rücken, er habe sich denn einen Bruder.'

Der Inhalt liegt außerhalb von Kirche und Schule. Die Tierbilder kommen aus dem Leben,
nur ausnahmsweis aus dem Fabelbuch (s. u.). Der Blick auf die Welt ist männlich und kühl,
wehrhaft und mißtrauisch. Humor ist selten und nicht von der gutmütigen Art (§ 182). Wohl
aus der Mehrheit dieser Sätze vernehmen wir den herrenhaften, fatalistisch beschatteten
Kriegersinn, der uns aus der Heldendichtung, auch aus den Bauern- und Fürstenfehden der
Sagas bekannt ist. Die jüngere, uns geläufige Gnomenweisheit ruht mehr im friedlichen
Kleinleben, sie hat oft einen gedrückten, entsagenden, oft einen gemütlich-schalkhaften
Ton. Das sachliche: Tunga er höfuds bani 'Zunge ist Hauptes Töter' = mit deinen Worten
kannst du dich um den Kopf bringen, hat seine Gegenstücke in bürgerlichen Sprüchen, die
gegen den Verleumder Partei ergreifen[2]) ... Der Umschwung rührt nicht nur daher, daß
sich die Faustrechtgesellschaft zähmen ließ: auch daher, daß unsre Spruchgattung nun 'Volks-
weisheit' im engern Sinne geworden ist. Jene alten Vertreter waren zwar ungelehrt und ge-
meinverständlich, aber nicht vorzugsweise das Gut der kleinen Leute. Die Grettissaga, die
an Sprichwörtern so reich ist, erlaubt auch wohl die Annahme, daß dieses und jenes von dem
formgewandten Grettir selber stammt; da lichtet sich einmal das Dunkel über der Verfasserschaft volkstümlicher Kleinkunst.
Sprichwörter wie Rätsel waren Wandergut, und inhaltliche Gegenstücke zu den altnordischen finden sich in fremden Sprachen, wenn auch die häufigeren Berührungen offenbar erst
in jüngern Schichten erscheinen. Letzten Endes mag sogar eine Buchquelle hinter einem
kernigen nordischen Spruch liegen. Das mehrmals gebrauchte (stablose) *Mörg eru konungs
eyru* 'Zahlreich sind Königs Ohren' hat einen genauen Vorgänger bei den alten Griechen[3]).
Eine nordische Nachbildung ist wieder: 'Zahlreich sind des Tages Augen' (= Im Dunkeln ist
gut munkeln). 'Da erwart ich den Wolf, wo ich die Ohren seh' (neunorwegisch: Sieht man
dem Wolf seine Ohren, so ist er selbst nicht weit) bekommt sein Salz erst aus der lateinischen
Tierfabel[4]), und deren gnomischen Saft faßt genauer der Hexameter:

Inde lupi speres *caudam*, cum videris aures.

[1]) C. Robert, Die griechische Heldensage (1923), S. 1259.   [2]) Reichborn-Kjennerud, Mogk-Fest-
schrift 1924, 519ff., Maal og Minne 1933, 69.   [3]) *πολλὰ μὲν βασιλέως ὦτα, πολλοὶ δὲ ὀφθαλμοὶ νομίζονται*.
Xenophon Kyrop. 8, 2. 12. Auch bei Lucian.   [4]) J. Grimm, Reinhart Fuchs 418f.

62. Für die scherzhafte Abart des Sprichworts, den *Anekdotenspruch* — auch Beispiels-
sprichwort oder Sagwort genannt —, stellt wieder der Norden die frühsten landessprachlichen
Belege[1]). Südliche Vorbilder sieht man im Motiv nicht nachwirken[2]). Ein Teil fußt auf Tier-
geschichten. Selten wieder hören wir in unserm ganzen Bereich so unhöfische Klänge. Die

Form steht an der Grenze des Vershaften; meist hat der Ausspruch zu Anfang zwei Stäbe und kann einen Kurzvers bilden. Zwei Beispiele:

'Zu nah der Nase!' sagte der Alte; da war er ins Auge geschossen.
'Ein Haderlumpen hüllt', sagte die Alte; da steckte sie sich einen Garnknäuel vorn Arsch.

Auch das *Priamel* zeigt sich nur im Norden in 'altgermanischer' Gestalt. Das halbe Dutzend Vertreter kann wohl noch zur heidnischen Eddaschicht gehören[3]); neben den ältesten deutschen, beim Spruchdichter Spervogel um 1170, mutet es urwüchsig an.

Als stilistische Form — Kettenspruch mit gemeinsamem Nenner — ist das Priamel auch sonst im Norden beliebt. Der uns bekannte Urfehdebann (§ 42) hat diese Anlage, auch für Merkverse wird sie gebraucht. Einen nordischen Namen dafür haben wir in dem Worte *Thula*, doch begreift dies auch andersartige Verslisten (§ 70).

Eine Vorstufe zum Priamel ist u. a. die Spruchreihe eines altschwedischen Gesetzes[4]):

Des ist der Hase, der ihn hascht,
des ist der Fuchs, der ihn fängt,
des ist der Wolf, der ihn erwischt,
des ist der Bär, der ihn erbeizt,
des ist der Elch, der ihn fällt,
des ist die Otter, der sie aus der Ache nimmt.

Läßt man im 2. bis 6. Verse das 'ist' weg, wie in der jüngern Fassung, dann ist es ein Priamel. An fremde Muster wird hier niemand denken. Auch da nicht, wo ein Dichter die beiden gleichlaufenden Gnomen: 'Raub gewinnt selten | ruhender Wolf' und 'Die Schlacht gewinnt selten | schlafender Mann' zu einer Periode, mit einmaligem 'gewinnt selten', verschmelzt (Hâvamâl 58).

Allein, das eine der eddischen Priameln:

Am Abend soll man den Tag loben,   die Ehfrau, wenn sie verbrannt ist,
Den Degen, wenn er erprobt ist,   die Dirne, wenn sie vermählt ist . . .

hat im Grundgedanken wie in Einzelheiten so nahe Verwandte außerhalb, daß wir an freie Nachformung eines Fremdlings glauben[5]). Möglich, daß eben dieser den ersten Anstoß gab zu den Sprichwortpriameln des Nordens. Zur Modeform, wie im deutschen Spätmittelalter, sind sie nicht geworden.

Als urgermanische Gattung sprechen wir danach das Priamel nicht an.

Inhaltlich tritt die letzte Nummer aus dem gnomischen Bereich hinaus: sie nennt je ein Heilmittel gegen acht leibliche Leiden. Ein kleines Stück *Volksmedizin*, aus Beobachtung und Zauberglauben aufgebaut[6]). Es klingt an englische Beschwörungsverse an (§ 51); z. B.: 'Erde wirkt wider Rausch'.

[1]) In Sagas u. aa. Prosawerken zerstreut.   [2]) Vgl. die latein. Fälle bei Kögel 2, 181f.; Seiler, a. a. O. 26f.   [3]) Bei Genzmer II Nr. 21; Stück 3 besteht im Urtext aus 3 syntaktisch selbständigen Reihen, der gemeinsame Nenner ist 'man soll'. Zu Stück 4 stellt sich noch Edd. min. Nr. 18 A b 8, 1—3. So wie Euling (Das Priamel 157ff.) und Seiler (l. c. 229) den Begriff fassen, wäre nur Stück 2 ein Priamel.   [4]) Westgöta-Lagen CJS. 1, 65, der jüngere Text 1, 217. Auch RA 1, 46. Im Urtext sind es handliche Zweitakter, die beiden letzten durch die vokalischen Reimstäbe verbunden.   [5]) Vf., ZsVolksk. 26, 42f.   [6]) Reichborn-Kjennerud, Maal og Minne 1923, 1ff.

63. Mehr Kunst als im Priamel steckt in den *Spruchstrophen*, die nicht einfach addieren, sondern in freierem Aufbau einen lehrhaften Gedanken runden.

Stabreimende und außerkirchliche Vertreter hat uns wiederum nur Island gerettet. Glaublich, daß alle Germanen solche kurzen, doch über das Sprichwort hinausstrebenden, persönlicher gefaßten Klugheitslehren besaßen: Vorgänger der sinnigen, wohlgebauten Strophen der Spervögel in der Stauferzeit. Aber der norwegische Stamm fand ein besonders geeignetes Werkzeug dafür in seinem sechsversigen Maße (§ 29 f.): seine mannigfache Füllung sowie das Gegenspiel von Einzelvers und Langzeile verleihen gerade dem Spruchhaften eine Zuspitzung und Geschlossenheit, die das Langzeilenmaß versagt. Während das Priamel in bequemen Langzeilen geht, wählt die Spruchstrophe regelmäßig den Ljôdahâtt mit seinen Spielarten. Diese gegliederten Gesätze sind die germanischen Gegenstücke zum epigrammatischen Distichon der Alten. Noch im 13. Jahrh. fand der isländische Übersetzer des beliebten Schulwerks, der Disticha Catonis, diese Sechsversstrophe — die damals Mühe machte — für seinen Gegenstand nötig.

Die Hauptmenge der eddischen Spruchstrophen bildet die zusammenhängenden Sittengedichte (§ 65 f.). Einige schuf man für Erzähl- oder Merkgedichte. Aber gewiß gab es auch einzelne, für sich umlaufende Strophen[1]). Solche hat die Hand schreibender Sammler da und dort als Einschiebsel untergebracht. Denn zu schlichten Sammlungen, Büchlein gnomischer Sechszeiler, entschloß sich Island ebensowenig wie zu Heften der Stegreiflyrik (§ 83).

Als Sagaeinlagen kennen wir eine besondere Abart: sie stellt sich zu dem Anekdotenspruch (§ 62) ungefähr so wie die gewöhnliche Spruchstrophe zum Sprichwort. Vertreter sind die schalkhaften 'Geizhalsstrophen'[2]). Sie zeichnen eine drollige Sachlage und schließen daran die ernste oder scheinernste Folgerung des Betroffenen.

Ein Beispiel. Die sechs Geizhalsgeschwister bangen vor Familienzuwachs; aber die eine Schwester, Klüglein, die vom König des Landes in Hoffnung ist, richtet es so ein, daß Bruder Gilling sie nachts an der Backe berührt; als sie nun niederkommt, spricht Gilling:

> Verflucht auch,   daß ich fuhr mit der Hand
>   an die Wange dem Weib! —
> Ein Brösemlein brauchts,   und so ein Bub ist da! —
>   drum hat nun Klüglein das Kind.

Man könnte sich dies in einen Anekdotenspruch umdenken.

Auf viel höherer Stufe stehn mehrstrophige *Parabeln*, die eine vor- oder nachgestellte Klugheitslehre erzählend beleuchten. Das eddische Spruchheft bietet drei Belege in der kennzeichnenden Gestalt: das ganze ist eine Ichrede Odins, er berichtet ein Erlebnis mit Riesen[3]). Es ist eine gewandte Kunst andeutenden, warmblütigen Erzählens. Wie sie sich formgeschichtlich stellt zu den verschiedenen Arten der größeren Sagenlieder (Kap. 16), wäre schwer zu entscheiden; kein Zusammenhang besteht mit den elegischen Heldenrückblicken: nach Strophenmaß, Stoff und Stimmung weisen unsre 'Odinbeispiele' in andre Gegend, und mindestens die zweite Parabel dürfte viel älter sein als die 'isländische Nachblüte'. Die erste scheint einen fremden Schwank auf Odin zu übertragen[4]); in ihrer freien Spottlaune mit Anflug von Lüsternheit wirkt wohl der Spielmann nach, doch denkt man auch an den echt isländischen Humor des Graubartliedes (§ 91).

Eine vierte Odinsrede von ähnlicher Kürze, 'Odin am Galgen', hat zwar kein Fabula docet und steht in der Tat außerhalb der Spruchdichtung, ließe sich aber im übrigen dem zweiten Odinsbeispiel anreihen[5]). Die gestörte Überlieferung läßt fraglich, ob der Ichbericht in eine Belehrung über Zauberrunen auslaufen sollte; darauf deutet die feierliche Anfangsstrophe (Hâv. 111). Die Art, wie sich hier ein verklärter Sprecher einführt, hat nur ein Gegenstück: in dem Eingang der Völuspâ. An diese erinnert auch die orakelnde Ergriffenheit des ganzen. Das kleine Gedicht klingt nach Altertum und bestätigt, daß kurze Odinsreden zu den frühen Formen der Mythendarstellung zählten (vgl. § 136).

Der Name *Hâvamâl* 'Reden des Hohen' galt wohl von Hause diesen Odinischen Ich-berichten (in den beiden ältesten heißt Odin 'der Hohe'); ein Schreiber des 13. Jahrh. hat ihn ausgedehnt auf das ganze kleine Spruchheft mit seinen Sittenlehren, Priameln und Zauber-spruchreihen.

[1]) Sieh bei Genzmer II Nr. 20.   [2]) Edd. min. Nr. 22; Genzmer II Nr. 23.   [3]) Hâvamâl 1) Str. 84. 96—102; 2) Str. 103—110; 3) Str. 12—14. Bei Genzmer II Nr. 22.   [4]) Man vgl. die Balladen bei Child Nr. 112 und bes. 212; Grundtvig Nr. 230.   [5]) Hâvamâl Str. 111. 138ff.; bei Genzmer II Nr. 26.

64. Größere Gedichte gnomischen Inhalts gibt es zweierlei. Solche, in denen das Sammeln überwiegt: *Spruchhaufen;* und solche, die mehr schöpferisch gestalten: *Sittenlehren.*

Stabreimende Spruchhaufen, vergleichbar der endreimenden 'Bescheidenheit' Freidanks, haben wir in altenglischer Sprache[1]). Es ist Geistlichenwerk — daher auch Bogenstil und Schwellverse —, augenscheinlich mit der Feder zusammengestellt, vielleicht für Schulzwecke gedacht. In der Form liegt wenig Ehrgeiz: zu der Rundung einer Spruchstrophe steigt es nirgend auf. Wo sich die Verfasser zu eigenem Predigen das Wort geben, ist es der bauschige Vortrag der angelsächsischen Buchdichtung. Dazwischen stehn, bald abgebrochen, bald ge-danklich verknotet, auch mit erbausamen Glossen durchsetzt, die kurzen Denksprüche: die Mehrzahl weltlich, z. T. aus dem Hofleben, einige sogar widergeistlich, doch kein Heidentum, das einen altertumsfreundlichen Mönch stoßen konnte. Diese spruchhaften Teile sehen nach vor-gefundenem Gut aus; mitunter sprengt es auch das Langzeilenmaß. Viel Raum füllen Sätze mit 'soll', die nicht so sehr Lebensklugheit lehren als schlichtweg das Bestehende, Gültige, Zusammengehörige statuieren:

> Frost soll frieren,   Feuer Holz zehren . . .
> Dieb soll im Duster schreiten,   Riese soll im Ried hausen . . .

Nordische Gegenstücke (z. B. Hâvamâl 82) bezeugen die Spielart als altvolkstümlich; es waren wohl immer ganze Reihen, z. T. priamelhaft. Vollblütige Sprichwörter, nach dem Form-anspruch von § 60f., erkennen wir wenige, kaum über ein Dutzend, und meist erscheinen sie irgendwie umstilisiert: man schob ein, stellte um; man preßte eine Langzeilengnome zu einem Einzelvers zusammen[2]). Diese geistlichen Gnomenfreunde hatten Vorliebe für lastende Schwellverse; die silbenkargen Takte des Spruchstils (§ 65) lagen ihnen weniger. Zwischen ihrem Versgefühl und dem der volkhaften Sprüche war eine Scheidewand.

Das letzte gilt in noch höherm Grade von dem nordischen Sammelgedicht mit seiner skaldischen Form, gereimten trochäischen Vierfüßlern[3]). Um in diese Form zu kommen, mußten sich die sämtlichen Sprichwörter, etwa hundert, rhythmisch, meist auch im Wortlaut, einer Umbiegung bequemen. So wurde 'Keine Schuld hat, wer warnt' (o. § 60) entnervt zu 'Káum geb Schúld ich dém, der wárnt'. Zum Auffüllen der 30 Strophen dienen sagenhafte An-spielungen und Liebesklagen. Wieweit diese ungleichen Bausteine gedanklich zusammen-hängen sollen, ist die Frage; der Eindruck ist der einer losen Sentenzenreihe. Doch ist dieses skaldische Sprichwortgedicht, mehr als die englischen Spruchhaufen, ein Werk von persönlicher Handschrift. Das Erotische schließt den geistlichen Verfasser nicht aus; man darf sogar an einen Bischof, Bjarni auf den Orkaden, denken (um 1200). Auch seinem Lied aus der Norweger-geschichte flicht dieser Kirchenmann Liebesklagen ein: ein Kunstbrauch, der in den isländischen *Rîmur*, vom 14. Jahrh. ab, stehend wird[4]).

[1]) Die Gnomica Exoniensia und Cottoniana, bei Grein-Wülcker 1, 338ff.; Williams, Gnomic poetry in Anglo-Saxon (1914).   [2]) Vf., ZsVolksk. 26, 52.   [3]) Mâlshâttakvædi 'Redensartengedicht', übersetzt und kommentiert von Möbius, ZsPhil. Ergänzungsband 1874, 1ff.; vgl. E. Noreen 278ff.; M. Olsen, Maal og Minne 1932, 148ff.   [4]) Björn K. Thórólfsson, Rímur fyrir 1600, 256ff. (1934).

65. Von der zweiten Art, den eigentlichen *Sittengedichten*, haben wir aus England nur einen rein kirchlichen Vertreter ('Vaters Lehren'). Die Edda stellt drei größere Werke, dazu Stücke eines vierten[1]). Offenbar christlicher Geist spielt nur in einige Verse des jüngsten herein; sonst haben wir hier Urkunden altgermanischer Denkart, wie sie uns unmittelbar nirgend zu Gebot stehen.

An Alter, Gehalt und Kunst ragt hoch hervor das siebzigstrophige Erste Gedicht der Hâvamâl. Hier kann von einer *Sammlung* volksläufiger Sprüche nicht die Rede sein. Ein Lebensweiser sinnt und lehrt im eigenen Namen (das 'Ich' ist der Dichter, unmöglich Odin) — wenn auch fest wurzelnd in alter breiter Volksüberlieferung. Aus der altdeutschen Reimdichtung vergleicht sich, bei allem Abstand in Geist und Stoff, das höfische Lehrgedicht Winsbecke.

Verwendet sind gegen 30 Sprichwörter — wenn nicht auch davon ein Teil vom Dichter selber stammt —, doch nirgend listenhaft, immer mit Geschick eingebettet. Ein Umbiegen ihres Wortlauts brauchte es bei diesem Strophenmaße nicht. Zuweilen erkennt man, wie sich ein Gesätze auf einer Gnome aufbaut, sie umschreibt, beleuchtet, oder wie es die Gnome als krönenden Schluß heranzieht. Ob das Gedicht auch fertige Spruchstrophen aufgenommen hat? Jedenfalls ist das sechsversige Maß blank durchgeführt, und Sprache, Gesinnung, Stimmung kann man wohl einem Urheber zutrauen.

Dagegen fehlt der durchgehende Gedankenfaden und eine Stoffbegrenzung, die weder Zutat noch Abzug verträge. Denn die Kunstform ist die *Strophenreihe*: mit wenig Ausnahmen genügt jedes Gesätze sich selbst. Wohl treten manche inhaltlich und durch Wortaufnahme zu Gruppen zusammen; ein paarmal graben sich tiefere Einschnitte antithetisch ein; die vier Anfangsstrophen deuten eine Art Rahmen an: Aufnahme des Wandrers am gastlichen Feuer; und die sieben Schlußstrophen gewinnen in Stufen eine Steigerung: Skala der Lebenswerte. Aber die künstlerische Einheit ist die *Spruchstrophe* (§ 63). Drum bleibt strittig, wie weit wir Gedankensprünge beseitigen, Getrenntes aneinander rücken dürfen, sei es durch Streichung, sei es durch das schonendere Mittel der Umstellung[2]).

Innerhalb der stabreimenden Stilarten haben wir hier den Endpunkt nach dem Verstandesklaren, in feiner Linie Umrissenen. Da ist nichts Wogendes und Verschlungenes, kein Nebel und kein Rausch. Die Kunst ist, in wenig Silben den schlagenden Ausdruck zu geben, so daß auch das Alltägliche endgültig gefaßt scheint. Die Sprache schließt eng, ohne Überschuß, an den Gedanken an. Eine Hauptsache ist die Wortstellung: dichterisch frei, führt sie im Bunde mit den metrischen Mitteln die Satzrhythmen zu wirksamster Zuspitzung. Es ist im Grunde der germanische Sprichwortstil, auf Größeres ausgedehnt. Auch der Wortschatz geht über die Prosa hinaus, aber in allem, was schmückt, ist er maßvoll. Gleichnisumschreibungen (Kenninge) gibt es so wenig wie Variationen. Es hält sich fern von der reichen Sprache des Erzählliedes; die besondern Satzfiguren sind mehr die des Gegengewichts und der Wiederkehr, aber gedämpfter, nicht so hämmernd wie im Zauberspruch (§ 53). Schlicht sind auch die wenigen Gleichnisse und die epischen Bildchen:

> Die Föhre dorrt,   steht sie frei auf dem Bühl,
>   Nicht schützt sie Borke noch Blatt;
> So gehts dem Mann,   den keiner mag;
>   Was lebt er länger noch?

> Groß stets   muß die Gabe nicht sein:
> Oft bringt dir Lützeles Lob.
> Mit halbem Brot   und geheldetem Faß
> Warb ich mir Weggenossen.

Wo es sich, wie am Schluß, über die ruhige Sprechart erhebt, da hören wir wortkargen, feierlich gedehnten Inschriftenklang. Da der Zeitfall das Leben dieser Verse ist, setzen wir ihn daneben.

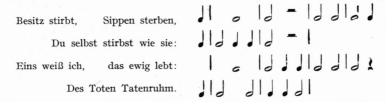

Besitz stirbt,   Sippen sterben,

Du selbst stirbst wie sie:

Eins weiß ich,   das ewig lebt:

Des Toten Tatenruhm.

Dieser Bau ähnelt auffallend den zwei Hymnenstrophen der Walküre § 39. Die nordische Dichtersprache zeigt hier ihre Fähigkeit zu hohem Denkmalstil.

Zu dem ganzen denke man sich den unsanglichen, bedachtsamen Sprechvortrag: verweilend, mit eindringlicher Betonung.

---

[1]) Edda 16ff.; 30. 33ff.; 190ff.; bei Genzmer II Nr. 17—19; 20, 1—5.   [2]) Vf., Berl. Sitz. 1917, 105ff.; Lindquist, Studier i nordisk Filologi 9 (1917), Svensk humanistisk Tidskrift 1917, 213f.

66. Dieser ältesten, größten Sittenlehre ist die poetische Form kein zufälliges Herkommen: ihre Sprüche sind dichterisch geboren; sie reiht sich den lehrhaften Meisterwerken an, die wir unabhängig vom Gehalt als Spiel der Kunst genießen.

Viel weniger gilt dies von den zwei jüngeren Sittenlehren. Ihnen kommt es mehr auf die Gesinnung an. Während der erste Weise, ein überlegener Betrachter, keinen Imperativ kennt, spricht der zweite als sittlich bewegter Ermahner: 'Ich rate dir . . ., den Rat nimm an!' Bei dem dritten, wohl einem Geistlichen, verstärken sich die bänglich warnenden Töne; es ist mehr die Art der allgemein-mittelalterlichen Mahnreden.

Beide gebrauchen ein Kunstmittel, das in Spruch- und Merkdichtung alt und volkstümlich war: die *Gliederung* der Reihe, dort durch eine vierversige Eingangskehre, hier durch Zählung: 'Das rat ich zum ersten, . . . zum zweiten' (vgl. § 54. 81). Dies unterstreicht die Selbständigkeit der einzelnen Spruchstrophe. Aber oft hatte der Dichter mehr auf dem Herzen und gab ein Gesätze ohne solchen Eingang bei.

Die fünf Strophen des vierten Sittengedichts sind wieder ungegliederte Reihe. An geistiger Höhe gehören sie neben das Große Gedicht, schwerlich an Alter. Zwar liegen sie in verblüffendem Maße außerhalb der Kirchenmauern; es scheint da ein unbefangener Weltmann, etwa ein Hofkrieger, seine klugen und freien Ansichten über die Liebe zu bekennen. Aber nach nordischem Heidentum sieht diese stabreimende *Ars amatoria* nicht aus. Sie erinnert an Troubadourverse und noch mehr an Ovid[1]). Ist es am Ende doch ein Clericus, den der lockere Römer angeregt hat?

Im übrigen führen uns die eddischen Sittenlehren in den bäuerlichen Alltag ohne alle ständische Spaltung. Mit Schreibstube oder Buchwissen haben sie nichts zu tun. Nicht einmal an den berufsmäßigen Skalden braucht man zu denken. Sie sind ganz und gar volksmäßig und unkünstlich[2]). Und doch ist es keine niedere Kleinkunst; es ist Poetenwerk, an Gewicht ebenbürtig den großen Sagenliedern oder Scheltszenen.

Seit wann gelangen solche Schöpfungen? Welche Unterlagen setzen sie voraus? . . . Hat es auch bei Schweden, Sachsen, Bayern die einzelne Spruchstrophe gegeben, dann möchte auch der Schritt zur stattlichen Strophenreihe da und dort erfolgt sein.

[1]) z. B. die Strophe des Grafen Wh. v. Poitou († 1127): Per son joy pot malautz sanar E per sa ira sas morir E savis hom enfolezir . . . Ovid Ars am. I 443. 619ff. 631. 711. Über Ovidlektüre auf Island: Bisk. 1, 165. 238; Paasche 203. 250.   [2]) Merkwürdig, wie wenig Gefühl dafür Weinhold hatte! Er stellt unsré Gedichte neben das lederne Lehrbuch des Prälaten Thomasin (Altnord. Leben 326).

67. Seit wann sich Germanen *Rätsel* aufgaben, wissen wir nicht. Auch nicht, ob es anfangs in Prosa geschah.

Gemein-germanische oder -westgermanische Namen fehlen. 'Rätsel' war vor Alters niederdeutsch und englisch (zu *raten* = 'deuten, entziffern'). Der Norden sagt *gâta* (zu *geta* 'vermuten, erraten')[1]).

Zuerst erscheinen in England, im 8. Jahrh., dichterische Rätsel, und zwar als Ausflüsse lateinischer Bildung. Von den lateinischen Rätseln, die man wenig später in Deutschland schrieb, wird ein Teil aus der Volkssprache stammen. Deutsche tauchen erst unterm späteren Minnesang auf: da ist, wie bei den Sprichwörtern, ja noch mehr, ein neuer Geist durchgedrungen[2]). Der Norden endlich bietet uns Rätsel an e i n e r Stelle: drei Dutzend Strophen als Füllung einer Halslösungsszene in einem isländischen Heldenroman ('Heidreksrätsel')[3]). Die zeigen den alten Geist. Vermutlich liefen sie einzeln im Volksmund um. Ob und wie hoch sie über das 12. Jahrh. hinaufreichen, bleibt offen. Auch das ähnlich geartete Rätsel am Ende von 'Balders Träumen' heischt kein höheres Alter.

Die nordischen Rätsel hat man irrig mit Priesterwesen zusammengebracht und mit den mythologischen Merkgedichten (§ 80) vermengt. Sie sind, wie Rätsel sonst, Scharfsinnsspiele, nicht mehr. Odin als Rätselsteller hat keinen religiösen Hintergrund, oder nur sehr mittelbar, und das Motiv vom klügeren Doppelgänger, der Anlaß zum Rätselg e s p r ä c h, zum Wettkampf, war junge Einfuhr.

Es liegt also beim Rätsel wie bei der Spruchstrophe (§ 63): wir kennen einen stabreimenden Typus, aber nur als nordisch, nicht als gemeingermanisch.

[1]) Petsch, Das deutsche Volksrätsel (1917).   [2]) Fr. Loewenthal, Studien zum germ. Rätsel (1914) 120ff. Vgl. Naumann, Primitive Gemeinschaftskultur (1921) 138ff.   [3]) Edd. min. Nr. 21; bei Genzmer II Nr. 24.

68. Am nächsten schließt dieser Typus an die Spruchstrophe an. Knapp sind die Rätsel alle, gnomenhaft zierlich, zwischen vier und acht Kurzversen. Doch ist die Mannigfaltigkeit groß. Einige sind schlicht wie Prosa, andere wählen seltene Vokabeln, einzelne wagen skaldischen Kenningschmuck. Manche zählen trocken her, manche spenden malerisches Beiwerk. Mehrere klingen wie aus der Heldendichtung, andere haben einen Hauch von Naturlyrik. Die besondere Form der (viergliedrigen) Sammelfrage, wie in dem deutschen Traugemundslied und in der Ritualstrophe § 37, erscheint einmal.

Sachrätsel, zu zwei Dritteln aus der Natur, überwiegen stark. Es liegt mehr Gewicht auf dem Phantasiebild als auf Verstandeskniffen. Das Leblose wird ungemein rege verpersönlicht, und die Handlung, das Zeitwort, ist reich bedacht. Der einzige Fall von unanständigem Doppelsinn ist unlüstern, schon weil er auf Hengst und Stute geht. Auf einen kahlen Witz läuft es nie hinaus, und der gelegentliche Spaß wird nie so bierbrüderlich und laut wie in neueren Volksrätseln.

Gemessen an diesen haben die nordischen Strophen mehr Mark und Haltung. Aber auch der Teil, der nach heutigem Rätselmaßstab als Kunstdichtung gölte, war sicherlich Allen genießbar und kann insofern 'Volksrätsel' heißen. Es ist noch der altgermanische Zustand, diesseits von Bildungsschranken und Buchwissen. Es war eben, hier wie beim Sprichwort, keine Kleineleutekunst, und der Isländer des 12. Jahrh. war in Sachen der Verssprache nicht der erste beste.

Mit dem südlichen Rätselschatz, auch dem der Neuzeit, berühren sich diese Odinsfragen auffallend selten. Auch dies stimmt zum Sprichwort. Lateinische Stilmittel, z. B. die beliebte Ichform, fehlen. Kennten wir die deutschen und englischen Volksrätsel des früheren Mittelalters, so gäbe es wohl Zusammenhänge.

Nur zu dem urwüchsigen Kuhrätsel kann man eine gemeinsame Grundform entwerfen, und zwar eine, die auch Endreim zeigt und den Langzeilenstabreim nicht glatt durchführt[1]); was noch keinen Schluß auf das Alter erlaubt.

Ferne Ähnlichkeit mit dem Kuhrätsel hat ein berühmtes aus Deutschland, das vom 'Vogel federlos' (Schnee und Sonne); ebenfalls sechs Zweitakter, ebenfalls ein neues Zeitwort mit jedem Verse. Zu der schlechten lateinischen Fassung von der Reichenau gewinnen wir mit Hilfe der jungen volkssprachlichen die alte deutsche Gestalt mit durchgehendem Stabreim[2]); hier in neudeutscher Lautung:

> Flog Vogel federlos,
> Saß auf Baum blattlos.
> Kam Frau fußlos,   fing ihn handlos,
> Briet ihn feuerlos   fraß ihn mundlos.

Das Gemenge unpaariger und gepaarter Verse ist uns aus der Kleindichtung bekannt. Der Vogel federlos hat seine Eigenart; sechsmal, in jedem Vers, bringt er den 'hemmenden Umstand', und zwar in der Gestalt 'x, doch ohne y'; das stammt aus gelehrten Kreisen. Und doch ist das deutsche Rätsel den nordischen nicht blutsfremd. Wir merken, auch außerhalb Islands hat Ähnliches bestanden.

[1]) Vf., ZsVolksk. 11, 129.   [2]) Vf., Schweiz. Archiv für Volkskunde 24, 109ff. Gelehrten Einfluß (ebd. 25, 291) leugnen wir nicht, nur daß die deutsche Gestalt aus der bewahrten lateinischen übertragen sei.

69. Kann die altenglische Rätselmasse diese Einsicht vermehren?

In England begann gegen 700 ein eifriges Nachahmen römischer Kunsträtsel. Bei der hohen Geistlichkeit war das Dichten lateinischer Rätselhexameter geraume Zeit Mode. Wir treffen da Namen wie Aldhelm, Beda, Bonifatius. Und nun setzten einige Ungenannte, ebenfalls Geistliche, dies fort in landessprachlichen Stabzeilen. Über 90 englische Rätsel sind uns bewahrt[1]).

Dies ist nun Kunstdichtung. Das Literarische zeigt sich in folgendem. Benützung der gelehrten Vorgänger; unter den Stoffen ein paar biblische, landfremde, abstrakte, auch Buchstabenspiele. Dann der Stil: Der Umfang beträgt im Durchschnitt 15 Langzeilen, sechsmal geht er über 30. Also die spruchhafte Gedrungenheit ist aufgegeben; nicht selten 'ist das Rätsel zum kleinsten Teil Rätsel' (Tupper). Auf die Rätselgattung hat übergegriffen jener Erzählstil, den kirchliche Federn seit zwei, drei Menschenaltern großgezogen hatten. Eine reiche, rednerisch schwellende Sprache; die Rätsel zeigen ihre Wahrzeichen: Bogenstil, Variation, üppige Composita. Höfischer und geistlicher Gedankenkreis, Gefolgswesen und Priesteramt gehn hier ein Bündnis ein wie in den großen Epen. Wie sich die Epen verhalten zu Vergil, Bibel und Legende, ähnlich die Rätsel zu Symphosius und Aldhelm. Den *Stil* haben die Epen geschaffen, eine freie Fortbildung des weltlichen Liedstils; die Rätsel haben ihn übernommen — einzelnes doch auch von ihren lateinischen Mustern, so die Vorliebe für die Ichform.

Viele der Rätsel sind höchste Proben dieser angelsächsisch-geistlichen Dichtart. Ihre Naturschilderungen vor allem zeigen die Kräfte dieser Kunst auf ihrem Gipfel. Aber als Steigerung eines germanischen Volksrätselstils ist dies nicht zu würdigen. Die Spruchgattung hat sich erobern lassen von einer vornehmeren Verwandten.

Bleibt die Frage, wieweit doch etwa Züge vom schlichteren Rätsel durchschimmern. Mit dem Begriff 'volkstümliche Rätselstoffe' ist wenig zu machen: auch die gelehrtesten Versdrechsler rätseln über den Hahn, die Laus, den Schuh. Gleiche Stoffe wie bei Heidrek gibt es nur ein paar, auch dann mit sehr andrer Behandlung. Ähnliches gilt von der neuenglischen Masse. Von der Stimmung ist zu sagen, daß sie wohl auch mal genre- und schalkhaft wird, auch keck lüstern; aber dies beweist keine Unterlage von Volksrätseln. Die Darstellung sodann ist nicht überall gleich prunkhaft; zumal in kürzeren Nummern kann sie leidlich ebenen Fußes werden, und wo ausnahmsweis noch Zeilenstil dazu kommt, wäre mündliche Volkläufigkeit wohl denkbar. Aber fragen wir nach hörbaren Anklängen an die altnordischen oder an heutige Rätsel, so bieten sich fast nur die Eingangs- und Schlußformeln: 'Ich sah . . .', '. . . ein wunderlich Wesen'; 'Rate, was ich meine!'[2]) In die andre Schale fällt, daß der naive Frageanfang ('Was ist . . . ?', 'Wer sind . . .?') den altenglischen Rätseln abgeht.

Mag das englische Volk immerhin Ratestrophen besessen haben ähnlich den nordischen und dem Vogel federlos: aus den neunzig Kunsträtseln gewinnen wir kaum einen Beitrag zu ihrem Bilde.

[1]) Tupper, The riddles of the Exeter book 1910; Trautmann, die ae. Rätsel 1915. [2]) Loewenthal a. a. O. 34f. 135.

X. MERKDICHTUNG

Zu den alten, urgermanischen Gattungen gehört die Merkdichtung, auch Memorial- oder Katalogdichtung genannt. Sie besteht gutenteils aus anspruchsloser Kleinkunst und wird als solche angefangen haben. Doch ist sie, noch mehr als die Spruchpoesie, aufgestiegen zu voraussetzungsreichen, persönlichen Schöpfungen. Dies namentlich auf Island, aber auch in Norwegen und England.

Ihre Bestimmung war zuvörderst, Wissensstoffe — geschichtliche und länderkundliche, mythische und heroische, doch auch Runenwissen und Sprachliches — in behaltbare Form zu ordnen. Der Vers war hier weit mehr Gedächtnisstütze als musischer Reiz. Aber zu diesem verstandesmäßigen, wenn man will gelehrten Zwecke trat schon in kleinen Gebilden das Spiel der Phantasie, und in den höheren Sproßformen mochten Belehrung und Unterhaltung gleichwiegen.

Dürfte man das gemeingermanische Wort *spell* auf eine einzelne Dichtgattung beziehen, so möchte man den Ausdruck für 'Merkvers' darin sehen. Aber es umfaßte doch wohl viel mehr und meinte 'Botschaft, Kunde, lehrhafte kurze Erzählung' unabhängig von der Form.

70. Auf der untersten Stufe steht das, was man im Norden Thula (*þula*) nannte: gestabte Vokabularien[1]). Namen, auch sonstige behaltenswerte Ausdrücke, in Versreihen gebracht, mit oder ohne syntaktische Auffüllung.

Einen Begriff hiervon gibt uns zunächst Island. Den isländischen Altertumsfreunden, vom 12. Jahrh. ab, wurde das Thuladichten zur Leidenschaft. Man überschaute nachgerade eine vielseitige Überlieferung in Vers und Prosa; die zog man aus und fertigte Register — nicht alphabetisch, aber dafür in Versen! Diese Register, anfangs schriftlos, sollten wohl auch den Skalden von heute und morgen Vorrat liefern: mit dem philologischen Eifer verschmolz der dogmatisch-lehrhafte.

Der massivste Ausdruck dieser meistersingerischen Emsigkeit sind die Thulahaufen, die man dem feinen Skaldenlehrbuch Snorris anhängte (Snorri selbst hatte sich noch mit einer kleinen Auswahl begnügt): an die 700 Langzeilen mit über dritthalbtausend Vokabeln[2]). Da finden wir, neben den Eigennamen der Götter-, Dämonen- und Heldensage, lange Listen dichterischer und prosaischer, auch fremdsprachiger Wörter. Das Ziel ist Sagenkunde und Poetik, auch Lexikographie.

Auch Aufzeichner von Eddaliedern dachten ihren Texten einen Gefallen zu tun, wenn sie ihnen Namenhaufen einverleibten. Unter diesen begegnet ein paarmal das Sechsversmaß, das eigentlich zu gut, zu gegliedert ist für einen Namenbandwurm.

Solchen Reichtum werden wir anderen Germanenländern nicht zutrauen. Da bei dem irischen Nachbar das Aufzählungsgedicht beispiellos entfaltet ist[3]), mag der gesteigerte Betrieb der isländischen Schreibzeit damit zusammenhängen; wir hätten an die jüngere irische Einwirkung zu denken, die gegen 1150 über die Orkaden stattfand.

Aber auch bei den Germanen war die Gattung der Merkthula alt. Das beweisen die thulahaften Kernteile des englischen Weitfahrt (§ 77). Nähere Ähnlichkeit zeigen dieselben mit dem nordischen *Königskatalog* von vier Langzeilen, dessen Fürstennamen freilich zum kleinern Teil in heroische Zeit hinaufreichen:

> Einst, heißt es, Humli   die Hunen beherrschte,
> Gizur die Gauten,   die Goten Angantyr,
> Valdar die Dänen,   doch die Wälschen Kiâr,
> Alrek der kühne   das englische Volk[4]).

Auch erzählende Dichter, doch noch nicht die der alten Schicht, hat die Neigung zu Namenreihen ergriffen. Eine Neigung, die ja seit dem Schiffskatalog der Ilias bei den verschiedenartigsten Verfassern auftaucht, auch bei Wolfram, bei Milton, bei Fontane[5]). 'Das Aufzählen', sagt Jakob Burkhardt von den Griechen, 'erfüllt die epischen und theogonischen Dichter mit Wonne'[6]). Diese Wonne fließt aus dem Schallreiz, den metrische Mittel steigern, noch mehr daraus, daß der Name hier vertraute, dort ahnungsvolle Vorstellungen weckt. Erst spät kam die Menschheit dahin, Namen als Schall und Rauch zu empfinden. Dem Isländervölkchen, wo der Einzelne nicht in der Menge versinkt, war die klare, und sei es umständliche, Benamsung womöglich Aller ein Bedürfnis und ist es noch heute.

Namenhaufen in Prosa lagen auch der geschichtlichen Saga. Z. B. ergab die Bemannung des norwegischen Königsschiffes im Sommer 1000 eine Reihe von 70 Personen- und Ortsnamen (ohne die Beinamen)[7]). Dies regte wieder einen Isländer an, zu einer berühmten Schlacht der Heldensage einen stabenden Katalog von über 200 Namen hinzuzudichten: die Thula der Brâvallakämpfer[8]). Dies nun keine Sammlung überkommenen Stoffes, vielmehr eine Phantasiethula, aus mannigfachen Quellen gespeist. Derlei nahm man ernst: ein Sagamann trugs am dänischen Hofe vor, und sein Hörer, der Geschichtschreiber Saxo, buchte es gewissenhaft als Vorzeitshistorie!

Eine eigenartige Thula ohne Namenfüllung hat man später die *Menschenliste* genannt: sie ordnet Ausdrücke für Zahlengruppen, mit teils altüberliefertem, teils neugeprägtem Sinne, zu 28 meist unpaarigen Versen: '. . . Ein *flokkr* sind fünf Leute, | eine *sveit* ists, wenn es sechs sind . . .', bis 'ein *herr* sind hundert'[9].

[1] Über den Sprachsinn von *thula, thulr, thylja* s. u. § 95.   [2] Gedruckt Skjald. 1, 657ff.   [3] Thurneysen 56f.   [4] Edd. min. Nr. 20 A.   [5] Parzival 770 und 772 zwei prunkhafte Thulas! Über Milton s. Chambers, Widsith 139; über Fontane: P. Herrmann, Islandsfreunde 6,52.   [6] Griechische Kulturgeschichte 1, 25, vgl. 4, 8. Den jüngern Geschmack bekennt das Zitat bei Robert, Die griech. Heldensage, S. 1238, Note 2.   [7] Olrik, Arkiv 10, 267ff., vermutet eine Grundgestalt in Versen.   [8] Vf., Archiv 116, 257ff.; Herrmann, Erläut. 2, 534ff.   [9] SnE. 1, 532f. als Prosa gedruckt, vgl. Müllenhoff, Dt. Altertumskunde 5, 195. Grimm RA. 1, 285.

71. Vergleicht sich dies den gnomischen Priameln, so stehn den Spruchstrophen (§ 63) gegenüber *Merkstrophen* belebtern Baues, nicht bloß herzählend. Auch hier zieht man das sechsversige Maß vor.

Wo sie das erzählende Tempus wählen, könnte man wohl von 'epischer Dichtung' sprechen. Der tiefe Unterschied von den epischen Mythenliedern ist der, daß keine Fabel da ist, keine dramatischen Auftritte, keine Reden. Die Haltung ist lehrhafter, und gern schlägt es in die Aufzählung um.

Beispiele seien die zwei ehrwürdigen Weltschöpfungsstrophen[1]):

> Aus Ymirs Fleisch   ward die Erde geschaffen,
>   Aus dem Blute das Brandungsmeer,
> Das Gebirg aus dem Gebein,   die Bäume aus dem Haar,
>   Aus der Hirnschale der Himmel.
> Aus des Riesen Brauen   schufen Rater hold
>   Midgard den Menschensöhnen;
> Aus des Riesen Gehirn   sind die rauhgesinnten
>   Wolken alle gewirkt.

Solche Gesätze treffen wir teils als Einschiebsel, teils als Bausteine der großen Gedichte. Man darf glauben, daß Merkstrophen einzeln und in Gruppen ihr Dasein führten. Eine ähnliche Lage wie bei der Spruchstrophe (§ 63).

Große Teile des mythischen Wissens — die Kosmogonie im weitesten Sinne — kann man niemals in Erzählliedern nach Art der Thor-, Freyr- und Baldergedichte behandelt haben. Eh man sie zu kunstreichen Merkgedichten zusammentrug (§ 80f.), war die gegebene Form für sie die *Merkversreihe*. Diese denken wir uns, neben schlichter Prosa, als das alte Gefäß des Mythus.

Wofern die wuchtige Urzeitsstrophe der Völuspâ: '. . . nicht war Sand noch See | noch Salzwogen, Nicht Erde unten | noch oben Himmel . . .' zusammenhängt mit den deutschen Versen des Wessobrunner Gebets: '. . . daß Erde nicht war | noch oben Himmel, Daß Baum irgend | noch Berg nicht war . . .', dann war die gemeinsame Quelle nicht eine umfassende, kunstmäßige Seherinnenrede, sondern eine kurze, leicht wandernde Merkreihe. Mit dem Alten Testament hat sie weniger Ähnlichkeit als mit dem Veda — ohne daß wir Urzusammenhang behaupten wollten[2].

Kleindichtung dieser Art kann Bischof Daniel von Winchester gemeint haben, wenn er an Bonifaz von dem Schöpfungsglauben der heidnischen Deutschen schreibt und dabei ihre 'nefarii ritus ac fabulae' erwähnt[3].

Die Annahme, daß mythische Merkversgruppen auch den Südgermanen eigneten und in urgermanischer Zeit wurzeln, darf sich berufen auf Tacitus. Seine Germania c. 2 nennt einen kleinen theo- und ethnogonischen Stammbaum — Gott Tuisto, seinen Sohn Mannus, dessen drei Söhne, die Namengeber der drei Völkergruppen Ingvaeonen, Erminonen, Istvaeonen — als Inhalt von 'carmina antiqua', als welche bei den Germanen die einzige Art von Annalen bildeten. Dies einigt sich am besten mit lehrhaften Merkversen, die auf Sachliches, auf Namen und ihre Verknüpfung abzielen. Das 'celebrant' des Römers braucht darin nicht zu beirren. Der Gedanke an einen Hymnus liegt ferner[4]); von einer Götterfabel kann so wenig die Rede sein wie von einem 'historischen Liede'. Man wäre versucht, mit freier Anlehnung an kosmogonische Eddastrophen[5]) die stabende Versreihe von Tuisto und seinem Nachwuchs zu entwerfen. Der Stammbaumplan:

A
B
C D E

ist weit verbreitet[6]); er dürfte indogermanisches Erbe sein; germanisch ließ man die C D E, oft auch A auf B, staben (§ 25).

Ob solche göttermythischen Verse der Priester beim Dienste vortrug, stehe dahin. An priesterliches Sonderwissen werden wir unter Germanen nicht denken (§ 12).

Merkvers und Hymnus müssen zwei von der Wurzel an ungleiche Pflanzen gewesen sein. Die nüchterne, stoffliche Belehrung im unsanglichen Einzelvortrag — und der Erguß der Begeisterung im Chorgesang: das dient zweierlei Urbedürfnissen des Menschen . . . Kreuzungen, Übertritte gibt es hier wie bei allen kulturgeschichtlichen Scheidelinien. In den sangbaren Vedahymnen steckt sachlich Merkhaftes. Zum Häufen, Herzählen wird auch der Götterpreis geneigt haben, und wo er skaldischem Rezitieren heimfällt (§ 40), verringert sich der Abstand von der Thula.

¹) Bei Genzmer 2, 75. ²) Geldner und Kaegi, Siebenzig Lieder des Rigveda 165 (RV. 10, 129): 'Da gab es weder Sein noch gab es Nichtsein, Nicht war der Dunstkreis und der Himmel drüber . . .' ³) Vgl. Brandl 959. ⁴) Schück 17. ⁵) Etwa Vafthrudnirlied 29. 31. 33. 35. Vgl. Genzmers Nachdichtung in 12 urgermanischen Zweitaktern: GRMon. 1936, 14ff. ⁶) A. Christensen, Danske Studier 1916, 45ff.; Otto Paul, Wörter und Sachen 1938, 194f.

72. Weltliche Merkverse suchen ebenfalls gern die Urgeschichte auf[1]).

Die Gutasaga, die von der Urzeit der schwedischen Insel Gotland erzählt, flicht in die Prosa ein paar Repliken in stabenden Versen[2]). Der sagenhafte Stammbaum an der Spitze hat den gleichen fünfgliedrigen Bau wie der des Tuisto. Die kleine Saga bildet die Einleitung zum gutnischen Gesetz; sie mag zusammen mit diesem im mündlichen Vortrag gelebt haben. Auch die friesischen Küren bringen einige Sätze im berichtenden Präteritum mit versmäßigem Fall, z. T. stablos[3]):

> Dieweil Colnaburg hieß   in alten Zeiten
> Agrippina   über alle Welt . . .

In Prosa sind die umfänglichen Listen schwedischer Herrscher, westgötischer Rechtssprecher und Bischöfe, von der Schwelle christlicher Zeit mündlich herabgeführt bis ins 13. Jahrh.[4]). Ein altes Gegenstück dazu sind die 35 Namen von Vorgängern und Ahnen, die der Langobarde Rothari a. 643 seinem lateinischen Gesetzbuch voranstellt; aus stabenden Zeilen kann man sie auf Umwegen abzuleiten suchen[5]). Andremale, so bei englischen Königsreihen, ergibt sich ungezwungen eine Folge von regelrecht stabenden Langversen[6]). Bei dem Brauche des 2.—6. Jahrh., Sippennamen fortlaufend oder in kleineren Gruppen durch gleichen Anlaut zu verknüpfen, hat wohl der Gedanke an vershafte Vererbung mitgespielt.

So mögen die 'memoria et annales', Taciteisch zu sprechen, gebundene und ungebundene Rede gewesen sein. Dieses geschichtliche Wissen, das hier in den Mythus, dort in das Volksrecht verläuft, war nicht ständisch begrenzt; jedem war es zugänglich. Gepflegt haben es wohl die 'antiqui homines', die 'Alten und Kundigen', die 'Königs Ratgeber', auf nordisch *þulir*[7]). Sie trugen es vor, auf Anfrage, in der Herrenhalle, auch am Ding, und hielten damit diese Vorzeitskunde am Leben. Es war eine schriftlose Überlieferung, die sich berühren konnte mit Heldenlied und Zeitgedicht und doch von diesen höheren Arten weit abstand nach Inhalt, Vortragsart, Kunst. Jahreszahlen kannte diese Überlieferung keine, aber in den langen Stammbäumen, die sie zäh festzuhalten vermochte, lag eine gewisse Zeitrechnung. Nehmen wir die längste der germanischen Fürstentafeln, die dreißiggliedrige der schwedischen Ynglinge, die gegen 900 in ein Kunstgedicht gebracht, nach 1100 auf Island gebucht wurde (§ 79). Rechnen wir das Geschlecht zu 30 Jahren, so ergibt sich für d i e Vorfahren, die uns das englische Epos festlegt — die Ottar, Ali, Adils —, die richtige Zeitspanne: 480—540. Drei vorgeschichtliche Jahrhunderte sind zutreffend eingespannt[8]).

Wenn Jordanes die Ahnen der ostgotischen Amaler durch 17 Geschlechter, von Gapt bis Athalarich, herzählt, werden wir die 'fabulae', auf die er sich beruft, nicht notwendig als Verse deuten. Aber in Kapitel IV, wo er in noch graueres Altertum schweift und die Wanderung der Goten aus der Insel Scandia erzählt, nennt er mit Nachdruck 'alte *carmina* von beinah geschichtlicher Haltung'. Dies ist nun mehr als Stammbaum und Thula; aber epische Fabeln birgt es nicht: wir denken bei diesen *carmina* an Merkversreihen. Ihr Alter mag den Tuistoversen gleichkommen.

Bei den belebteren Stücken aus der geschichtlichen Gotenzeit, dem 4. bis 6. Jahrh., treten als Quellen in Wettbewerb die drei Arten: Merkdichtung (und -prosa), Zeitgedicht und Heldenlied. Die Entscheidung fällt hier schwerer. Beim Zeitgedicht fragt sich, wie lange es seine Gegenwart zu überleben vermochte. Heldenlieder müssen sich durch anderes ausweisen als durch Feldzüge und Politik. Je mehr trockene Tatsachen, um so fester der Schluß auf eine Merkquelle.

Besonders weit über die Thula hinaus steigt die Urgeschichte der L a n g o b a r d e n in dem Eingangsstück: wie Wodan, von seiner Gemahlin Frea harmlos überlistet, dem Volke Namen und Sieg verleiht. Die muntere Anekdote, mit vier lebhaften, aus der Handlung erwachsenden Redestückchen und wenig Namenfracht, wagt man kaum noch unter die Überschrift 'Merkdichtung' zu stellen; doch wäre man in Verlegenheit, sie an irgendeine der uns bekannten stabreimenden Arten anzuschließen. Mit den mythischen und den heroischen Erzählliedern hat sie gleich wenig gemein; Einwirkung dieser höheren Formen auf den Merkvers würde nichts erklären. Und doch blicken stabende Gruppen kenntlicher durch als sonstwo in lateinischen Texten[9]). Sollten *Spielleute* Italiens schon so früh, um 600, langobardische Verse gemacht oder das Dichten der Eroberer befruchtet haben? Der Zusammenhang von Freas List nicht nur mit einem eddischen Prosastück, sondern mit der Berückung des Zeus in der Ilias erklärt sich wohl, auch ohne Spielmannskunst, aus einer Wanderanekdote, die den Langobarden schon diesseits der Alpen zustoßen konnte[10]).

[1]) Schütte, Oldsagn om Godtjod 1907.   [2]) A. Noreen, Altschwedisches Lesebuch 38; vgl. Schück 27.
[3]) Kögel 1, 244; Schütte 90; doch wäre etwas anders abzusetzen,   [4]) CJS. 1, 295ff.   [5]) Baesecke, GRMon.

31. Das Goldene Horn von Gallehus. (Nach Stephens, Runic Monuments.)

1936, 164ff.　　⁶) Chambers, Beowulf (1921) 316.　　⁷) Ehrismann 1, 17f. u. § 95.　　⁸) Vf., Archiv 124, 9.
⁹) Bruckner, ZsAlt. 43, 47ff. Den Bogenstil der englisch-sächsischen Buchdichter hielte man besser fern.
¹⁰) Vgl. F. v. d. Leyen, GRMon. 1922, 133.

73. Aus der Urzeit in die Gegenwart führen die *Runeninschriften*, welche Namen oder Taten im Gedächtnis festigen wollen. Eine kleine Minderzahl hebt sich zum Vers; wie viele, das ist noch fraglicher als bei Zauberspruch und Gnome¹). Denn erhöhte Sprache und strenges Metrum werden wir nicht ohne weiteres zur Bedingung machen; die verschiedenen unprosaischen Züge — in Wortwahl, Stellung, Stäben und Rhythmus — gehn nicht immer zusammen.

Runen überliefern uns, in urnordischer Sprache, unsre ältesten germanischen Verse (etwa 5. Jahrh.): so die Künstlerinschrift des Goldenen Horns von Gallehus, eine Langzeile; die Inschriften auf einen Toten vom norwegischen Strand- und Tunestein, dort zwei unpaarige, hier drei zusammengestabte Verse²).

Grab- und Gedenksteine tragen auch später die Ernte; ins 10., 11. Jahrh. gehören die meisten Verse aus Dänemark und Schweden³). Wiederkehrende Gedanken sind diese drei: 'A errichtete den Stein für (nach) B . . .'; 'Stets wird stehn, solange der Stein lebt, diese Urkund . . .'; endlich der Preis des Toten, dies in wechselnderen Wendungen:

> Wenig kommen　　zur Welt nun Bessere.
> *Der nimmer floh　　bei Upsala,
> 　　Schlug, solang er Schwert hatte.

Auch sachlichere Belehrung über den Gestorbenen bringen zumal schwedische Steinmetzen in Verse. Der Preis kann auch der Brücke gelten, die man dem Verstorbenen zur Seelengabe gestiftet hat; so in dem Vierzeiler aus dem schwedischen Uppland:

> Immer wird liegen,　　solange die Erde lebt,
> Die Brücke, festgerammt,　　breit, nach dem Wackern.
> Sie fertigten die Söhne　　dem Vater zum Gedenken:
> Kein würdiger Mal　　am Wege kann erstehn.

Dies einer der ansehnlichsten Vertreter. Das Höchstmaß sind zehn Kurzverse. Neben Langzeilen, oft im *freien* Zeilenstil (wie hier in der ersten Hälfte), kommen unpaarige Glieder vor, und der Satz kann, wie in andrer kunstarmer Übung, aus Prosa in Vers übergehn (§ 29). Dabei ist doch die Taktfüllung mitunter von beinah silbenzählender Glätte. Hierin mag höhere Dichtung einwirken; ist doch das (dänische) Heldenlied für eben jene Zeit bezeugt. Im Stil sieht man sich selten an die eddische oder westgermanische Epik erinnert; die Aufgabe dieser praktischen Kleinkunst war doch zu verschieden. Auch wenn wir den Maßstab vom Norden,

nicht von Hellas holen: viel Formtrieb hat man an diese Denkverse nicht gewandt, so wenig
als an die Leistung der Steinmetzen.

[1]) Neckel, GRMon. 1909, 91 ff.   [2]) Dt. Versgesch. § 104, Note 2.   [3]) Wimmer, De danske Runemind. 1, LXXXV ff.; Brate und Bugge, Antiquarisk Tidskritt för Sverige Bd. 10 (die glaubhaft metrischen
meist auch bei A. Noreen, Altschwed. Gramm. 481 ff.).

74. Man dichtete auch Denkverse ,zweiter Hand, auf fremde Helden der Vorzeit. Dann
wählte man gepflegtere Form. Die lange, stoffreiche Grabinschrift des schwedischen *Röksteins*, 9. Jahrh., als ganzes eine Art Merkdenkmal, stellt in ihre Prosa eine zierliche Vierlang-
zeilengruppe; Wortschatz und dreifache Variation eifern dem reichern Heldenstil nach:

> Ritt Diet-rich,   der dreistherz'ge,
> Seevolks Führer,   des Südmeers Strand;
> Sitzt nun gerüstet   auf seinem Roß,
> Den Schild im Gehäng,   der Heer-schirmer.

Die zweite Hälfte mit ihrem 'nun' sondert dies von den gewohnten Merkversen ab. Der
Dichter kannte das Reiterbildnis in Aachen, das man dort auf den gotischen Theoderich taufte:
die Strophe klingt, als wäre sie für seinen Sockel gedacht oder doch durch seinen Anblick eingegeben. Ein Denkmalepigramm; schwerlich Teil eines größern Ganzen. Der Grabstein von
Rök, nehmen wir an, bringt hier ein *Zitat*[1]).

In dem Aufbau dieser Strophe lag etwas von Formel. Er kehrt an mehreren Stellen wieder.
So in dem norwegischen Stammbaumgedicht Ynglingatal (§ 79); in einem Vierzeiler, den ein
Teilnehmer an Jarl Rögnvalds Pilgerfahrt, a. 1152, verfaßte auf die Grabstätte des in Palästina
verstorbenen Gefährten[2]):

> Herrschers Freund   vor der Hauptkirche
> Sah ich dort   sandbeschüttet;
> *Nun* liegt still   Gestein ob ihm,
> Sonnenheiß,   im Südlande.

In der lateinischen Wiedergabe eines isländischen Heldenromans bringt Saxo die Grabschrift
auf den großen König Frodi[3]): die zwei Distichen, aus einer Vierlangzeilenstrophe, geben die
sprechende Zweiteilung zu erkennen; mit dem Toten geschah dies und dies — *nun* deckt ihn
der Rasen dieses Hügels. Ein Sagamann um oder vor 1200 kann dies sehr wohl geformt haben.
Stilisiert zum Ichbericht des Toten erscheint das Modell in anderen Sagastrophen in der isländischen Ursprache[4]). Dem hölzernen Bildstock auf dem Grabhügel gibt man u. a. dieses
wehmütige Gesätze:

> Stehen hieß man,   solang der Strand ihn trägt,
> Den Mann am Gedörn,   moosbewachsen.
> *Nun* trieft auf mich   Träne der Wolken,
> Hüllt mich doch nicht   Haut noch Kleider.

Wir denken bei Zeile 1 an das eine Hauptmotiv der Denkinschriften. Die vom praktischen
Brauch gelöste Nachahmung gewinnt eine farbige und lyrische Sattheit, die den Urbildern
auf Stein fern lag. Das nüchterne Feststellen der Merkgattung ist wieder einmal über-
schritten.

Deutschland hat den Brauch der Runensteine nicht gekannt, und aus England haben wir
Grabrunen erst aus christlicher Zeit. Runenverse, die man noch zur Merkdichtung rechnen
darf, trägt der englische Schmuckschrein aus Walfischbein, das 'Clermonter Runenkästchen'[5]);
zusammen 7½ Langzeilen. Sie fallen in die Klasse der Bildbeischriften und sind für diesen

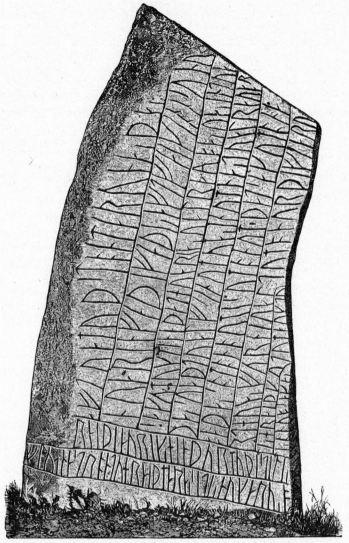

32. Der Runenstein von Rök. (Nach Stephens, Runic Monuments.)

Ort gedichtet. Bemerkenswert ist die gehobene Sprache selbst in dieser Verwendung. Auch der Versbau ist streng, nur daß die fünf Zweitakter über Romulus und Remus auf durchgehenden Stabreim verzichten.

[1]) Vgl. § 17. Wie das Zitat zusammenhängt mit dem Toten, dem die Inschrift gilt, ist eines der vielen Rökst·inrätsel! Daß die Strophe Dietrich von Bern meine, glauben wir trotz O. v. Friesen, Rökstenen 1920; vgl. Brate, Arkiv 38, 298ff. Neuere Deutungen von H. Pipping, Arwid Johannsson, Kemp Malone s. Acta Phil. Scand. 9, 76ff.   [2]) Skjald. 1, 510, Str. 5.   [3]) Recenti eius tumulo plenum laudis carmen (affixum) Saxo 258. Olrik, DHelt. 2, 240; Herrmann, Erläut. 2, 383. 398f.   [4]) Edd. min. 93f. Gutenbrunner, ZsAlt. 74, 139ff. (1937).   [5]) Lichtbilder u. a. bei Viëtor, Das ags. Runenkästchen 1901.

33/34. Der große Jellingestein mit Runen, Band- und Tierornamentik.
(Nach Sophus Müller, Nordische Altertumskunde.)

75. Zu den Wissensstoffen, die man früh in Merkverse faßte, gehörten die *Runen* selbst —
als Lautzeichen mit ihren alten Namen und in ihrer eigenartigen Reihenfolge, ohne Rücksicht auf
magische und mantische Verwendung, ungleich also den Runenlisten in § 57. Ein Wissen, das
nicht gerade jedem am Herzen lag, doch kein Geheimnis eines Bildungsstandes war. Von priester-
lichem Hintergrund ist da nichts zu spüren; eher mochte der handwerkliche Runenritzer dieses
Hilfsmittel schätzen, denn der sollte außer den Zeichen auch ihre Namen und Ordnung kennen.

Solche stabenden Alphabete haben wir in niederdeutscher, englischer und nordischer
Sprache[1]).

Wie die beiden nordischen, so bietet auch das deutsche die kürzere, nur in Skandinavien
(seit 800) gebrauchte Runenreihe; es ist ein 'Abecedarium Nordmannicum'[2]). Doch scheinen
seine Verse nicht aus dem Nordischen übersetzt, und fraglich bleibt nur, ob der Sachse im
eignen Lande die Sitte der Runenverse vorfand oder die Anregung auch hierzu von einem
Nordmann empfing[3]).

Am kunstlosesten, beinah nackte Thula, ist diese sächsische Reihe. Die Füllworte zielen
nur einmal auf den sachlichen Sinn des Namens: *lagu* 'See' — Bezeichnung der L-Rune —
erhält das Beiwort 'der lichte'. Die übrigen Namen sind als Schälle ohne Sinn, so gut es ging,
in den Vers gebracht. Einbildungskräftigen Deutern konnten sie freilich den Anstoß geben,
das was dasteht mit sinniger Dichtung zu überspinnen[4]). Die zwölf Kurzverse stehn unpaarig,
der eine stablos, die Füllung ist z. T. frei: eine in Deutschland sonst nicht belegte niedere
Stufe (§ 29 f.). Drei Viertel der Verse enthalten e i n e Rune, mit einer Ausnahme als Anfangs-
silbe. Drei Viertel der Namen, 12 von 16, sind mit einer stabenden Hebung bedacht, wie es
dem memorialen Zweck entspricht.

Anders ist dies in den zwei westnordischen Reimereien, die sonst schon etwas höhern Ehrgeiz haben[5]): sie gönnen dem Runennamen nur vier- und fünfmal den stabenden Anlaut. Ja,
die eine, bessere, die jeder Rune eine Langzeile + Kurzvers gibt, stellt den Namen überhaupt
außerhalb des Metrums an die Spitze; z. B.:

> Thurs (Riese): ist der Frauen Fluch   und der Flühe Bewohner
> Und des Trollweibs Trost.

Es sind je drei zweigliedrige Umschreibungen in mehr oder minder skaldischem Geschmack. Das ist noch der Geist der altisländischen Philologie und ähnelt dem poetischen Vokabular der Alvîssmâl (§ 80).

Die andre Liste mit ihren stab- und endreimenden dreihebigen Trochäen setzt den Namen in den ersten Iktus des Anverses, der Abvers ist inhaltlich Füllsel; z. B.:

> Eis läßt Brücken breiten;
> Blinde muß man leiten.

Da begrüßt uns ein Vorläufer unsrer Fibelverse: 'Der Jüde schindet arme Leut, Das Jägerhorn macht Lust und Freud'! Außer dem Stabreim klingt nichts an dieser Form nach germanischem Altertum!

[1]) Zusammen bei Dickins, Runic and heroic poems, Cambridge 1915.   [2]) MSD. 1, 19.   [3]) Unwerth-Siebs 28f.   [4]) F. von der Leyen, ZsVolksk. 1930, 170ff., Jungandreas, ZsPhil. 60, 105ff. (1935); 61, 227ff. ('der Futhark ist nunmehr das älteste Zeugnis für das Weltbild der Germanen').   [4]) Mit Verdeutschung bei Wimmer, Die Runenschrift 275ff. Dazu Lindroth, Arkiv 29, 256ff.; E. Noreen 275ff.

76. Während hier ein Vers, dort drei Verse jedes Namenwort umschreiben, stellt das englische Runenlied 3—4 Langzeilen in diesen Dienst[1]). Dem Namen gibt es durchweg den ersten Stollen der Gruppe, und zwar ohne Auftakt: eine sachgemäße und zugleich naheliegende Form für diese Aufgabe.

Hier vernehmen wir nun Poesie, die über den Kalendervers hinausgeht. Nach dem Raummaße trifft etwa diese Gleichung zu:

> Nord. Runenlied: engl. Runenlied = nord. Rätsel: engl. Rätsel.

Auch unser Gedicht, trotz seinen Abschnittchen vom Umfang der eddischen Strophen, quillt über die Kanten der Volkskunst hinweg: in den kleinen Beeten gedeiht der rundliche Bogenstil mit seinem Gefährten, der Variation. Die innere Verwandtschaft mit den englischen Rätseln (§ 69) ist mehrmals zum Greifen, nicht nur in der höfischen Tracht und der regen Naturfreude (Hagel, Eis, Birke, Eibe, Auerochse). Man nehme ein Versteckspiel wie bei der Rune âc 'Eiche': die Eiche als Mästerin der Schweine und als Schiffsholz:

> Eiche ist auf Erden   allem Volke
> Fleisches Futter,   befährt stetig
> Der Möve Bad: das Meer erprobt,
> Ob Eiche habe   edele Treue.

Ersetzt man Eiche durch Wicht, so ist das Rätsel vollkommen.

Dieser Merkdichter, ein Geistlicher wie die Rätselverfasser, spiegelt wie sie in seinem engen Rahmen die zu einander strebenden Eigenschaften der englischen Schriftdichtung in ihrer ersten Blütezeit: eine jugendliche Fähigkeit, schön zu finden und zu staunen — und ein Hang zu den Bildern von Grab und Verwesung; derbe Besitzfreude, gemildert durch Herz für die Armen und durch kirchliche Erwägungen, und wieder eine leidgeübte Wehmut.

> Jahr (d. i. Ernte) macht jeden froh,   wenn Jesus läßt,
> Die Allmacht oben,   den Erdboden spenden
> Glänzende Frucht   Begüterten und Armen.
>
> Wonne genießt,   wen Weh verschont,
> Sehrende Sorge,   und wer selber hat
> Blühenden Boden   und Burgen die Fülle.

Die wenigen Anklänge an die nordischen Reihen (bei Ritt, Hagel, Jahr, Birke, allenfalls Mann) erklären sich unbedenklich aus einer alten Grundform der Wanderungszeit, als Angeln und Nordleute Nachbarn waren. Englische Neuerungen begegnen unter diesen gemeinsamen Stellen nicht[2]). Der Merkvers taugte wohl zum Bewahren einzelner Wendungen durch die Jahrhunderte.

Aber nachzeichnen können wir diesen Vorfahr nicht; dafür sind die Nachkommen, auch der sächsische, einander zu unähnlich. Da sie besonders in der metrischen Anlage so völlig auseinandergehn, bleibt die Urgestalt fraglich. Soviel scheint klar, daß jeder Runenname seinen Vers eröffnete, und doch wohl stabend.

Die Vermutung spricht an: schon der gotische Kreis, der um das Jahr 200 die Lautrunen schuf, hat Ordnung und Namen dieser Zeichen in einer Merkversreihe festgelegt; ja, der Dichter dieser Reihe selbst wird, nach eigner Eingebung und den Bedürfnissen seiner Form, die Namen und ihre Folge bestimmt haben[3]). Wagte man, über das Maß dieser Urreihe zu vermuten, so möchte man entweder dreimal acht unpaarige Kurzverse oder ebenso viele Langzeilen ansetzen: beidemal trüge jeder Runenname seinen Reimstab, und zwar in der ersten Vershebung. Damit würde er seinen Vers fürs Ohr wie für die Vorstellung beherrschen. Dies wäre eine Merkform, die ihren Stoff wirksam einzuprägen vermochte.

[1]) Bei Grein-Wülcker 1, 331ff. Vgl. Schücking, Beitr. 42, 408ff.   [2]) Brandl 965. Die nordische Umdeutung des *ôss* (aus *ansu-*'Ase') zu 'Flußmündung' ist unberührt von lat. *os*, das den Engländer bestimmt hat (falls die Deutung 'Mund' zutrifft).   [3]) R. M. Meyer, Beitr. 32, 76ff., und namentlich Brate, Arkiv 36, 193ff.: seine Reihe von dreimal vier Langzeilen würde höchstens der Hälfte der 24 Runennamen einen Stab erlauben. Noch andres gäben Zeitfall und Satzbau einzuwenden.

77. England hat außer dem Runenlied noch ein größeres Werk der Merkgattung: den *Widsîth*, d. i. 'Weitfahrt'. So lautet der Künstlername des verklärten Hofsängers, der uns anderthalb Hundert Personen-, Stamm- und Ortsnamen zum besten gibt[1]).

Das Gedicht steht bei dem Altertumsfreund in hoher Gunst. Kein anderes von gleichem Umfang (143 Langzeilen) hat man für Völkerkunde und Heldensage so oft anzurufen. Und bei keinem andern hat man über die Entstehung so verschieden gedacht. Wir halten folgendes für glaubhaft.

Merkversreihen mit Fürsten, Recken und Völkern aus Gegenwart und Vorzeit hat oft der weitgereiste Hofdichter, der Skop, zusammengefügt und in der Halle vorgetragen. Er kannte den Kunstgriff, sich als Augenzeugen vorzugeben: 'ich war bei Gepiden und Wenden . . .'; 'Audoin sucht ich auf und Aliso . . .' Zu der Zeit nun, als in England auch Geistliche die heimische Dichtkunst pflegten, verfiel einer von ihnen auf den Gedanken, einen Skop der alten Zeit als Rahmenfigur hinzustellen, ihn von seinen höfischen Erlebnissen erzählen zu lassen und ihm, als Kern seines Vortrags, drei vorhandene Merkreihen in den Mund zu legen.

Mit neun Langzeilen beginnt der Dichter selbst: er führt seinen Weitfahrt ein als Mann aus dem alten festländischen Angeln, als vielbefahrenen, reichgelöhnten Hofmann, der auch einmal die Schwester seines Fürsten ins Gotenland zu geleiten hatte zu ihrem Verlobten, dem grimmen König Ermenrich.

Diesem Vorspiel, das unsre Erwartung auf heldische Dichtungswelt lenkt, entspricht ein Nachspiel genau gleichen Umfangs, worin wieder der Verfasser das Wort nimmt: mit freundlichem Verstehn schaut er auf die Berufsgenossen seines Weitfahrt, mit Hoffnungen auf ihre Brotgeber, deren Ruhm des Sängers bedarf.

Noch weiter geht das Gleichmaß, indem der Sprecher selbst seine Merkverse mit je vier Zeilen einleitet und schließt, darin er erbaulich von dem Herrscheramte redet.

Das Mittelstück, Zeile 18—130, durchflicht den Merkstoff mit weiteren Rahmenteilen: Angaben über Selbsterlebtes knüpfen Weitfahrt noch enger an diese gefeierten Vorzeitskönige. Ein kürzeres Zwischenspiel leitet von der ersten zur zweiten Lehrstrecke, ein dreimal längeres präludiert der dritten. Der Gesamtbau hat leidlich gleichgewogene Anlage. Wir sehen darin den Plan eines, des letzten Dichters und wollen ihn nicht durch Annahme jüngerer Einschiebsel stören[2]).

Die drei lehrhaften Strecken bestehn überwiegend aus *vorgefundenen* Merkversreihen. Darauf weisen Ungleichheiten in Stil und erdkundlichem Blickpunkt, sowie Doppelgänger. Im großen gilt: die vorgefundenen Reihen haben den strengen Zeilenstil; um diese kantigen Blöcke schmiegen sich die Zugaben des Dichters in dem weicheren Tone des freien Zeilen- und des Bogenstils.

Die 1. Merkreihe, Z. 18—34, ist der *Herrscherkatalog*, gebaut nach der Formel:

> Etzel waltete der Hunen,   Ermenrich der Goten ...

Er ist am meisten Thula, Namenhaufe (in summa 31 Paare); doch regt sich auch hier, wie in manchen isländischen Stücken, ein Formtrieb, der Gewichte abwiegt, Gruppen schafft; ein Auf- und ein Abgesang heben sich durch ohrenfällige Kadenzen ab. Die Taktfüllung ist keineswegs regellos. — Der Umkreis sind weit überwiegend die Küsten von Nord- und Ostsee. Wir treffen hier die Stammverwandten der Rahmenfigur, und die Reihe mag wohl noch in der alten Angelnheimat, dem Mittelpunkt dieses Umkreises, entstanden sein, vor 540[3]). Von diesem Stücke kann gelten, was man irrig auf den ganzen Widsith ausdehnte: es ist unser ältestes germanisches Gedicht von höfisch-geschichtlicher Haltung (etwas wie der Wurmsegen § 48 ist ja unberechenbar älter!) Für Überlieferung aus festländischer Zeit zeugt der nordische Herrscherkatalog, der Vierzeiler von § 70. Seine Gußform stimmt nah überein, mag auch von den Mannesnamen keiner wiederkehren, von den Völkernamen nur zweie, die Hunnen und die Goten.

In den Süden versetzt uns die 3. Merkreihe, Z. 112—130: meist gotische und langobardische Namen, doch mit Übergreifen auf die Franken[4]). Es ist der *Heldenkatalog*, gebaut nach der Formel:

> Hadiko besuchte ich und Baduko   und die Harlunge ...

(mit zwei erzählenden Zugaben, die dem Katalog schon zugehören mochten). Der Vers ist bis zur Holprigkeit silbenreich, aber von den Schwellversen der Geistlichen deutlich verschieden. Diese Reihe enthält die ältesten Namen des ganzen Widsith: Êastgota und Unwên; nach Jordanes tief aus dem 3. Jahrh. Daneben Gestalten aus viel späterer Sage, z. B. Goten-Hunnenschlacht, der Franke Theuderich. Da unter all den Goten der große Theoderich fehlt, wird man nicht tief unter 600 herabgehn dürfen. An wortgetreue Bewahrung bis in den Widsith denken wir nicht[5]).

Jünger ist die mittlere Reihe, Z. 57—87, der *Völkerkatalog*, gebaut nach der Formel:

> Ich war bei den Hunen   und bei den Hred-Goten ...

Ihr zweiter Teil schreitet über den germanischen Kreis resolut hinaus mit zwanzig fremdsprachigen Namen, meist morgenländischen, biblischen: 'bei den Israhelern war ich | und bei den Exsyringern, ... bei den Mofdingern ... bei den Amothingern ...' Da stehn wir vorm Buchwissen. Die kecken Entstellungen (für Assyrer, Moabiter, Amoriter) verschuldet doch wohl die mündliche und schriftliche Weitergabe: als Urheber der Reihe denken wir uns einen Buchgelehrten, also einen Geistlichen, des 8. Jahrh. Der Mann benützte auch die Fränkische Völkertafel von ca. 520[6]). Stil und Versbau erlauben, den Völkerkatalog Einem zu geben, und das Durcheinander von Heimischem und Fremdem verbietet es nicht. Dieser Mann fühlte sich eben nicht als Germanisten, sondern als Kosmographen! Englands Gesittung im 8. Jahrh. konnte solche Blüten treiben.

Der Widsithdichter fand diese buntscheckige Quelle nicht stilwidrig: er wollte ja etwas wie ein 'Weltüberblicker' sein. Verschönert hat er sie durch zwei kurze Einlagen aus Weitfahrts Erleben. Der Sänger hat in den Königen Gunther von Burgund und Alboin in Italien zwei besonders rundhändige Ringspender gefunden. Aus dem Gedränge der Völkernamen stechen diese zwei Einzelwesen sehr hervor.

Es bleiben uns noch Z. 35—49, zwei knappe, lebhafte Auszüge aus der anglischen Offa- und der dänischen Ingeldsage. Solche namenarmen Skizzen segelten schwerlich für sich; ihnen fehlte die merkvershafte Last. Als Beitrag unsres Dichters begreift man sie. Er vermißte in seinen drei Merkquellen die berühmten Namen um Ingeld, und Offa lag ihm als Landsmann am Herzen. Weiter aber hat er nichts Episches ausgezogen. Er war mehr Compilator als Excerptor. Sonst hätte ihm z. B. der Beowulf noch reiche Beute gewährt. Waren doch dessen Dänen, Gauten und Schweden in den zwei ältern Katalogen so kurz weggekommen!

¹) Chambers, Widsith 1912; Malone, Widsith 1936; R. Jordan, RLex. 4, 520ff.; Schütte, Arkiv 36, 1ff.; Malone, Engl. Lit. Hist. 1, 49ff. (1938); Klaeber, Anglia Beibl. 1938, 129ff. ²) Nur die vier Zeilen 14—17, die man längst angefochten hat, sind auch wir gerne los. Einen Stab von Bearbeitern, Interpolatoren, Redaktoren bietet noch das RLex. auf. Treffend Schücking, Beitr. 42, 394ff. ³) Zusätze aus britannischer Zeit sind nicht erweislich. Der Jüngste der Bekannten ist der Franke Dietrich († 534), Zeitgenosse des Dänen Hrôþwulf (Hrôlf kraki), der offenbar noch in Schleswig den anglischen Dichtern zustieß. ⁴) Die vom Gesamtdichter herrührende Zeile 111 braucht nicht den grotesken Irrtum zu enthalten, alle folgenden Helden gehörten zum Ingesinde Ermenrichs! ⁵) Der Wiþergield Z. 124 ist doch wohl irrige Folgerung aus Beowulf 2051. ⁶) Baesecke, GRMon. 1936, 16f.

78. Von den 143 (minus 4) Zeilen des Widsith hat danach der Verfasser 60 vorgefunden, 79 selbst gedichtet.

Die vorgefundenen, gehaltschweren Teile mit den vielen Namen geben dem Widsith das Gepräge der Merkdichtung. Ein Programmheft zur *Heldensage*, so oder ähnlich würde man ihn unzutreffend bezeichnen. Von den drei Merkreihen hängt die mittlere, die Völkerliste, mit Heldensage nur lose zusammen. Von den insgesamt 69 Mannesnamen kann auch *die* Hälfte, die wir in heroischer Dichtung kennen, z. T. aus der Wirklichkeit unmittelbar, z. T. aus früheren Merkversen geholt sein. Die Herrscherliste trägt kaum die Folgerung, die Angeln hätten schon an der Schlei in Heroenfabeln geschwelgt. Namen, die nur das Heldengedicht verbreitete, birgt am ehesten die dritte, die Heldenliste.

Die Namenmassen des Widsith hält vielmehr die Absicht auf *Geschichte* zusammen, auf Staatenkunde. Heldendichtung war eine der Quellen der Geschichte — doch mit Unterschied! In der Schar der Namen fehlen die großen Trollentöter Beowulf und Sigfrid, fehlen Sigmund und Wieland. Der Grund kann nur sein, daß diese Gestalten zu fabelhaft anmuteten. Man wollte Historie, keine Abenteuer. Ob die zwei Kataloge schon diesen Maßstab anlegten oder erst der Letzte sie durchsiebte? — In gleicher Richtung geht, daß unser Dichter in seinen Offa- und Ingeldauszügen das Politisch-Strategische einseitig hervorkehrt. Heldendichtung fesselte ihn als glaubhafte Fürstenchronik. Er fühlt sich als Geschichts-, nicht als Geschichtenfreund.

Bemäße man nach dem Widsith den historisch-erdkundlichen Blick der vorkirchlichen Germanen, so müßte man sagen: der Keim zum wissenschaftlichen — d. i. wirklichkeitsgemäßen — Geschichtsbilde ist winzig, denn es fehlen ganz und gar die zwei Dinge: Landkarte und Zeitrechnung. Innerhalb einer Merkreihe springt es von Griechen zu Finnen, von Thüringern zu Drontheimern. Gestalten aus viertehalb Jahrhunderten liegen auf einer Ebene. Das einzige, was ihnen zeitlichen Längsschnitt verschaffen konnte, war der Stammbaum (§ 72): aber den Widsith wie seine Quellen kennzeichnet die vollkommene Gleichgültigkeit gegen die Ketten von Vater, Sohn und Enkel. Gruppennamen auf *-ing* erscheinen in bunter Reihe mit Volksnamen: ein Herrscherhaus zeichnet sich nirgend ab; wir suchen vergebens nach den teuern Namen der Amelunge, Gibichunge und Merwinge, der Schildunge und Schilbinge.

Was wir nicht wissen, ist: wieviel der Dichter oder Vortragende zu den Namen zu ergänzen hatte; wieweit diese Schälle Stichworte waren zu belehrendem Erzählen. Und dies müßten wir eigentlich wissen, um Weitfahrt als Gelehrten billig zu beurteilen . . .

Die Merkdichtung jedoch ist nur die eine Seite am Widsith. Durch seinen episch-lyrischen Rahmen ragt er in eine andre Zone hinüber, und zwar eine jüngere, höhere: die des höfischen Preislieds.

Ein Preislied von der bekannten Art will er freilich nicht sein: er lobt ja keinen lebenden Brotherrn! Auch von den Vorzeitsgönnern verlauten keine Kriegstaten, der Hauptinhalt der Preislieder: nur ihr Ringeschenken rühmt Weitfahrt, den Gegenwärtigen zur Mahnung. Sein Preis gilt aber auch dem eignen Beruf: der Stolz des Sängers auf seine Meisterschaft und darauf, daß er den Ruhm der Großen durch die Lande trägt, findet begeisterten Ausdruck. Die kostbaren Sittenbilder zeigen uns den höfischen Preisdichter, wie er zur Harfe singt (§ 99. 107). Zu den Aufgaben dieses Mannes aber zählte auch der lehrhafte Merkvers, und der hat diesmal den Ton angegeben: das Gedicht vertrüge keine Harfe noch Gesang.

Nehmen wir mit Recht einen geistlichen Verfasser an, so bezeugt der Widsith, gleich dem Beowulf und anderen Werken, das innige Einleben englischer Kleriker in die Welt des höfischen Dichtens.

Weitfahrt ist ein erhöhter Typus, keine Person. Es versteht sich, daß man ihn nach Einzelfällen modelte; nähmen wir aber als Grundlage unsres Gedichts die Fahrt eines geschichtlichen Skops zu einem geschichtlichen König, ob nun Ermenrich oder Gunther oder Alboin, so verkennten wir das Werk. Nicht minder, wenn wir in den Rahmenversen des Widsith ein 'Lied' oder 'Lieder' eigenen Wuchses sähen. Die drei Merkreihen sind kein Schutt, der vermeintliche Lieder störend überlagert hat: sie sind der Kern, den ein Dichter mit den Ranken seiner episch-lyrischen Kunst umspielte.

Diese Kunst hat eine persönliche Note. Die hymnischen wie die wehmütigen Klänge und das Geschick zu halbgnomischer Rundung teilt der Dichter mit Vielen seiner Zeitgenossen, z. B. den Elegienmeistern. Seine besondre Gabe sind breite, mehrgliedrige und doch wie selbstverständlich fallende Sätze, nicht gepredigt, wie so oft bei den Anderen: mit beinah volksliedhaftem Hall und von einer sanft zwingenden Macht des Rhythmus. Die Stellen Z. 103ff. und 138ff. wirken wie eine nicht zu übertreffende Verschmelzung von Gedanken und Form. Die erste versuchen wir in § 99 nachzubilden; die zweite, der Gedichtschluß, stehe hier. Die Sänger, heißt es, schweifen durch viele Länder . . . :

Stets in Nord oder Süd	nahen sie dem Mann,
Den die Liedkunst freut,	der Lohn nicht scheut,
Der vor der Ritterschaft will	Ruhm begründen,
Edles enden —	bis daß alles entfliegt,
Licht so wie Leben.	Wer Löbliches wirkt,
Behält unterm Himmel	hochragenden Ruhm.

79. Darin ist der Widsith ein richtiges Sammelwerk, daß er die ungleichen Stile seiner Quellen zur Schau trägt. Einheitlich durchgeformte Kunstgedichte der Merkgattung treffen wir in Norwegen und Island.

Als die Dichtung der neuen, skaldischen Art an den Höfen Norwegens im zweiten oder dritten Geschlecht stand, verfaßte ein benannter Skald, Thjôdolf, auf einen kleineren Vetter des großen Harald Schönhaar ein stattliches Preislied eigener Art. Den unmittelbaren Preis des lebenden Gönners enthalten nur die Schlußverse. Vorangeht seine Ahnentafel, die bis zu den Göttern Njörd und Freyr hinaufreicht. Es waren — unser Text hat Lücken — dreißig Glieder: die sagenhaften Upsalakönige, die Ynglinge, und ihre seit 700 in Norwegen herrschenden Nachkommen. Das Gedicht heißt *Ynglingatal* 'Ynglingenreihe'[1].

Auf den König kommen vier bis zehn Langzeilen. Ihr Inhalt ist: wie er starb, manchmal auch, wo er begraben liegt. Der Ton, sachlich oder schicksalsdüster, mit verhaltener Ergriffenheit, geht ins Preisende nur bei dem Vater, Aleif, der 'den Göttern gleich' herrschte und

in Geerstatt	glanzesvoll liegt,
der Heerfürst,	an Hügels Grund.

Es sind gleichsam kunsthafte Grabaufschriften, und einige erinnern auch an die runischen Nachrufe und ihre freieren Sproßformen, besonders die Dietrichstrophe des Röksteins (§ 74)[2]. Über diese herkömmliche Kleinform aber schreitet ein Gedicht weit hinaus, das 30 Ahnen der Reihe nach mit solchen Epigrammen bedenkt von halbwegs einheitlichem Zuschnitt. Gemeinnordisch ist dies kaum. Ob Thjodolf dafür Vorbilder hatte? Vermutlich irische[3]. Bei den Iren war es Brauch, eine Gruppe von Menschen einseitig nach Todesart und Grabstätte in längeren Kunstgedichten herzuzählen. Da liegt das vor, was unser Ynglingatal scheidet vom Gedenkspruch, vom Stammbaum und vom Preislied. Die irische Anregung hat, wie sonst, freie Nachfolge, keine Kopie gezeitigt.

In welcher Gestalt kann dem Norweger sein erstaunlich reicher *Stoff* zugekommen sein? Das altformelhafte, gemeingermanische 'Ich erfragte...' darf man bei Dingen, die 900 Jahre zurückreichen, nicht auf Volkssage deuten; solche kommt nur für die jüngsten, norwegischen Glieder in Betracht. In epischen Liedern können nur wenige dieser Gestalten, die des heroischen Zeitraums, gelebt haben. Daneben sind Merkverse zu erwägen, ältere und jüngere, letztlich schwedischen Ursprungs. Es muß ein zusammenhängendes Stemma dagewesen sein, wahrscheinlich mit ergänzendem Prosabericht zu jedem Namen: auch wieder eine Art 'memoria et annales' (§ 72). Diese prosaische Ergänzung, die von Taten, nicht bloß dem Tode der Fürsten handelte, ist auch Thjodolfs Strophen zur Seite gegangen; sie mündet aus in Snorris Darstellung, die unmöglich aus den Versen allein fließen konnte[4]. Daß der Skald auf eigene Faust, aus unverbundenen Stückchen, den Stammbaum gezimmert hätte, ist mindestens für die 14 letzten Glieder zu widerlegen (§ 72).

Die Hand des Dichters selbst wird uns erkennbar in der *Form*. Sein Metrum ist eine neue, skaldische Abwandelung des Langzeilenmaßes: An- und Abvers in silbenzählender Weise kontrastiert (sieh § 30 und die obige Probe), wogegen die starre Verszahl der Strophe noch nicht erstrebt ist. Mit diesem silbenknappen Vers ist verwachsen eine gemeißelte Sprache voller gehaltschwerer Worte. Der Satz füllt fortwährend ein ganzes Langzeilenpaar, kann auch darüber hinausdrängen, was sonst im Norden kaum erhört ist[5]). An die 40 Gleichnisumschreibungen (Kenninge), großenteils aus dem Mythus, geben der Sprache einen ahnungsvollen Orakelton: 'der hochbrüstige Sleipnir (Odinshengst) des Hanfes' = der hohe Galgen; 'er fuhr zu Byleists Brudertochter' = … zur Hel (der Tochter Lokis), er starb. Trotzdem bleibt, dank dem punktierenden Zeitfall, eine stählerne Schlankheit, ungleich der massigen Fülle der üblichen Hoftonsprache. Der Dichter, ein wahrer Formkünstler, hat seinen gewählten, prosafernen Stil so eindringlich durchgeführt, daß sein Lied ein sehr bestimmtes Bewegungsgefühl mitteilt.

Diese Wirkung hatte es schon bei den Alten. Zweimal, nach 100 und nach 300 Jahren, hat man einen fürstlichen Stammbaum nicht passender zu bedichten geglaubt als in dem metrischen, z. T. auch sprachlichen Gewande des Ynglingatal[6]).

[1]) Skjald. 1, 7ff.; Grape und Nerman, Ynglingatal 1914. Snorri teilt die Strophen nebst ausführender Prosa mit in der Ynglingasaga: Heimskr. 1, 23ff.; verdeutscht bei Niedner, Thule 14, 37ff. [2]) Schück, Rök-Inskriften 27ff. [3]) S. Bugge, Bidrag 146ff. [4]) Heimskr. 1, 5, 3: 'nach Thjodolfs Bericht … mit Ergänzung nach dem Bericht kundiger Männer'. [5]) Neckel, Btr. 410ff. [6]) Es sind die Helgeländertafel (Hâleygjatal) des Norwegers Eyvind und die norwegische Königstafel eines ungenannten Isländers: Skjald. 1, 60ff. 575ff.

80. Kindliche Gelehrsamkeit, ein Zwitter von Poesie und stoffbeschwerter Scheingeschichte: dies kann man dem englischen Weitfahrt wie der norwegischen Ynglingenleiter nachsagen. Künstlich wirkt nur das nordische Werk: seine innere und äußere Form ist so viel verschmitzter, gezüchteter … Der irische Einfluß hat da mehr bewirkt als beim Engländer der kirchliche.

Immerhin, das Ynglingatal steht ganz deutlich noch im Leben. Sein Dreißigahnenkatalog gilt doch einem Lebenden; es ist ein unverhohlenes Preislied, so sehr es sich in Vorzeitsgräber verschlüpft.

Anders ist dies bei den sechs großen Merkgedichten Islands[1]). Die sind gelöst von aller Beziehung auf die Gegenwart; sie sind abgezogene, sich selbst genügende Gelehrsamkeit oder, wenn man will, Kunst um ihretwillen.

Zweierlei erhebt sie über die alte, gemeingermanische Merkdichtung. Es sind Einheiten ganz andern Umfangs: das Vafthrûdnirlied zählt 55 wohlgemessene Sechsversstrophen. Und den Memorialstoff umschlingt oder durchdringt ein novellenhafter Rahmen. Beides stimmt zum Widsith. Aber da springt der so vielsagende Unterschied ins Auge: der Rahmen des englischen Gedichts ist diesseitig, naturtreu, eine naheliegende Folgerung aus dem tatsächlichen Betrieb dieser Dichtart: der vortragende Skop ist als sichtbares Wesen in das Gedicht getreten. Demgegenüber das nordische Werk, das sich noch am nächsten vergleicht, das Hyndlalied, ebenfalls ein Herrscher- und Heldenkatalog: das ersinnt eine mythische Szene; Göttin und Riesin, im Nachtdunkel auf Eber und Wolf zur Walhall reitend. In diesem Jenseitsrahmen wickelt der Dichter seine Sagensippen mit sechs Dutzend Namen ab.

Das ist voraussetzungsreicher, lebensferner.

Im Grîmnirlied sitzt Odin in der Halle eines Königs, seines verblendeten Schützlings, vom Feuer bedrängt, und belehrt über die Götterheime und andre himmlische Gegenstände, bis er zuletzt seine Namen nennt und den König zauberisch verdirbt.

Das Vafthrûdnirlied bringt Odin und einen vielwissenden Riesen ins Wettgespräch und handelt in Fragen und Antworten einen reichen Lehrstoff ab, Schöpfung, Einrichtung und Untergang der Welt, mit vierzig Eigennamen.

Das Fjölswinnslied gestaltet den Auftritt einer eingewanderten romantischen Brautwerbung zu einer langen Zwiesprache über wunderbare märchen- und rätselhafte Dinge, an denen mehr die sprachliche Hülle als der Kern nordisch-mythisch ist.

Auch im Alvîsslied hören wir ein Wettgespräch, diesmal aber nicht über Mythus oder Heldensage, sondern über Poetik. Der Gott Thor erfragt vom Zwerg Allweis je fünf gleichdeutige Ausdrücke, überlieferte und erfundene, für 13 Begriffe. Eine Synonymensammlung, aber in geistreicher Zurichtung; ein hochkunstmäßiges Gegenstück zu jenen Versvokabularien, auch zu dem einen Runenliedchen (§ 70 und 75).

Diese fünf Nummern sind Redelieder, sie legen den Merkstoff in den Mund erfundener Sprecher. Für sich steht die sechste, wo der Dichter selbst das Wort führt: ein fast redeloser Bericht. Das Merkgedicht von Rîg, die Rîgs-Thula, schildert, wie der 'alte Ase' Rig einstens die drei Stände der Knechte, Bauern und Krieger gründete, worauf dann aus den Kriegern der erste *König* nordischer Lande hervorging, der Großvater des dänischen Namengebers Dan. Eine Fabel, eine spannende Geschichte steht hier nicht in Fage; von einem Göttermythus sind wir ebenso fern wie von einer Heldensage. Das Lied wirkt durch ruhendes Kleinleben. Dies gab sich nicht als Alltagsinventar, wie es Naturalisten im 19. Jahrh. zusagte: es will eine Urzeit malen, eine Zeit, als es noch keine Könige und Sagenhelden gab. Sechzig Ausdrücke für Männer und Weiber, als Eigennamen hingestellt, bilden den Thula-Bestandteil.

[1]) Zusammengestellt bei Genzmer II Nr. 11—16.

81. Schon diese Umrisse, die alles Feine und Künstliche im Einzelwerk übergehn, zeigen uns: das sind höchst merkwürdige Schöpfungen; wohl ohne nahe Verwandte in der Weltliteratur. Nur Island können wir uns als ihren Nährboden denken. Und zwar das nachheidnische Island.

Dort, wie in keinem andern Germanenland, blieben nach der Bekehrung die Köpfe erfüllt vom heimischen Mythus, und was mit ihm zusammenhing. Aber man gewann Abstand zu diesen Altertümern; man empfand sie als ein Einst, ein Vorzeiterbe. Man spürte den Drang, zu bergen und zu ordnen. Es ist die Bewegung, die in dem Island der Schreibzeit jene vielseitige Altertumskunde hervorbrachte (§ 20), und die in dem Skaldenlehrbuch Snorris ihren Gipfel erstieg. In diese Linie müssen wir die sechs großen Merkgedichte stellen. Sie sind Landsleute der umfänglichen Thulahaufen (§ 70); sie unterbauen oder umlagern Snorris Poetik. Ihr Alter ist ungleich; Grîmnir- und Vafthrûdnirlied sind Vorläufer aus den ersten nachheidnischen Geschlechtern, aber in ihnen schon lebt unverkennbar der planmäßige und formfrohe Sammelgeist, der aus Snorris 'Edda' zu uns spricht: rein beschaulich, mythologisch, unbekümmert um die Fesseln des Dienstes, ohne praktisches Heidentum — und eben deshalb von dem siegreichen Christenglauben geduldet! Es gibt zu denken, wie genau bis ins einzelne das Vafthrûdnirlied die Völuspa ergänzt, die Lücken ihres Vortrags füllt[1]). Daraus ergibt sich ein Schluß nicht nur auf die Zeitfolge: hier fällt Licht auf das Planmäßige dieses Betriebs. Schreibstube war es noch nicht — aber schon etwas wie Schule!

Die Keime dazu, die *Vorstufen* sind alt, ur- und gemeingermanisch: wir haben die anspruchsloseren Gebilde der Merkdichtung in Süd und Nord überblickt. Aber diese langen und kunstreichen Gelehrsamkeitsgedichte mit mythisch-epischer Einkleidung sind hochgesteigerte Sproßformen, denen die am Erzähl- und Scheltlied erworbene Fertigkeit zugute gekommen ist. Was diese sechs Gedichte an Stoffeifer, Spieltrieb und Formbeherrschung, an zünftiger Geistesschulung bei Verfasser und Hörer voraussetzen —: die besonderen Bedingungen dazu waren nur in dem Island des 11.—13. Jahrh. beisammen. Und gewiß nicht in jedem Bauernhofe. Die Altertumsfreunde, die diesen Gedächtnisstoff pflegten, waren immerhin ein engerer Kreis, so wenig man da von Standespoesie und Oberschicht sprechen dürfte!

Aus seinen völlig anderen Bedingungen hat England im 8. Jahrh. auch eine höhere Sproßform getrieben, den Widsith. Auch der ein Sonderfall, den wir nicht verallgemeinern wollen.

Zu den *Vorstufen* der Gedichte gehörte die Merkstrophe (§ 71). Es ist glaublich, daß Grîmnir-, Vafthrûdnir- und Hyndlalied solche Einzelstrophen aufgenommen haben und nicht alles erst aus dem Rohen behieben. Die Form der Ansprache, und zwar durch Odin, wird auch schon vorgelegen haben: wir kennen sie in alten Stücken der Hâvamâl (§ 63). Auch der dialogischen Behandlung mit dem Wettmotiv möchte man schlichtere Vorgänger zutrauen[2]). Ketten von Rede und Gegenrede fand man auch in Gedichten ausgebildet wie Skirnirlied und wie Lokis Zankreden. Das Numerieren der Glieder ('Sag dies als erstes, . . . als zweites' u. s. f.) ist uns in Zauberspruchliste und Sittengedicht begegnet (§ 54. 66), aber auch im Merkbereich gab es derartiges: die Prosa der schwedischen Rökinschrift (§ 74) gliedert ihre Belehrung durch lückenhaftes 'Das sag ich als zweites' und später '. . . als zwölftes, als dreizehntes': da steht eine geschlossene Kette dahinter, wir wissen nicht, ob in Vers oder Prosa[3]). Diese Inschrift zeigt auch ein kleines Gegenstück zu den Wortwiederholungen, die, in Gestalt von Satzaufnahme und Eingangskehren, den drei dialogischen Gedichten geradezu das Gepräge geben.

Das Versmaß ist in der rein-berichtenden Rigs-Thula notwendig das epische. Die übrigen, ausgenommen das Hyndlalied, wählen das sechsversige, das für die Merkstrophe, aber auch für Gesprächslieder in Gunst stand, und handhaben es lastender, silbenreicher, aber nicht weniger formbewußt als die Meister der Spruchdichtung.

[1]) Müllenhoff, Dt. Altertumskunde 5, 29. 244f.   [2]) Schück 20f.   [3]) Neckel, Indog. Forsch. 44, 210f. (1927).

82. Nicht nur in der äußern Form und im fabulierenden Rahmen liegt der künstlerische Einschlag. Wie wir neben der Sammelthula die Phantasiethula fanden, so enthalten auch die Kernteile dieser Kunstgedichte bewußtes Erfinden. Die altisländische Altertumskunde ist das Werk von Dichterphilologen: mit dem Sammeln und Ordnen ging das Weiterbilden, das Ausdichten zusammen. In welchem Umfang schon die beiden kosmogonischen Lieder geneuert haben, läßt sich mangels älter Quellen nicht sagen. Das Fjölswinnslied ist augenscheinlich mehr Spiel als Sammelweisheit. Das Alvisslied mag außer dem Dutzend Ausdrücke, die wir als überliefert nachweisen können, immerhin einiges aus den Tabusprachen der Seeleute usw. geschöpft haben[1]); leicht war es ohnedies nicht, die 5 mal 13 Synonyma aufzutreiben! Aber die Mehrzahl dieser 'kostbaren' Worte bleibt doch wohl, samt der spielerischen Aufteilung auf die sechs Klassen von Lebewesen, der Einfall des dichtenden Poetikers. Ein Wörterbüchlein als Hilfsmittel für Dichter- oder Fachsprachen war wirklich nicht sein Ziel!

Der kühnste Neuschöpfer war der Dichter der Rigs-Thula. Sein 'mythus philosophicus' von der göttlichen Zeugung der drei Stände — beeinflußt, scheint es, von Honorius von Autun — bereichert die nordische Vorzeit um einen Gott, der nach Namen und Rolle (er läßt sich zu dem Ehebett der Sklavenstammutter herab!) im Heidentum keinen Platz fände. Was die gelehrte Skjöldungasaga, nach 1200, über das Aufkommen des Urkönigs wußte, vermehrt unser Rigdichter unter anderm um das witzige, doch gewiß ernstgemeinte Wortspiel: der Name des aufstrebenden Edelings, *Konr ungr* 'junger Fürstensproß', erlebt dasselbe wie der Name Caesar, er wird zum Titel der neubegründeten Würde: *konungr* 'König'. Das hat seine Gegenstücke wieder in Snorris Skaldenlehre. Die kleine Einzelheit zeigt, wohin sich die Merkdichtung auf Island versteigen konnte! Das Gedicht hat, wie schon sein Vorgänger, die Skjöldunga saga, irische Motive aufgefangen[2]. Darum rufe man noch nicht nach 'westlicher Heimat'! Die vielfältigen Voraussetzungen seiner Empfängnis trafen nur in dem Island der Snorrizeit zusammen. Wohlgemerkt, Snorri um 1230 kennt die Rigsthula noch nicht, so wenig als zwanzig Jahre vorher der Däne Saxo. Welcher Leckerbissen wäre ihm das Gedicht gewesen!

[1] Zu diesem Gedanken Olriks vgl. Güntert, Sprache der Götter 130ff,; E. Noreen, Eddastudier 14. Gegen späten Ursprung des Liedes würde die Verwendung von Tabuwörtern keinesfalls zeugen.   [2] Young, Arkiv 49, 97ff.; Meißner (und Thurneysen), Beitr. 57, 109ff. (1933).

Da unsere Darstellung keine kritischen Erörterungen zuläßt, können wir nur summarisch anmerken, daß Forscher älterer und neuer Zeit diesen sechs nordischen Gedichten, oder einem Teil von ihnen, eine andre Stellung zuweisen. Sie rechnen sie zur ältesten eddischen Schicht. Sie halten sie für einen Ausdruck religiösen Heidenglaubens, zum Teil mit abwehrender Spitze gegen den christlichen Mythus. Sie finden in ihnen priesterliche Belehrung oder gottesdienstliche Schauspiele oder praktischen Runenzauber. Oder sie nehmen den sagenhaften Rahmen als Hauptsache und würdigen die Gedichte als episch-dramatische Schöpfungen. Dem Vf. will scheinen, daß man dabei zu viel zwischen den Zeilen, zu wenig aus den Zeilen liest und dem Verstandesmäßigen, Abgefeimten, Meistersingerischen dieser Werke nicht gerecht wird. Man sehe: Phillpotts, The elder Edda (§ 37 Anm. 2) passim; M. Olsen, Arkiv 37, 212ff. u. ö.; F. Jónsson, Lit.-hist. 1, 143 u. ö.; Paasche 54ff.; de Boor 366. Der oben vorgetragenen Auffassung stehn näher: Symons, Die Lieder der Edda CCCXLIIff.; Mogk 583ff.; Schück 84f 88; Golther, Nord. Lit.-gesch. (1921) 20ff. 31ff.; Jón Helgason 23. 31; de Vries, Arkiv 50, 1ff. Den richtigen Blick hatte schon E. Jessen, ZsPhil. 3, 73ff.

XI. KLEINLYRIK

83. Was wir als Klein- oder Gesellschaftslyrik aufführen, grenzt hier an Teile der Ritualdichtung (Kap. 7), dort an das Preislied-Zeitgedicht (Kap. 14). Der Unterschied von der ersten Gruppe liegt in dem Fehlen der amtlichen, liturgischen Haltung. Dem Preislied gegenüber ist die Kleinlyrik eine kunstlose Gemeinschaftsdichtung ohne berufsmäßigen Betrieb (§ 21), oft Gebilde des Stegreifs, die mit dem Augenblick verwehen.

Von den vier voraufgehenden niederen Gattungen mit förmlichem oder praktischem, mit erzieherischem, lehrhaftem Gepräge hebt sich diese fünfte ab als freiere, der Unterhaltung und Geselligkeit dienende, seltener die Einsamkeit würzende Kleinkunst. Es ist die aus dem Alltag geborene Gelegenheitsdichtung. Daß der Begriff 'Lyrik' weitherzig genommen sein will, betonen wir von vornherein. Der Name 'Gesellschaftsdichtung' hätte Vorzüge, ließe aber doch zu vieles außerhalb und weckt weniger Vorstellung als 'Kleinlyrik'.

Um unsre Überlieferung ist es so bestellt, daß wir von den Südgermanen auch nicht einen Vers dieser Klasse übrig haben, nur Zeugnisse und dann die endreimenden Nachfolger, während uns Norwegen-Island mit einer reichen Lese, rund 1000 Strophen, beschenken.

Das Schweigen des Südens erklärt sich leicht: diese gewichtlosen Vergnügungsverschen, auch wo sie kein geistlich Ohr verletzen konnten, forderten am wenigsten zum Nachschreiben oder gar Sammeln heraus. Der nordische Reichtum dagegen bedarf der Erklärung. Sie liegt darin, daß auch diese Werktagskunst seit dem 9. Jahrh. das vornehmere 'skaldische' Gewand angezogen hatte. Der Hofton war in Norwegen, dann auf Island Haus- und Feldton geworden (§ 23). Dies hob das Ansehen dieser Lyrik; sie erschien der Bewahrung wert mitsamt dem

Namen der Urheber; sie hörte auf, Eintagskind zu sein. Das kunstfrohe Isländervolk vererbte diese Gesätze — lange Zeit mündlich und in dem Zusammenhang, wo sie gewachsen waren, d. h. als Teile von Prosageschichten. Auch in der Schreibezeit legte man keine Büchlein von Vierzeilern an; Sammlungen der Kleinlyrik entstanden so wenig wie solche der Spruch- und der Merkstrophen (§ 63. 71). Nur eingebettet in geschichtliche Sagas — außer den Familien- und Königsgeschichten die Erzählungen der Sturlungasammlung — sind so manche dieser 'Losen Strophen' auf uns gekommen; gewiß immer noch eine dünne Auslese aus dem einstigen Reichtum. Das meiste, wie gesagt, geht in der skaldischen Hoftracht; in dieser Gesellschaft ist auch eine Minderheit von schlichteren, 'eddischen' Gesätzen aufs Pergament gelangt.

84. Zwei Arten jedoch bleiben auf Island fast ohne Texte noch Zeugnisse: *Chorlyrik* und *Tanzlyrik*.

Schon auf dem ritualen Felde schied der Norden aus, wo der Süden Massengesang zu erkennen gab (§ 43—45); einzig die stabenden Losungen der Heere vertraten den 'Leich' (§ 46).

Chorische *Arbeitsliedchen* allerdings denkt man sich schwer ganz weg. Die zwei kunstmäßigen Gedichte Mühlensang und Walkürenlied[1]) konnten kaum entstehn ohne das Vorbild der Mägde, die an der Handmühle zu zweien, vor den Webstühlen zu mehreren rhythmische Worte ertönen ließen. In einzelnen Wendungen dieser Gedichte, so in dem mehrmaligen

     Vindum, vindum . . .   'winden wir, winden wir!'

glaubt man Motive aus den Vorbildern nachklingen zu hören. Diese Figur der einfachen Wortwiederholung, sonst im Norden unbräuchlich, kennzeichnete die Heereslosungen, eine ebenfalls leichhafte Art.

Hätte aber zur geselligen Unterhaltung am Bauern- oder Fürstenhof chorisches Singen, nicht nur das *kveda* der Einzelnen gehört, so müßte dies in der Saga notwendig zu Tage treten. Nicht einmal ein *Wort* für Chorgesang ist vorhanden (§ 38).

Ein solches kennen wir im Altenglischen. Das in Prosa und Dichtung häufige *drêam*, meist 'lustvolles Gelärme, — Treiben' (Grundbedeutung 'Verzückung'?) überträgt in Glossen 'concentus, adunatio multarum vocum' und scheint auch an Gedichtstellen diesen Sinn zu haben.

Eindeutige Zeugnisse für gesellige Chorlieder gebrechen uns freilich auch im Süden. Tacitus erwähnt zweimal den frohen oder lärmenden Gesang, der nachts vom Germanenlager herüberschallte[2]). Dies hätte bei Einzelgesang weniger Eindruck gemacht. Dagegen hat Kaiser Julian die 'rohen Lieder', die er mit Vogelgekrächz vergleicht (§ 7), nicht über die Lagerwälle weg gehört: er sagt 'ich schaute an', und er hat die Freude der Singenden beobachtet. Also für unsre Frage neutral. Über den Inhalt ist nichts zu vermuten, und von der Form steht nur das eine fest, daß es keine Mehrstimmigkeit war — wenigstens keine freiwillige! Ebenso ungreifbar bleibt die Aussage eines Arabers, 600 Jahre später, über den Gesang der Schleswiger; nur daß der Fremde diesmal mit dem Gebell von Hunden, nicht dem Krächzen von Vögeln vergleicht[3]).

Erst im Mittelalter meldet sich der gesellige *Tanz*. Bis gegen die Kreuzzüge hin sind die Hauptbelege für ihn die kirchlichen Verbote. *Ballationes* und *saltationes* finden wir da verkoppelt mit *cantationes*, mit 'unanständigen und üppigen Liedern'. Die zur Kirchweih Zusammengeströmten vergnügen sich an 'unzüchtigen und anstößigen Liedern mit Weiberreigen' (*chori foeminei*).

Das in § 35 Erwogene hat uns zu dem Schluß geführt, daß es sich hier um römische, nicht altgermanische Gepflogenheiten handelt. Die genauere Beschaffenheit dieser *cantationes* bleibt dunkel. Wenn die Franken und andre westgermanische Stämme in der Merowingerzeit den geselligen Tanz mit seiner Kleinlyrik entlehnten, fiel dies noch in die Herrschaft der Stabreimkunst, und man muß fragen: sind noch stabende, 'altgermanische' Tanzverschen entstanden? Oder hätte man das romanische Vorbild schon damals endreimend nachgeahmt, ohne daß sich die höhere Dichtung an diese Neuerung kehrte?

Auf Island finden wir, ein halbes Jahrtausend später, zwei Pröbchen von Tanzlyrik, die sich deutlich ins Lager der südlichen Reimverskunst stellen, während sonst noch unbestritten die altheimischen Formen gelten[4]). Ob wir in einem hübschen Gesätzlein, mit Naturbild + Gefühl des liebenden Mädchens, den vereinzelten Versuch eines *stabreimenden* 'Danz' sehen dürfen, steht nicht über allem Zweifel[5]). Jedenfalls würde auch dies die welsche Tanzlyrik voraussetzen, die sich mit der *Carole*, dem Reihen- oder Kettentanz, über Europa verbreitete. Was wir zum Jahr 1021 über die Tänzer von Kölbig hören, beziehen wir auf solche Kleinlyrik; doch wagen wir nicht, das in so viel späteren Handschriften des Westens mitgeteilte Gesätze: 'Equitabat Bovo ...' für deutsche Landschaft in Anspruch zu nehmen[6]). Noch ungeklärt ist, wo man den folgenreichen Schritt tat zur *Ballade* im technischen Sinn, das meint zur Tanzbegleitung in Gestalt des vielstrophigen epischen, kehrreimgeschmückten Liedes. Von den Ländern germanischer Zunge scheint Dänemark den Vortritt zu haben. Nicht vor 1200 setzt die epische Folkevise ein: darauf hat man sich geeinigt. Schweden, dann Norwegen folgen noch im 13. Jahrh. (Die Tanzsitte, die der Däne Saxo verpönt, wird wohl noch die ältere, zur Kleinlyrik, gewesen sein). Die *Ballade* ist eine kenntliche Erscheinung des ritterlichen Hoch- und Spätmittelalters; sie hebt sich ab von allen vorangehenden Spielarten erzählender Dichtung. Im Bereich altgermanischer Kunst hat man für Wort und Begriff der Ballade keine Verwendung; mit anderen Worten, nichts deutet darauf, daß man erzählende Texte — Zeitgedicht oder Heldenlied oder irgendeine *ad hoc* erfundene Art — zu Tanz vorgetragen hätte. Früher hat man wohl ohne Arg den Namen 'germanische Ballade' einfließen lassen: man dachte sich nicht viel andres dabei als kurze erzählende Lieder, zum Unterschied vom Epos. Die Nordleute mit ihrer 'Folkevise' hattens besser: diese Größe hat Umriß; sie ließ sich nicht ohne weiteres zurücktragen ... Es ist nicht nur Namenspedanterie, wenn man dem Wort 'Ballade' den bestimmteren Sinn gibt und damit die *Ballade* auf jüngere Zeiträume beschränkt.

[1]) Unten § 137 und 147.   [2]) Ann. 1, 65; Hist. 5, 15.   [3]) Georg Jacob, Arabische Berichte von Gesandten an germ. Fürstenhöfe (1927) 29.   [4]) Vf., Dt. Versgesch. 2, 257.   [5]) Edd. min. Einl. zu Nr. 19. Dazu Kålund, Arkiv 23, 233; Läffler, Studier i nordisk Filol. III 1, 1ff.   [6]) Darüber der Austausch zwischen Verrier (Romania 58, 380ff., bes. 405, 411; Le vers français 3, 75ff. 1932) und E. Schröder (Gött. Gel. Nachr. 1933, 355ff.), John Meier (Schweiz. Archiv für Volkskunde 33, 152ff.; Dt. Volkslieder II 1 1937). Nach Stumpfl & Gen. (§ 35) ist die Ballade urgermanisch und kultisch.

85. Einzellyrik ohne Tanz tritt uns zuerst in zwei englischen Zeugnissen entgegen, die noch dem 7. Jahrh. gelten[1]).

Mehrdeutig ist allerdings Aldhelms *carmen triviale*, Gassenlied, das noch König Alfred — zweihundert Jahre später — als volksläufig kannte. Mit diesem Liede von kurzweiligem Inhalt habe Aldhelm mehr als einmal, auf der Brücke stehend, die unlustigen Kirchgänger angelockt und ergötzt. Die erbauliche Spitze liegt darin, daß er unmerklich in Bibelworte überging zur Besserung der Hörer. Jedenfalls eine Versreihe von einigem Umfang, nicht Stegreif und, dank dem hohen Autor, lebensfähig. Es war wohl ein Stückchen im Geschmack des Mimus, ein kurzer Schwank; also eigentlich ein Fremdling in unserm Lager. Wenn Aldhelm 'wie ein berufsmäßiger Sänger' auftritt, meint dies nach dem Zusammenhang den Fahrenden der Gasse, nicht den Dichter der Fürstenhalle. (Auch der jüngern Anekdote, worin Alfred d. Gr. als Spielmann verkleidet ins Dänenlager geht, schwebt der zwischenvölkische Mimus vor.)

Ausgiebiger ist die Stelle Bedas über Cædmon (Hist. eccl. IV, 24). Sie spielt um 670. Für unsre Zwecke kommt die sittengeschichtliche, zuständliche Seite in Betracht, nicht die Wanderlegende, wie einer zum Dichter wurde.

In dem Gehöft eines nordhumbrischen Klosters ließ man zuweilen abends beim Gelage die Harfe umgehn, und jeder der Reihe nach sollte der Kurzweil halber eins singen. Cædmon aber, ein Angestellter des Meiers, pflegte, wenn die Harfe an ihn kam, zu gehen; denn — wie er nachher sagt —: 'ich kann nicht singen; darum bin ich ja vom Gelage gegangen, weil ichs nicht konnte'.

Der Zusammenhang weist auf eine weltliche, landwirtliche Tafelrunde. Von diesen Leuten erwartet man, daß sie ein Liedchen zur Harfe vorzutragen wissen; auch von dem Bediensteten, der zu Zeiten die Pferde versieht und im Stalle schläft. Weltliche Lieder fordert auch der Sinn der Geschichte: Cædmon, der sich auf solche nicht versteht, wird nachher durch ein Wunder groß in geistlichem Gesang. Offen bleibt, ob an Stegreif, ob überhaupt an eigne Dichtung gedacht ist; auch Umfang und Inhalt der Vorträge. Auf stolze Preis- oder Heldenlieder wird niemand raten. Die Harfe bedingt eine richtige Melodie und damit Zeilenstil (§ 33).

So hoch stand die künstlerische Gesittung nicht überall! Man denkt an irischen Einfluß, der für diese Zeit und Abtei erwiesen ist[2]). Cædmon selbst trägt einen halbkeltischen Namen.

Im Zweifel lassen einige weitere englische Zeugnisse, ob Kleinlyrik oder kunsthafte Elegie vorschweben[3]).

[1]) Brandl 973f. 1027; Williams (o. § 64) 100f.   [2]) An das Singen der wallisischen Penillion erinnerte Sarrazin, Von Kädmon bis Kynewulf 35.   [3]) Die 'wahrhafte und schmerzliche Versrede' (gyd) Beow. 2108, der 'schmerzliche Gesang' ebd. 2447. Vgl. § 118. Ausdrücke wie hearm-, sorhlêoth; sârlic lêoth: Brandl 975. Sieh auch die Stelle aus Ven. Fortunatus u. § 107 Anm. 2.

86. Für die im Norden so wohlbekannte Spielart, die *Spottverse*, kann man aus England nur das Glossenwort *bismerlêoþ* 'carmen invectivum' nennen. In Deutschland sind sie seit dem 9. Jahrh. bezeugt, und schon die frühe Reimdichtung stellt ein paar Vertreter. Dagegen werden die 'mimici sales', die an der Tafel Theoderichs II. in Tolosa (um 460) geduldet waren, Späße römischer Mimen, keine gotischen Spottliedchen gewesen sein.

Eine andre, ebenfalls aus Island bekannte Spielart waren die *Liebesverse*. Das Singen von 'amatoria cantica', 'orationes amatoriae' gehört zu den Dingen, die die Kirche mit Bann belegte. Auch jene Tanzliedchen (§ 84) werden das Brandmal 'unzüchtig' zumeist dem erotischen Inhalt verdanken. Der 'unflätige Gesang der Laien', den der Mönch Otfrid durch Vorträge aus seinem deutschen Evangelienbuch ersetzen wollte, war nicht Poesie vom Schlage des Hildebrandlieds, sondern anzügliche Gesellschaftslyrik. Das hinderte nicht, daß in dieser Kleinkunst neben dem Grellen und Lüsternen das Zarte und Geistige gedieh — wie im isländischen Mädchenlied und auch noch im Schnaderhüpfl. Die Tonart der Ritter, des Minnesangs darf man selbstverständlich nicht erwarten, und das Ganze war noch Zweck- und Gelegenheitsdichtung, nicht bezahlte Arie. Im übrigen darf man ohne Skrupeln den Stammbaum der Liebeslyrik in den altgermanischen Boden hinabsenken.

Sogar der schriftliche Liebesvers, das poetische Liebesbrieflein, das dann vom 11. Jahrh.

ab eine Rolle spielt, taucht schon in Karls Zeit auf[1]). Ein Capitulare verbietet Nonnen das Schreiben und Bestellen von Buhlenliedchen. Die schriftkundigen Klosterfrauen leisteten ihren adligen Standesschwestern und -brüdern draußen diesen Dienst. Ob sie beim Dichten mithalfen, ergründen wir nicht. Das Verbot zielt auf landessprachliche Verslein, daher der deutsche Ausdruck *winileod*. Dieser Name, eigentlich 'Buhlenweise', überträgt in Glossen 'cantica rustica et inepta', 'seculares cantilenae'. Sollen wir daraus folgern, das Wort habe seinen Sinn ausgedehnt; es spanne ungefähr so weit wie unser Begriff ‚Kleinlyrik'? — Etwas Neues und Volksfremdes war das 'Schreiben und Senden'. Diese Gunst widerfuhr nicht beliebigen Vierzeilern, nur dem heimlichen Gruß an den bestimmten Empfänger.

[1]) Zuletzt über die vielverhandelte Sache Baesecke, Festschrift für Leitzmann 1937, 1ff.

87. Sehen wir uns den auf Island bewahrten Reichtum an![1]).

Diese *Lausavîsur*, Losen Strophen, stammen von Hoch und Nieder, vom König bis zum Viehknecht. Auch sieben Frauen sind in der Schar, merkwürdigerweise nur eine nach dem Jahr 1000: der neue Glaube scheint das 'Mulier taceat...' eingeführt zu haben. Das meiste rührt ja von den geschulten Skalden her, denen wir die großen Preislieder verdanken; bei Hofe hat man auch die Einzelstrophe als Kunstwerk geschätzt und kritisiert. Aber auf Island war es schon damals ungefähr wie heute: daß jeder Verse versteht, jeder sechste sie machen kann. Das *Dichtervolk* tritt uns hier in seiner Alltagspoesie entgegen, und trotz der Tafelrunde Cædmons (§ 85) trauen wir keinem zweiten Germanenland diese Fruchtbarkeit zu. Namentlich nicht diese Formbeherrschung.

Die Regel ist ja, daß diese formstarrenden Gesätze aus dem Stegreif steigen, oft in drangvollster Lebenslage. Man würde es nicht glauben ohne die neuisländischen Gegenstücke[2]). Die Pfeilspitze im Herzen, bleich zum Erschrecken, spricht Thormod noch seine Strophen — nach der einen, ausschmückenden Fassung stirbt er vor dem Schlußwort der letzten und ein Andrer füllt den Vers auf[3]). Oder man nehme dieses Sittenbild. Am norwegischen Hofe. König Olaf schenkt seinem isländischen Skald ein Schwert; Hallfred aber möchte auch das Gehänge dazu haben. 'Dann dichte ein Gesätze mit dem Wort *Schwert* in jedem der acht Verse', sagt der König, und Hallfred legt los: eine Hoftonstrophe im funkelnden Reimschmuck und mit drei kühnen sprachlichen Neubildungen. Aber dem König entgeht nicht, daß die eine Zeile kein Schwert enthält. 'Dafür steht das Wort zweimal in einer andern', sagt der Isländer[4]).

Und so rasch wie gedichtet, wurden die Verse von den Umstehenden gelernt. Anders wären nicht so viele glaubhaft echte auf die Nachwelt gekommen.

Die Harfe freilich kehrt im Norden nicht wieder, auch nicht der Gesang (§ 32). Den Vortrag (*kveda*) dieser Lyrik haben wir uns als ein deutlich gliederndes Sprechen zu denken.

Es ist Lyrik, sofern die Menschen von sich und über Selbsterlebtes reden — wie dies in unsern übrigen Gattungen spärlich vorkommt. In dem engen, nichts weniger als kunstlosen Rahmen offenbart sich eine entschiedene 'Individualdichtung'; sie brauchte wahrhaftig nicht den südwelschen Minnesang abzuwarten! Freilich hat Ibsen gesagt: Im Skaldengedicht gibt es nicht die Spur von Lyrik[5]). Theodor Storm, nach seinen Ansprüchen, würde gleiches sagen. Es sind in der Tat keine Naturlaute, kein volksliedhafter Singsang; die eddischen Heldenklagen erreichen mehr an wogendem Gefühlserguß, zu schweigen von den Stimmungsgedichten der Angelsachsen. Nennen wir es einen Grenzfall unter den Möglichkeiten lyrischer Kunst. Es sind Wortgeflechte, woraus überraschende Verbindungen, besonders Metaphern, hervorschillern. Die Leidenschaft ist gewaltsam zu verstandesscharfem Ausdruck gebracht, in

7

schlichteren Augenblicken zum Epigramm verdichtet. Wozu man sich immer die Gehörreize dieser gehäuften Stab- und Silbenreime denken muß. Eine gehaltene, glasspröde Kunst, einem Krystall ähnlicher als einer Blume. Zu dem Geheimnis der innigen Schwärmerei sind diese nordischen Seelen noch im 13. Jahrh. weniger gelockert als Engländer oder Kelten im achten.

Beim Preislied, wo im ganzen gleiche Wortkunst herrscht, wollen wir Einzelnem näher-treten (§ 113f.). Übersetzungen müssen manches ebnen, wollen sie nicht auf den, der dem Ur-text fernsteht, als Vogelscheuchen wirken. Wir versuchen es mit drei Strophen des Isländers Egil (10. Jahrh.), die erste von Niedner, die zwei andern von Genzmer verdeutscht.

Als die Jarlstochter den Jüngling unkriegerisch gescholten hatte:

> Wohl mirs auf der Walstatt   wird, wenn Speerwurf klirrt, Maid.
> Klang die feuchte Klinge: krächzten Raben lechzend!
> Wikingscharn wild drängten,   weithin Feuer schreitet —
> Mutger Bürger blutge   Leichen bahrt man reichlich.

Als ihn der Sturm auf hoher See packte:

> Wild zerwühlt des Forstes   wutgrollender Trollfeind
> Mit der Böen Meißel   des Meerrosses Fährte;
> Der frostfeuchte Wüster   der Flur trifft ohne Schonung
> Den Wikingschwan[a] mit schwerem   Schlag auf Hals und Nacken,
>   [a]das Schiff

Als er den Tod seines freigebigen Freundes vernahm:

> Der reichen Ringbrecher   Reihn werden nun kleiner,
> Die oft häuften auf Habichts   Hügel[a] Schnee des Tiegels[b];
> Auf Erdgürtels anderm   eilandbestecktem Rande[c]
> Gönnt kein Freund so gern uns   Glanz des Mövenlandes[d].

[a] auf die Hand (die den Jagdfalken trägt)   [b] Silber   [c] in Norwegen   [d] Glanz des Meeres ist Gold.

[1] Meißner, Skaldenpoesie 19ff.   [2] Poestion, Isländische Dichter der Neuzeit 13ff.; Jón Svensson, Islandfreunde 2, 10ff.; Craigie, The art of poetry in Iceland (1937) 17ff.   [3] Thule 13, 252ff.   [4] Heimskr. 1, 406f. (Thule 14, 287).   [5] Værker 10, 364 (1902).

88. Sachlicher Inhalt wiegt vor, sehr oft ist es richtiges Erzählen: alle möglichen Er-lebnisse des Dichtenden fängt die Strophe auf, friedliche und kriegerische, unterm Dach und noch öfter in der freien Luft. Manchmal sind es kleine Tagebuchblätter von der Reise; so jene Sturmstrophe Egils oder die Augenblicksbildchen mit naturwahrem Stilleben, die Sigvat auf dem Ritt durch das ungastliche Gautland festhält[1].

Als besondre Arten zeichnen sich ab:

Arbeitsliedchen des Einzelnen (vgl. § 84). Nur eine Textprobe ist bewahrt, auch die, mit ihrem ganz persönlichen Inhalt, an der Grenze der Gattung, doch als einsam stehender 'Leich' von Wert. Ein Norweger der Landnahmszeit — großer Kämpe und Schmied — begleitet die Amboßschläge mit dem Zweizeiler, der an die Wucht der Schlachtrufe gemahnt (§ 46):

> Ich — allein   gab elf ⊥ Männern —
> Blas du baß! —   bleichen Tod[2].

Ebenfalls ein Unicum, dem man schon ein wenig Beachtung schenken dürfte, ist das hübsche stabreimende *Kinderliedchen*: der Bock als Kinderschreck[3]:

> Bock steht draußen   blank vorm Hause,
> Bleckt die Augen,   sein Bart ist lang,
> Kliebt die Klauen,   will's Kind holen.
> Der Geißensohn   ist geitig auf Streit.

Traumstrophen, Geisterstimmen. Sie haben oft ihren eignen Stil, bezeichnet durch lyrische Wiederholungen. Sie berühren sich mit Seherinnenrede (§ 38 Ende). Gehäuft stehn solche geträumten Wahrsagestrophen, die ein blutiges Gefecht des Jahres 1238 ankündigen, in Sturlas Isländersaga[4]); der größere Teil geht in den freieren 'eddischen', den innerlich älteren Formen. Zwei Beispiele:

> Tot ist der Häuptling, tot ist der Tapfre,
> Tot sind die Gesippen, die Feuerwelt gerüstet,
> die Feuerwelt gerüstet,
>
> Es dunkelt zur Bö, es regnet Blut,
> Es stiebt der harte Helmstrunk vom Rumpf.

Liebesstrophen, Mansöngsvísur (Mädchenliedstrophen). Von neun namhaften Skalden sind uns solche Gesätze bewahrt; zu unterscheiden von den erotischen Preisliedern § 111, zuweilen eigens als Stegreif bezeichnet. Der große Erotiker war Kormâk, um 950, der Jüngling mit dem keltischen Namen und dem schwarzen Kraushaar. Die Bedrohung der Liebesverse mit Waldgang dürfen wir nach den vielen Sagaberichten zu der blassen Theorie des isländischen Rechtsbuches zählen. Die wenigsten dieser Mädchenstrophen könnten einem Kirchenmann das 'turpe et luxuriosum' entlocken. Vereinzelt spielt der Liebesvers ins Bäurisch-Derbe hinüber; dann setzt es die Zote der Hohndichtung (s. u.). So in dem einen Gesätze Kormâks, worin sich der erotisch unschlüssige Dichter als bespringenden Hengst wünscht[5]). Gegen den Minnesang gehalten, ist dieser nordische Mädchen- und Frauenpreis stoffhaltiger, erdenfester; die Liebe denkt hier nicht in Tönen, sie schwelgt auch nicht in Gefühlszergliederung. All diese Gesätze tragen das skaldische Prachtkleid.

Die Gruppe der *Spott-* und *Scheltstrophen* neigt wieder zu dem schlichteren Vers- und Sprachgewand. Zum Teil sind es die ernsthaft-ehrabschneiderischen *Nîdvísur*, die Schimpf- oder Schmachstrophen, die man vor Gericht ziehen konnte, und denen man unter Umständen dämonische Wirkung zutraute[6]). Es ist ziemlich der einzige Winkel in unsrer stabreimenden Dichtung, wo das Unzüchtige gedeiht mit der besonderen Neigung nach Männerliebe und Sodomie. Zahlreicher sind die harmloseren Neckverse: z. T. geistreiche, hoffähige Strophen, z. T. leichtgeschürzte Vierzeiler von bäurischem Humor, dem mancher Schnaderhüpfl zu vergleichen. Auch gruppenweise, als belebtes Hin und Her über Tische, kommen solche *kvidlingar* 'Sprüchlein' vor[7]); ein Ansatz zu dichterischen Scheltszenen (§ 90).

Diese höhere und geringere Spottdichtung kennt schon das Mittel der *Parodie*. Ein Hofskald ergötzt den König auf dem Spaziergang, indem er die Balgerei zwischen Schmied und Gerber als Kampf Sigurds mit Fafnir verkleidet[8]), und die angeheiterten Gäste auf einer isländischen Hochzeit wenden eine Strophe aus Harald Schönhaars Tagen, die von der Zauberei des Königssohnes sprach, auf das Rülpsen eines Tischgenossen[9]).

[1]) Heimskr. 2, 112ff. 169ff. (Thule 15, 99f. 140ff.).   [2]) Landnâmabôk (1900) 100/214. Vgl. M. Olsen. Norges Inskrifter 2, 690ff.; W. H. Vogt, ZsAlt. 58, 167; F. R. Schröder, GRMon. 1922, 12.   [3]) Hauksbôk 332 (Skjald. 1, 372), spaßhaft in einer geschichtlichen Novelle verwendet. Gewiß nur zufällig, aber lehrreich ist die Ähnlichkeit mit den zwei Distichen der Anthologia Palatina IX 745, bei August Oehler, Der Kranz des Meleagros von Gadara (1920) 110f.   [4]) Sturl. 1, 517—21, dazu 1, 494. 508. 510. 514 (Skjald. 2, 147f. 153ff.).   [5]) Skjald. 1, 168 (Nr. 3) unter die Namenlosen verbannt. — Die Verse über Ingolf, o. § 35 Anm. 1, sind keine Liebes- und Tanzpoesie, vielmehr Spottverse der harmlosen Art, übrigens im Hofton, wenn auch in einer schlichteren Spielart.   [6]) Morkinskinna 243, f.; Flateyjarbôk 1, 212. Hier könnte irischer Einfluß im Spiel sein; vgl. Zimmer, Kultur der Gegenwart XI 1, 50f., Thurneysen 69f. Zur nord. Schmähdichtung: E. Noreen Studier 2, 37ff., Den norsk-isländska poesien 244ff.   [7]) Sturl. 1, 20; vgl. 343, 6ff. [8]) Morkinskinna 235f.   [9]) Sturl. 1, 20, verglichen mit Heimskr. 1, 150 (Thule 14, 124).

89. Ursprünglich gehörten die Losen Strophen einfach zum Überlieferungsstoff der geschichtlichen Sagas. Aber man empfand sie früh auch als gefälligen Schmuck, daher denn manche Erzähler eigene hinzudichteten. Als im 12. Jahrh. auf Island die Vorzeitssaga, im besondern der Abenteuerroman, aufkam (§ 196), stattete man ihn ebenfalls mit solchen Einlagen aus, d. h. man legte den Gestalten da und dort eine versgebundene Rede in den Mund[1]). Heldenromane, die auf Liedgrundlage ruhten (§ 197) konnten den Strophenschmuck einfach aus ihrer Quelle, dem Lied, stehn lassen. Das ergab Lose Strophen zweiter Hand.

Wir haben hier also Kleinlyrik aus sagenhaften Rollen. Bloße Nachahmung der geschichtlichen Lausavîsur war das doch nicht. Märchen und Volkssagen schieben Redestrophen ein, gern als übernatürliche Stimmen[2]). Das dürfte man schon im 12. Jahrh. gekannt haben. Auch von den Strophen der Vorzeitssagas fällt ein großer Teil auf Tote und Fabelwesen. Im übrigen sind Inhalt und Tonart der Einlagen ähnlich mannigfach wie in der Kleinlyrik des Lebens. Die Versform aber ist meistens die schlichte der Eddafamilie.

Was an isländischen Wikingsagas um 1200 zu dem Dänen Saxo gelangte, war reich an Losen Strophen, und Saxo hat an diesen Zierstücken seine eigne Dichterkraft so lebhaft betätigt, daß z. B. die Täuschung entstehn konnte, Starkads Strafrede an den frechen Goldschmied mit ihren 92 Hexametern (S. 287ff.) sei ein selbständiges Heldenlied, und zwar ein dänisches der Heidenzeit[3]), während die Armut an wirklichen Motiven und das Vorwiegen des Saxonischen Moraltons auf ein paar Lose Strophen deuten als Schmuck einer isländischen Starkadsaga.

Über das Muster der geschichtlichen Saga ging der Vorzeitsroman hinaus, indem er ganze *Gruppen* von Lausavîsur baute mit Rede und Antwort, kleine Gesprächsszenen in Versen. Die Grenze gegen das abgerundete Gedicht ist unfest; besonders bei lückenhafter oder bei zweihändiger Bewahrung (wieder bei Saxo) kann man zweifeln[4]). Es gibt gutbewahrte Versdialoge von ziemlichem Umfang, die mit der umgebenden Saga so verwachsen sind, daß sie, als Lied für sich vorgetragen, nicht klar oder nicht gewichtig genug daständen[5]). Umgekehrt hat ein nur zweistrophiges Gespräch zwischen den göttlichen Eheleuten Njörd und Skadi als Einheit für sich gelebt — wenige Prosaworte genügten zur Einführung —, so daß ein Sagamann das zierliche kleine Ding ohne Umstände in einen neuen, irdischen Rahmen stellen konnte[6]).

Die Saga mit eingestreuten Losen Strophen, diese *gemischte Form* nach dem Grundsatz: die Erzählung durchweg in Prosa, die Reden zum Teil in Versen, ist nach Wesen und Ursprung verschieden von dem Erzähllied in lauter Rede, dem ungemischten, einseitigen Ereignisgedicht (§ 139): hier haben die Verse das Amt des Erzählens übernommen. Gegen alle Tatsachen der Überlieferung aber streitet die Meinung: die isländische Prosa mit Lose-Strophenschmuck führe uns die geschichtliche Vorstufe des Erzähllieds vor Augen, die genetische Zwischenstufe zwischen reiner Prosa und reinem Versgedicht[7]). Mag man dieser Zwischenstufe anderwärts im Weltschrifttum habhaft werden: für die Germanen ist unerwiesen, daß sich das Versgedicht zollweise gegen die Prosa durchgesetzt habe. Die Sagaeinlagen der Isländer rufe man dafür nicht als Zeugen an! Noch mehr ging man irre, wenn man aus dieser gemischten Form 'das eigentliche Epos', nämlich die große Erzählung in stichischen Versen, erblühen ließ[8]). Die Vorzeitssaga mit Redestrophen ist ein sehr abgeleitetes Gebilde und verdient keinen Platz in Stammbäumen urmenschlicher Erzählformen.

---

[1]) Edd. min. Nr. 18. 22; Genzmer I Nr. 33.   [2]) Kahlo, Die Verse in den Sagen und Märchen 1919.
[3]) Olrik, DHelt. 2, 52ff. Dagegen Herrmann, Erläut. 2, 446ff. Für ein Lied, doch jüngeren Alters, entschei-

den sich Schneider; Germ. Heldensage 2, 136ff., und Ranisch, ZsAlt. 72, 117 (1935).   [4]) Edd. min. Nr.
11 B. Die Versstrecken bei Saxo 27—30; 68—72 hielt Olrik für Lieder, a. a. O. 2, 284.   [5]) Edd. min.
Nr. 2. 12—15. Gleiches gilt von monologischen Rückblicksliedern, s. u. § 143.   [6]) Edda 311 Nr. 2 und
Saxo 53ff. Als Bruchstück größerer 'Njarþarmâl' (Flom, Scandinavian Studies 1, 259) kann man sich das
Strophenpaar schwer denken.   [7]) Schück 13f. ˙Vgl. u. § 140.   [8]) Vgl. Burdach, Die Wissenschaft
von dt. Sprache (1934) 161.

90. Unter diesen Strophengruppen befinden sich eristische: *Streit-* und *Scheltszenen* unter
Helden oder auch zwischen Helden und einem Unhold[1]). Wir erinnern uns an Anläufe dazu
in der Stegreiflyrik der Bauern (§ 88). Aber auch ohne Verse, in kräftiger Prosa, konnten diese
zungenfertigen, durch die Dingrede geübten Gesellen Zankreden wechseln, die bei den Sagamännern lange dramatische Auftritte ergaben. Es bildete sich auch darin ein Herkommen
und eine Art Technik.

Solche Vorbilder aus dem wirklichen Leben wird man heranziehen müssen für die großen
kunstmäßigen *Scheltgedichte* der Edda, die wir als entwickeltere Sproßformen an die Gattung
Kleinlyrik anschließen.

Es sind zwei Heldengedichte: das Zankgespräch mit der Riesin Hrîmgerd und Örvar-
Odds Männervergleich; sodann zwei Göttergedichte: Thor und Odin im Männervergleich (*Hârbardsljôd* 'Graubartlied') und Lokis Zankreden vor versammelten Göttern (*Lokasenna*)[2]).
Namentlich die beiden letzten, Werke von kühner Eingebung und viel Können, bilden ihren
eignen Typus in der eddischen Reihe.

Verse aus Dichters Munde, berichtende Verse sind hier von vornherein ausgeschlossen:
wir sollen die Figuren vor uns sehen und hören wie im Leben, ohne Mittelsmann. Aber soweit
ginge noch die eine Gruppe der Erzähllieder mit, die einseitigen. Von der epischen Menge
trennt unsre Scheltgedichte der entscheidende Umstand: sie haben *keine Fabel*, sie wickeln
keine Geschichte, keinen Mythus ab. Sie halten ihre Figuren in einer geschickt erfundenen
Lage fest, die den Wortstreit ermöglicht. Die Wechselrede ist nicht Mittel der Erzählung,
sondern Selbstzweck. Die Spannung richtet sich darauf: wer gibt dem Andern besser heraus?
Der Name 'dramatische Szene' träfe diesen Sachverhalt nur halb.

Den Graben gegen das Erzähllied dürfen wir doch nicht zu tief ziehen! Auch dort gibt es
einmal ein ausgesprochenes Zankgespräch, entbehrlich für die Fabel, mit ähnlichen Spitzen[3]).
Die lange Zwiesprache zwischen Jung Sigurd und dem Drachen hat wenig epischen Fortschritt
und könnte als Redekampf für sich dastehn. Anderseits, die zwei Heldengedichte, die wir eben
als Zugehörige der Scheltgattung nannten —: ganz ohne Beitrag zur 'Geschichte' sind sie nicht.

Die fließende Grenze also zugegeben, glauben wir doch die eristische Gruppe nicht einfach
als Ableger der Gattung Erzähllied fassen zu sollen. Das Eigene an der kleinen Gruppe hat
seine besondre Wurzel. 'Umkleidung wirklicher Wortkämpfe ins Heroische oder Mythische':
diese Formel zeichnet den Abstand von der großen Erzählklasse. Zugleich aber den Abstand
von dem Kleinzeug der Spottverse usw. Mögen die uralt und gemeinmenschlich sein: die
stattlichen Schöpfungen der sagenhaften Szenen verlangen andre Maßstäbe.

[1]) Edd. min. Nr. 13—15; bei Saxo 198—202.   [2]) Edda 139ff.; Edd. min. Nr. 12; Edda 75ff. 93ff.
Bei Genzmer I Nr. 21 B. 29; II Nr. 8. 9.   [3]) Helg. Hund. I Str. 32ff.

91. Buchstäbliche 'Umkleidung' sehen wir bei Örvar-Odds Männervergleich, denn der ist
freie Nachahmung des prachtvollen Gesprächs zweier Norwegerkönige im Jahr 1113: einer
Glanznummer in den isländischen Königssagas[1]).

Männervergleich war Kunstausdruck für eine beliebte 'Biersitte'. Er bestand darin, daß der eine den andern durch Herausstreichen seiner Großtaten übertrumpfte. Dieses planmäßige, gepflegte Selbstlob nimmt sich gewachsener aus bei Völkern, die in höherm Grade wettkämpferisch (agonal) erzogen sind, so wie die Kelten, die Franzosen, die Südslawen. Der verschlossenere Nordmann dürfte den Anstoß zum Männervergleich von den irischen Nachbarn empfangen haben[2]). Das meint, die 'Biersitte' lernte er von dort: die überlieferten Männervergleiche in Prosa und Versen bedeuten keine literarische Nachahmung keltischer Muster. Wie solche Zwiesprachen Anregungskraft für Dichter hatten, zeigen die französischen *gabs*, die in Gesellschaft geübten Prahlereien: auch die konnten zum Hauptmotiv einer epischen Dichtung werden[3]).

Künstlerisch wird der Männervergleich, wenn sich die Partner kräftig abschatten. In dem geschichtlichen Fall von 1113 bilden der heißblütige Kriegsmann und der bedachtsame Kulturträger gute Gegensätze. Davon hat der Örvar-Odd-Dichter seinem Sagavorbild nichts abgelernt. Um so besser versteht sich darauf der Dichter des Graubartlieds; das Modell des Männervergleichs befolgt er im übrigen viel freier. Dem Gegensatz der beiden Götter hat er lustige Wirkungen abgewonnen, ohne ihn auf eine gedankliche Zweiheit, etwa 'Geist und Kraft' oder 'Bauer und Krieger', zu stellen. Als richtiger Gestalter weiß er Odins Überlegenheit herauszubringen und uns über Thor lachen zu machen, ohne daß der verächtlich wird; er gibt keine Thortravestie. Sein Spott hat die im alten Norden seltenere Art: er zerreißt nicht, er treibt im Grunde wohlwollendes Spiel. Nirgends in unsrer germanischen Überlieferung geht die Vermenschlichung der Götter so weit.

Dazu stimmt der Blick fürs Werktägliche; und wie hiergegen wieder die hohen Klänge der Götterpoesie wirken, darin liegt parodistische Begabung. Weil dem Dichter Zankreden des Lebens im Ohre klangen, ist sein Werk gedacht und ausgeführt in ganz zwangfreier Form im großen und kleinen, im metrischen und sprachlichen. Ungleiche Stile geben sich ein Stelldichein, und der Zeitfall wechselt zwischen barer Prosa, holprigen und glatten Versen beider Maße. Unsre stabreimende Dichtung kennt nirgend desgleichen. Urtümliche Unkunst ist dies nicht, im Gegenteil ein Ausfluß artistischer Freiheit. Die Folge ist der Eindruck des Hingeworfenen, Taufrischen und des Lebensnahen, wie wir ihn sonst mehr von der Saga als vom Gedicht empfangen. Wir sehen da neue Möglichkeiten der isländischen Dichtkunst; Wege zu einem bäuerlichen Lustspiel ... Aber dieser kecke Formsprenger blieb, soviel wir sehen, allein, und es ist schon ein Wunder, daß der Gang vom Dichtermund zu unsrer Abschrift so wenig ins gewohnte Richtmaß gerenkt hat!

'Lokis Zankreden' sind ebenso verwegen, aber auf andre Art. Mit der *Form* stehn sie auf gutem Fuße: in 65 tadellosen Sechsversstrophen knistert und sprüht eine feurige Rednergabe. Der Grundplan ist diesmal der, daß Einer eine ganze Gesellschaft, der Lästerer Loki seine zechenden Mitgötter anpackt und ihre Antworten überlegen zurückschlägt. Dies hat wieder nahe Gegenstücke in der lebenstreuen Saga, nicht unter Königen, aber unter Großbauern. In Versen ist es der einzige Fall, daß Wechselrede so über den einfachen *Duolog* hinausstrebt. Hinzu erfand der Dichter eine meisterlich einführende Zwiesprache vor der Halle und einen ebenso guten Schluß: Thor poltert herein und weist dem witzigen, bis zuletzt überlegenen Frechling mit dem Hammer die Tür.

Die Stärke des Gedichts liegt in dramatischen Tugenden: wie die Reden ineinander fassen, ohne Stocken, mit beweglichen Gelenken; und wie sich die Köpfe auf engem Raum abzeichnen: die sieben Götter und sieben Göttinnen bringen es in ihren 1—2 Strophen, nebst denen worin Loki sie spiegelt, zu einem achtbaren Grad von Bildnis; der Vortrag konnte da viel nachhelfen; lebendig, beseelt sind sie alle. Um die Erfindungskraft abzuschätzen, müßten wir wissen, was dem Dichter an Mythen vorlag. Der Einförmigkeit im Stofflichen — besonders bei den Weibern dreht es sich um eitel Buhlerei — wirkt der geistreich veränderte Ausdruck entgegen. Loki selbst, als der Zyniker und ruhmredige Don Juan, ihn hat doch wohl dieser Verfasser weit über das Bisherige hinausgeführt. Für die Kleinmalerei des Graubartliedes haben wir hier grelle, breite Striche; seiner Schalkhaftigkeit steht ein bissiger Hohn, seinen Alltagsklängen eine pathetische Leidenschaft gegenüber. Die höchst ungewaschenen Derb- und Lüsternheiten verknüpfen das Gedicht mit den Schmachversen des nordischen Lebens (§ 88); sie sind durchweg den künstlerischen Zwecken dienstbar.

Mit Überfracht an Namen belastet sich keins der beiden Werke: der Unterschied von den großen Merkgedichten in § 80 ist handgreiflich. Wohl rechnen sie beide mit ihren hundert Anspielungen auf Hörer von gediegener Mythenkunde und feinem Hinhorchen; aber das ist Unterlage für das dichterische Spiel. Hier wird nicht katechisiert; hier gibt es keine 'Erstens . . . zweitens . . . drittens'; von merk- und lehrhaftem Tone ist in Hârbardsljôd und Lokasenna wenig zu spüren! Vergleichen wir mit dem katalogischen Vafthrudnirlied, so sehen wir recht, ein wie ander Ding es ist, ob ein Kampfgespräch Inhalt oder nur Hülle sei.

Auch von Lehrhaftigkeit in anderm Sinne, von politischer oder religiöser oder sittlicher 'Tendenz', dürfen wir die Gedichte freisprechen. Wer für ihre Schalkslaune offen ist, wird sich sagen: reines Spiel — oder reine Kunst![4] Die 'Verderbnis der Götterwelt' soll hier nicht tragisch, Lokis oder Odins Lästersucht nicht empörend wirken. Oder sagen wir, sie braucht es nicht! Denn alle erdenklichen Auffassungen konnte die Neuzeit herausholen, und die meisten vertrugen sich mit der Schätzung der Gedichte. Das ist am Ende auch ein Erfolg des Dichters!

Zwar können auch fromme Göttergläubige über ihre Jenseitigen scherzen, aber bei unsern zwei Gedichten ist gar kein Grund, an heidnische Entstehungszeit zu denken: sie fügen sich am besten zu dem bekehrten Isländer, der die entthronten Götter, wie ja vor Augen liegt, keineswegs unwirklich oder gleichgültig fand und sie nun, wo er den freien Blickpunkt hatte, wo ihn niemand mehr für das 'Anbellen' der Götter in Acht tat, um so selbstherrlicher umdichten konnte.

[1] z. B. Heimskr. 3, 290ff. (Thule 16, 224).   [2] Dafür trat Holger Pedersen ein: Festskrift til Ussing 185ff. Über die wettkämpferische Gesittung der Südslawen sieh Gesemann, Der montenegrinische Mensch 87ff. (Jahresbericht der dt. Universität in Prag 1934). Mit der nordischen Sitte hat man wieder die Prahlreden der russischen Bylinen zusammengebracht: Rožniecki, Varægiske minder (1914) 236ff.   [3] Voretzsch, Einführung in die altfranz. Lit.³ 182f.   [4] Ker, Epic and Romance (1897) 47f. H. de Boor spricht beide Gedichte für das gläubige Heidentum an: Dt. Islandforschung 1, 130 (1930) und Germ. Altertumskunde 384ff. Die sprachliche Form weist doch wohl auf viel jüngere Zeit (Kuhn, Beitr. 60, 444), desgleichen das Vorkommen später Motive (Lok. 60, 62; Harb. 26). Sieht man in dem Graubartlied eine wohlbewahrte Stegreifform, dann wird man sich zwischen Dichter und Niederschrift wenig Glieder denken können.

92. Nach Inhalt wie Äußerm haben diese kecken Unterhaltungswerke ebenso vielfältige Voraussetzungen wie die Memorialstücke in § 80f. Wir sind hier ebenso weit ab vom Gemeingermanischen, wenn auch in andrer Richtung. In keinem andern Germanenlande als Island war diese Weise der Auseinandersetzung mit den heimischen Göttern in dieser hochgezüchteten Kunstform denkbar.

Die beiden Götterlieder sind Unica, vielleicht in der Weltliteratur. Mit den 'Streitgedichten' des mittlern Europa, den *débats*, haben sie nach Art und Abkunft nichts zu tun. Diese kirchlich-lehrhaften Werke, Erbschaft der Antike, handeln abstrakte Vorwürfe ab: Sommer gegen

Winter, Ritterstand gegen Pfaffenstand. Während jene nordischen nur Leben, Fleisch und Blut, Menschenbilder zur Unterhaltung hinstellen.

Graubartslied und Lokis Zank sind Hauptzeugen für den Humor der Isländer und für ihre dramatische Fähigkeit. Nach diesen zwei Richtungen bezeichnen sie das Äußerste, was altgermanische Verspoesie erreicht hat. Beide Begabungen haben sich, nicht stärker, aber viel breiter und mannigfacher, in der geschichtlichen Isländersaga ausgelebt.

Bei unsern zwei Gedichten sagt man sich: nur die Zufälle des Kulturlaufs haben gehindert, daß diese Anlage zu einer Bühnendichtung führte, einer vom Mysterium und von Seneca und Plautus ganz unabhängigen Bühnendichtung!... Oder war die Lokasenna ein Bühnenstück? Als solches druckte sie Gräter im Jahre 1789 und genau hundert Jahre später wieder ein Forscher[1]).

Zu mimischem Aufführen in Verkleidung hätte es einen Apparat gebraucht, der in den Sagas doch wohl mal durchblicken müßte. Bloßen Vortrag mit verteilten Rollen könnten wir nicht widerlegen, doch traute man ihn eher dem Graubartlied mit seinen zwei Sprechern zu als der Lokasenna mit ihren siebzehn. Da wir die Kunstform an Scheltgespräche des Lebens lehnen, können wir sie schon als Schritt zum Drama anerkennen; aber eine stufenweise Entwicklung des Erzählliedes zum Schauspiel, dies ist hier so wenig wie in andern Ländern erfolgt[2]).

[1]) Gräter, Nordische Blumen 209; Hirschfeld, Acta Germanica Heft 1.   [2]) Diese Entwicklung hatte Julius Hoffory in einem (ungedruckten) Vortrag 1889 verfochten, wobei er das Skirnirlied, ein entschiedenes Erzählgedicht, als Vorstufe der Lokasenna nahm. Von einem 'wirklichen Drama, an welchem mehrere Vortragende teilnehmen konnten', sprach auch G. Vigfússon, Sturlungasaga 1, CLXXXIX. Etwas ganz andres ist es, wenn B. Phillpotts die Scheltgedichte zu den ritualen Festspielen (Maifeiern) stellt: The elder Edda 112. 156ff.; vgl. o. § 37 Anm. 2.

XII. RÜCKBLICK AUF DIE NIEDERE DICHTUNG

93. Stellen wir an die hinter uns liegende Kleindichtung etliche allgemeinere Fragen! Ließe sie eine Gliederung nach dem *Alter* zu? — Manches haben wir da und dort als jünger und räumlich begrenzt angesprochen. Im großen genommen, scheinen uns diese fünf niedern Gattungen auf ei n er zeitlichen Fläche zu liegen. Alle fünf werden schon urgermanisch ihre Vertreter gehabt haben, sicherlich auch die Spruchdichtung in ihren kleineren Gebilden: bei ihr fehlen die äußern Zeugnisse. Eine weitere Frage wäre, ob nur ein Teil dieser Gattungen über den Stabreimvers, über die Germanen zurück reicht. Manche werden der Ritual- und der Zauberdichtung den Vorzug steinzeitlichen Alters geben wollen. Wie dem sei, im Bilde eines Stammbaums kann man die fünf Gruppen nicht anordnen: keine von ihnen hat sich *aus* der andern *entwickelt*. Wie der Hymnus neben dem Merkvers (§ 71), so steht das Sprichwort neben der Zauberformel, das Spottliedchen neben der Grabschrift selbwachsen da.

Einen bestimmten *Schauplatz* dürfen wir von sehr vielen der besprochenen Arten nicht verlangen. Andremale zeichnen sich diese Orte des Vortrags oder der schriftlichen Eingrabung ab: Der Tempel mit seiner Umgebung § 36f., die Ding- oder sonstige Versammlungsstätte 41f., die Schlacht und das Heerlager 45f. 84; der Acker 39 und das freie Feld 43, wo man Denksteine und Hügel errichtete 40. 44f. 56. 73, die begangene Brücke 85, die Seefahrt 87; endlich die Wohnstube 36. 38. 85. 88, der Arbeitsraum 84. 88. Auch die Herrenhalle spielt schon ein paarmal herein 77ff. 87.

Die besondern *Anlässe*, die den Germanen zum beruflosen Dichten führten, sind: Gottes-

dienst nebst Weissagung und Zauber § 36f. 39. 71?; 38. 48ff.; der Krieg 46 und das Rechtsleben 41f. 59. 72; Hochzeit und Tod 43ff. 53; Arbeit und gesellige Lustbarkeit 84f. 88.

Das durchzieht ja so ziemlich das ganze Menschenleben. Doch ist damit über die *Dichtigkeit* der poetischen Hervorbringung kaum etwas gesagt. Was unsre so zerstreuten, zufälligen
Quellen am wenigsten beantworten, ist die Frage: wieviel bei dem einzelnen Stamme und zu
bestimmter Zeit vorhanden war.

Als eine an Kleindichtung reiche Volksgemeinde können wir nur die Isländer mit Zuversicht bezeichnen. Was wir von dem England des 8. Jahrh. wissen, bezeugt mehr eine Blüte
des höhern, literarischen Betriebs. Friedliche Zustände sind nicht nötig für breite Entfaltung
einer Volkskunst, auch der isländische Freistaat hatte nur 2—3 verhältnismäßig ruhige Menschenalter; aber die Schicksale nicht weniger Germanenstämme durch Jahrhunderte hin
boten schwerlich die Bedingungen zur Pflege einer dichten und mannigfachen Kleinpoesie. Womit das Schaffen einzelner Hofsänger nicht geleugnet wird.

An mehreren Stellen sahen wir größere Gebilde, z. T. von starker Eigenart, über die
Fläche aufwachsen: die nordischen Zauber- und Runenkataloge § 54 und 57, die Spruchhaufen
und Sittengedichte 64—66, die englischen Rätsel 69, das englische Runenlied, den englischen
Weitfahrt und die langen nordischen Merkgedichte 76—82; die großen Scheltszenen der Edda
90—92.

Lassen wir die hier aus dem Spiel, so wird wohl gelten: das meiste der von uns durch-
wanderten Dichtung ist (oder war) gattungsmäßig bei vielen Völkern daheim: es kennzeichnet
eine Kulturstufe, nicht einen Stamm.

Einen Vorzug hat die germanische Überlieferung darin, daß in den klassischen Literaturen,
auch in der altindischen, von diesem Stockwerk Spärliches übrig ist, und daß bei Romanen
und Slaven diese Schicht erst in viel jüngeren, meist auch innerlich jüngeren Vertretern ansteht.
Die germanischen Reste stammen aus Zeiten, da diese Kleindichtung noch nicht unter die
höheren Stände hinabgerutscht war. Dadurch sind sie so wertvoll.

Eine andre Frage ist, worin das bezeichnend Germanische dieser Reste liege. Wohl wesentlich in ihrem metrischen Stil. Der stabreimende Vers hat einen Zeitfall nur sich selbst gleich,
und aus diesem Zeitfall vernehmen wir etwas von Volksart. Unsre Versproben in Ursprache
und Übertragung, mit oder ohne Lesehilfen, werden das in § 26ff. Hingestellte verdeutlicht
haben, so daß es keine weitern Beispiele braucht. Und dieser metrische Stil prägt gutenteils
den sprachlichen; wir haben auf diesen Einklang ein paarmal hingewiesen. Absehn wir hierbei
von den skaldischen Kunstformen, die ihren Bereich (besonders in § 87) in andrer Weise von
dem Gemeinmenschlichen abrücken.

94. Wer dichtete und wer trug vor?

Diese beiden Dinge hielt man noch nicht auseinander. Noch an vielen Sagastellen kann
man *kveda*, eigentlich 'vortragen, hersagen', ebenso passend mit 'dichten' übersetzen. (Zwei
Beispiele § 101f.) Das rührt aus Zeiten, wo Stegreif überwog. Wer Verse sprach, mußte sie
gemacht haben. Und an das Sinnenfällige, den Vortrag, hielt man sich.

Ein paarmal hat schon der berufliche Hofdichter, ein paarmal auch der schreibende Geistliche in unsern Kreis geragt (§ 64. 69. 76f. 79). Im übrigen sind wir geneigt, auf die eben ge-
stellte Frage zu antworten: jedermann!

Cum grano salis ... Auch in Zeiten, wo das Handwerk nicht beruflich gesondert ist, zim-
mert der eine, webt die eine besser als andre und genießt Achtung dafür. So auch beim Dichten.

Wegdenken müssen wir uns nur den erwerbsmäßigen Betrieb und alle Standesschranken. Einen Teil der Verse verwaltete zumeist der Priester, einen Teil der Rechtsprecher. Aber Priester und Rechtsprecher standen mitten im bäuerlichen Volk, und jeder konnte ihnen nachsprechen, es brauchte keine Weihen dazu. Vollends die 'Alten und Kundigen' oder die Zauberer, die waren keine Kaste. Das Hofgefolge aber als besondre Pflanzstätte der Dichtung, dies bezeichnet scharf die beiden *höheren* Gattungen. Preisgedicht und Erzähllied.

Wenn für England das Wort fiel: die weltlichen Gattungen bis auf das Rätsel seien im Kern Adelspoesie[1]), so hat dies den ganz besondern Grund: unsre englische Überlieferung stammt von Geistlichen, und deren Tonart hatte laute Klänge aus dem adligen, höfischen Preis- und Heldenlied aufgenommen. Wo die germanische Kleindichtung ihre eigenen, unklösterlichen Wege gehn durfte, da gehörte sie allen Ständen: kaum ein Teil reichte nicht über den Hofadel hinab, eher reichten manche Teile nicht bis zum Hofadel hinauf; man denke an die Zauberdichtung oder Sächelchen wie in § 62f.

Frauen sind uns in der nordischen Kleinlyrik mit auffällig schwachem Anteil begegnet (§ 87); außerdem nur noch im Zusammenhang mit Hausopfer und Wahrsagung (§ 36. 38). Was die hilfsbereiten Nonnen im Frankenreich zu den *winileod* beitrugen, blieb offen (§ 86). Ferner wird der Zauberspruch ohne das Kräuterweib, die Ärztin, kaum zu denken sein. Auch die Frauen, die sich auf Denksteinen nennen, mochten den Nachruf selbst verfaßt haben[2]). Schließlich konnten Sittensprüche, Rätsel und Namenreihen weiblicher Begabung liegen, und es blieben als unbedingt männliche Arten nur die zu Krieg, Rechtsleben und Männerarbeit gehörigen.

[1]) Brandl 963.   [2]) Neckel, GRMon. 1909, 94.

95. Geübtes, geschultes Dichten schreiben wir dem Kreise der niederen Gattungen, damit also auch der urgermanischen Zeit nicht zu. So *fehlt* denn auch ein gemeingermanisches Wort für den *Dichter*.

Von den beiden nachmals üblichen Ausdrücken, *Skop* und *Skáld*, ist der erste nur westgermanisch, der zweite nur nordisch; wir halten sie für Neuprägungen der höhern Stufe (§ 98). Weiter spannt das Wort *Thul*: es ist dem Englischen, Dänischen und Westnordischen gemeinsam (ae. *þyle*, an. *þulr*). Aber ein Name für den Dichter war es nicht. An jungen nordischen Stellen nähert es sich diesem Sinne, nie jedoch in dem technischen Gebrauch, der den Wörtern Skald und Skop zukommt[1]).

Auf die ursprüngliche Bedeutung von *Thul* führen uns die ältesten, die englischen Quellen. Er war ein 'orator' (so heißt er in Glossen), aber in ganz bestimmtem Sinne. Die Verbindungen 'Unferd, der Thul' und vor allem 'Thul des (Königs) Hrodgar' fordern den Begriff des Amtes. Das Amt des Dichters war es nicht; das sehen wir an Unferd klar.

Der Thul war der *Rat* des Fürsten. Das Amt, das Geschichte und Heldensage der Germanen in vielen scharf umrissenen Trägern zeigen. Wir nennen aus der Sage Iring, Sabene, Sibeche, Berchter; Bikki, Bruni, Bölvîs-Bilvîs. Meist sind es unheimliche oder gradezu verräterische Gesellen, wie ja auch der Thul Unferd im Beowulfepos (Z. 587. 1167). Da fällt Licht auf die Beziehungen des Hofsängers zum Thul, des musischen zum praktischen Manne. Man denke an Tasso und Antonio! Mit freundlicheren Augen sieht die Heldendichtung auf das zweite Hofamt, das kriegerische: den Gefolgschaftsältesten, den Waffenmeister (§ 12). Der bekommt Vertreter wie Hildebrand, Berchtung, Hagene, Wate, Starkad. Doch ist die Grenze der beiden Typen unfest — wie alles Amtliche bei den Germanen!

Königs Ratgeber, lesen wir in isländischen Königsgeschichten[2]), hieß der angesehenste Mann bei Hofe, bejahrt und gescheit. Die Könige pflegten seit alters bejahrte Weise um sich zu haben zur Belehrung über die Sitten der Vorzeit und darüber, wie es ihre Ahnen gehalten hatten. Dieser Mann hatte seinen Platz gegenüber dem König auf dem minderen Ehrensitz.

Da ist der alte Name erloschen, die Sache bewahrt. Wir sehen den *Thul* vor uns samt seinem Thulstuhl *(þularstóll)*. Der *þyle* des englischen Epos sitzt übrigens noch zu Füßen seines Königs, das wird das ältere sein.

Der Kern am Thul ist das *höfische Amt*. Sein Wissen ist *geschichtlicher* Art; es gilt der alten Sitte und Politik. Er mochte seine Vorzeitsbelehrung auch in Versen von sich geben: in Spruchstrophen, in Merkreihen. Die Art seines Hersagens hatte wohl etwas Kenntliches, verschieden vom Vortrag des Hofdichters. Darauf deuten die Ausdrücke *þula* für die ungegliederte Verskette (§ 70) und das Zeitwort *þylja*: ihm sichert das Neuisländische den Sinn 'eintönig hersagen, murmeln'.

In altnordischer Dichtung hat *þulr* Bedeutungen, die sich leicht an den vermuteten Ausgang knüpfen. Das höfische Amt ist verschwunden; geblieben ist der 'weise Sprecher, der Redner' oder ähnlich, mit den Beiwörtern 'der alte, der greise', ein paarmal mit Anklang an schwarze Kunst. Den abschätzigen Sinn mag sich *þulr* — auf Island? — zugezogen haben unter dem Druck des vornehmen 'skáld' (wie im alten Irland der 'Fili' auf den 'Barden' drückte). Die Stellen Havamal 111 und 142 liegen diesem Abstieg voraus. — Eine seeländische Inschrift des 9. Jahrh. gibt keine begründeten Folgerungen her[3]).

Zum Kunstausdruck der Dichtlehre hat man 'Thul' ohne Not erhoben. Ein Begriff wie 'Thuldichtung' ist Erfindung des 19. Jahrh.; vollends der Thul 'als Pfleger der gesamten poetischen Überlieferung' (Müllenhoff). In neueren Jahren ging das Bemühen mehr dahin, Kultisches oder Kultisch-Magisches in den Thul hineinzuzaubern. Auch das Urbild des Hofnarren hat man in ihm gesehen[4]).

[1]) Chambers, Widsith 114f.; Olrik, Danske Studier 1918, 27; Liebermann, Gött. Gel. Nach. 1920, 268f.; E. Noreen, Eddastudier 19ff.   [2]) Morkinskinna 289; Fagrskinna 306.   [3]) Das 'þulr á Salhaugum' beurteilen wir mit F. Jónsson 1, 81[1]). Das Amt oder die Würdestellung kann weltlich gewesen sein.   [4]) W. H. Vogt, Stilgeschichte der eddischen Wissensdichtung I: der Kultredner (þulr) 1927 (gut dawider Hempel, Dt. Lit. Ztg. 1929, 1529ff.); Erik Moltke, Acta Phil. Scand. 7, 95f.; de Vries, Arkiv 50, 1ff.; Clarke, The Review of English Studies 1936, 61ff.; Stumpfl, Kultspiele 397; de Boor 342f.

96. Sind die niederen stabreimenden Arten *Volksdichtung?*

Nach allem hier ausgeführten werden wir den Namen willig zulassen. Auszunehmen sind die paar Werke geistlicher Feder. Aber Volks- und Kunstdichtung sind mehrdeutige Wörter man bedenke folgendes.

Einmal, es gibt *Grade* sowohl der Gemeinverständlichkeit wie des künstlerischen Schwergewichts. Auch bei dem isländischen Dichtervölkchen war nicht alles gleichvolksläufig (§ 81). Denkmäler wie das große Sittengedicht, die Rigs-Thula, die Lokasenna bezeichnen eine Höhe, die die feinsten Köpfe ihres Landes erreichten. Man nenne es Kunstdichtung — wenn man damit keine Standesdichtung meint! Kunstdichtung als Gegensatz zur leichten Alltagsware.

Sodann, die stabreimende Kleindichtung war lange Zeit die e i n z i g e der germanischen Völker, und auch nachdem sich die entwickelteren Sproßformen und die höfischen Gattungen darüber gelagert hatten, b l i e b sie der Besitz der Nation von unten bis oben: sie wurde nicht abgeschnürt, nicht herabgedrückt zur Kleineleutedichtung — bis zum Vorherrschen der kirchlichen Bildung. Dies gibt sich zu erkennen, wenn man ihre Zauberverse, Sprichwörter, Rätsel, auch das Kinderliedchen, mit den neueren vergleicht (s. § 51. 61. 68. 88). Versteht man unter Volksdichtung eine Dichtung der untern Kreise, dann ist der Name für uns unbrauchbar.

Legt man das Gewicht auf das freie Schalten der Vortragenden mit dem Ererbten, die fließende Grenze zwischen Dichten und Wiedergeben, so müssen wir bekennen, daß unsre Überlieferung fraglich läßt, wie weit diese Marke der 'Volksdichtung' zutraf. Verneinend ist zu sagen, daß die vier ersten unsrer Gattungen mit ihren sakralen oder sonstwie gebundenen Inhalten dem Belieben des Sprechers Schranken ziehen mußten. Doch sei erinnert an die fünf erheblich gespaltenen Formen des Urfehdebanns (§ 42).

Nehmen wir noch vorweg, daß auch die höfische Dichtkunst nicht nur höfisch war, dann sehen wir: der Gegensatz Volks- und Kunstdichtung trägt für die altgermanischen Zustände wenig ab. Denn: in Sachen der Bildung fielen Masse und Nation noch zusammen.

Nichts weniger als Volksdichtung hätten wir vor uns, wenn man als Wahrzeichen dieses Begriffs den *Chorgesang* verlangte[1]). Hier ist noch einem alten, langlebigen Irrtum zu wehren.

Seit Müllenhoffs Schrift vom Jahr 1847[2]) bis heute hat man die Lehre wiederholt, die Dichtung der alten Germanen habe in chorischem Vortrag, in Massengesang gelebt, bis in die Wanderungszeit die Einzelstimme des Hofdichters auftauchte. Das wäre der Sonderfall eines allgemeineren Gesetzes[3]) ... Kögel nahm wenigstens Zauberspruch, Gnome und Rätsel vom Chorgesang aus (1, 5f.). Aber das genügt noch lange nicht! Man durchlaufe nur unsre Skizze und frage sich, wo denn Massenvortrag bezeugt oder nach den Umständen glaublich ist. Die Antwort lautet: an ganz vereinzelten Stellen.

Die beiden Gattungen Spruch- und Merkdichtung fallen *in globo* außer Betracht; für die versteht sich der nüchterne Sprechvortrag des Einzelnen von selbst. Es wäre vermessen, den beiden Gruppen urgermanisches Alter abzusprechen. Bei der Zauberdichtung war für eine unsichre Nebenart chorische Ausführung zu erwägen (§ 53). Bei der Kleinlyrik erschien geselliger Chorus glaubhaft, wenn es auch um die Bezeugung — in echt germanischer Umwelt — schwach bestellt war (§ 84). Endlich die Ritualdichtung ließ an vier Punkten die Möglichkeit chorischen Vortrags offen (§ 37. 38. 43. 44), an zwei weiteren stellte sie ihn sicher (§ 45. 46); auch in dieser Gattung überwogen weit die Zeugnisse für Einzelrede.

Nun kommt nicht im Ernst in Frage, daß all diese kleinen Arten ihre Monodie oder Sprechstimme erst von der Vortragskunst des Hofdichters gelernt hätten. So zeigt denn der Tatsachenbefund: daran ist es bei den Germanen wahrlich nicht, daß erst die höheren, späteren Gattungen über den Massenvortrag hinausführten.

Einzelgesang gibt es in beiden Lagern, dem niedern und dem höhern. Die uns bewahrte Dichtung rettet nicht viel davon (§ 33). Doch glauben wir den südgermanischen, vorab englischen Zeugnissen gern, daß zu Zeiten in den Fürstenhallen Frau Musica in Ehren stand: Gesang und Harfenspiel, besonders des bestallten Künstlers (§ 99. 107. 122). Schaut man aber weiter und vergegenwärtigt sich alles, das Bezeugte und das Überlieferte, dann wird der Eindruck doch wohl sein: ein sangfreudiger, melodienfroher Menschenschlag, wie heute etwa die Tschechen oder die Italiener oder unter den Deutschen die Thüringer, sind die Germanen unterm stabreimenden Stil nicht gewesen. *Scandinavia non cantat*: das galt damals noch mit wenig Beschränkung. Und Skandinavien hielt doch die germanische Art am ungemischtesten fest. Eine an Masse und Kunst so reiche Kleinlyrik wie die altnordische — *ohne Gesang*: wo hätte dies seinesgleichen?

Was über Tanz und Leich zu sagen war (§ 35), liegt in ähnlicher Richtung. Das von der

Nordische Halle. (Nach Olrik, Nordisches Geistesleben.)

Völkerkunde und der allgemeinen Dichtungslehre erwartete Bild: wie sich aus der tanzenden, singenden Masse gleichsam herausschält die gegliederte Gemeinde, wo der Einzelne etwas gilt und neben dem Gesang das mehr apollinische Sprechen zu Ehren kommt: — wer dieses Bild in anschaulichem Einzelfall bestätigt sehen will, wende sich anderem Stoffe zu als den Dichtresten der alten Germanen. Er wäre denn gewillt, einen hartnäckigen Kampf mit den Quellen zu führen.

[1]) Wie z. B. Bruinier, Das deutsche Volkslied 28.   [2]) De antiquissima Germanorum poesi chorica. Vgl. etwa Chambers, Widsith 13; Unwerth-Siebs 33.   [3]) Vgl. Burdach über Scherers Poesielehre: Die Wissenschaft von dt. Sprache (1934) 161.

XIII. DER HOFDICHTER

97. Aus der altgermanischen Dichtung im engern Sinne bleiben uns noch zwei Gattungen: Preislied und Erzähllied.

Wir nennen sie die höheren; womit wir sie freilich den entwickelteren Sproßformen der fünf niedern Gruppen nicht überordnen wollen. Wir betrachten sie als spätere und nach ihrem Ursprung höfische Gattungen. Sie stellten eine verfeinerte Verskunst, auch einen reicheren Sprachstil hin. Wir vermuten weiter, daß geübte Dichter sie aufbrachten, Hofdichter. Der Hofdichter und die zwei höhern Gattungen entstanden zusammen als Neuerung der Wanderungszeit. Und zwar bei den Goten.

Leider ist unsre Überlieferung zu arm, als daß wir diesen gliederreichen Hypothesenbau beweisen könnten! Aber eine Reihe von Tatsachen ordnet er einleuchtend zusammen.

Gehn wir zuerst den Spuren des Hofdichters nach!

Tacitus kennt bei seinen Germanen keinen Dichter oder Sänger. Und doch hätten Gefolge und Gelage Anlaß geboten, darauf zu kommen.

Als erster erwähnt Priskos Gedichtvortrag an fürstlicher Tafel. Nach dem Schmause bei Attila stellten sich 'zwei Barbaren' dem Herrscher gegenüber und trugen vor unter lebhaftem Anteil der Gäste. (Der Inhalt später, § 107.) Die 'Barbaren' — der nachher vortretende Spaßmacher heißt ausdrücklich 'Skythe' — darf man hier wohl als Goten, nicht Hunnen oder Sarmaten deuten (vgl. § 44 und 35). Jedenfalls überrascht das Sittenbild durch seine Ähnlichkeit mit dem Auftreten des nordischen Fürstenskalden.

Ein höfisches Dichteramt aber wird uns bei Priskos noch nicht lebendig. Auch unsre Gewährsmänner aus den nächsten drittehalb Jahrhunderten reden zwar von Gesang und Harfe bei Hof, aber von keinem Sänger[1]). Die Person des Sängers tritt uns erst in englischen Zeugnissen des 8., 9. Jahrh. entgegen. Ihnen reihen sich an die so viel ausgiebigeren Zeugnisse über den norwegisch-isländischen Skalden vom 9. Jahrh. bis gegen 1300.

Die zwei *Namen*, die hüben und drüben den Dichter bezeichnen, Skop und Skald, stellen vor Fragen.

[1]) Sieh § 107. Der vielberufene *citharoedus*, welchen Theoderich dem Chlodwig schickt, steht außerhalb der germanischen Linie: Rajna, Origini dell' epopea francese 36. Der nordhumbrische Abt Guthbert erbittet sich a. 764 von dem deutschen Bischof Lullus einen *citharista*, 'qui possit citharizare in cithara' (Wackernagel, Lit. 50[14]; Tangl, Die Briefe des hl. Bonifatius 251): augenscheinlich kein Skop; wohl reiner Instrumentalist (vgl. § 101).

98. *Skop* eignet dem englischen und deutschen Gebiet. Das hochdeutsche *scof, scopf*, das auch in Ableitungen und Composita erscheint, dauert bis ins 12. Jahrh.; das englische *scop* und *leod-scop* gebraucht noch Laghamon c. 1205, einer Abschrift um 1270 ist es fremd geworden[1]). Englische und deutsche Stellen sichern den Ausdruck für den vornehmen Dichter; im Beowulf und in Sängers Trost bezeichnet er den höfischen Dichtersänger.

Dem steht entgegen, daß sich keine andre lautliche Anknüpfung bietet als an das Neutrum *skop, scof* mit dem Sinne 'Spott, Spaß, Schimpf'. Dies führt auf den Gedanken, der Name Skop sei entstanden als Wiedergabe von lateinisch *joculator* 'Spaßmacher' (= Mimus, Spielmann)[1]). Tatsächlich steht in einzelnen Glossen ae. *scop*, ahd. *scophare* für 'comicus' (d. i. der Spielmann als Histrio).

Ein klares Gegenstück dazu wäre das altenglische *glêoman* (neuenglisch *gleeman*): Glossen setzen es für 'mimus, jocista, scurra', und nach seinem Lautsinn 'Freuden-, Spielmann' kann es kaum anderes sein als Lehnübersetzung von *jocista*, genau wie das altdeutsche *spileman*. Und doch verstehn Weitfahrt und Beowulf unter *glêoman* den Hofdichter. So könnte es sich auch mit dem ältern, gemeinwestgermanischen Namen *Skop* verhalten. Als man für den neu aufkommenden Hofdichter eine Bezeichnung brauchte, wählte man sie in Nachahmung des römischen *joculator*; vermutlich am fränkischen Hofe in Gallien, wo man den Mimus gut kannte. Eine Ähnlichkeit der beiden Berufe hat man also empfinden müssen. Beide dienten ja der geselligen Lust, der ernste Dichter wie der Spaßmacher traten, schon vor Attila, nach dem Schmause auf, während die Becher oder Trinkhörner kreisten.

Falls dieser Zusammenhang in den Namen besteht, darf er uns nicht verführen, den weiten Abstand, gesellschaftlich und künstlerisch, zu unterschätzen zwischen dem germanischen Dichtersänger und dem römischen Possenreißer; ein Abstand, den schon die Sätze des Priskos und später Sittenbilder aus Norwegen hell beleuchten. Leider kennen wir bei dem gotischen Hofdichter weder Namen noch Stellung, sonst würde sich das Dunkel wohl lichten, wie der germanische Fürstenhof zu seinem Aöden kam; ob die Gestalt des antiken Mimus irgendwie im Spiele war.

Bei dem nordischen Namen, *skâld*, denken wir heute an die eine, kunstreichere Familie

der Poesie (§ 23); aber das ist modern. Im alten Schrifttum bezeichnet *skáld* jeden Dichtenden. Ein Bauer gibt vor dem andern eine Strophe zum besten, und der sagt: 'Du bist ein
guter Skald!' Und so immer. Glaubhaft ist doch, daß der Ausdruck — der so oft mit dem
Genitiv des Brotherrn verbunden wird: 'Skald König Olafs' — geschaffen ward für den
Hofdichter; daß er von oben nach unten drang, nicht umgekehrt. An den ältesten Fundstellen
hängt ihm höfischer Geruch an.

Der Umstand, daß *skald* auch in schwedischen Inschriften des 11. Jahrh. (und zwar als
Beiname), später auch in Dänemark vorkommt, steht der Annahme nicht entgegen, daß es
eine *norwegische* Neuprägung war aus der frühen Wikingzeit, als das Hofdichterwesen dort aufkam[2]). Aus germanischem Wortschatz hat man *skáld* nicht überzeugend erklärt. Es lag nahe,
nach irischer Wurzel zu spähen (§ 24); doch will es mit den verglichenen Wörtern lautlich oder
gehaltlich nicht recht stimmen[3]).

[1]) Brandl. Forschungen und Charakteristiken 105. Schücking, Beitr. 42, 372. Die orchestische
Sinnesentwicklung bei Unwerth-Siebs 35 hat nach den Erwägungen von § 34f. Bedenken. [2]) Stammte
die Strophe Skjald. 1, 5 *Skáld kalla mik* . . . von dem alten Bragi oder aus seiner Zeit, dann wäre sie eine Art
Einführung des Skaldennamens. Wir deuten mit SnE. 1, 467 'poetam me vocant'. Vgl. S. Bugge, Bidrag 91.
[3]) Golther, Nord. Lit.[2] 64, denkt an irisch *scêl* 'Erzählung'; daraus nordisch 'Spruch — Sprecher — Dichter'.

99. Halbwegs greifbar wird uns der englische Skop aus den drei Dichtungen Beowulf,
Weitfahrt und Sängers Trost; in Vertretern, die nur mittelbare, sittengeschichtliche Wahrheit
ansprechen[1]).

Er gehört zum Herrengefolge, ist 'Königs Degen'. Das Amtliche seiner Stellung drückt
sich in Verbindungen aus wie 'Skop des Hrodgar, der Hedeninge' (vgl. den Thul § 95). Sein
Amt mit zugehörigem Beneficium (*londryht*) kann er an einen begünstigten Nachfolger verlieren. Seine Beziehung zum Fürsten kann herzlich sein; der Fürst kann ihn damit betrauen,
eine Verwandte nach einem fernen Hofe zu begleiten. Er kann ein Erbgut sein eigen nennen.
All dies rückt ihn weit ab von den mißachteten Mimen, und es ist nicht wohlgetan, die Namen
Skop und Spielmann gleichbedeutend zu brauchen.

Als Krieger im Gefolge zeigen unsre Stellen den Sänger nicht.

Seine Tätigkeit fällt meist in die fürstliche Halle, an das abendliche Gelage. Bei den eng-
lischen Dichtern gehört stehend zu der lauten Freude des Hofes: Gesang und 'der Harfe Wonne'.
Der Skop, zu Füßen seines Herrn sitzend[2]), 'grüßt das Lustholz' und erhebt hellen Gesang zur
Hallenfreude der Metbank entlang. Als seine Vortragsstücke bezeugen die Quellen Preis- und
Heldenlieder; die unsanglichen Merkreihen darf man dazu denken (§ 77). Er weiß eine große
Menge von Stücken, eigene gewiß und fremde: das Schaffen und das Vererben ist in ihm vereinigt. Aber diese Unterscheidung tritt noch nicht hervor (vgl. § 94); man fragt nicht nach
dem Verfasser. Das Selbstbewußtsein des Künstlers und das Lob der Kenner gilt dem Vortrag. Weitfahrt spricht:

> Wenn ich und Schilling   mit schierer Stimme
> Vor unserm Sieg-herren   Sang erhoben,
> Hell, zur Harfe   — der Hall trug weit —,
> Dann mochten Männer,   muteskühne,
> Das Wort sprechen,   die es wohl verstanden:
> Daß sie hehreren Sang   selten hörten.

Zum Lohn seines Gesanges empfängt der Skop wonnige Kleinode, glänzende Ringe —
so wie die Gefolgskrieger für ihre Waffentaten; auch Grundbesitz.

Ob der Harfner bei den Domherren von Lindisfarne ein fürstlicher Skop war, der an der
Bischofstafel eine Gastrolle gab, steht dahin (§ 122. 127). Richtig als Wandrer, der viel fremde
Länder durchzogen und an fernen Thronen Goldringe geerntet hat, erscheint der Skop einzig
im 'Weitfahrt' (§ 77f.). Hier ist das Berufliche am stärksten unterstrichen, und man meint
beinah schon den unterwürfigen Spielmann, den Fahrenden, zu hören: so wie in den Schluß-
versen spräche man nie vom nordischen Skalden! Hat da der geistliche Autor die stolzere
Tonart des Königsdegens umgestimmt? Im übrigen ist die angesehene Stellung beim heimischen
Fürsten gewahrt.

Von einem germanischen 'Sängerstande' wird man auch nach dem Weitfahrt lieber nicht
reden.

Nicht immer, wo die Harfe auftaucht, muß man den Skop dazu ergänzen, und im Epos
hören wir einmal den König in Person das Lustholz grüßen und Lieder singen. Die Skope
hatten, scheint es, ihre hohen Zöglinge. Der Fürstensohn und Heilige Aldhelm, nachmals
größter Latinist seiner Zeit († 709), hatte als jung gelernt, englische Gedichte zu machen, sie
zu vertonen und kunstgerecht vorzutragen [3]. Von der Kleinlyrik und anderen anspruchslosen Arten, so weit sie an den Hof drangen, hat der kunstgeübte Dichtersänger die Lieb-
haber gewiß nicht abgedrängt. Aber damit rühren wir an den Punkt, der uns für England
völlig im Dunkel bleibt: wieweit der Hofdichter mit seiner Kunst ins 'Volk', will sagen in die
Stuben der Landwirte oder auf die Plätze der Kaufstädte, gekommen ist.

[1]) Anderson, The Anglo-Saxon scop 1902.   [2]) Dies bei Grein-Wülcker III 1, 150 Z. 80f. Also wie
im Beowulf der Thul (§ 95).   [3]) Was von der Jugend des Erzb. Dunstan (um 950) berichtet wird (Brandl
973), deutet mehr auf die Luft des Mimus als des Skops, jedenfalls auf niedere Dichtarten.

100. Dies und anderes wird uns am nordischen Hofskalden viel klarer. Die Biologie
des norwegisch-isländischen Dichters ist uns nicht nur aus den Versen, noch mehr aus den vielen
Prosageschichten bis ins einzelne bekannt.

Wir sehen deutlich: die 'Skalden des Königs' — ganz gewöhnlich sind sie in der Mehrzahl
vorhanden — stehn im Leibgefolge und sind zunächst einmal Krieger, die ihren Gefährten
auf den Land- und Seezügen des Herrn nichts nachgeben. Die große Mehrzahl stammt aus
gutem Erbbauerngeschlecht. Wir sehen sie als Haus- und Tischgenossen des Fürsten, nicht
selten als seine Freunde und Berater, als seine Erzieher. Das kameradschaftliche Verhältnis
zwischen Drucht und Druchtin (§ 12) läßt keine ungermanische Untertänigkeit aufkommen,
auch nicht im Preislied.

Den Skalden hat seine Kunst beim Fürsten eingeführt; oft stellt er sich ihm vor mit den
Worten: 'Herr, ich habe ein Lied auf Euch verfaßt: kann ich Schweigen erlangen?' Und seine
Kunst trägt ihm weiterhin bei ruhm- und dichtungsliebenden Herrschern Ehren und Gaben
ein bis zum befrachteten Kaufschiff. Sie kann ihm auch das Leben retten: 'Haupteslösung'
ist stehender Name für ein Preisgedicht, womit der Skald die Ungnade des Fürsten abkauft.
An diesen Kriegerzechgelagen sind die Skalden recht eigentlich der geistige Einschlag, und
zur Ehre der altnorwegischen Fürstenhallen sei's gesagt: mochte es an ihnen recht männisch,
ja bäurisch hergehn, das Volk der Taschenspieler, Hofzwerge und andern Spaßmacher hat
hier zu keiner Zeit gleiche Gunst genossen wie der Skald mit seinen würdigen und kunststrengen
Vorträgen.

Aber das Hofleben war für den Skalden Episode. Nach einigen Jahren Gefolgschaft geht
er auf Handelsfahrten oder setzt sich auf sein Gut, heiratet, lebt als Landwirt — zuweilen mit

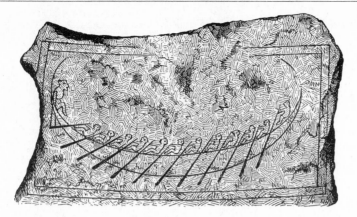

35. Stein mit Abbildung eines Bootes. Häggeby in Uppland.
(Nach Montelius, Kulturgeschichte Schwedens.)

36. Schiff von Gokstadt, Norwegen.   (Nach Montelius.)

37. Schiff von Gokstad, Rekonstruktion.   (Nach Montelius.)

erneuten Besuchen beim Gefolgsherrn. Die Skaldschaft war nicht sein Lebensberuf und selbst in den höfischen Jahren nicht seine wirtschaftliche Grundlage. Es *nähert* sich, hier weniger, dort mehr, dem gewerblichen Dichtbetrieb.

Auch der nordische Skald, wie der englische Skop, hat seinen Vorrat an fremden und eignen Gedichten. Auf diese und andre Seiten der Kunstpflege wirft Licht die hübsche Erzählung von dem Isländer Stûf unter dem norwegischen König Harald dem Gestrengen (um 1050). Stûf ist in Norwegen bei einem Bauer zu Gaste, als unerwartet der König zu Besuch kommt. Sobald Harald von dem Isländer hört, verspricht er sich gute Unterhaltung und befiehlt, ihn in seiner Schlafkammer zu betten. Als er sich gelegt hat, will er von Stûf Gedichte hören. So oft Stûf mit einem zu Ende ist, muß er ein neues anfangen bis tief in die Nacht. Er zählt ihm nach; zuletzt hat der Isländer dreißig der einfacheren Preislieder hergesagt; aber er wisse noch einmal so viel, und von den kunstreicheren habe er gar die doppelte Zahl auf Vorrat; aber der König solle je länger je günstiger von seiner Kunst denken[1]). Tags darauf, als Harald die nächtliche Kurzweil lobt, bittet sich Stûf aus, in das Gefolge eintreten und ein Gedicht auf den König verfassen zu dürfen. Ob er denn selbst dichte, fragt Harald, und ob er aus einer Dichterfamilie stamme. Der Isländer bejaht beides; z. B. sei Glûm Geirason sein Urgroßvater. Wenn du's so kannst wie der, meint der König, dann erlaub ichs dir. Nach einiger Zeit tritt Stûf in der Königshalle an: jetzt habe er das Gedicht fertig. Ich werde sehen, sagt Harald, ob du nicht geprahlt hast; denn ich versteh mich drauf und mache Ansprüche. Um so besser, meint der Isländer und rezitiert sein Preislied. Der Besungene lobt es kennerhaft und nimmt ihn ins Gefolge auf.

Diesen liederreichen Stûf nennen die Quellen zwar 'den blinden', aber zur Zeit unsrer Geschichte und seines Hofdienstes war er noch sehend. *Blinde Vortragende* in Versen und Sagaprosa sind der reichen altnordischen Überlieferung unbekannt, und der Friese Bernlêf — der einzige Fall aus dem stabreimenden Süden — war auch erst in vorgerücktem Alter erblindet[2]), hat also seine Kunst mutmaßlich noch bei sehendem Auge erlernt und ausgeübt. Dieser bemerkenswerte Unterschied von dem, was sonst so ziemlich bei allen Völkern verlautet[3]), hängt damit zusammen, daß Dicht- und Vortragskunst bei den Germanen nicht eigentlich gewerbsmäßig wurde. Wo sie dem Gewerbe am nächsten kam, beim Hofkrieger, konnte man Blinde nicht brauchen.

Auch Weitfahrts Besuche an fremden Höfen haben ihre lebenstreueren nordischen Gegenstücke. Schon der alte Bragi, ein Norweger, soll auf zwei schwedische Fürsten gedichtet haben. Vom 10. Jahrh. ab kennen wir viele Isländer, die ihre Kunst auch am orkadischen, schwedischen, dänischen Hof ausüben; auch da zuweilen als Glieder des Gefolges, jedenfalls nie als bettelnde Spielleute. Den Haushalt des schwedischen Olaf, um 1020, sehen wir in der Königssaga als Treffpunkt unternehmungslustiger Isländer. Eine isländische *Skaldentafel* um 1260 zählt 17 schwedische, 14 dänische Machthaber auf, zu deren Preis oder in deren Brot insgesamt ein halbes Hundert benannter Skalden wirkte[4]). Der nordgermanische Sprachkreis erweist hier seinen Zusammenhalt. Doch greift es auch auf ein paar englische Könige über: die hatten ja Untertanen nordischer Zunge, und mit dem *Verstehn* der isländischen Skaldenverse wirds ihnen nicht viel schlechter gegangen sein als den Schweden und Dänen.

---

[1]) An diesen Zahlen haben die Schreiber herumgeändert: der eine verdoppelt die 30, der andre setzt sie auf 10 herab, macht die aber alle zu Stûfs eigener Dichtung; s. Stûfs saga hg. v. Bj. M. Olsen (1912) S. XIII. Zehn der kürzeren Preislieder würden wohl schon zwei Stunden füllen!   [2]) '*Per triennium* continua cecitate percussus' war er, als er vor Liudger gebracht wurde. Vgl. u. § 122, 127.   [3]) John Meier 12, dazu Thurneysen 65. Vgl. Kluge, Deutsche Sprachgeschichte 201.   [4]) SnE. 3, 251ff.

101. Mehr als gradmäßig ist der Unterschied zwischen Skop und Skald in folgenden Dingen.

Den Gesang und die Harfenbegleitung haben die Nordländer nicht aus dem Süden übernommen. Zwar finden wir unter den Fertigkeiten, deren sich hochgestellte Männer im 11., 12. Jahrh. rühmen, auch den *Harfenschlag* genannt[1]). Aber da müssen wir wohl an Spiel ohne Worte denken. Die zahllosen Stellen, die uns den Skalden in Tätigkeit zeigen, lassen keinen Zweifel, daß sein Vortrag, das *kveda*, Rezitation in Sprechstimme war (vgl. § 32. 87). Auch dieses Sprechen wird seine Kunst gehabt haben. Die vielen Reimschälle nebst den strengen Rhythmen zur Wirkung zu bringen und die zersprengte Wortfolge dem Hörer faßbar zu machen: dazu brauchte es wohl ein feines Abwägen und Abstufen nach Stärke und Höhe der Stimme. Genaueres ahnen wir darüber nicht, auch nicht, ob der Vortrag durch Gebärde und Mienenspiel gehoben war[2]).

Der englische Skop trägt bei Hofe auch das *Heldenlied* vor, und dies müssen wir als allgemein-südgermanischen Brauch ansehen. In der Pflege der Skalden und ihrer Höfe finden wir nur die *zwei* Dichtgattungen des Preislieds und der Kleinlyrik. Das Preislied der ältesten Zeit hat freilich auch Sagenstoffe auf seine Art skizziert (§ 110), und einmal kommt es vor, daß ein Hofskald auf des Königs Wunsch: 'Sag uns irgend ein Gedicht her!' ein unverfälschtes Heldenlied anstimmt (§ 127). Aber da will der Vortrag dem ganzen Kriegsheer genießbar sein. Das ist doch ein Sonderfall. Am Gelage, im geschlossenen Hofkreis, verlautet nie etwas von Heldenliedern wie zweimal im Beowulf. Das ist kein zufälliges Schweigen. Denn es stimmt dazu die große Tatsache: das nordische Heldenlied ist 'eddisch' geblieben. Dem skaldischen, dem hoffähigen Kunststil hat es sich entzogen, weil sich die Höfe seiner nicht annahmen. Der Ausschluß vom Hof war die Ursache, der schlichtere Stil die Folge.

Woher dieser Ausschluß? — Die Antwort genügt nicht, daß die Heldenlieder von fremdländischen Fürsten handelten, nicht von den Ahnen des gegenwärtigen Herrschers; denn dasselbe war auch überall sonst die Regel. Berufung auf die Iren hilft ebensowenig; auch dort zwar beschränkte sich die Hofdichtung auf die verschiedenen lyrischen Arten, aber in Prosa war die Heldenepik an den Höfen hochgeschätzt.

Lag es einfach daran, daß das Heldenlied spröder war als die Groß- und Kleinlyrik und sich dem kostbaren Stil nicht bequemte, den man nun einmal seit Harald Schönhaars Zeit für die höfische Kurzweil verlangte?

Auch dem König selbst, wo er als Dichter dilettierte, galt dieser kostbare Stil als der vollwertige. Eine Sagastelle, als Sittenzeugnis gewiß glaubhaft, beleuchtet nach Wunsch den Abstand der beiden Dichtweisen, und wie man sie oben einschätzte. Jener Harald, der uns bei Stûf als eifriger Liebhaber begegnet ist, spricht vor seiner letzten Schlacht, a. 1066, diese Stegreifverse[3]):

> Wir schreiten vor   im Schlachthaufen,
> Der Brünne bar,   wider blanke Schneiden
> Im Helmscheine —   hätt ich die meine!
> Unser Schmuck liegt   beim Schiff unten.

Das waren die einfachsten eddischen Klänge; man hätte es von dem Manne der Tat in solchem Augenblick nicht anders erwartet; auch der einzelne Endreim in Zeile 3 wirkt wie ein Sichgehnlassen. Aber der König besinnt sich auf die höhere Kunst: 'dieses Gesätze ist nicht gut gedichtet (eigentlich: hergesagt)' meint er, 'machen wir ein besseres!' Und nun kommt der Hofton —:

Kriechet nicht im Krachen	des Kampfstahls, so befahl es
Die Hild der Falkenhalde[a],	hinter die Schutzlinden[b]!
Des Bortenlinnens Birke[a]	gebot, hoch in Odins —
Trifft hart das Schwert den Helmsitz —	Hagel[c] die Stirn zu tragen.

a die Frau   b die Schilde   c Odins Hagel, der Kampf.

[1]) Morkinskinna 1867 15, 31; 1932 86, 8; Orkneyinga saga (1916) 139. Das Saitenspiel des isl. Bischofs Thorlak d. h., Bisk. 1, 109. Vgl. Symons, Die Lieder der Edda 1, LXXVII.   [2]) Niedner, Z₅Alt. 57, 121.
[3]) Morkinskinna 1932, 276, Heimskr. 3, 207. Verdeutschung der zweiten Strophe von Genzmer.

102.   Schon der englische Skop — der uns den südgermanischen Hofdichter vertreten muß — ist über die einstige *Gemeinschaftsdichtung* hinaufgestiegen; ihm selbst und seinen Hörern ist die *persönliche* Begabung bewußt. Aber die nordische Skaldenkunst bezeichnet einen noch entwickelteren Stand.

Der Begriff der *Verfasserschaft* steht klar da. Man unterscheidet das Schaffen ('Wirken', *yrkja*) von dem Vortragen (*føra*, *fram flytja*). Das stehende 'ein guter Skald' enthält anderes als das englische 'ein liederkundiger Mann': jenes zielt mehr auf die Erfindung, dieses auf die Sangeskunst. Der englische Gnomiker denkt hoch von der Kunst, wenn er die innigen Worte spricht:

Den belastet kein Sehnen,	der einen Liedschatz hat
Und mit Händen kann	die Harfe grüßen,
Dem Gott spendet	die Gabe des Spiels.

Aber dies kann noch den Ausübenden meinen. Der alte Egil meint die Dichtergabe, wenn er sich aus seinem Gram aufrichtet mit dem Troste:

Odin gab	zu eigen mir
Harms Ersatz,	der mir höher gilt,
Gab die Kunst,	der Kampfgier'ge,
Fenrirs Feind,	die fleckenlose.

Der Autorenstolz spricht sich aus in Wendungen, die an Horaz erinnern. Es ist Brauch, in das Gedicht ruhmbewußte Sätze einzuschalten. Dem antwortet das Gefühl der Hörer. 'Dieses Preislied wird man vortragen, solange die Nordlande bewohnt sind!' kann ein König äußern. Empfänglichkeit und Kunsturteil haben eine ansehnliche Höhe erreicht. Man fordert nun *Selbständigkeit* im Dichten. Während man früher, und noch in der Eddapoesie alter und junger Schicht, unbefangen entlehnte, verpönt man im skaldischen Kreis den Abklatsch. Es kann geschätzten Dichtern einen Spitznamen eintragen, wenn sie einen Kehrvers 'stehlen' oder einen Vorläufer fühlbar nachahmen. Oder einen Skalden schwärzt man vorm König an, 'er könne nichts dichten oder hersagen (*yrkja né kveda*), was nicht schon zuvor hergesagt sei'[1]).

Manche Dichter werden landbekannt. Das Wort 'Skald' hängt man manchem Namen wie eine Standesbezeichnung an (*Sigvatr skáld*) oder schickt es als Beinamen voraus *Skáld-Hrafn*). Man achtet auch schon auf die Erblichkeit der Dichterbegabung, wofür die Stúfgeschichte ein Beispiel gab (§ 100).

Das Folgenreichste ist, daß man mit dem Werke den Namen des Urhebers *vererbt*, also seine Verfasserschaft, sein Eigentumsrecht anerkennt. Auf der frühern Stufe konnte man *Sänger* beim Namen festhalten: den Friesen Bernlêf (§ 122); die poetischen Künstlernamen *Widsîth, Scilling, Dêor, Heorrenda* in englischen Gedichten (wie im spätern Mittelalter Spielleute ähnliche Namen führen). Aber damit bezeichnete man keine Urheberschaft; das *Werk* hieß nicht nach diesen Sängern. Bei den germanischen Völkern haben erst die schreibenden

Geistlichen die Namenlosigkeit durchbrochen — und, unabhängig von ihnen, die schriftlosen Skalden Norwegens und Islands. Die vorerwähnte Skaldentafel gruppiert 146 Skalden unter 87 Brotherren. Bis zum Jahr 1300 herab kennen wir aus isländischen Handschriften rund 240 Namen, unter welchen Verse überliefert sind: dies nicht lauter Hof- oder Berufsdichter, auch Gelegenheitspoeten. Und so oft sind es nicht nackte Namen: auch ein Stück Lebenslauf, eine ganze Lebensgeschichte kann mit vererbt sein.

[1]) Fornmanna sögur 5, 233. Eine der Stellen, wo Dichten und Hersagen verfließen (§ 94).

103.   Diesen merkwürdigen Aufschwung trug die eigene Geistesart des Isländervolks, die schon nach wenig Geschlechtern kenntlich dastand. Für die Menge der Namen wie der Strophen gab die Saga der Isländer das festwandige Gefäß her. Aber begonnen hatte ja der höhere Anspruch schon im norwegischen Mutterland, vor dem Eingreifen der Isländer (seit 930), ja vor Islands Entdeckung. Der Hauptgrund der Erscheinung muß die ofterwähnte *Formsteigerung* sein, die — wie wir glauben, vom Ausland angeregt — den sogenannten Skaldenstil hervorbrachte (§ 23f. 83). Wer dieser Kunst mächtig war, stand vor seinem Volk als Einzelwesen, nicht als 'Mund der Sage', oder wie mans nun bei namenloser Dichterei empfinden mochte.

Dieser kunstbewußtere Stil aber hat nicht nur Dichternamen verewigt, sondern auch die Werke selbst. Die beiden persönlichen, subjektiven Dichtklassen, die ihm zufielen, die größere und die kleinere Gelegenheitsdichtung, pflegen anderswo in schriftlosen Zeiträumen kurzlebig zu sein. Im Norden hat nicht bloß Kleinlyrik, auch das Preislied-Zeitgedicht in ansehnlicher Masse die Hoffnung auf Dauer (s. o.) erfüllt — und das war der gesteigerten Form zu danken.

Mit alledem hat es in Norwegen-Island keine *Schulen* der Skaldschaft gegeben[1]). Mehrjährige Ausbildung mit geregelter Stufenleiter, wie im alten Irland, dies lag germanischem Wesen nicht. Erlernt mußte er auch sein, der Hofton; es war weißgott kein Singen, wie der Vogel singt. Aber dieses Lernen scheint so unter der Hand ergangen zu sein; die Erzähler kommen so wenig darauf wie auf das Fechten- und Schwimmenlernen (§ 11). Die Dichter selbst, die ihr Versemachen so gern in Gleichnissen spiegeln und immer wieder von Odin als Quell des Dichtermets reden, erwähnen nicht einmal den irdischen Lehrmeister. Auch den Poetiken kommt kein Gedanke daran, man könnte die Dichter nach Schulen ordnen.

So zünftlerisch der Skald neben dem südgermanischen Sänger wirken mag: neben dem *Fili*, dem studierten und gelehrten Dichter Irlands, steht er wie der reine Naturbursch — d. h. in Schulung und äußerm Betrieb; seine *Form* nimmts mit dem Iren an Knifflichkeit auf.

Zu einem *Stande*, in irgendeinem Sinne, hat es der Skald nie gebracht. Darin folgte er seinem westgermanischen, nicht seinem irischen Vorbild; dem Skop, nicht dem Fili.

[1]) Zum folgenden: Thurneysen 67f.

104.   Wir haben vermutet, der Hofdichter ging aus von den Goten der Wanderungszeit. Wie er sich zu den übrigen Germanen verbreitet hat, wissen wir nicht; wann es geschah, können wir einigermaßen erschließen — unter der Voraussetzung, daß mit ihm die Heldendichtung gewandert ist. Nach dieser Handhabe (§ 125) dürfen wir den Hofdichter den Franken seit dem 5. Jahrh., den Angelsachsen schon in ihrer jütländischen Heimat und auch den Südskandinaviern schon um 500 herum zuschreiben. Diese gotische Ausstrahlung dürfte demnach vor Theoderichs Zug nach Italien erfolgt sein.

Wie lange sich der Hofdichter germanischen Stils gehalten hat, lassen die Quellen für die meisten Länder im Dunkel. In Deutschland mag er zugleich mit der stabreimenden Kunst verschwunden, dem reimenden Spielmann gewichen sein; wohl noch in der Karlingerzeit. Auch in England ist er uns seit dem 9. Jahrh. nicht mehr sicher bezeugt[1]).

Unter schwedischen Fürsten des 9. und 10. Jahrh. nennt die isländische Skaldentafel etliche Dichter von vielleicht heimischer Abkunft[2]). Hat der russische Heldengesang eine Wurzel án den schwedischen Warägerhöfen[3]), dann haben Rurik und seine Nachfolger wohl auch ihre Dichter im Sold gehabt. Die beiden Schweden, die auf Denksteinen um 1050 das Beiwort *skald* führen, können Hofdichter gewesen sein. Keinesfalls erlaubt der Ausdruck *skald* den Schluß, die westnordische Formsteigerung habe in Schweden Wurzel gefaßt. Unsre Sagas lassen nirgends durchblicken, daß die Isländer an Schweden- oder Dänenhöfen Genossen und Mitbewerber in ihrer Kunst getroffen hätten; aber dies beweist noch nicht das Fehlen eingeborener Hofdichter.

Nimmt man mit Recht an, daß Norwegen den deutsch-englischen Skop gleichzeitig mit der fremden Heldendichtung nachgeahmt hat, nämlich zu Beginn der Wikingzüge, um 800, dann müßte dieser südlichen Einfuhr sehr bald schon die westliche, die aus Irland, gefolgt sein, die zwar nicht dem Heldenlied, aber seinem Bruder, dem Preislied, ein so neues Aussehen gab; die aus dem Skop den Skald — im engern Sinne — machte. Allein, wie es dabei zuging; wie sich die beiden fremden Einwirkungen auseinandersetzten, davon lassen die dürftigen Nachrichten über die wikingische Frühzeit nichts erkennen. Dem alten Bragi, um 830, mag dabei eine erhebliche Rolle zugefallen sein. Unsre jungen Quellen geben ihn zwar keineswegs als ältesten der Hofdichter und als Begründer einer neuen Richtung aus[4]); aber der bedeutungsvolle Name *Bragi* (§ 32), sowie der Umstand, daß drei Jahrzehnte lang von keinem zweiten Reste bewahrt sind, lassen glauben, daß er für seine Zeitgenossen ein Besondrer war.

Den Isländern der Schreibezeit stehn erst die Skalden unter Harald Schönhaar (870—930) in etwas hellerem Lichte. Einer von diesen, Thorbjörn, hat in dem wohlbewahrten Haraldslied die Ausstattung der Hofdichter lebendig abgebildet[5]). Neben die norwegischen Landeskinder treten schon unter Haralds Söhnen Skalden isländischer Geburt, und vom Ende des 10. Jahrh. ab erscheint die skaldische Dichtung größern Ausmaßes bei den Norwegern wie versiegt: Kleinlyrik gelingt ihnen noch, das stolze Fürstengedicht ist ganz an die Isländer abgetreten. Wo fortan von den 'Skalden des Königs' die Rede ist, sind stillschweigend Isländer gemeint. Teils in Resten ihrer Werke, teils nur dem Namen nach leben uns diese isländischen Großbauernsöhne fort, die in ununterbrochener Reihe die dichterische Chronik der Norwegerkönige pflegen bis herab auf Eirík Magnússon † 1299. Nahezu ein halbes Jahrtausend hat der skaldische Fürstenpreis durchzogen. Die Kunstart, die uns zuerst in Attilas Holzpalast in der Theißebene sichtbar — leider nicht hörbar — wird, hat im bereicherten westnordischen Kleide ausgedauert bis zum Abend der europäischen Ritterpoesie.

[1]) Vgl. § 99 Anm. 3.   [2]) Schück 79 f.   [3]) Rožniecki, Varægiske minder 303 f. Zurückhaltend äußert sich Reinhold Trautmann: 'Diesem Kreise der fürstlichen Gefolgschaften [in dem Kijever Reich des 10./11. Jahrh.] darf man skandinavische Einflüsse und Anregungen zutrauen . . . Daneben ist byzantinischer Einfluß nicht auszuschließen . . .' (Die Volksdichtung der Großrussen 1935, 105). [4]) Auch Snorri hat keine Witterung, daß der Hofton und seine Sippe eine neue Richtung waren. Er sieht darin das Urerbe, das die Asen aus Asien mitbrachten (Heimskr. 1, 17).   [5]) Bei Genzmer II S. 194 Str. 17 f.

105. Unsre Betrachtung galt dem Skalden als Hofdichter. Wir wissen schon, die Kleinlyrik, die eine seiner Gattungen, gedieh ebenso gut und noch reicher außerhalb der Höfe, zumal im isländischen Bauernvolk (§ 83. 87 f.). Ähnliches trifft auf das stattliche Preislied zu.

Gleichartige Gedichte, ebenso formgerecht, dichtete der Isländer auf den verstorbenen Sohn oder Schwurbruder, auf die Geliebte, auf die bildgeschmückte Halle des bäuerlichen Herrn; dann auch auf seinen Bischof. Und die in der Königshalle gesprochenen Lieder wiederholte man im isländischen Bauernhaus; sonst wären sie nicht auf uns gekommen. Denn das freistaatliche Island war, vom 10. Jahrh. an, der eigentliche Herd dieser Kunstflamme. Die isländischen Landwirte, im Heer und auf dem Langschiff so heimisch wie im Stall und auf der Weide, stolz auf edelgeborene Ahnen, brachten eine ähnliche Hochspannung der Seele auf wie die Kriegsmannen im Königsdienst: die Vorbedingung für das heldisch gestimmte Preislied. Draußen auf seiner Insel hatte der Jüngling die schwierige Kunst gelernt, eh er in Drontheim vor den König trat und für sein Lied Schweigen heischte. Namhafte Skalden haben nie an Höfen gedient. Und als es zum Aufzeichnen und Sammeln kam, haben nicht etwa höfische Kanzlisten, sondern isländische Priester und Laien die Arbeit verrichtet.

Der kunstgeübte, halbberufsmäßige Dichter der Germanen war ausgegangen vom Fürstenhof; das Preislied war anfangs Fürstenlied. *Hofpoesie* ist die größere Skaldenkunst in weitem Umfang geblieben bis zuletzt. Nicht umsonst heißt ihre geliebteste Versart *Hofton*. Noch der Isländer, der zu Ende des Freistaats die Skaldentafel schrieb, hatte die Anschauung, daß der Skald zu einem hohen Herrn gehört wie zur Mutter die Schraube ... Wieweit bei den andern Germanen der Fürstendichter mit seiner Kunst ins breite Volk reichte, erfahren wir nicht. Beim norwegischen Stamm sehen wir, daß eine Scheidewand kaum bestand. Verallgemeinern werden wir dies nicht. Denn das Bauernvolk, das so lebhaft teilnahm an dem Dichten des Königshofes, war das isländische.

XIV. DAS PREISLIED

106. Mit der Überlieferung steht es ähnlich, doch günstiger als bei der Kleinlyrik (§ 83): der Norden bietet eine wahre Fülle, keine zweite Dichtart ist dort in solchen Mengen gerettet; der Süden stellt neben die Zeugnisse und die reimenden oder lateinischen Stücke doch ein paar stabende Texte, die vielleicht an die echte Art heranführen.

Nach den nordischen Vertretern können wir diese Art summarisch so bestimmen[1]:

Ein Gedicht zu Ehren eines Gönners, vielstrophig, wohlvorbereitet, vom Einzelnen aus dem Gedächtnis vorgetragen. Es berichtet von den meist kriegerischen Taten des Gefeierten und von seiner Freigebigkeit. Sachliche Herzählung wechselt mit schildernden und mit preisenden Stellen. Der aus der Nähe gesehene Stoff ist nicht zur Fabel geballt, daher redelos. Es schwingt zwischen Verschronik und Lyrik (Hymnus).

Dieses Doppelgesicht drückt der Name *Preislied-Zeitgedicht* unmißverständlich aus. Sein zweites Glied zeigt an, daß der 'Preis' nicht nur lyrischer Erguß ist; es betont das Geschichtliche. 'Historische Lieder' als eine besondre, dritte Gattung, zwischen dem Preis- und dem Heldengedicht, setzen wir bei den stabreimenden Germanen nicht an.

Stehende Namen sind im Norden *lof* 'Lob' und *hróðr* 'Preis, Ruhm'. Da das Preislied skaldische Hauptgattung war, kann die Dichtersprache die beiden Namen für 'poesis' im allgemeinen setzen[2]. Man denkt an Homers κλέα ἀνδρῶν, und die Stellen bei Homer, die man immer für das gesungene Heldenlied anführt, würde man in der Tat nach germanischen Maßstäben auf zeitgeschichtliche Preislieder beziehen.

In dem gotischen Worte *hazeins* 'Lob', das zweimal für 'Hymnus' steht, darf man vielleicht den Gegenwert zu jenen nordischen Namen sehen, also den Ausdruck für das früheste germanische Preislied. Das altenglische *weorþung*, eigentlich 'Ehrung', dann auch 'modulatio vel cantus', zeigt gleichen Sinneswandel wie *hrôđr*. Doch können die Wörter auch auf kunstlosere Arten, wie in § 39. 44, gegangen sein.

Wie das kunsthafte Preislied des Hofdichters *entstanden* ist, dies löst viele Fragen aus. Hatte es fremde Muster, und bei welchem Volke? Wuchs es aus einer der heimischen Arten heraus, etwa aus chorischen Hymnen, Totenklagen oder aus der Kleinlyrik? Oder schuf ein gotischer Hofdichter sprunghaft Neues? . . .

Etwas wie eine *Vorform* des Preislieds muß man wohl herauslesen aus der Angabe des Tacitus: die Germanen besängen immer noch den Arminius[3]). Dies führt uns ja in Zeiten hinauf, denen wir keine höfischen Dichtersänger, damit auch keine Preislieder im spätern Sinn zutrauen. Merkverse liegen hier ferner als bei der Tuistotafel (§ 71). Ein ritualer Gesang hätte sich zwar schwerlich bis zu den Urenkeln fortgesetzt, aber dies braucht man auch nicht anzunehmen: das Taciteische 'immer noch' **kann** aus einem ältern Gewährsmann stehn geblieben sein[4]). Wir wagen keine nähere Artbeschreibung bei diesem 'Arminiuslied' —: eine Mehrzahl von Liedern muß man nicht gleich anstrengen, und gar 'die Heldenlieder von Arminius', das springt allzu freigebig um mit unsrer krönenden Gattung (§ 121).

[1]) Die Elegie, § 117ff., haben wir hier noch nicht im Auge.　　　[2]) SnE. 1, 464.　　　[3]) Ann. II c. 88: caniturque adhuc barbaras apud gentes. In der Erörterung durch Reitzenstein, Münzer, R. M. Meyer und Jiriczek (Hermes 48, GRMon 1915) hat Jiriczek gezeigt, daß man das 'canitur' bei Tacitus nicht als außerdichterische Erinnerung verstehn darf.　　　[4]) E. Norden, Germ. Urgeschichte 273f.

107. Zugleich das erste klare Zeugnis für das Preislied-Zeitgedicht und der erste Beleg für den Hofdichter ist die berühmte Priskosstelle (§ 97). Aus den nüchternen Worten, die so wohltuend den Augenzeugen verraten, ersehen wir dreierlei. Inhalt des Vortrags waren 'Attilas Siege und seine Kriegertugenden'; also ein Enkomium, eine *hazeins*, mit Gegenwartsstoff, nicht etwa eine Heldenfabel! Die Lieder sind 'verfertigt', nicht Stegreif. Sie werden 'gesprochen', nicht gesungen und geharft; woraus folgt, daß die zwei Männer sich ablösten, nicht zusammen vortrugen.

Die Punkte stimmen zum nordischen Preislied, auch der dritte. Doch kommt das zur Harfe gesungene Lied auch bei dem Wandalenkönig vor (§ 117). Auch Jordanes spricht von der *cithara* der Ostgoten, freilich in Verbindung mit Helden-, nicht Preisliedern. Die Stelle über den aquitanischen Westgotenhof: der König finde Gefallen nur an d e n Weisen, deren Gesang ebenso sehr die Tapferkeit anrege wie dem Ohre schmeichle[1]), kann man auf beide Liedarten beziehen; wie sehr das Zeitgedicht die Kriegersinne der Hörer in Wallung bringen konnte, weiß schon Priskos, und die Skaldenstrophen bestätigen es. — Danach war der ostgermanische Liedvortrag nur zum Teil unsanglich. Wir zögern, den nachmaligen Sprechvortrag des norwegischen Skalden aus gotischer Einfuhr zu leiten. Kam die nordische Hofkunst in der Wikingzeit herüber, dann doch wohl aus dem fränkischen Westen.

Geharfte Preislieder meint wieder Venantius Fortunatus, wenn er den Herzog Lupus von Aquitanien anredet: 'Der Römer huldige dir mit seiner Leier, der Barbar mit seiner Harfe: wir spenden dir Verselchen, die Mannen barbarische Sänge!'[2])

Wo der englische Weitfahrt von seinem Singen redet, schwebt Fürstenpreis, nicht das heldische Erzähllied vor: 'Ich kann singen . . . vor der Menge in der Methalle, wie edel sich mir die Hochgeborenen bewiesen' (Z. 54ff.); das Lob der von ihm begleiteten Fürstin 'streckte über viel Lande, wenn mir im Gesang zu berichten zufiel, wo unter dem Himmel ich eine goldgeschmückte Königin am herrlichsten Gaben spenden sah' (Z. 100ff.). An die Zweizahl der Sprecher vor Attila erinnert die in § 99 ausgehobene Stelle 'Wenn ich und Schilling . . .': auch hier denkt man am besten an Wechselgesang, unter keinen Umständen an Zweistimmigkeit. Aus dem nordischen Lager wäre nur dagegen zu halten, daß ein Skald zwei Preislieder nacheinander, auf zwei anwesende Fürsten, sprechen kann[3]).

Im Beowulfepos geht eine Stelle, 867—74, eindeutig auf einen Gegenwartsstoff; den soeben vollbrachten Grendelkampf des Helden stellt der liederkundige Königsdegen in kunstvollem Gedichte dar, diesmal nicht in der Halle, sondern draußen beim Ritt. Der Epiker hält also Stegreifschöpfung bei solchem Gegenstand für möglich; was die nordischen Quellen nicht bestätigen[4]).

Auch den Inhalt eines Zeitgedichts läßt uns der Beowulf, scheint es, in seinen vielen Ausblicken auf ferne Ereignisse ahnen. Die kecke Fahrt des Gautenkönigs Hugileik an den Rheinstrand, sein Fall im Kampfe mit Friesen und Franken, der tapfere Rückzug der Überlebenden: dies hat nicht den Gehalt einer heroischen Fabel; aber der Ependichter nach 730 fußt doch wohl auf einem Liede, denn von den geschichtlichen Linien und Namen ist viel bewahrt, obschon das Ereignis über 200 Jahre zurückliegt (Gregor von Tours beglaubigt es)[4]). Dieses Lied scheint ein *gautisches Zeitgedicht* fortzusetzen, das 'Erblied' auf König Hugileik. Den Angeln in Schleswig kam es in gleicher Weise zu wie die gautischen Heldenstoffe. Sie behielten nur übrig, was zum Rheinzug gehörte, und führten den ungeschichtlichen Helden Beowulf ein: der tut die Hauptdaten. Damit gewann der Liedinhalt an Rundung und Abenteuer, und dadurch nur konnte er bei den Engländern so lange leben bleiben. Das Zeitgedicht hätte die späteren nicht mehr gefesselt, wie es denn auch bei den Nordländern selbst keine Spur in der Sage hinterlassen hat.

Also nur ein sehr mittelbares Abbild eines Zeitgedichts aus dem 6. Jahrhundert!

[1]) Apollin. Sidon., Ep 1, 2.   [2]) Carm. 7, 8, 61ff. Die Stelle in der Praefatio der Carmina: 'saepe bombicans barbaros leudos (Lieder = Melodien) harpa relidebat' geht nicht aufs fürstliche Gelage; sie kann reines Harfenspiel meinen oder Kleinlyrik wie in der Tafelrunde Cædmons § 85. Das 'laudes canere' bei Fredegar 4, 1 (ad a. 583) ist Phrase für 'rühmen'.   [3]) Morkinskinna 116ff.   [4]) J. Hoops rechnet Z. 871—915 als Inhalt eines Preislieds aus vier Abschnitten: neben dem Gegenwartsstoff die fränkischen und dänischen Vorzeitsagen (Beowulfstudien 1932, 52ff., Kommentar zum Beowulf 108). Ähnliches folgert de Boor 410f. Vgl. u. § 122.   [5]) RLex. 2, 128.

108. Cædmon, der Angestellte in dem nordhumbrischen Klostergehöft, der vom Gelage ging, weil er weltliche Lieder nicht singen konnte (§ 85), wurde nachher ein hochgeschätzter kirchlicher Dichter. Nach alter Vermutung[1]) nahm bei ihm die Geistlichenepik ihren Anfang, erst in englischen, dann in sächsischen Stäben; eine umfängliche Dichtmasse, bei aller Vielfalt der Federn mit wichtigem Gemeinsamem, zumal im metrischen Handwerk. Das erste Gedicht aber, womit Cædmon die Aufmerksamkeit der Äbtissin erregte, war ein schriftloses sangbares Lied über die Schöpfung. Die neun ersten Langzeilen sind uns gerettet[2]): der seltene Fall, daß ein so kleines Werkchen bewahrt ist, das eine literargeschichtliche Wende bezeichnet. 'Preisen wir Gott für das Wunder seiner Schöpfung! Zuerst schuf er den Menschen das Himmelsdach, dann die Erde': dies mochte allenfalls einem bibeltreueren Sechstagewerk präludieren.

Der Inhalt berührt uns nicht; wir fragen, was die *Form* nach rückwärts spiegelt.

Aus weltlicher Dichtkunst — denn geistliche in der Landessprache gab es noch nicht — müssen die zwei Dinge übernommen sein: der Vers und die außerprosaische Art der Sprachmittel. Der *Vers* ist die durchgeführte Langzeile, freier Zeilenstil, die größeren Gruppen von wechselnder Länge; die Füllung äußerst glatt, auf die Formen beschränkt, die süd- und nord-

germanisch im Langzeilenmaß die gewohnte untere Grenze bezeichnen; es steht der Silbenzählung (4 Silben) ganz nahe. Die *Sprachmittel* sind vor allem: Composita, darunter das alt-
weltliche *middangeard* 'Mittelgart, Erdkreis' und das neukirchliche *wuldorfæder* 'pater gloriae'
(Ephes. 1, 17), und Variationen, diese eigentlich stilprägend: der Begriff 'Gott' erscheint in den
neun Zeilen achtmal abgewandelt, so zwar daß er überall, bis auf die erste Stelle, für den Satz
entbehrlich oder durch das Pronomen ersetzbar wäre!

Beides zusammengenommen weist auf Vorbilder aus der höhern, gepflegten Dichtung.
Chorischen Hymnen würden wir mindestens diese Verskultur nicht zutrauen; der erhaltene
Flurhymnus, § 39, ist in Vers und Sprache ganz anders beschaffen. Besondre Merkmale des
fürstlichen *Preisliedes* aber können wir den neun Zeilen nicht nachweisen. Der Hauch von
Gefolgsherrlichem, der über einigen Gott-Umschreibungen liegt, kann ebensowohl aus dem
Heldenlied kommen[3]).

Auch an die Versstücke in den Angelsächsischen Annalen — fünf stabreimende Nummern
vom Jahr 937 bis 1065[4]) — tritt man sogleich mit der Frage heran, ob sie über das germanische
Preislied-Zeitgedicht belehren. Vom Skop gesungene Preislieder sind es leider nicht, denn sie
haben alle den unsanglichen Bogenstil, und kirchliche Urheber verraten sich da und dort: auch
in der stolzen Nr. 1 kommt zu Ende noch 'wie uns die Bücher berichten' mit Rückblick auf die
Einwanderung der Angelsachsen. Mehr als das, die Annahme, diese Stücke hätten anfangs
für sich, im freien Vortrag, gelebt, wird sogar für Brunanburh und Edwards Tod zu bezweifeln
sein: auch diese beginnen mit 'Hier . . .', der Klammer nach der geschriebenen Jahreszahl,
und werden verständlich als gehobene Zwischenspiele der annalenschreibenden Mönche.

Dann bliebe immer noch die Möglichkeit, daß diese Mönche vom weltlichen Preislied gelernt hätten. Edwards Tod hat einigermaßen die Haltung des Nachrufs, aus der Ferne gleicht
er der Totenklage um Attila (§ 44); wogegen Edgars Tod, III B, bald ins klagende und warnende
Zeitbild fällt. Was wir im Norden an fürstlichen 'Erbliedern' kennen, hat anderes Mark: Helm-
und Ringebrechen statt der sanften chronologischen Statistik!

Das Hauptstück, der Brunanburger Sieg, 73 Langzeilen, könnte nach Gewicht und kriege-
rischem Feuer mit den skaldischen Fürstenliedern in die Schranken treten. Der Preis der eignen
Herren und das Frohlocken über die Besiegten findet maßvoll hymnische Töne. Der Dichter
führt *typische* Glieder aus: *die* Niederlage, *die* Verfolgung usw.; kaum daß es sich einmal dem
persönlichen Auftritt nähert (32—36); eine dramatische Rede wäre undenkbar. Dies stimmt
zum nordischen Preislied. Die üppigen Kriegs- und Naturbilder, die adligen Composita und
der Reichtum an Variation, dies war auch aus der Epik zu lernen; Beowulf, Elene und anderes
aus der Blütezeit schaut dem Verfasser des Jahres 937 über die Schulter. Von diesem späten
Zeitdichter gilt, was man den germanischen Heldenliedern zu Unrecht nachgesagt hat (§ 138):
daß fühlende Verwendung bereit liegender Formeln die starke Wirkung erzeugt.

Man darf fragen, ob neben diesen epischen Vorbildern noch die Gattung des Preislieds
erforderlich war, damit ein Gedicht wie Brunanburh entstehn konnte. Aber schon die Epen
dürften die Farben zu ihren ausgeführten Schlachtschilderungen gutenteils Preisliedern verdanken (§ 149).

[1]) ten Brink, Gesch. der engl. Lit.[2] 1, 45ff. (1899). Siever., Britannica (1929) 57, tut dem gegenwärtigen
Vf. zu viel Ehre an!   [2]) Grein-Wülcker 3, 316f. Vgl. Schücking, Beitr. 42, 367ff.   [3]) Ob die Verwendung
von *dryhten* 'Gefolgsführer' für den göttlichen 'Herrn, dominus' — die dann ins Deutsche und Nordische
überging; der Gote sagt noch *frauja* — schon vor Cædmon in der kirchlichen Prosa bestand oder seine
folgenreiche Neuerung ist? Vgl. Hulda Göhler, ZsPhil. 59, 38f. (1935). [4]) Grein-Wülcker 1, 374ff. Das
Stück über Prinz Alfred veranschaulicht gut den Sprung in den neuen Stil, metrisch und sprachlich.

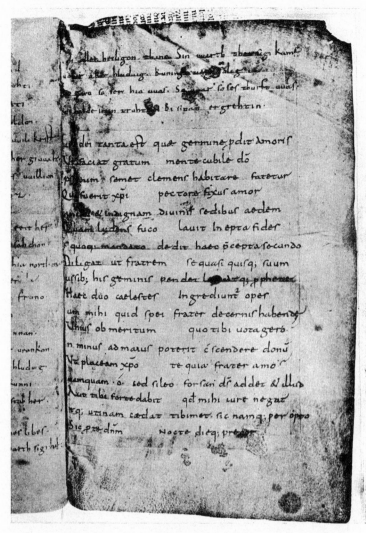

38. Eine Seite des Ludwigsliedes. Handschrift des 9. Jahrh.
(Nach Enneccerus.)

109. Das deutsche Gegenstück zu Brunanburh ist das Ludwigslied[1]). Auch da versieht ein Clericus das Amt des preisenden Zeitdichters; auch der Stoff ist der gleiche, ein Sieg über Nordmänner. Aber im Frankenreich herrschte 881 schon, wenigstens bei den Pfaffen, der neue Stil: der vierhebige Reimvers mit seiner gezähmten, zur Ader gelassenen Sprache. Wer die beiden nach Stand und Bestimmung gleichen, nach Umfang, Alter, vielleicht auch Begabung ähnlichen Werke nach einander liest, kann ermessen, was mit der altheimischen Form an künstlerischen Werten, auch an menschlichen, männlichen, preisgegeben war! Der altgermanische Stil ist Herrenkunst, auch noch wo ein Mönch ihn handhabt; der Reimvers war das

passende Kleid für die geistliche Drahtpuppen-Gesinnung des Ludwigsliedes. Dabei hat das deutsche Gedicht noch den Vorzug vor dem englischen, daß es nicht als Federübung eines Anna-listen entstand, sondern für den freien Vortrag, wohl sogar für den Gesang.

Sein Aufbau ist epischer: nach ein paar Strichen Jugendgeschichte kommt eine Folge ein-maliger Geschehnisse, und an zwei Stellen wächst Rede und Antwort heraus. Der Abstand vom Erzähllied ist also kleiner, so wenig etwas wie eine heroische Fabel da ist. Nordisch wäre dieser gegliederten Anlage nur das Hakonlied zu vergleichen (§ 110): schwerlich ein altererbter Typus, keine Stütze der Vermutung, der deutsche Dichter habe weltlichen Fürsten-preis zum Muster gehabt. Denn das Ludwigslied sehen wir in einer Reihe lateinischer geist-licher Zeitgedichte stehn[2]); auf seine Anlage, man möchte sagen seine Tonart hat insbesondere ein Versstück von 796 eingewirkt, die Unterwerfung der Avaren. Diese lateinischen Werke haben doch wohl eine Wurzel in der altkirchlichen Gattung des Märtyrerpreises: ob daneben der fränkische oder langobardische Skop auf sie gewirkt hat?

Auch deutsche, weltliche Dichtung muß der Verfasser des Ludwigslieds gekannt haben; das zeigt sein Satzvorrat; vermutlich war es noch stabreimende. Aber dafür braucht man, hier wie bei jenen englischen Stücken, nicht gerade Preislieder anzusetzen. Bei der Dürftig-keit unsres außernordischen Stoffes wagt man dem einsamen deutschen Gedicht keinen be-stimmten Stammbaum zu geben[3]).

[1]) Braune, Althochdeutsches Lesebuch Nr. 36.   [2]) Seemüller, Festgabe für Richard Heinzel (1898) 318ff.   [3]) Was sich für weltliche, deutsche Voraussetzungen sagen läßt, hat Heinrich Naumann kundig zusammengestellt: Das Ludwigslied und die verwandten lateinischen Gedichte 1932.

110.   Aus der Menge der norwegisch-isländischen Preislieder heben sich drei kleinere Gruppen heraus: von dem landläufigen Modell weichen sie in der einen oder andern Rich-tung ab.

Da sind zuerst drei Gedichte von Norwegern auf Harald Schönhaar und auf zwei seiner Söhne: die darf man als die 'eddischen Preislieder' bezeichnen[1]). Vers und Sprache sind von der ältern, schlichtern Art, und noch tiefer greift der ausgiebige Gebrauch von Redeversen. Eddahaft sind die zwei jüngern Lieder auch darin, daß sie — das zweite in überbietender Nach-ahmung — Gott Odin und seinen Hofstaat heraufbeschwören: der Hauptgedanke ist beidemal, wie den schlachttoten König die Walhall aufnimmt. Lebhafte Wechselreden gestalten dies, und das zweite, das Hakonlied fügt 5—6 Auftritte zu einer fortschreitenden Erzählung.

Dieses ungewohnte Einkleiden des Fürstenpreises in mythisches Gewand hat geschicht-lichen, gläubigen Grund. Eirik wie Hakon waren christlich getauft, und nun will sie das Erb-lied für den heidnischen Himmel, für die Gesellschaft der Landesgötter retten. Der Gedanke entspringt besonderen Bedingungen jener nordischen Wikingjahre: eine überkommene, einst auch dem Süden bekannte Gußform werden wir in der eigenartigen Anlage der zwei Lieder nicht sehen, mag man nun diesseits der Ostsee an die Walhall geglaubt haben oder nicht.

Auch das älteste, das Haraldslied hat in seinem Rahmen — die Walküre fragt den Raben, das kundige Walstattier, nach dem jungen König aus — einen offenbar nordischen Zug. Heben wir die Füllung nebst den Eingangsversen heraus, dann unterscheidet von dem gewohnten, allgemeinen Typus des skaldischen 'Lobes' nur noch die Abwesenheit der skaldischen Vers-und Sprachmittel. Man darf annehmen: dieses Haraldslied, schon der Zeit nach eines der ältesten Skaldengedichte (um 880), gibt uns mehr als alle anderen eine Vorstellung, wie das gemeingermanische Enkomium beschaffen war. Die schlichtere Sprache erlaubt eine weniger typisierende Zeichnung; zwei oder drei kenntliche Vorfälle stechen heraus. Aber das Schildern und preisende Feststellen, mit Neigung zur Liste, überwiegt auch hier das Erzählen, und nach der Mitte schlägt es sogar ins Präsens um.

Im Gebrauch der schmückenden Formen gibt sich kein Sonderstil der Gattung Preisgedicht zu erkennen.

Die zweite abseitsstehende Gruppe ist uns schon bekannt (§ 79): es sind die *Stammbaumgedichte*. Nicht die Taten des Gefeierten, sondern seine Ahnen füllen das Gedicht. Diese besondre Art hat Anregungen aus heimischer Merkdichtung empfangen, daneben aber, wie wir glauben, von irischer Poesie. Die Gesamtanlage war innerhalb der Gattung Preislied etwas neues und setzt keine südgermanische Kunstform fort.

Drittens haben wir die *Bildergedichte*. Auch sie verkünden das Lob des Gönners nur nebenher oder mittelbar: ihr Hauptinhalt ist Umschreibung, Nacherzählung von Bildern, die irgendwie mit dem Besungenen zusammenhängen. Ein wiederkehrender Fall ist der, daß die Bilder einem Schilde, den der Skald verehrt bekam, aufgemalt waren; dafür hatte man sogar einen besonderen Namen, 'Schildpreislied'. Schon die bewahrten Strophen Bragis fallen zum größern Teil auf ein Schildgedicht; die Anfangswendung: '. . . wie ich loben werde den schöngefärbten Schild und den Herrscher' zeichnet die doppelte Bestimmung. Ein einmaliger Fall ist das 'Hauspreislied', das ein Isländer an einer Hochzeit um 985 vortrug auf den Gastgeber und die Geschichten, die das Getäfel der Stube zierten.

Die Überbleibsel von Bildergedichten, einige dreißig Hoftonstrophen, zeigen Szenen aus Götter- und Heldensage: verschiedene Thorsabenteuer, Balders Bestattung, Gefjon am Riesenpflug; Ermenrich, Hetel und Hilde. Sachliche Beziehung dieser Stoffe auf die Person des Schenkers oder Eigentümers erkennen wir nicht.

Auch zu dieser sehr eigentümlichen Art des Preislieds sehen wir keine südgermanischen Vorstufen. Dagegen kennt die irische Poesie schon vor dem 9. Jahrh. Preislieder auf ausgezeichnete Schilde. Hier scheint wieder Bragi einen westlichen Einfluß empfangen und vermittelt zu haben[2]).

[1]) Als Anhang zu Genzmer II aufgenommenen, Nr. 33—35. Vgl. Genzmer, Beitr. 44, 146 ff.; Sahlgren, Eddica et Scaldica 1, 1 ff. (1927).   [2]) S. Bugge, Bidrag 57. 69 ff. Sind die irischen Palastschilderungen verwandt mit der isländischen Hausdrâpa? (Vgl. K. Meyer, Kultur der Gegenwart XI 1, 93 f.)

111. In den beiden Gruppen der Stammbaum- und namentlich der Bildergedichte sehen wir also *mythische* und *heroische Stoffe* auf skaldische Weise behandelt. Ein Stoffgebiet der objektiven Dichtgattungen ragt hier in die subjektive, die höhere Gelegenheitsdichtung herein. Zweck und Spitze des Liedes ist der Preis des Zeitgenossen. Es sind Sagenlieder zweiter Hand, eine abgeleitete Form des Götter- und Heldengedichts. Sie bilden nordische Gegenstücke zu Preisliedern des Pindar und Bakchylides, die in kunstlyrischen Maßen die Argonauten, Meleager, Theseus auf Kreta und andre Heldensagen bedichten. Bei den Griechen ist es chorische Dichtung zum Tanz; Wilamowitz hat sie Balladen genannt (Die Ilias und Homer 343). Daran ist bei unsern Skaldenstücken nicht zu denken; hier ist es unsangliches Hersagen: der äußere Aufwand ist der gleiche wie beim ersthändigen Lied. Anders geworden ist die innere Art des Berichtens. Sie verhält sich zur Art des Heldenlieds wie die Abwandlung zum Thema. Kenntnis der Stoffe setzen die Bragistrophen voraus; nur vor dem Hintergrund eines epischen Hamdir-, eines Hedin-Hildliedes wurden die Anspielungen des Skalden genießbar, wie ja schon die Bilder selbst auf einer ursprünglicheren; schlichteren Sprachform fußten.

Breiter gestaltet liegen uns zwei Götterfabeln vor in dem Schildgedicht des Thjodolf. Die eine ist der urwüchsige Mythus von Thors Zweikampf mit dem Felsriesen Hrungnir. Wie hier die erste künstlerische Formung aussah, ist nicht so leicht zu sagen (§ 136); aber diese uns vorliegenden Hoftonstrophen, die so kunstvoll umschreiben, in entlegenen Anspielungen schillern: sie sind gewiß nicht das 'Thema' erster Hand; sie sind die 'Variation', die abgeleitete Darstellungsform.

Daran ist es nicht, daß wir in diesen Bildergedichten auf frischer Tat den *Übergang* griffen vom reinen Erzähllied zum reinen Preislied, vom Sagengedicht zum Zeitgedicht. Unsre paar bewahrten Reste schließen doch nicht die Entwicklung in sich! Vorstufen außerhalb Norwegens werden doch nicht gefehlt haben. Auch dem Hakonlied (§ 110) kommt keine Übergangsstelle im Entwicklungssinne zu. Die *reinen* Typen der epische und das Enkomium, standen schon fertig da.

Außer jenen Bildergedichten besitzen wir größere und kleinere Reste von Thorsliedern in gleicher Hoftonkunst[1]): müssen wir die alle auf Schild- und Hausgedichte zurückführen? Schwerlich. Wir dürfen annehmen, daß man die skaldische Kunstform mitunter auf Göttermythen angewandt hat ohne die Vermittlung von Bildern und ohne die Verbindung mit Herrenpreis. Also reine, selbständige Mythenlieder, 'Götterdrâpas', nicht im schlichten eddischen Satze, sondern transponiert in die skaldische Figuration mit ihren 'agréments'.

Da tritt also die Hoftonkunst ganz in den Bereich der unpersönlichen Dichtung hinüber: sie trägt alte Sage vor als Selbstzweck. Nur ist es nicht die episch-dramatische Weise, die sonst bei den Germanen dem Erzähllied eignet[2]). Das Beschreiben überwiegt die fließende Handlung; Ausmalung des einzelnen ersetzt das seelische Durchleben der Fabel. Zu den stärksten Naturbildern der nordischen Dichtung gehören die erregten, phantastischen Gewittereindrücke beim Heranfahren des Donnergottes[3]). Die skaldische Art zu erzählen war wie geschaffen für das Umsetzen sichtbarer Bilder in Worte, gedieh aber auch ohne diese Hilfe. Zum weltlichen Preislied stimmt auch ein Ton der Bewunderung, ja der Feierlichkeit, woneben die eddischen Erzählstücke sachlich wirken.

Einen benachbarten Fall trafen wir in § 40: *hymnische* Dichtung, mit Anrede der Gottheit, hatte das skaldische Gewand und damit die benannte Verfasserschaft übernommen.

Alle die hier besprochenen Sonderarten des großen Skaldengedichts gehören dem ältern, heidnischen Zeitraum[4]) und haben wenig nach dem Tochterland übergegriffen. Seit die Isländer Alleinverwalter des Fürstenpreises waren, blieb es bei dem einen Normaltypus. Die vielversprechenden Ansätze in den drei 'eddischen' Zeitgedichten wuchsen nicht weiter. Das Bedürfnis nach klarer Sonderung der Arten stand diesen Mittelformen entgegen.

Wieweit das Preislied auf die Geliebte, das *Mansöngskvæði* (die *Mansöngsdrâpa*), einen besondern Stiltypus vertrat, wissen wir nicht, da von Liebesdichtung nur Lose Strophen, Kleinlyrik bewahrt ist (§ 88), keine zusammenhängenden Gedichte.

Auch zwischen den Preisliedern auf Lebende und denen auf Tote, den 'Erbliedern', besteht in der Regel kein artbildender Unterschied (§ 117).

Eine bemerkenswerte Neuerung war es, daß Isländer seit dem 12. Jahrh. auch auf Fürsten und Schlachten der *Vergangenheit* (der Zeit um 1000) dichteten. Also zwar Preislieder, aber keine Zeitgedichte, keine dem Augenblick dienende Gelegenheitskunst, vielmehr historische *Vorzeitsgedichte*, dem geschichtlichen Eifer des schreibenden Island erwachsen. Nach innerer und äußerer Form aber heben sich diese Sprößlinge von den Vorfahren wenig ab, und gleiches gilt von den *kirchlichen* Preisliedern, den Heiligendrâpas. Solche sind schon für das erste

Menschenalter nach Islands Bekehrung bezeugt, seit dem 12. Jahrh. bewahrt; von 1300 ab beerben und ersetzen sie den weltlichen Fürstenpreis.

[1] Hauptstück die Thôrsdrâpa (21 Strophen), das dunkelste der größeren Skaldenstücke, Skjald. 1, 139ff. Kleinere Splitter Skjald. 1, 6 (Ölvir hnúfa 1). 131 (Eysteinn Valdason). 132 (Gamli 1). 135 (Thorbjörn 1). 171 (B 3). 602 (D 4).   [2] Olrik, NJahrb. 1918, 40ff.   [3] In der Haustlöng 14—16, Skjald. 1, 17. [4] Ausgenommen die epigonische Tafel der Norwegerkönige, o. § 79 Anm. 6.

112. Was man den Normaltypus des skaldischen Preislieds nennen kann, erscheint uns zuerst in der Glymdrâpa auf Harald Schönhaar und zählt bis zum Ende der guten Zeit, gegen 1100, etwa vier Dutzend Vertreter, fast alle im Hofton, manche freilich nur ganz kleine Bruchstücke.

Eine knappe Artbestimmung haben wir in § 106 vorangestellt. Das Gedicht ist eine Mischung von sachlichem: Berichten, Herzählen, Ausmalen — und persönlichem: Preis, Spott, Tadel, Klage, Mahnung. Das Stärkeverhältnis dieser Teile ist ungleich.

Den anwesenden Gönner oder auch seine Drucht nennt das Lied oft in der zweiten Person, öfter in der dritten[1]: für den hymnischen Wärmegrad macht dies keinen Unterschied. Das Ich des Dichters kommt in vielen Wendungen zu Worte: 'Mir ist bekannt . . .', 'Ich sah genau . . .'; oft genug redet er ja als Teilnehmer der Kriege. Beliebt sind im besondern die Begleitworte zum eignen Vortrag: nicht nur das Schweigegesuch am Anfang, bisweilen zu ganzen Halbstrophen ausgesponnen; auch Schaltsätze wie: 'Ich dichte' (aber meist in faltiger Kenningumschreibung), 'Dies mehrt mein Gedicht'; 'Ich preise das Leben des mutigen Führers'; 'Ungern erzähl ich den Zwist . . .' Neben der Kleinlyrik (§ 87) ist das Preisgedicht die Stelle der altgermanischen Poesie, wo die Persönlichkeit ohne Scheidewand hörbar wird. In manchen Liedern ist es mehr als Formsache; im Preis, noch mehr in der Klage kann das Gefühl des Urhebers ausströmen. Hierfür ist Egils Sohnesklage der Hauptbeleg (§ 117), für die menschlich-politische Gesinnung des Fürstenberaters die 'Freimutsweisen' Sigvats[1].

Der sachliche Kern enthält mancherlei exakte Angaben: Zahl der Schiffe, Dauer eines Zuges, Orts- und Menschennamen. Die geschichtliche Bestimmung ist den Verfassern bewußt, nicht minder dem König, der seine Skalden als ersthändige Berichterstatter in der Schlacht aufstellt. Den isländischen Sagamännern und Geschichtsschreibern sind denn auch die zeitgenössischen Strophen Aktenstücke, gerade auch für kleine Einzelangaben (§ 191).

Eine spannende *Geschichte* abzuwickeln, war wohl nie das Ziel des Zeitgedichts; so frei wollte es nicht mit der Wirklichkeit umspringen. Der skaldische Wortstil hinderte vollends das Führen einer Handlung. Da gibt es kein Schürzen dramatischer Auftritte. Dazu hätte es die dem Leben nachgebildeten Reden gebraucht. Falls solche auf südgermanischer Stufe bestanden, wurden sie im Hofton unmöglich: sie wären aus dieser prosafernen Sprache fremd herausgefallen. Berühmte Aussprüche, die man nicht missen wollte, hat der Skald in scheinlebige *Oratio obliqua* übersetzt.

Das Erzählen im epischen Lied wie in der Saga hat seinen Nerv in den Reden: das Berichten des Skaldenlieds ist kaum Erzählung, mehr Aufreihung von Zustandsbildern, wechselnd mit trockener Tatsachenbuchung. Dort sollen Gesinnungen offenbar werden und aufeinander prallen: hier gehört der Anteil dem Außenleben und der Massenhandlung.

Wie wenig die Strophen zwingendes *Vorschreiten* enthalten, zeigt gut der Umstand, daß sie so oft versetzbar sind; daß man Lücken selten nachweisen kann. Es kann fraglich bleiben ob eine Schlacht oder eine ganze Reihe gemeint ist. Es fehlt eben das Gerüste der *Fabel*.

39—43. Helm aus Eisen, mit Bronze
belegt. Wendel, Uppland.
Durch einzelne Bronzeplatten
von Helmen in natürl. Größe.
(Nach Montelius, Kulturgeschichte Schwedens.)

Streckenweis ist es ein 'auf der Stelle tretendes Schildern'[2]). Ob das Lied einen ganzen Lebenslauf, ob es dreizehn Heerzüge oder einen zum Inhalt hat, trägt für die Wirkung wenig ab.

Hat schon im Heldenlied das äußere Geschehen mehr Formelhaftes als die Reden, so ergeht sich nun der skaldische Bericht vollends in gattungshaften Lebensbildern. Sie würden zu jedem Seezug, zu jedem Gemetzel, zu jeder Landwüstung passen.

Wir greifen einige Glieder aus verschiedenen Gedichten heraus. 'Der König betrat des Baches Blaupfad (das Meer) mit den bebenden Zugtieren der Ruder (den Schiffen)'. 'Der eidtreue Speersender führte eine breite Flotte hinaus in das Wetter der Walküre (die Schlacht); der frohgemute Fürst dämpfte das Zögern, und die Erprober der roten Kampfmonde (der Schilde) erhoben ihre Zwistsegel (Schilde), den Streitmut der Feinde zu beugen'. 'Der Spender des Armschmucks ließ die Kampffibeln (Speere) zusammenknirschen ob den Häuptern der gefällten Schlachtlärmmehrer'. 'Der den Blutschwan (Raben) erfreut, ließ es nicht fehlen an Sturm des Speerweibes (an Kampf); der Heger der Wölfe schirmte

44. Nordischer Krieger aus dem 4. Jahrh. nach Chr.

mannhaft sein Leben'. 'Die barsche Sippschaft der Wölfin schlang die übelzugerichteten Leichen, aber die grüne See wurde, blutgemischt, zu einer roten'.

Solche Bilder legt der Skald unermüdlich neu auf durch die Jahrhunderte hin. Man muß schon scharf hinsehen, um dem Eindruck vollkommener Einförmigkeit des Inhalts zu entgehn. Das Preislied will anderes als das Erzähllied: kein menschlich ergreifendes 'Es war einmal' erzählen, sondern Taten von gestern rühmen, in deren Licht oder Schatten das Heute steht.

Diese Taten sind zum größten Teil Kriege, Massenkämpfe. Das Zeitgedicht, nicht das Heldenlied, ist 'die Heimat des germanischen Schlachtenstils'[4]). Die Kriegführung des norwegischen Stammes bringt es mit sich, daß See und Flotte mit einer Liebe behandelt sind, die man im südlichen Kreise vielleicht bei den Wandalen in Tunis, den Häuptlingen des Mittelmeers, suchen dürfte. Neben dem Schlachtenstil sehen wir Ansätze zu einem Meeresstil.

Dazu kommt das mehr Zuständliche, das zum Bilde des Gepriesenen gehört. Der rechte Fürst dämmt das Räuber- und Diebsgesindel ein, er 'läßt jeden kecken Dieb verlieren so Füße wie Hände: dies half dem Frieden des Landes auf'. Mehr Raum füllt die nach der Tapferkeit erste Fürstentugend, die den Hofskald und seine höfischen Hörer näher berührt als der Strafjustiz: die 'Milde', das rundhändige Spenden von Ringen, Waffen, Schiffen. 'Der Herrscher — so dichtet ein Hauptskald um 1050 — besät seinem Gefolge den lichtgefurchten Steilacker der knöchelzahmen Ringe (den Arm) mit der Saat des Yrsasprossen[5]); der gewissenhafte Landherr schüttet mir selbst das lichte Korn des Kraki[5]) auf die von Fleisch statt Erde geschirmten Felder des Habichts (die Arme)'.

Da haben wir eine etwas üppige Blüte des Gaben- oder Schenkestils, der, wie der Schlachtenstil, seinen Bilderschatz prägte und vererbte. Einen hellen Abglanz davon sahen wir auf dem englischen Weitfahrt (§ 78); der hat diese, die goldfrohe Seite des Preisdichters gut aufgefangen.

[1]) E. Noreen 240; Jón Helgason 83.   [2]) Skjald. 1, 234ff.   [3]) Genzmer, Beitr. 44, 161; Phillpotts, The elder Edda 31f.   [4]) Neckel, GRMon. 1915, 32f.   [5]) Das von Rolf Kraki Gesäte ist Gold.

113. Stofflich genommen, sind diese Preislieder Prosa. In schlichter Rede nacherzäht, tun sie nicht die Wirkung von Poesie, wie es die Erzähllieder tun. Zur Kunst, zum künstlerischen Spiel erhebt sie die *Form*. Nur auf diese wirft sich die Erfindungskraft des Verfassers, der zugleich Chronist und Spielmann sein will.

Auch diese Form hat ja viel unabänderliches. Vor allem nach Seiten des *Verses*. Das Lieblingsmaß, den Hofton, lernten wir in § 24 kennen. Er hat soviel feste, eherne Regeln — für Zeitfall, Stab- und Silbenreim — wie nicht bald ein zweites Metrum. Verfeinerte Betrachtung lehrt immer neue Vorschriften kennen[1]); man entdeckt, wie leicht unsre Textbesserer den einen Anstoß durch einen andern ersetzen — zuweilen einen scheinbaren durch einen wirklichen! Doch hat dieser Panzer den formbeherrschenden Dichtern nicht verwehrt, immer neue Wortverbindungen, neue Schallreize, überraschende Reime zu finden.

Ähnliche Goldschmiedearbeit, wie sie den Vers und die Strophe ziseliert, kann sich noch einmal im Großen betätigen: das lange Gedicht kann man gliedern durch *Kehrverse* (*stef*) mit genau bemessenen Abständen zwischen den kehrversführenden Strophen. Diese stolzeste Form des Preislieds hieß die *Drápa*; sie stand höher in der Schätzung als der kehrverslose *Flokkr*. Gleich schon bei Bragi begegnet diese Einrichtung. An Beteiligung eines Chores ist bei dem skaldischen Stef nicht zu denken, es besteht keine Ähnlichkeit mit dem Kehrreim der Balladen, aber auch kein Zusammenhang mit den ganz andersartigen Wiederholungen von Strophe zu Strophe in Sitten- und Merkgedichten (§ 66. 81). Viel näher verwandt sind die Kehrreime in der Geistlichendichtung des 8., 9. Jahrh.; z. B. Otfrid Buch II, 1 geht so ziemlich nach der Vorschrift einer Drâpa. Lateinische Poesie muß die letzte Quelle dieses skaldischen Schmuckes sein[2]). Ob auch hier die Iren vermittelt haben?

Schon fürs Ohr, im Zeitfall, hat der Hofton die natürliche Rede stark stilisiert, und zwar aus einem Formgefühl, das vom gemeingermanischen weit ablag. Man denke nur: Verse mit unweigerlich gleichem, klingendem Ausgang, Senkung und Auftakt stets einsilbig, der Abvers regelmäßig auftaktlos! Das waren der germanischen Gewöhnung urfremde Dinge.

Mit den Ansprüchen des Versmaßes verbindet sich eine *Sprache*, die das Äußerste an Steigerung bedeutet. In zweierlei besteht die stilisierende Abrückung von der Prosa: in Wortstellung und Wortwahl. (Das folgende gilt ebenso wohl für die Kleinlyrik im Hofton, vgl. § 87.)

Die *Stellung* der Sätze und Worte genießt unerhörte Freiheit: Die Halbstrophe im Hofton —
der *Helming* von zwei Langzeilen — steht syntaktisch auf eigenen Füßen: spätestens nach
jedem vierten Kurzvers kommt ein Ruhepunkt, eine Atempause. Innerhalb dieser Strecke
kann sich die Freiheit ausleben.

Aber hier stehn wir vor einer Grad- und Streitfrage! Die isländischen Skaldendeuter
von Sveinbjörn Egilsson († 1852) bis und mit Finnur Jónsson († 1934) ließen Wortverschränkung innerhalb des Helmings beinah unbegrenzt zu. Gegen sie verfocht der Schwede Ernst
Albin Kock die grundsätzliche Forderung, die Hoftonsprache mehr aus dem gesunden Menschenverstand zu erfassen und die härtesten Fälle der Verschränkung nach Möglichkeit zu meiden[3]).
Sein Vorgang hatte weitreichende Wirkung über die Stellungsfragen hinaus. Dahin hat doch
die Forschung nicht geführt, daß man das 'nach Möglichkeit' in sachlich zwingende Vorschriften
fassen konnte; die 'festen Verteilungsschemata' (Meißner) sind ein frommer Wunsch geblieben.
Verallgemeinern läßt sich der Leitsatz nicht: die einfachere Ordnung ist die glaubhafte[4]).
Man kommt nicht herum um Wortfolgen wie diese:

'Traf der Beherzte des gierigen den Landführer Wolfes, der erlauchte Lippenröter der
Dänen' (Not. Norr. 1152), wo zu verbinden ist: Lippenröter des gierigen Wolfes; Landführer
der Dänen[5]).

'Meeres Beutels . . . Schnee und Feuer' meint so viel als 'Meeres Feuer und Beutels Schnee'
= Gold und Silber (Not. Norr. 1153). 'Sie wurden alle . . . und greis . . . alt' steht für: sie
wurden alle alt und greis. Für die gewohnte Kenningschüttelung Beispiele in § 114.

Drei ineinandergeschobene Hauptsätze:

Erde sprießt (aber wir müssen)   der Wina nah ob meinem
[Todesnot ist dies] (bergen   den Harm) ruhmwürdigen Bruder.

Beliebt sind Schaltsätze persönlichen Inhalts, oft wieder in Stückchen zerschnitten. Auch
Wortspaltung (*Tmesis*), wie im Latein des Ennius, des Alkuin, hat man vergeblich wegzu-
deuten gesucht: 'Ha- ritt auf Schiffes Rücken -kon'.

Keinen Anstoß gab augenscheinlich, was man 'Fehlleitung' genannt hat: die Verlockung,
ein Wort mit seinem Nachbar zu verbinden, während es seine Anlehnung irgendwo in der
Ferne findet. Wie vorhin: 'der Lippenröter der Dänen' für 'd. L. des gierigen Wolfes'.

Schon das Gesagte macht klar: die Berufung auf den gesunden Menschenverstand ist
eine fragwürdige Sache. Desgleichen die Forderung, ein Skaldenvers müsse immer noch 'verständlich' sein. Da arbeitet man mit abgestuften Größen! (DLitZ. 1931, 2029.) Beugungs-
reiche Sprachen ziehen die Grenzen des Möglichen anders als unsre beugungsarmen; das Latein
kann den Skaldenkünsten ein paar Schrittchen nachtun[6]). Mag viel oder wenig von diesen
Künsten erzwungen sein durch das anspruchsvolle Metrum: so wie diese Sprache nun einmal
ist, setzte sie bei Dichter, Sprecher und Hörer eine Feinhörigkeit voraus, die so wenig allgemein menschlich ist als die Prosaferne. Man tat der Sprachkunst dieser Poeten einen
zweifelhaften Dienst, wenn man sie freisprechen wollte von der 'Verrätselung' (§ 116) — von
dem, was sie erhebt und erheben soll übers Gemeinmenschliche und Gemeinverständliche.

Drei Folgen für den Zeitfall hat diese freie Stellung. Wo man den Satz 'atomisiert', seine
Teilchen nach dem Bedürfnis des Verses neu ordnet, da muß der Satzfall — der Satz als ohren-
fälliges Lebewesen — aufhören. Ein tiefer Gegensatz zum altgermanischen Formgefühl! Zum
Wesen des außerskaldischen Stabreimverses gehört es, daß er den Eigenfall der Sätze auf-
greift und steigert (§ 27). Der Hofton kann den Satzfall im Versfall erlöschen lassen. Man

spreche sich unsre Beispiele plastisch vor! Es gibt da viele Grade; jeder Dichter bringt dazwischen auch den natürlichen Satzfall zu Gehör.

Damit hängt das zweite zusammen: daß die Reimstäbe so oft die Satzgipfel übergehn. Das untergräbt ja die Grundmauer der Stabreimkunst! Die ältesten Skalden hüten sich noch davor[7]).

Eine dritte Folge der Satzzerstückelung ist, daß die *Variation* im Hofton zurücktritt. Wieweit sie das vornordische Preislied färbte, stehe dahin: mit der Stimmung der Skaldengesätze verträgt sie sich wohl, diese Ausdrucksform des Überschwangs, das zurückbiegende Zwei- und Dreimalsagen (§ 133). Ausgestorben ist sie auch nicht; aber in wenigen Strophen, geschweige Gedichten wird sie den Ton angeben[8]). Hängt doch ihre Wirkung an dem gefühlvollen Stauen des breit strömenden Satzes.

[1]) Das wertvollste bieten die Aufsätze von Hans Kuhn: Gött. Gel. Anz. 1929, 193ff.; Festschrift für Behaghel 1934, 411ff; Beitr. 60, 133ff. (1936); ZsAlt. 74, 49ff. (1937).   [2]) Lateinische Vorbilder zu Otfrids Kehrversen nennt Schönbach, ZsAlt. 40, 118. Keines steht der skaldischen Art so nahe wie Otfrid II 1.   [3]) Kocks 'Notationes Norroenae' erscheinen seit 1923, bisher (März 1939) 3100 Nummern. Von dem reichen Schrifttum, das sich anschloß, nennen wir nur: F. Jónsson, Arkiv 40, 320ff. (1924); 45, 127ff.; Textkritische Bemærkninger til Skjaldekvad 1934; Reichardt, Studien zu den Skalden des 9. und 10. Jahrh. 1928; Arkiv 46, 32ff. 199ff. (1930); Kock & Meißner, Skaldisches Lesebuch 1931; S. Nordal, Arkiv 51, 169ff. (1935) — nebst den Kuhnschen Studien in Note 1. Den Grundsatz, näher bei den Handschriften zu bleiben als die 'isländische Schule', hat Kock später auffallend preisgegeben; z. B. Arkiv 49, 279ff. Anderwärts hat dieser Grundsatz — die Erkenntnis, daß alles Ändern ein halsbrechendes Geschäft sei — zu einem müden Verzicht geführt: 'was wir haben, ist zwar verdorben, doch dringen wir über diese Diagnose nicht zur Therapie vor.'   [4]) Niedner, Anz. 44, 172; Reichardt, Studien 17; Anne Holtsmark, Arkiv 51, 390.   [5]) Noch ein Beispiel, das man nur in lateinischen Formen widergeben kann: Famem quum argentei capuli gladium pretiosum qui efficit minutam deposuismus, arma, et consecratum mariti lupae baculum sequebamur (Kock-Meißner, Lesebuch Str. 184, 5—8).   [6]) J. Grimm, Kleinere Schriften 3, 354.   [7]) Vf., Dt. Versgesch. § 424.   [8]) Vgl. Genzmer, Dt. Islandforschung (1930) 156ff,

114. Ebenso merkwürdig wie die Wortfolge ist die prosaferne *Wortwahl*. Die Substantiva der Skalden mußten den Landsmann, der nur Prosa kannte, wie eine Art Geheimsprache anmuten. Ein übergroßer Bruchteil der Wurzeln oder Ableitungen war der Alltagsrede, sehr viele aber auch der Eddadichtung fremd. Manches davon war altbewahrt, vieles neugeschaffen, einiges wohl aus den Fachsprachen der Fischer, Jäger oder des Kultes bezogen. Die 'seltenen Worte', die uneigentlichen Ausdrücke, die Umschreibungen: dies gehört zur Skaldenart. Auch Eigennamen darf man ins Uneigentliche übersetzen: für Schwanhild sagt man 'Vogelhild', für Thorgrim 'Riesenverderbers Grim', für Isländer 'Aalhimmelsländer': all dies schon im älteren Zeitraum.

Die Umschreibungen waren gern mehrgliedrig. Die Fähigkeit des Germanischen zu Composita erreicht bei den Skalden eine ungeahnte Höhe. Den Stil prägt vor allem die Gleichnisumschreibung, die Metapher mit Ablenkung: die sogenannte *Kenning*[1]).

Man hat den Begriff Kenning enger oder weiter gefaßt. Faßt man ihn weit, so ist die Kenning nicht nur gemeingermanisch: sie ist eine gemeinmenschliche Kunstform. 'Schützer des Landes' kann man ziemlich überall für 'Herrscher' sagen ... Geht man auf das Kennzeichnende und denkt an die 'eigentliche Kenning', die Metapher mit Ablenkung, dann zieht sich der Kreis enger. Als farbegebendes Kunstmittel ist die Kenning skaldisch. Anläufe dazu erscheinen altenglisch; Ausstrahlungen von der Skaldenkunst eddisch.

Als Gelegenheitsspiel aber erscheinen Kenninge — eigentliche Kenninge — da und dort in der Welt. Unser 'Rebenblut' und 'Dampfroß' und 'Schiff der Wüste' sind richtige Beispiele (nicht aber: imago animi = frons; vinculum terrae = gelu bei Alkuin; auch nicht der Brustlatz kalter Herzen, die Sandbüchse meiner Pein bei Hoffmannswaldau). Als die spanischen Conquistadoren die Wanzen *panteros de leito* 'Panter des Bettes' nannten, betraten sie einen Weg, der sie zu Bragis Vertauschungskunst führen konnte, und wenn Aristoteles fein auseinandersetzt, die Trinkschale könne man 'Schild des Dionysos', den Schild aber 'Trinkschale des Ares' nennen, so würde der nordische Skald diesen Vollblutkenningen Beifall nicken und zufügen: so kann der Weingott der 'Ares der Trinkschale', der Kriegsgott der 'Dionysos des Schildes' heißen.

Das Rezept der Kenning ist hieraus zu ersehen. Sie ist eine Spielart der Metapher, und zwar eine mit dem Rätsel und dem Witz geistesverwandte, weil sie eine Auflösung heischt und eine Ähnlichkeit des Ungleichen erspäht. Über die Entstehung und die seelischen Urgründe der Kenning ist damit noch nicht entschieden. Die schlichteren Fälle wie 'Rebenblut' oder 'Wogenroß' (Schiff) konnten der Anschauung ohne Verstandesspiel erwachsen. 'Zusammengedrängte Gleichnisse' sind es natürlich nicht, vielmehr Gleichniskeime, die sich nicht entfaltet haben.

Der deutschen Stabreimdichtung sind Kenninge fremd. Bei der englischen redet man zwar immerzu von Kenning, aber da nimmt man solche Allerweltsausdrücke mit wie Erdbewohner für Mensch, Eschenholz für Speer; also gar keine Metapher, geschweige eine abgelenkte. Die spärlichen Kenninge der Engländer sind von der treuherzigen Art wie jenes 'Wogenroß' für Schiff, 'Knochenhaus' für Leib.

Der Norden hat mit dem Pfunde gewuchert. Zu den zweistöckigen treten drei- bis sechsstöckige. Mythus und Heldensage geben Motive her: 'Roß der Hexe' für Wolf; 'Schiff des Ullr' für Schild; 'Saat des Kraki' für Gold (§ 112 Ende). Halb-gleichdeutige Wörter und sogar gleichklingende dürfen sich vertreten: soviel wie 'Feuer des Meeres' gilt 'Bernstein des Meeres' — und dies ist nun nicht etwa Bernstein, sondern Gold! Usw. Die ersthändige Kenningsprache vergeistigt sich zu einer zweihändigen, der das Anschauungsblut in den Adern herzlich dünn geworden ist.

Die Kenning ist, schon im ältern Zeitraum, eine starre Prägung, wie eine Münze: zum einzelnen Fall muß sie nicht passen. Die Schlange ist der 'Erdenfisch', auch wo die im Meer lagernde Mittgartschlange gemeint ist; 'Renntierpfad' kann auch das Land des Engländers heißen, 'Falkenstand' auch die Hand Gottes (obwohl sogar der Isländer den Herrgott nicht auf die Falkenbeize reiten ließ).

Dann die Häufigkeit. Den für die Skalden wichtigen Hauptwortbestand überspinnt nun ein Netz von Kenningen. Krieger, Weib; Gold, Dichtung; Himmel, Meer, Schiff; Schlacht, Schwert, Schild, Rabe, Wolf: diese Begriffe sind etwa die kenningreichsten. Ein halb Dutzend Metaphern kann sich in einem Gesätze zusammenfinden. Was bei anderen Menschen, auch den Iren, Gelegenheitseinfall bleibt, daraus haben die Skalden Plan gemacht. Jedes einzelne Hauptwort so zu verkleiden, das wollen oder erreichen die wenigsten Strophen, und schwerlich haben dies die Hörer verübelt. Neben den Metaphern mit Ablenkung schätzt man auch immer die 'uneigentlichen Kenninge', die ohne Gleichnisgehalt: der Fürst ist ein 'Gesprächsgenosse der Recken', das Feuer ein 'Verderber der Halle', die Dichtkunst eine 'Gabe Odins'. Das ist leichteres Gepäck.

Zurück drängt man die blassen Fürwörter. Es heißt nicht gern 'Das Lied rühmt den Ringbrecher, denn *er* beschenkt *mich*', es heißt lieber' ..., denn der Lenker des Wogenrappen beschenkt den Stamm der Brünne'. Das Fürwort weicht dem Hauptwort; diesem kommt der ganze Reichtum zugute: die Zeitwörter mit Zubehör behalten ihre natürliche Schlankheit.

Was die germanische Dichtersprache von jeher war, ist sie nun im äußersten Maße: eine Substantivsprache (vgl. § 14. 188). Eine Halbstrophe mag dies zu Gemüt führen, zugleich eine fünf- und eine vierstöckige Kenning vorweisen[2]). Die Wortfolge ist geebnet.

(*Subjekt:*) Der Werfer des Bernsteins der Kaltwiese des Ebers des Bergriesen der Salzflut (*verbaler Teil:*) wird lange denken an (*Objekt:*) die Salweide des Bodens des Riemens des Röhrichts'.

Ein Kommentar würde ziemlich viel Raum verbrauchen. Der Sinn ist: 'Ich werde lange an sie denken'.

Die beiden Reize der Skaldensprache, Kenning und Wortverschränkung, können sich addieren. Man würzt die drei- und mehrgliedrige Kenning gern dadurch, daß man die Glieder durcheinander schüttelt. Drei ungleiche Arten:

1) ein überall geläufiges Verfahren (a | b c): benja ... târmûtari 'der Wunden ... Tränenhabicht' = der Habicht der Wundentränen, des Blutes = der Rabe;

2) schon mehr versteckspielend (b c a): eld-vidum öldu 'den Feuerbäumen der Woge' = den Bäumen des Wogenfeuers, des Goldes = den Helden. Viergliedrig (b c d a): bands jôdraugar landa = landa-bands-jô-draugar 'Länder-Bands-Renner-Stämme' = Krieger;

3) eigentliche Sprengung des Kompositums (a c b): hrægammr ... sævar 'Leichengeier ... der See' = Geier der Leichensee, des Bluts = Adler. Viergliedrig (c b a d): Âla undirkûlu vazt-rödd = vazt-undirkûlu-Âla rödd 'des Wasser-Untergrundes-Ali Stimme', Gold.

Dichtigkeit und Kühnheit der Kenninge wechseln stark. Der Gebrauch bei Bragi zeigt schon ein paar zweithändige, 'erstarrte' Züge. Über dem Aufstieg zu Bragi liegt ja leider das tiefe Dunkel (§ 104): wir wissen nicht, welchen Bestand an Kenningen die norwegische Hofkunst angetreten hat. Die Eddafamilie hält im großen etwa zu dem altenglischen Stande; wo sie fühlbar darüber hinausgeht, verrät auch andres den skaldischen Einfluß. Damit sei nicht gesagt, daß wir die Kenningerbschaft, die dem nordischen Skalden um 800 zufiel, nach der englischen oder eddischen Armut bemessen. Mag sein, daß die Gattung des Fürstenpreises schon im Süden ein kunstvolleres, prosaferneres Sprachgewand trug[3]). Wir kennen ja stabreimende Preislieder nur aus Skaldenmund!

Wie dem sei, wir denken uns Bragis Kenninglinie hoch über der südgermanischen. Auch da wieder möchte man an Befruchtung denken durch die sehr kunsthafte, umschreibungsreiche Sprache der altirischen Lyrik. Nur kann von schlagender Ähnlichkeit im Punkte der Kenning kaum je die Rede sein (§ 24).

[1]) Hauptwerk: Meißner, Die Kenningar der Skalden 1921 (zum Begriff Kenning vgl. Vf., Anz. 41, 129ff.). E. Noreen, Studier 1, 3ff.; 2, 4f.; W. Krause, Zs. f. vgl. Spr. 53, 213ff. (1926); W. Mohr, Kenningstudien 1933 (Meißner, Anz. 55, 175ff.); G. Finnbogason, Acta Phil. Scand. 9, 69ff. (1934/35); Hertha Marquardt, Die altenglischen Kenningar 1938. Herleitung der Kenning aus Tabusprachen: Portengen, De oudgermaansche Dichtertaal 1915; Jellinek, Zs. für die österr. Gymn. 1917, 765ff. Etwas andres ist die Erklärung der Metaphern bei Naturvölkern: H. Werner, Die Ursprünge der Metapher 1919.   [2]) Skjald. 1, 534 aus SnE. 1, 408. Snorri konstruiert etwas anders, auch F. Jónsson und Kock-Meißner s. v. *saltr*. [3]) Dafür tritt Neckel ein GRMon. 1915, 33. 38. Anknüpfung an Zauberdichtung suchen Olrik, NJahrb. 1918, 42; E. Noreen, Studier 1, 1ff.; Krause s. o. § 24 Note 7. Was wir an stabreimenden Zaubersprüchen haben, zeigt doch das Gegenteil skaldischer Kenning- und Verschränkungssprache, sieh § 53. Es scheint gewagt, dawider das eine Denkmal auszuspielen, die Inschrift des norwegischen Eggjumsteins. Deutung wie Alter dieser Inschrift sind annoch umstritten, s. Lis Jacobsen, Eggjumstenen 1931.

115. Vers- und Sprachkünste zusammen bringen das Formwunder hervor, das sich Hoftonstrophe nennt. Schon bei Bragi ist es bis auf Nebendinge voll entwickelt.

Der Hofton war eine Erfindung, schicksalsvoll für die weitere Skaldenkunst. Lange Dichterreihen hielt er in seinem Bann, ein halbes Jahrtausend und mehr, denn auch die kirchliche Dichtung des isländischen Spätmittelalters blieb an ihm hängen. Kein zweites Mal in germanischer Dichtungsgeschichte hat eine Kunstform von so geprägter, ausschließlicher Art eine solche Herrschaft ausgeübt. Fünf Sechstel unsrer 'skaldischen' Poesie gehn in dieser einen Form: die mannigfachen anderen Maße teilen sich in das eine Sechstel.

Die verwickelte *metrische* Regel des Hoftons blieb ziemlich starr; die Spielarten, die man später noch erfand — teils steigernde, teils vereinfachende —, haben außerhalb der Versmustertafeln wenig zu bedeuten. Mehr Wandelungen zeigt der *sprachliche* Stil[1]). Der Überreichtum an Kenningen und die Satzzerstückelung mäßigen sich zu Ende des 10. Jahrh. Bei Hallfred, dem Leibdichter des ersten Olaf, hat man den Eindruck, daß die Mühsal der Form überwunden ist, daß die Tabulatur nicht mehr die Gedanken regiert. Von da ab spalten sich die Wege: die einen streben nach leichterem, flüssigerem Ausdruck; die andern mühen sich um Abwandelung und Überbietung der alten Kenninge, aber eine so gleichmäßig gestopfte Sprache wie im Hofton der ersten zwei Jahrhunderte kommt selten mehr vor.

Als vielleicht letzten Vertreter unsres Maßes aus dem Mutterland Norwegen treffen wir — inschriftlich, auf der Holzsäule einer Kirche, früh- 13. Jahrh.[2]) — eine volkshaft gewordene, sozusagen entlaubte Sproßform: der Zeitfall geebnet, in An- und Abvers ohrenfällig gleich, Freiheiten im Silbenreim:

Haldi hinn helgi dróttinn   Halte der heilge Führer
hönd yfir Brynjolfs öndu!   Hut über Brynjolfs Mute!

Wäre dies 400 Jahre älter, man dächte wohl an eine Frühform des Drottkvætt! Im Schrifttum findet sich ähnliches in Zeilen der Vorzeitssagas.

Es gab auch Auflehnung gegen den Hofton, sogar im Fürstenpreis. Nach 1100 dichteten drei Isländer im bequemen Langzeilenmaß der Edda[3]), ohne Silbenreime, die Füllung freilich sehr gebunden; aber die Sprache beinah kenninglos, schlicht bis zur Dünnheit. 'Skaldisch' blieb hierbei die innere Anlage, will sagen: undramatisch, redelos, chronikenhaft; die 'eddischen Preislieder' der Heidenzeit (§ 110) sind ganz anders. Man kann es einen Anlauf nennen, den Damm zu durchstechen zwischen Edda- und Skaldenfamilie, zwischen Erzähllied und Preislied. Stärkere Wirkung hatte der Versuch nicht: Zeitgenossen und Nachkommen fuhren ruhig fort in der prunkhafteren Weise, und noch für Snorri, um 1220, ist der Hofton der unbedingte Herrscher im Reich der Formen, Grundlage und Maßstab der metrischen Vielgestaltigkeit.

Der 'Skaldenstil', verkörpert in der durchschnittlichen Hoftonstrophe, ist gewiß eine der einsamsten Erscheinungen der Weltliteratur. Er ist hochgetriebene Kunst mehr im Sinne handwerklicher Technik als seherischer Eingebung. Bei den Germanen treffen wir nirgend wieder eine solche Übersteigerung der *Form*. Dieser Grad von Stilisierung der Natur, d. h. der Umgangssprache, bildet den Gegenpol zur klassischen Saga, die die Form im Inhalt verschwinden läßt.

Es ist ein *Stil*, logisch auf seine Weise: viele Ausdrucksmittel versagt er sich, an denen der Nichtkenner kein Arg fände. Der Glaube daran, daß dieser Stil seinen Schlüssel habe — einen zwar kunstreichen, doch untrüglichen Schlüssel —, und daß die Gelehrten Islands diesen Schlüssel endlich wieder gefunden hätten: dieser Glaube ist zwar den meisten ins Wanken gekommen (§ 113); man behilft sich heute mit einem mehr natursüchtigen Tasten und Raten von Fall zu Fall. Im Hintergrund steht der Gedanke: hättens die Schreiber des Mittelalters besser verstanden und uns sauberere Texte hinterlassen, es stände günstiger um uns und den Skaldenstil.

Diese Hoftongedichte würde man für Schreibstubengewächse halten, wenn wirs aus den Geschichten nicht einwandfrei erführen: die Verfasser waren Analphabeten, harte Kriegsmannen, echte Vertreter des Freiluft- und Faustrechtlebens. Das Waffengedröhne, die blutschlürfenden Wölfe, der Siegesjubel: das tritt hier aus erster Hand vor uns, nicht vermittelt und gedämpft durch Schriftstellerliebhaberei wie bei den geistlichen Epikern Englands. Es sind unverfälschte Urkunden einer schriftlosen Kriegergesittung[4]). Weil durch alle Tabulaturkünste ein starkes Menschentum vernehmlich wird, eine hochgemute Leidenschaft, eine adlige Heldenart, steht diese Meisterdichterei auf andrer Stufe als die stuben- und weihrauchqualmige der deutschen Schuster und Kürschner.

¹) Meißner, ZsAlt. 54, 54ff.; E. Noreen, Studier 2, 18ff.   ²) Paasche 421.   ³) Skjald. 1, 409. 457. 467.   ⁴) Einen ähnlichen Kontrast zwischen 'wilden Leidenschaften einer barbarischen Zeit' und der äußersten 'Subtilität der Sprache' hat man in der vorislamischen Dichtung der Araber gefunden. Sieh dazu Burdach, Berliner Sitz. 1918, 1086 (= Vorspiel 1a, 314).

116. So sehr aber der Hoftonstil jahrhundertelang dem Bedürfnis dichtender Isländer zusagte, und so wenig er auf einen obern und gelehrten Stand beschränkt war: seiner Entstehung nach war er ein halb-landfremdes Gebilde — und auch seiner Art nach. Wollte man von allen ausländischen Anregern absehen, es bliebe die Tatsache, daß diese metrisch-sprachliche Form in so und so viel erweislichen Punkten abliegt von dem eigentlich nordischen Stile, dem der Edda. Dieser ist dem altgermanischen Formwillen im großen treu geblieben: die Skaldenkunst hat ihn verlassen, und zwar gutenteils nicht im Sinne der Fortführung, der Steigerung, sondern des umgelegten Kurses. Mag man im skaldischen Kenningreichtum noch eine 'Steigerung' alter Ansätze sehen: auf die zerstückelte Satz- und Wortfolge, das Aussetzen des natürlichen Sprachfalls träfe dies nicht mehr zu, auch nicht auf das Verwelken der Variation, am wenigsten auf den metrischen Stil: der sagt sich handgreiflich los von allem, was seit dem Weitfahrt bis heute in nordischen, deutschen und angelsächsischen Landen als *germanisches* Versgefühl gilt.

Danach werden wir uns hüten, aus dem skaldischen Stil kurzweg den altgermanischen Formwillen herauszulesen, da wo man Dichtung mit bildender Kunst vergleicht. Und doch bestehn auffällige, ins einzelne gehende Ähnlichkeiten dieses Stiles mit einer Bildkunst, die viel weiter spannte als der Skald: mit dem *Tierornament*, das in den vorkirchlichen Jahrhunderten der kenntlichste Ausdruck germanischen Formtriebes war (§ 16).

Diese Zierkunst hat man verschiedentlich der stabreimenden Dichtung im allgemeinen

45. Altgermanisches Tierornament.
(Nach Haupt, Die älteste Baukunst der Germanen.)

gegenübergestellt[1]). Man muß sagen, die Ähnlichkeit mit südgermanischen und eddischen Versen, mit dem Hildebrandslied, den englischen Elegien, den Hauptnummern der Eddaklassen, ist recht entfernt und erschöpft sich nahezu in dem Begriff 'gefühlsmäßige Steigerung' im Gegensatz zu der geklärten Sinnlichkeit der Alten. Die starke Gipfelbildung durch die Reimstäbe ist wesensverschieden von der Auszeichnung einzelner Tierglieder: sie vergliche sich nur einem geometrischen Zierband, das in gemessenen Abständen zu Höhepunkten anschwillt[2]). Die Figur der Variation entwickelt erst in der Geistlichenepik der Engländer und Sachsen jenes unruhige Hin und Zurück, das man mit den Verschlingungen im Ornament vergleichen konnte.

Ganz anders nah berührt sich diese Zierkunst mit dem Skaldenstil. Eine Hoftonstrophe erinnert in der Tat an eine Fibelplatte, die ein Schnörkeltier in peinlicher Linienschärfe ausfüllt bis in jeden Winkel; wo der geübte Blick allmählich den Kopf, die Klauen, den Schwanz aus dem Knäuel unterscheidet. Einzeln genommen, sind die Vergleichspunkte diese.

Der außerordentliche Grad von Stilisierung, dort der Tierform, hier der Sprache; und zwar wirken auch die Strophen nicht selten wie ein Bänderwerk, ein Linien- und Fleckenmuster. Dann vor allem das bekannte Zerstückeln der Teile, dort der Tier-, hier der Satzglieder; die Neuordnung der Teile zu einem naturfremden Geflecht nach den Bedürfnissen dort des Raumes, hier des Metrums. Die Verschwendung von Schmuck, das Überladene, das neben der klassischen Maße 'barbarisch' wirkt; Gegenstücke zu skaldischer Rede treibt man am ehesten in der *Barockdichtung* der verschiedenen Länder auf[3]). Das Vollstopfen der Fläche (der Strophe) mit Form; auch im Hofton hat man oft das Gefühl: nirgends ein Luftloch, eine Ruhestelle (wie im außerskaldischen Gedicht fortwährend), alles erfüllt von wichtigen Wörtern, Reimträgern. Das Ornament wie die Strophe ist in sich selbst geschlossen, heischt keine Fortsetzung, drängt nicht weiter; wieder ein scharfer Unterschied vom Außerskaldischen; die vielberufene 'unendliche Melodie' darf man dem Heliand nachsagen, ganz und gar nicht dem Hofton. — Die Wirkung des ganzen endlich kann man dort wie hier bezeichnen mit den Worten: Unruhe, wogendes Gedränge, phantastisches Wirrsal. Was für Hildebrand- oder Wölundlied gewiß nicht gölte! Eine eingefangene, zusammengepreßte Energie — während sie im Erzähllied frei explodiert. Auf nicht so wenige der skaldischen Gesätze träfen die Ausdrücke zu, die man für gewisse Stilstufen der germanischen Raumkünste gefunden hat: 'verrätselnde Linienwillkür', 'unruhige Verknäulung und Verrätselung der Formen' (Georg Weise).

Mit der einfachen Formel 'germanisches Stilgefühl' kann man diese innere Verwandtschaft nicht erklären; denn das Skaldische ist, wir wiederholen, innerhalb der altgermanischen Dichtung eine eigene und halbfremde Note. Daß die nordische Zierkunst zu eben der Zeit, als die Skaldenart erwuchs, unter irischen Einfluß kam, ist Nebensache; denn die erwähnten Gleichheitspunkte gewährt schon das ältere Ornament (Salins 'Stil II', bedingt schon 'Stil I').

46. Altgermanisches Tierornament,
weitgehend ins reine Ornament umgebildet.
(Nach Salin, Altgermanische Tierornamentik.)

47. Steven des bei Oseberg am Christianiafjord
in einem Grabhügel aufgedeckten Schiffes aus dem
9. Jahrhundert.
(Nach G. Gustafson, Norges Oldtid.)

Zwischen der Eigenart eines Kunststils und der seiner Schöpfer und Pfleger bestehn verwickelte, oft undurchschaubare Beziehungen; man darf da nicht mit rechnerischem Vereinfachungsbedürfnis dreinfahren. In unserm Falle hat es das Spiel der Kräfte so gefügt, daß zwei nach Entstehungszeit, fremden Keimen und Ausbreitung weit verschiedene Stile zu einer merkwürdig ähnlichen Gruppierung der seelischen Urbestandteile gelangten.

Das eben Aufgezählte hat zugleich, Punkt für Punkt, Unterschiede der skaldischen Art von der gemeingermanischen angedeutet. Dazu könnte man noch rechnen wollen, daß im Skaldenstil mehr sinnliche Bildkraft lebt. Man dächte dabei an die Kenninge. Die 'eigentlichen Kenninge' sind ja Metaphern, sie setzen eine Bildvertauschung voraus; also doch wohl Anschauung. Die Regel ist, daß der Skald 'nicht aus dem Bilde fällt'. Hat er für 'Schiff' Wogenroß gesagt, wird er etwa fortfahren: 'es läuft über die Hügel der Walfische' (die Wellen), was zum Rosse stimmt, und nicht 'es durchfurcht die Töchter des Ägir'! Snorri kann ausführlich erläutern, wie man solches Im Bilde bleiben durchführe. Das Schwert, als *Drache* umschrieben,

gleitet den *Pfad* der Scheide und sucht nach der *Tränke* des Bluts usw. Gehe man im selben Gesätze zu anderer Umschreibung über — das Schwert als 'Fisch', als 'Gerte' —, das hieße 'genixt' (gezwittert) . . . Ziehen wir aber alles in Betracht an der Kenning: ihren Inhalt, ihren Wortschatz, ihre Dichtigkeit, so scheint doch gar viel gegen das Augenerlebnis zu sprechen (§ 113). Diese Gleichnissprache lädt mehr zum Nachrechnen ein als zum Schauen; sie sichert der Skaldenkunst kein Mehr an Einbildungsglut.

Einen Sieg der *Klangdichtung* über die mehr augenhafte Kunst hat man den gereiften Hofton genannt; die Musik des Verses siegte über seine Poesie[4]). All diese streng berechneten Rhythmen, diese Stäbe und Reime waren doch nicht nur Kunstprobe und Fessel: sie waren vor allem Ohrenschmaus! Wir aber erhaschen von dieser Wirkung nur einen Schatten. Zwar sind hier keine Sangweisen verlorengegangen wie bei Pindar und bei Walther; aber die sprachliche Stimmführung und Klangfarbe, alle feineren Reize des Vortrags, dies stellen wir nicht her. Das sollten die bedenken, die über die Künstelei der Skaldendichtung aburteilen.

¹) Darüber namentlich Panzer, Röm.-germ. Korr.-blatt 1921, 80ff. Ferner Hans Naumann, Frühgermanentum 1926; Schwietering, AnzAlt. 45, 159ff.; F. R. Schröder, Agerm. Kulturprobleme 1929, 30ff.; G. Weise, Dt. Vjschr. 10, 206ff. (1932); E. Kühnel, Nordische und islamische Kunst, in: Welt als Geschichte

48. Römischer Greifenkopf.   49. Ornamentaler Kopf.   50. Nordischer ornamentaler
(Nach Sophus Müller,   (Nach Sophus Müller,   Vogelkopf. (Nach Sophus Müller,
Nordische Altertumskunde.)   Nordische Altertumskunde.)   Nordische Altertumskunde.)

1, 203ff. (1935).   ²) Wie etwa bei Salin, Altgerm. Tierornamentik, Abb. Nr. 551—55 [Daraus unsere Abbildung Nr. 46]: Sonderfälle, die aus dem reinen Tierornament hinausfallen (S. 270).   ³) Kenning-ähnliches bei Pretiösen: Bode, Die Kenn. in der ags. Dichtung 10f. An skaldische Wortstellung erinnern von ferne die im 17. Jahrh. beliebten 'Wechselsätze' (Strich, Munckerfestschrift 1916, 38). Wortkünste wie die in § 87 (*sverd* in jeder Zeile) haben Gegenstücke, sieh z. B. Witkowski, Diederich von dem Werder 117; freilich auch schon bei dem nicht barocken Heinrich von Veldeke: MF. 61, 33. ⁴) Paasche, 'Edda' 8, 58.

Je mehr man die kenntlichen Gebilde der Dichtung im Fernelicht verschwimmen läßt; je mehr man über Zeit- und Raumgrenzen hinwegfliegt: desto reichlicher strömen die Ähnlichkeiten zu — und desto weniger sagen sie. Wir kommen in § 199 auf diese Geschmacks- oder Weltanschauungsfragen zurück.

Öfter kehrt in den genannten Schriften der folgenreiche Fehlblick wieder: als gebe es in der altgerma-nischen Dichtung eine Linie der Entwicklung vom, sagen wir Schlichten, Gleichgewogenen, Klaren zum Reichen, Aufgelösten, Dunkeln. Die beiden Spätfälle germanischen Sprachstils: Hofton und Heliand, kann man unmöglich an das Ende einer Entwicklungslinie tun. Es sind zwei Linien, die sich früh getrennt haben. Der Weg ging so wenig über den Heliand zum Hofton wie umgekehrt. Vgl. § 200.

Ohne Widerhall blieb unsre Warnung vor der 'einfachen — allzu einfachen — Formel'. Denn es steht fest: man will Gleichlauf ('Parallelität') der beiden Künste; je glatter die Rechnung aufgeht, um so glaub-hafter. Was da stören könnte, muß schweigen . . .

117. Es bleibt uns noch die klagende Abart des Preisliedes, die *Elegie*.

Sie mag zusammen mit dem Fürstenlob bei den Goten aufgekommen sein, wenigstens tritt sie uns früh bei einem Mittelmeerstamm entgegen. Wir verdanken dem Griechen Prokop das verhältnismäßig klare Zeugnis, die bekannte Stelle über den Wandalenkönig Gelimer im Jahr 533. Als er sich in seiner numidischen Bergfeste nach harten Leiden dem Oströmer-heer ergeben muß, ist einer seiner drei Wünsche eine Harfe (Kithara): 'denn er war ein guter Harfner und hatte auf das gegenwärtige Schicksal ein Lied verfaßt: dasselbe drängte es ihn zur Harfe unter Klagen und Weinen vorzutragen'.

Also kein Berufssänger, aber ein kunstgeübter Mann; wir erinnern uns an die singenden Fürsten englischer Quellen § 99; zur Harfenbegleitung vgl. § 107. Sein Lied hat er vorher ver-faßt; wir stehn nicht bei der Stegreif-Kleinlyrik von Kap. 11. 'Auf das gegenwärtige Schick-

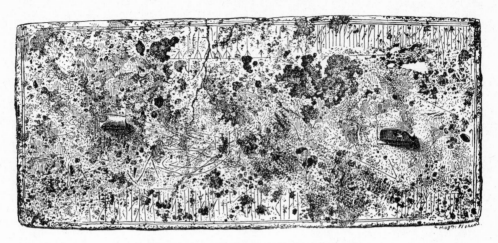

51. Rückseite einer Fibelplatte mit eingeritzten Runen.
(Nach Montelius, Kulturgeschichte Schwedens.)

sal': also kein Sagenlied, sondern ein richtiges Zeitgedicht persönlichen Inhalts, aber dem Erlebnis gemäß nicht siegesstolz, sondern zu wehklagendem Vortrag geschaffen. Wie sich berichtende und lyrische Teile mischten, ahnen wir nicht.

Klagende Gedichte über Zeitereignisse öffentlicher Bedeutung bringt die Karolingerzeit in lateinischer Sprache. Ein lebendiges und verhältnismäßig wenig predigthaftes Beispiel sind die 'Verse über die Schlacht von Fontanetum' a. 841[1]). Sie stammen von einem Teilnehmer, Angilbert, der sich mit Namen nennt und als Augenzeugen einführt. Ein paar Mal erinnern sie an Schlachtenbilder nordischer Skalden (Strophe 9f. 14). Hier erhebt sich, ähnlich wie beim Ludwigslied in § 109, die Frage, ob weltliche, landessprachliche Muster im Spiele waren; ob der fränkische Skop Elegien vorgetragen hat.

Wenden wir uns gleich dem Norden zu, so finden wir skaldische Klagegedichte nur in der Gestalt von 'Erbliedern' (*erfikvædi, erfidrâpa*). Auch auf Privatleute dichtete man solche. Als ein Isländer (im Jahr 1167) den Tod seines Bruders Ari erfuhr, machte er ein Erblied auf ihn 'und fand, so tröste er sich am ehesten über den Hinschied, wenn er Aris Heldentum in Gedichte bringe, die man weit verbreite'[2]). In den bewahrten Erbliedern aber pflegt der Ton der Klage nur in einzelnen Strophen zu erklingen; im übrigen haben sie den sachlichen Inhalt des sonstigen Preisgedichts. Elegien würde man sie nicht nennen.

Eine entschiedene Ausnahme macht Egil Skallagrimssohns Gedicht auf der Söhne Verlust (*Sonatorrek*)[3]). Hier überwiegt das Aussagen des eigenen Schmerzes in immer neuen Wendungen. Angaben über die Toten sind sparsam, dazu so unstofflich, daß man sie kaum greift; zum Erzählen nirgends ein Ansatz. Es hat wenig von einem Preislied, nichts von einem Zeitgedicht, auch abgesehen von dem privaten Inhalt. Ein- oder zweimal gibt die Vereinsamung dem Sprecher ein mißmutiges Wort ein über die Mitwelt, aber Bußpredigerstimmung oder Weltschmerz bleiben fern. Einen im Kern gesunden, mit dem Diesseits sonst zufriedenen Mann haben Todesfälle an verwundbarer Stelle, dem Sippegefühl, getroffen: er hadert mit den Göttern und reicht ihnen zuletzt die Hand, dankbar für den Trost, die Dichtkunst (§ 102);

und nun will er froh und gutwillig die Hel erwarten. Das ist heidnische Frömmigkeit, so weltlich, so außerhalb des europäischen Mittelalters . . .

Kein andres altnordisches Werk, in Vers oder Prosa, kreist so um das Ich und folgt so zwanglos den Bewegungen der Seele. Es ist die persönlichste Lyrik dieses Schrifttums — in einer ganz unsanglichen, von Verstand und Willen geformten Sprache. Rituale Teile, stehende Wendungen aus Totenklagen sind keine zu spüren. Der Ausdruck erscheint für den Augenblick geprägt, einmalig bis zum Eigenwilligen. Das hindert nicht, daß der im Grunde volkshafte Gedankengang auch zu Spruchweisheit greift. Vier Strophen als Probe (6. 8. 9. 17). Egils Lieblingssohn Bödvar ist, eben erwachsen, im Sturm ertrunken.

> Bitter brach   die Brandung ein
> In den Hag   der Heimsippe.
> Offen klafft   und ungefüllt
> Sohns Scharte,   die die See mir schlug.

> Schüf ich mir   mit dem Schwert Rache,
> Dem Sturmgott   seine Stunde wär da!
> Gäb es nur   wider Götter Kampf,
> Auszög ich   Ägir entgegen.

> Doch mir fehlt   — ich fühl es wohl —
> Kraft zum Kampf   mit des Knaben Töter.
> Allem Volk   vor Augen liegt:
> Einsam ist   der alte Mann!

> Wahres Wort: es gewinnt keiner
> Sohns Ersatz,   der nicht selbst ihn zeugt,
> Nie einen,   der dem Nächsten sei
> Geborn je   an Bruders Statt.

Das Versmaß hat Egil von der Ynglingentafel übernommen, auch die Sprache ähnelt ihr (§ 79): sie ist vom Hofton grundverschieden, knapp und spröde, ein kantiger Inschriftenstil; bei Egil ärmer an Kenningen als das Vorbild, daher durchsichtiger, prosanäher.

Für die Gattung Erblied haben wir keine vornordischen Belege — wir reden hier nicht von den chorischen Grablitaneien. Sind aber schon für die Wanderungszeit bezeugt einerseits Gedichte 'auf die Siege und Kriegertugenden' des lebenden Brotherrn (bei Priskos), andererseits ein Klagegedicht des Königs 'auf sein gegenwärtiges Schicksal' (bei Prokop), so wird man glauben, daß auch das preisende Klagelied auf den Toten, zunächst den Fürsten, schon damals zum Vorrat des Hofdichters gehörte.

Elegien gibt es auch im *eddischen* Lager, aber die sind in jeder Hinsicht anders beschaffen. Es sind die Rückblicke der Heldinnen und Helden auf Ereignisse der Sage. Also keine Lyrik im eignen Namen. Sie stellen sich immer noch zur erzählenden Dichtung und sind als Ableger des alten Heldenlieds zu erklären (§ 145).

[1]) Poetae Latini aevi Carolini 2, 138f. Vgl. Seemüller (§109) 329f,; E. R. Curtius, Zs. f. roman. Philol. 58, 205.   [2]) Sturl. 1, 128.   [3]) Skjald. 1, 34ff.; verdeutscht bei Niedner, Thule 3, 229ff.

118. Stabreimende Elegien haben wir vor allem aus England. Mit dem bisher Besprochenen sind sie augenscheinlich nur fern verwandt. Ja man muß fragen, ob sie das elegische Zeitgedicht der Germanen fortsetzen.

An *Zeugnissen* für das kunstmäßige Klagelied, den Seitenast des höfischen Preisliedes, können wir nur etwa eine Beowulfstelle nennen (Z. 2108), die von dem harfenden Dänenkönig am Gelage sagt: 'zuweilen trug er ein Stück vor, wahrhaft und schmerzlich'. Zwei Zeilen darauf heißt es, der alte Kämpe — doch wohl auch König Hrodgar — habe 'zuweilen wiederum' die entschwundene Jugendkraft beklagt. Meint dies ein Lied, so wäre es kaum ein Zeitgedicht, wie das des Gelimer; es verglich sich stofflich eher den Rückblicken in 'Wanderer' und 'Seefahrer'. Aber vielleicht schwebt dem Epiker ein bloßes Stegreifgesätze vor.

Andre Gedichtstellen, die von Wehklagen sprechen, verwerten wir hier nicht, da sie auf kunstlosere Arten (Chor- oder Kleinlyrik), z. T. gewiß auf außerdichterische Laute oder Reden gehn[1]). Auch von den Vokabeln können wir keine zuversichtlich auf die Elegie beziehen.

Die erhaltenen Werke, sechs an der Zahl, stellen Rätsel aller Art und machen eine summarische Würdigung nicht leicht[2]).

Sie entfallen auf mindestens drei sehr ungleiche Arten. Gemeinsam ist ihnen der Ichbericht. Sangbar wären Sängers Trost und die Klage am Wulf, da sie in (freiem oder strengem) Zeilenstil gehn. Beide verwenden Kehrverse, aber wirkliche Strophen — metrisch, nicht nur inhaltlich bedingte Gruppen — bauen sie nicht. Die vier übrigen Stücke vollends haben den gewohnten unstrophischen Fluß der altenglischen Buchdichtung.

Die Frage 'heidnisch. oder christlich?' sollte man nicht stellen: diese Lieder sind ganz und gar christlich; sie mögen in die Mitte zwischen Cædmon und König Alfred fallen, noch in die Blütezeit des stabreimenden Schrifttums. Nur 'weltlich und kirchlich' kann man sondern. Erkennt man die erbaulichen Teile in Sängers Trost und namentlich in Wandrer und Seefahrer als Zutaten an, dann sind die Lieder alle sechs weltlich nach Stoff und Stimmung. Die sittenklägerische Beleuchtung, die Entwertung des Diesseits im allgemeinen, der Hinweis auf Gott als Lenker und Ausgleicher dieser Weltleiden: diese drei Gedanken beschränken sich streng auf jene unleugbar abstechenden Teile. Die Lieder selbst kennen keinen Weltschmerz, ihre Klage gilt nicht dem Leben als Jammertal, sondern ganz bestimmten Schicksalen.

Dies schließt geistliche Urheberschaft nicht aus. Mit weltlicher würde sich bei Sängers Trost und der Wulfklage der Stil vertragen.

[1]) Vgl. o. § 44f. 85.   [2]) Sie stehn bei Grein-Wülcker Bd. 1 Nr. 5. 7. 8. 10. 11, Bd. 3 I, 183 ('1. Rätsel'); in Schückings Kleinem ags. Dichterbuch als Nr. 1. 2. 4. 5. 7. 8 und bei Sieper, Die ae. Elegie 1915. Hauptschrift: Imelmann, Forschungen zur ae. Poesie 1920. Über 'Sängers Trost' bes. Lawrence, Modern Philol. 9, 23ff. Wir schließen aus die drei geistlich-lehrhaften Stücke, Ruine, Reimlied, 'Gebet eines Vertriebenen' (s. Imelmann 423).

119. Für sich steht des Sängers Trost. Das ist keine 'Gattung', sondern ein einmaliger Einfall. Es ist ein Zuspruch, für beliebige Notlagen zu gebrauchen. Der Dichter zählt fünf schwere Schicksale aus der Heldensage her und schließt allemal mit: 'Das ging vorüber, auch dieses kann so (vorübergehn)', nämlich der augenblickliche Fall, dem sein Zuspruch gelten soll. Das kleine Gedicht erhält dadurch einen merkvershaften Zug. Der Ausdruck schwankt zwischen episch-lyrischer Fülle und trockenem Referat. Mit der Überschrift 'Deors Klage' dreht man das Gesicht des Trostlieds nach einer andern Seite.

Zuletzt aber berichtet der Sprecher noch ein eigenes Unglück, das ebenfalls 'vorüberging', und dabei stellt er sich uns vor als 'Skop der Hedeninge', als Hofdichter eines altsagenhaften Geschlechts, den der Sänger Horand (aus der deutschen Kudrun bekannt) verdrängt habe. Also einen erfundenen, in die heroische Welt gesetzten Skop, ein Gegenstück zum Weit-

54. Goldbrakteat. Asum, Schonen.
(Nach Montelius, Kulturgeschichte Schwedens.)

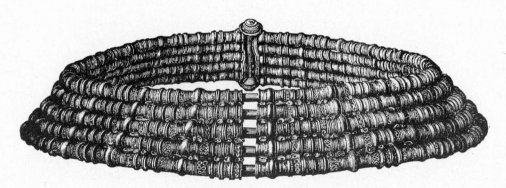

55. Halsschmuck aus Gold. Torslunda, Öland.
(Nach Montelius, Kulturgeschichte Schwedens.)

fahrt (§ 78), hat der Dichter als Sprachrohr seines Zuspruchs gewählt; ganz passend, sofern dieser Tröster die fünf Fälle aus alter Heldenzeit beibringt. Auf diese Verkleidung des Ichs fiel am leichtesten ein Fachgenosse, ein Skop.

Drei Lieder, die beiden Frauenklagen und die Botschaft des Gemahls, greifen eine Lage aus dichterischen Fabeln heraus: die Ich-Rede beleuchtet die Zusammenhänge in schwebenden Anspielungen, die uns gutenteils dunkel bleiben. Eigennamen nennt nur die kürzere Klage (*Wulf* und *Eadwacer*). Nach heimischer Heldensage sieht es nicht aus; diese wehmütigen Frauenschicksale — Trennung vom Manne, Hausen in der Waldesöde, Angst um das Leben und die Treue des Fernen; in der 'Botschaft' versöhnendes Ende — klingen mehr nach einer erweichten, wenn man will städtischen Einbildung.

Während in der Botschaft ein Goldton von Gemütswärme und milder Sehnsucht schimmert, finden die zwei Klagen den Ausdruck dort für die verhärmte, hier die verängstigte Frauenseele. Sind es Schöpfungen von Frauen? Zum erstenmal in germanischer Zunge hören wir unmittelbare Herzenslaute, begleitet von einem fast heftigen, schreckhaften Naturgefühl. Das kürzere Lied mit seiner herben Sprache, ohne die gewohnten Zierate, keine Scheu vor Alltagsgedanken, trägt uns über die Zeitkluft weg:

> Auf meinen Wulf, den weitschweifenden,   wartete ich und litt,
> Wenn es regnerisch Wetter war   und ich weinend saß.
> Wenn dann der Schlacht-eifrige   in seine Arme mich schloß,
> War es mir Wonne,   mir wieder auch Leid.
> Wulf, mein Wulf,   das Warten auf dich
> Machte mich krank,   dein seltenes Kommen,
> Die Angst im Gemüt,   nicht Essens Mangel . . .

Ein Paar sind endlich 'Wanderer' und 'Seefahrer'. Ihre Sprecher sind keine Fürsten, und ihr Erlebtes stammt nicht aus der Sage, sondern der Wirklichkeit.

Der Wanderer müßte von Rechts wegen 'der Gefolgsmann' heißen. Er sitzt einsam an winterlicher Küste und träumt von seiner glücklichen Zeit, dem Dienst bei dem geliebten Druchtin. Seit den die Erde deckte, zog er heimatlos, freundlos über die Meere, suchte nah und fern einen neuen Gefolgsherrn. Vor sich allein muß er klagen, denn er weiß, die lähmende Trauer verschließt der Edle in seiner Brust, wenn die lieben Gesippen ihm fehlen. Die Verlassenheit in wilder Natur und die Wonne der Methalle geben die gegensätzlichen Klänge.

Der Seefahrer weiß von den Leiden seines Berufs zu sagen: Nachtwachen, Kälte und Hunger; rings das Heulen der Flut, Sturm und Hagel, das Geschrei der Möven, Gänse und Seeschwalben. Davon weiß der am Lande nicht, der in den Burgen keck und weinfroh das Leben genießt! Aber ihn selbst reißt es alljährlich zu neuer Fahrt hinaus nach fremden Ländern. Wenn im Frühling die Wälder wieder sprießen, die Fluren sich schmücken und der Kuckuck klagt, — dies alles mahnt ihn hinaus auf die Wellenpfade . . . Das wogende Durcheinander der Gefühle, die Mehrdeutigkeit der Anspielungen, das geht hier so weit, daß man sich die Gründe dieses selbstquälerischen Dranges ganz verschieden zurechtlegen konnte. Wenn die Hörer nicht sehr viel eingeweihter waren als wir, brauchten sie zu all diesen Stücken einführende Prosa.

Das Erhaschen flüchtiger Seelenregungen; ein Ringen, das nie Gesagte auszusprechen, dazu das reizbare Einbeziehn der außermenschlichen Natur: dies eignet dem 'Gefolgsmann' und dem 'Seefahrer' in dem Grade, daß alles Altnordische daneben steinzeitlich aussieht. Das Naturgefühl ist nicht das des 18. Jahrh.: der Dichter sieht nicht mit genießendem Auge und legt der Natur kein Mitfühlen unter, er mythisiert nicht. Die rauhen Landschaftsbilder stehn da nicht als Abspiegelung des Grams oder stimmungsgemäßer Rahmen, sondern in naiverem Sinne: die unwirtliche Natur ist eine der Leidensquellen. Aber sie ist inbrünstig empfunden und mit der rechten bildzeugenden Sparsamkeit herausgebracht.

Eine Probe muß uns genügen:

> Wenn Sorge und Schlaf   zusammen vereint
> Den armen Einsamen   oftmals binden,
> Dünkt ihm im Herzen,   daß seinen Dienst-herrn
> Er umklammre und küsse,   auf die Knie ihm lege
> Haupt und Hände,   wie in der Halle er einst,
> Vergangener Tage,   des Gabenstuhls genoß.
> Dann erwacht wieder   der Verwandtenlose:
> Vor sich sieht er   fahle Wellen,
> Sieht baden die Vögel,   breiten das Gefieder;
> Schnee mit Hagel gemengt   schauert vom Himmel.
> Dann ist um so herber   des Herzens Wunde,
> Sehnsucht nach dem Holden: die Sorge ist neu.
> Wenn der Gesippen Reihe   der Sinn durchschweift,
> Sie glücklich grüßt,   begierig sie schaut, —
> Freunde und Gefährten   verfließen hin;
> Der Schwindenden Schar   schenkt gar wenig
> Gewohnte Worte: das Weh ist neu.

In beiden Gedichten sind es wiederkehrende Lebensverhältnisse, nicht einmalige Geschicke. Stimmungsbilder aus dem Privatleben der Gegenwart. Ob man den Sprecher gradezu dem Dichter gleichsetzen darf? Reden der stellenlose Gefolgsmann und der geplagte Seemann in Person zu uns? Dann müßten es geschulte Dichter gewesen sein; aber darauf spielen sie nicht an. Auch hier haben sich wohl die Verfasser in fremde Gedanken eingelebt; sie dichten, wie in den vier vorigen Stücken, aus erfundener Rolle, diesmal nicht sagenhafter, sondern aus dem Leben geschöpfter.

120. Dies rückt die englischen Elegien ab von den Klagen Gelimers, Angilberts und Egils: es sind keine Zeitgedichte erster Hand, keine Gelegenheitspoesie. Zu dieser verhalten sie sich, wie die Mehrheit der höfischen Minnelieder zu dem ernstgemeinten, werbenden Liebeslied. Waren sie als kunstmäßige Vortragsstücke gedacht, dann konnten sie um so leichter zur Niederschrift gelangen.

Diese Elegien bilden eine Gruppe; sie berühren sich in ihrer Stimmung und in einzelnen Wendungen: sie müssen, wenn auch von verschiedenen Urhebern, irgendwie im Zusammenhang entstanden sein. Aus welchen formgeschichtlichen Voraussetzungen?

Die rituale Totenklage hilft uns nicht, mag sie auch letzten Endes, Jahrhunderte früher, zu den Keimen des höfischen Erblieds gehört haben[1]). Auch mit kunsthaften Erbliedern haben unsre Elegien so gut wie keine Ähnlichkeit. Klagelieder, die nicht auf Verstorbene gingen, wie das des Gelimer, könnte man schon eher als Vorstufen nennen; das Trennende haben wir hervorgehoben.

Das Beowulfepos, vermutlich älter als die Elegien, wetteifert mit diesen an dunkler Wehmut und spinnt gern klagende Betrachtungen aus, sei es durch den Dichter selbst, sei es durch einen Handelnden, wobei das elegische Urmotiv, die Vergleichung des Einst mit dem Jetzt, anklingt. Eine 'Abzweigung aus den lyrischen Stellen des Epos', eine Verselbständigung solcher

Einlagen[2]): daran könnte man bei den zwei Frauenklagen denken, bei den übrigen Nummern nicht wohl. Auf die heroischen Rückblickslieder der Edda (§ 142) träfe, *mutatis mutandis*, diese Ableitung zu. In ihrem schwermütigen Ernst, auch in einzelnen Gedanken, stellen sie sich in die Nähe der englischen Elegien und zeugen, wie diese, von den Möglichkeiten am Grunde der germanischen Seele[3]): ein geschichtlicher Zusammenhang ist nicht glaubhaft. Bei jenen 'lyrischen Stellen' im Beowulf wäre überdies zu bedenken, ob sie nicht ihrerseits durch die Gattung der selbständigen Elegie angeregt sind.

Es ist nicht nur eine Frage der Gattung. Auch der Seelenstoff dieser Gedichte heischt Erklärung: ihre verfeinerten Schwingungen, ihre zarte Leidensfähigkeit, ihr Naturempfinden. Altgermanisch ist dies nicht. Erklärt man es als die besondre Note des angelsächsischen Stammes, so denkt man an das Geistlichenschrifttum, das uns in beiden Sprachen so reichlich gerettet ist. In der Kirche Englands ist diese auszeichnende Mischung entstanden. Auch Einflüsse der keltischen Dichtung mit ihrer lebhaften Naturlyrik hätte man sich durch die Pfaffen vermittelt zu denken[4]).

Das Innenleben unsrer Elegien setzt die kirchliche Erziehung der Geister voraus, mögen auch Gegenstand und Stimmung unklösterlich, diesseitig sein (§ 118). Auch unter den dichtenden Geistlichen gab es ungleiche Einstellung zu Welt und Himmel. Die kirchliche Bildung Englands aber, im 7.—9. Jahrh., schloß Kenntnis der römischen Klassiker in sich; ohne die Aeneis wäre kein Beowulfepos entstanden. Auch für die elegische Gedichte, zumal die Botschaft und die beiden Frauenklagen, hat man Vergils Heldenbuch herangezogen; daneben sein Hirtengedicht — vor allem aber Ovids Heroiden[5]): eine Dichtung, die der leidenden Heldin andere Seiten abgewann als die erotischen Heldenfabeln Dänemarks, dann Islands. Es ist schwer, hier stoffliche Anregung zu scheiden von mittelbarer stimmungshafter Befruchtung. Mit starkem Umbilden, das einem Neudichten nahekommt, wird man rechnen müssen[6]); man fragt sich, wieweit dieses Umbilden mit klarem Bewußtsein und Kunstverstand erfolgte.

Die Fäden, die die englische Elegie an die altgermanische Gattung des Klage- und Erblieds knüpfen, erscheinen uns dünn. Leugnen wollen wir sie nicht. In den engeren, den reingermanischen Kreis der Dichtung wird man diese Werke nicht stellen. Vieles, vielleicht das beste, verdanken sie äußerer Anregung.

[1]) Schücking, EStud. 39, 1ff.; Sieper aaO. 1ff.   [2]) Kögel 1, 63; Neckel, Btr. 495f., Schücking, EStud. 51, 111. Die 'altgermanische *Heldenklage*' als Schößling des Heldenlieds wird nicht recht greifbar. [3]) Fr. Vogt, Gesch. der mhd. Lit.³ 1, 143.   [4]) Sieper aaO. 55ff. faßt die wallisische Dichtung ins Auge. Auch die irische käme in Rechnung. Vgl. Ganzenmüller 53ff. (117f.).   [5]) Eingehend Imelmann aaO. Kap 6 und 7. Zustimmt Burdach, Vorspiel 1¹, 319; Baesecke, Festschr. für Leitzmann 1937, 7ff.   [6]) Wir denken an Heroide XV (Paris an Helena); ihre Klänge erlauscht Helga Reuschel in der ae. Botschaft: Beitr. 62, 132ff., bes. 139ff.

XV. DAS ERZÄHLLIED: DIE GEMEINGERMANISCHE FORM DES HELDENLIEDES

121. Neben dem Preislied steht das Erzähllied. Man kann es auch das 'Sagenlied' nennen, denn sein Inhalt sind Götter- und Heldensagen; mythische und heroische Geschichten.

Erzählende Götterlieder kennen wir nur im Norden. Beim stabreimenden Heldenlied sind wir besser gestellt: zu dem Reichtum, den isländische Schreiber des 13. Jahrh. geborgen haben, treten doch zwei südgermanische Bruchstücke, das deutsche Hildebrand- und das englische Hengestlied ('Finnsburgkampf'). Dazu viele Texte zweiter Hand in Süd und Nord;

sie geben wenigstens von dem Inhalt einstiger Heldenlieder einen Begriff. Es sind Nacherzählungen in lateinischer und isländischer Prosa, Bearbeitungen in lateinischen Versen bei dem Dänen Saxo; namentlich auch die buchepischen Ausgestaltungen: stabreimende in England, 8. Jahrh., der lateinische Waltharius aus dem 10., die reimenden Heldenepen Deutschlands aus dem 13. Jahrhundert, woneben aus derselben Zeit die nordische Prosawiedergabe deutscher Lieder und Epen in der Thidrekssaga.

Verbinden wir all dies mit den kurzen 'Zeugnissen' verschiedener Art — auch Bilder in Stein, Holz und Bein gehören dazu —, so wird uns diese Dichtgattung so genau bekannt wie keine zweite gemeingermanische. Es mögen zusammen gegen fünfzig Liedinhalte sein, die wir dem stabreimenden Stil zuschreiben dürfen[1]). Etwas über die Hälfte dieser Fabeln hat südgermanische Wurzel. In sehr ungleicher Deutlichkeit stehn sie vor uns. Lange nicht all dies können wir mit Zuversicht zurückführen in die erste schöpferische Blütezeit (§ 125). Dabei sind nicht mitgezählt die innerlich jüngeren Gebilde, die von wikingischem oder spielmännischem Schlag. Wie vieles uns spurlos verloren ist, bleibt offen; doch wäre die Vorstellung kaum berechtigt, daß diese uns einigermaßen erkennbaren 50 Liedinhalte nur ein kleiner Bruchteil wären von dem einstigen Reichtum.

Obschon uns Aufzeichnungen aus der Wanderungszeit fehlen, liegt es zum Glück nicht so, daß uns das altgermanische Heldenlied ein Schatten bliebe. Es ist ein Wahn, das Heldenlied des 6. Jahrh. sei ein gänzlich ander Ding gewesen als das, was wir aus unsern Zeugen gleichsam als Archetypus erschließen. Die großen Helden waren damals doch alle schon da, und ihre Fabeln waren sicher nicht grundverschieden von der uns bewahrten Gestalt.

Heldenlieder hat es bei vielen Völkern gegeben als Ausdruck einer bestimmten Kriegergesittung, einer kriegerisch-adligen 'Juventus mundi'. Aber bei Griechen, Indern, Persern, Franzosen sind sie verschollen und nur die buchhaften Nachfolger, die Epen, übrig geblieben. Die Heldenlieder aber der Russen und Serben und — wenn man sie herrechnen will — die europäischen Balladen des Spätmittelalters bezeichnen eine viel jüngere Stufe. Es gilt hier Ähnliches wie von der Kleindichtung in § 93.

An Schätzung in seiner Zeit stand das Preislied dem Heldenlied gleich. Aber die Wirkung auf die Nachwelt war beim Heldenlied, dank seinen mehr zeitlosen Stoffen, so viel stärker. Was das Heldenlied und seine Abkommen gestaltet haben, die *Heldensage*, ist, alles in allem, das edelste geistige Erbe aus dem germanischen Altertum. Weder im Mythus noch im Recht spricht diese Vorzeitsgesittung so erhebend zu uns.

Dem Fernerstehenden erscheint denn auch leicht die Heldendichtung als Inbegriff der altgermanischen Poesie. Wo von 'canitur adhuc', von Gesang und Harfe die Rede ist, denkt er allsogleich an das Heldenlied! Wir müssen schon etwas genauer sichten; die niederen Gattungen und namentlich das Preislied forderten ihre Rechte[2]).

[1]) Man vgl. die Schätzungen Hermann Schneiders, ZsVolksk. 30, 45; ZsAlt. 58, 125ff. Schneiders Werk: Germanische Heldensage, 3 Bände, 1928—34, ist zu den folgenden drei Abschnitten ein wichtiges Hilfsmittel. Daneben stelle man den Band von Ludwig Wolff, Die Helden der Völkerwanderungszeit 1928. Mehreres Lesenswerte bei Grace van Sweringen Baur, University of Colorado Studies 17 (1937).   [2]) Sieh u. a. § 44. 46. 85. 101. 106f.

122. Bei knappen *Zeugnissen* entscheidet für das Heldenlied, gegen das Zeitgedicht, der weit zurückliegende Stoff: Ausdrücke wie 'vetus', 'antiquissimum' kehren wieder. Am sicher-

sten gehn wir, wenn uns dieser Stoff aus nachmaliger Sage bekannt ist. So rechnen wir als Aussagen über Heldendichtung die folgenden sieben aus den 300 Jahren von Theoderich bis Karl.

Cassiodor, der Kanzler Theoderichs, spricht von 'jenem Gensimund', der 'toto orbe cantabilis' in der Überlieferung fortlebe. Gensimund lebte zwei bis drei Geschlechter früher; man sieht in ihm den dichterischen Vorgänger des Meisters Hildebrand.

Aus Jordanes ziehen wir nur eine Stelle her[1]). In Kap. 5 sagt er, bei West- und Ostgoten habe man die Taten der Ahnen mit Gesang und Harfenspiel verherrlicht, worauf er vier solche Ahnen aus dem 4. Jahrh. aufführt, darunter Vidigoia, den Witege unsrer Heldengedichte.

Von den mancherlei Anspielungen des Beowulf gehn auf Vortrag heroischer Stoffe zwei Stellen. Dem kunstvollen Gedicht auf Beowulfs Sieg, also einem Preislied (§ 107), folgt ohne weiteres, 874ff., das Erzählen von Sigemunds und Fitelas Heldentaten, dann noch vom Drachenkampf, und mit 901ff. knüpft gar noch das Schicksal des Dänen Heremod in 15 Zeilen an. Einen Auszug aus einheitlichem Liede gibt der Epiker hier nicht: es ist ein freier Ausblick erst auf den Ruhm der Wälsinge, neben die sich Beowulf stellen darf, dann auf das dunkle Gegenbeispiel Heremod. Von Z. 901 ab schwindet das Bild des berichtenden Königsdegens. Anders die zweite Stelle: in Z. 1063ff. sehen wir ein einzelnes Heldenlied in aller Form eingeführt und seinen Inhalt in hundert Langzeilen umschrieben. Es ist das Lied von Hengests Rache (§ 123). In seinem Vortrag gipfelt die Hallenfreude der Zecher. Der Skop des Dänenkönigs singt es zum Lustholz.

Alkuin, der Dichtergelehrte bei Karl dem Großen, schreibt im Jahr 797 an den Bischof von Lindisfarne (Nordhumbrien): beim Mahle der Priester sei Gottes Wort vorzulesen; den Vorleser, nicht den Harfner ziemt es zu hören; Predigten der Kirchenväter, nicht Lieder über Heiden (*carmina gentilium*); was hat Ingeld mit Christus zu schaffen?... Dieser Ingeld ist Held einer dänischen, in England wohlbekannten Rachesage; er zeigt, daß dem Schreiber Heldenlieder vorschweben. Auch hier die Harfe.

Diese kehrt wieder in einem friesischen Zeugnis. Um das Jahr 790 trifft der hl. Liudger auf dem Landgut einer Matrone Ostfrieslands den blinden Bernlêf, 'den die Nachbarn sehr gern hatten, weil er umgänglich war und sich gut drauf verstand, die Taten der Alten und die Kämpfe der Könige zur Harfe vorzutragen'[2]). Diese Wendung kann man nur auf Heldenlieder beziehen.

Endlich die berühmte Aussage Einhards im Leben Karls, Kap. 29. Der Kaiser bemühte sich um die Volksrechte seines Reiches, und er fing eine Grammatik seiner Muttersprache an. Da beides auf germanische, nicht romanische Dinge zielt, ist gleiches anzunehmen für das mitteninne stehende: 'Ferner ließ er uralte Gedichte in der Volkssprache, worin die Taten und Kriege vorzeitlicher Könige besungen waren, aufschreiben und dem Gedächtnis erhalten'[3]). Den Hintergrund hierzu haben wir in § 20 angedeutet. Einhards Worte müssen auf Heldenlieder gehn; in erster Linie ist an die fränkischen Sagenstoffe zu denken, Nibelungenkreis und Wolfdietrich. Zeitgedichte hätte man anders gekennzeichnet; deren Marke war keineswegs das hohe Alter. Daran beirrt uns nicht, daß der Poeta Saxo, um 890, eben diese Einhardstelle dahin umschreibt, die Gedichte hätten Karls Großväter und Ahnen, die Pippine, Karle, Ludwige usw., mit hohem Lobe verherrlicht. Dies klänge allerdings nach Preisliedern, großenteils nachheroischer Zeit. Aber der Poeta ist hier nur abgeleitete Quelle.

Die Frage, hinter welchen *Chronistenabschnitten* mittel- oder unmittelbar ein Heldenlied stehn mag, ist selten sicher zu beantworten. Zu verlangen ist die unpolitische, menschlichdramatische Fabel; gute Merkmale sind leidenschaftliche Reden, die einen Seelenkampf in sich schließen. Aber auch in der Überlieferung der Geistlichen selbst gab es den Hang und das Geschick zu dichterischer Ausschmückung, und sie griffen dabei auch zu altrömischen und kirchlichen Quellen; manchem Chronisten kann man seinen 'epischen Stil' zuerkennen[4]). Für Ereignisse der nähern Vergangenheit mochte die unter den Laien erzählte Anekdote, die 'Volksüberlieferung', zu Hilfe kommen. Das Leben selbst schließlich hatte seinen kriegerischen Poesiegehalt. Es ist gewiß verkehrt, den Unterschied eines Heldenliedes von diesen Prosageschichten nur in dem metrisch-sprachlichen Gewande zu denken; als hätten die Heldendichter nur vorhandene 'Sage' in Verse gebracht (§ 126). Aber weil das Lied so gut wie immer in unvollständiger und eigenwilliger Nacherzählung vor uns steht, verwischen sich uns die Grenzen. Wo es in den Chroniken lebhaft und dramatisch zugeht, darf man nicht gleich mit der Liedquelle kommen.[5])

Aus Jordanes c. 24, 129 (Rache für Svanilda) schlössen wir auf eine heroische Fabel auch ohne die spätere Bezeugung aus Deutschland und dem Norden. Als sichere Heldenliedstoffe gelten uns noch: zwei langobardische Geschichten von einer Jugendtat und von dem Tode König Alboins, bei Paulus Diaconus I 23 und II 28 (während der Rodulf-Abschnitt I 20 fraglicher ist); das von Iring Erzählte bei dem Sachsen Widukind, letztlich ein thüringisches Lied; mehreres bei dem Dänen Saxo und seinem Zeitgenossen Sven Aageson, auch wo es keine Verse enthält (wie die Geschichte von Vermund und Uffo). Ob die drei Merowingerchronisten jemals auf ein Heldenlied zurückführen, ist ungewiß. Die Sippenbrüche Chlodwigs z. B., bei Gregor II 40ff., trägt ein realpolitischer Zynismus: die sittliche Hochspannung der uns bekannten Heldenkunst hätte solchen Rohstoff anders zurechtgerückt[6]).

[1]) Die 'cantiones' in c. 11, 72 können Preislieder sein. [2]) Jaekel, ZsPhil. 37, 433. Zu den beiden letzten Stellen vgl. u. § 127. [3]) Item barbara et antiquissima carmina, quibus veterum regum actus et bella canebantur, scripsit memoriaeque mandavit. [4]) Hainer, Das epische Element bei den Geschichtschreibern des frühern MA. 1914. [5]) Vgl. die Fälle RLex. 2, 489a; Voretzsch, Festgabe für Sievers (1886) 62ff. [6]) Neckel, Breslauer Festschrift der Schles. Ges. für Volkskunde (1911) 134ff., dachte an ein Zeitgedicht.

123. Was verstehn wir unter einem germanischen Heldenlied?

Befragen wir die Edda, so finden wir da fünf oder sechs recht verschiedene Typen. Vergleichung mit den südgermanischen Resten und innere Gründe erlauben, den einen als ältesten, als Vater der übrigen herauszuheben. Er ist der einzige, den wir als gemein-germanisch ansprechen. Am reinsten liegt er vor in fünf Liedern mit deutsch-gotischem Sagenstoff: im Alten Sigurd-, im Alten Atli- und im Hamdirlied, im Wölund- und im Hunnenschlachtlied[1]).

Bestimmen wir diese Kunstart, im Gedanken an unsre Formel für das Preislied-Zeitgedicht § 106. (Genaueres beim Stile § 129ff.)

Auch das Heldenlied ist ein größeres Werk, etwa zwischen 80 und einigen 200 Langzeilen; vorbedacht und auswendig gelernt, für Einzelvortrag bestimmt. Es gehört zu den objektiven Gattungen, ohne ausgesprochene Beziehung auf die Gegenwart. Sein Inhalt ist eine heroische Fabel aus zeitlosem Einst; eine einkreisige Geschichte von straffem Umriß, sparsam mit Auftritten und Menschen. Die Darstellung ist episch-dramatisch zu nennen: Erzählung aus Dichters Munde wechselt mit handelnden Reden der Gestalten (Ansprachen, Zwiesprachen, auch kurzen Monologen). Summarischer Bericht tritt zurück hinter geschauten Szenen, die sich ruckweise folgen ('springender Stil'). Zustandsmalerei, beschauliche Rede, lyrischer Erguß halten sich in engsten Grenzen.

Den Gegensatz zu den jüngeren Kunstformen des Nordens: dem reinen Redelied und dem ruhenden Standortlied (§ 139. 142) faßt der Name *doppelseitiges* (oder *zweiseitiges*) *Ereignis-lied*. In dem Wort *kvida* — es begegnet elfmal für eddische Gedichte — haben wir wohl den nordischen Ausdruck für diese Gattung. Sein Sprachsinn scheint nur der allgemeine: 'Vor-tragsstück' zu sein[2]).

Innerhalb dieser Urform kann man zuweilen unterscheiden zwischen 'Stammliedern' und 'Sproßliedern'[3]). Das Stammlied bricht Neuland an, führt einen Menschenkreis ein, der der Heldenbühne bisher fremd war. Das Sproßlied hat etwas Zweithändiges; es holt aus einem Stammlied Gestalten oder eine Sachlage herüber, spendet aber eine neue Fabel, wohl auch eine neue Hauptfigur. Die überkommenen Herrschernamen sind ihm nicht mehr nahe Vor-zeit: sie haben schon den Edelrost des Alters . . . Sproßlieder setzen schon in der alten Blüte-zeit ein, doch kaum vor dem 6. Jahrh. Harlunge, Hildebrand-Hadebrand, Walther sind drei ausgesprochene Vertreter (§ 125); wohl auch Dietrich in Riesenhaft. Oft, so bei den Geschichten der älteren Schildunge, bleibt offen, welche Lieder als Stammlieder die Bahn eröffneten.

Das germanische Heldenlied, alt und jung, ist keine Dichtung 'zum Lob der Ahnen und des Stammes.' Sie ist weder dynastisch oder vaterländisch eingestellt noch auf Preis ge-stimmt. Die Spannung gilt dem allgemein Menschlichen oder Künstlerischen, und bei aller Begeisterung für das Heldentum herrscht das Tragische vor in Handlung und Stimmung. Die Seele des altgermanischen Heldenlieds ist die *heroische*: ein Begriff, der sich mit dem Kriegerischen nicht deckt und der sich abhebt von dem Abenteuerhaften, dem Rührenden und dem Schwankhaften, wie es in den Schöpfungen der Spielleute, Sagamänner, Ritter und Pfaffen vielgestaltig aufkam.

Gegen den Satz: 'Die epische Dichtung will geschichtliche erzählende Poesie sein und geht von der Verherrlichung der Gegenwart aus'[2]) müssen wir einwenden, daß er in beiden Teilen zwei Dichtarten einander gleichsetzt — Preislied und Heldenlied —, für deren Unter-scheidung wir noch im Folgenden einige Speere zu verstechen denken (§ 124. 128).

In den beiden südlichen Stücken, Hildebrand und Hengest, finden wir das doppelseitige Ereignislied wieder.

Zu Unrecht hat man im Hildebrandslied eine sogen. *Rhapsodie*, einen episodischen Aus-schnitt aus einem breiten Epos, sehen wollen[3]). Seine hervorstechende Besonderheit: die Einszenenanlage und das vielgliedrige Zwiegespräch, mit wenig äußerer Bewegung, bewirkt allerdings langsamen Zeitablauf. Aber dies lag an dem besondern Stoffe: den konnte man füglich nur aufwickelnd behandeln. Hätte man Hildebrands Trennung von Kind und Heimat auf die Bühne gebracht, so fiel das Lied in zwei Stücke auseinander mit dreißigjährigem Zwischenraum. Bewältigte man also die Vorgeschichte im Rückblick, so ergab dies notwendig die lange Zwiesprache ohne Sprünge, den annähernden Zusammenfall von realer und idealer Zeit.

Bei dem englischen Bruchstück[6]) hat man noch in neuerer Zeit geschwankt, ob es wirk-lich aus einem Lied stamme und nicht eher aus einem Heldenbuch, einem Werk der Feder. Die Entscheidung ist folgenreich. Wir glauben, innere und äußere Eigenschaften bringen die Schale des Liedes zum Sinken (§ 132). In diesen 50 Zeilen vernehmen wir den weltlichen Skop — wie vielleicht noch in Sängers Trost (§ 119), während die Masse der Epen, wohl auch der Weitfahrt und anderes, von schreibenden Geistlichen rührt und zu der Hofsängerkunst immerhin kenntlichen Abstand wahrt. Wir sahen, wie der Beowulfdichter seinen Skop am Fürstenhof ein Hengestlied singen läßt (§ 122); dabei muß ihm ein naher Verwandter, eine 'Variante' unsres Fünfzigzeilen-Trumms im Sinn gelegen haben.

Zwischen diesen zwei südgermanischen Vertretern und den eddischen gibt es Stilunterschiede. Den einen, in der metrischen Gruppenbildung, hat man oft stark überschätzt. Die nordischen Stücke, sagte man, sind *strophisch*, die südgermanischen *stichisch*. Das klingt nach einem tiefen, gattungshaften Gegensatz[7]). Nach dem Hinweis in § 31 können wir es dahin berichtigen: Den gemeinsamen Ausgangspunkt: freien Zeilenstil mit wechselnder Länge der inhaltlichen Gruppen, haben die beiden Lager erst um wenig Schritte verlassen, und zwar in entgegengesetzter Richtung: der Norden neigt der Vierzeilengruppe zu; der Süden lockert stellenweis den Zeilenstil, was noch lange nicht Bogenstil bedeutet! Dieser Unterschied fällt nur zum Teil unter das Stichwort 'stichisch: strophisch', und vor allem: es ist kein Unterschied, der die Artgleichheit aufhöbe.

Fügen wir gleich hinzu, daß außer diesen unsanglichen, oder doch nicht gesungenen Vertretern auch Heldenlieder zu Gesang und Harfe bestanden. Wir sahen sie für Goten, Angelsachsen, Friesen bezeugt (§ 122, vgl. 33). Offen bleibe, ob die beiden Vortragsarten neben einander gingen, ob sie sich zeitlich, ob örtlich ablösten. Wir wissen auch nicht, ob in England und Deutschland die gelockerte, unsangliche Form — die von Hildebrand und Hengest — gegen Ende allein herrschte. Mit dem reimenden Heldenlied der Spielleute kamen Weisen neuen Schlags: das forderte schon der andere Versbau.

[1]) Zusammengeordnet bei Genzmer I Nr. 1—5. Das Wölundlied erzählt z w e i sachlich selbständige Fabeln, die erste (die Schwanfrauegeschichte) in der Mitte abgebrochen. Ein vollwichtiger Vertreter wäre noch das Signylied, bis auf zwei Langzeilen nur in Prosaumschrift bewahrt: Völsungasaga c. 3—8. Sieh auch u. § 137.   [2]) Zu *kveda* und *kvidr* (§ 32). Wessén, 'Edda' 4, 127ff., will Ableitung von *kvida* 'bangen' (ae. *cwîpan* auch 'klagend vortragen'). Gegen ihn F. Jónsson 1, 107[2].   [3]) Nach Schneider, G. Hsage 1, 35f. Die Ausdrücke 'Urlied' und 'Neulied' lasse man frei für andre Begriffe. Das stabr. Hildebrandslied, die eddische Atlakvida (oder ihre deutsche Quelle) sind Urlieder — das Hildebrandslied um 1200 und das um 1400, die grönländischen Atlamal sind Neulieder.   [4]) Müllenhoff, Beovulf 94.   [5]) Vf., Internat. Monatsschrift 13, 109ff.   [6]) Gedruckt u. a. bei Holthausen, Beowulf nebst den kl. Denkmälern der Heldensage 104f. Vgl. Schneider, Germ. Heldensage, 3, 52.   [7]) Schroff bei Kögel, PGrundr. 2, 49. 53.   [8]) Vf., Dt. Versgesch. § 349ff.

124. Als Schöpfer der Gattung vermuten wir den Hofdichter der Wanderungszeit.

Von den geschichtlich anlehnbaren Sagennamen fallen die frühesten ins 4. Jahrh.: der Westgote Vidigoia, der Ostgote Ermanarik, der Angle Offa. Nun hat man ja gesagt: eine ältere Schicht von Namen und Stoffen hat aus unsren Resten weichen müssen. Eine Möglichkeit, weder zu stützen noch zu widerlegen! Hat der urgermanischen Zeit das berufsmäßige Dichten gefehlt, dann werden wir ihr Gebilde wie das Heldenlied schwerlich zutrauen.

Selbständiges Hervorwachsen an getrennten Orten wäre beim Heldenlied ebenso unwahrscheinlich wie beim Tierornament. Glaubt man aber an e i n e n Ausgangspunkt, so wird man ihn bei den Ostgoten suchen. Ob vor oder nach Ermariks Ende das erste gotische Heldenlied erklang, wissen wir nicht.

Das *Wie* der Entstehung ist uns vollends eine Unbekannte (vgl. § 97f.). Ein fremdes Vorbild, wie für die Runen und das Kunsthandwerk, treiben wir nicht auf. Die höhere Dichtkunst der beiden Römerreiche um 400 bot keine Muster, und die niedere, die der Mimen, wohl ebenso wenig, wenngleich eine gewisse Wirkung des Mimus auf das Hofdichteramt zu erwägen war. Nach Lage der Dinge könnte man noch an Armenier und Thraker denken[1]). Den Armeniern schreibt man alte Heldendichtung zu; von den Thrakern weiß man nicht einmal so viel. Oder haben die Hunnen, die Oberherren, die Kampf- und Zechgenossen der Goten, irgendwie den Anstoß gegeben?

Auch wenn man rein heimische Wurzel des gotischen Heldenlieds bezweifelt, wäre zu fragen, ob die Neuerung anknüpfen konnte an eine frühere Dichtart der Germanen. Merk-dichtung mochte Namen, vielleicht einmal ein Motiv liefern: für die Kunstform, das episch-dramatische Gerüst, trug sie nichts ab. Und das Preislied-Zeitgedicht?

Ob diese Gattung bei den Germanen überhaupt älter war als das Heldenlied, wissen wir eigentlich nicht. Aber das einfachere Gewächs ist das Preislied allerdings. Man hat denn auch öfter vermutet, Preislieder hätten sich mit einer gewissen inneren Notwendigkeit zu Heldenliedern entwickelt; die 'Verwandlung des ursprünglich Historischen ins Epische'[2]).

Denkt man sich dies als Vorgang, der die Gattung schuf, oder der dem einzelnen Helden-lied zum Dasein half? Das zweite wäre leichter vorstellbar; d. h. gab es schon Heldenlieder, dann mochte sich ihre Zahl vermehren aus der Preisdichtung; dadurch daß man Preislieder auf jenes Vorbild hin umgestaltete.

Worin hätte dieses Umgestalten bestehn müssen? Das Erlöschen der zeitgeschichtlichen, der 'aktuellen' Beleuchtung, ihr Ersatz durch die allgemein menschliche Teilnahme: dies hätte sich, glaubt man, von selbst ergeben, da wo ein Preislied, dank seinem besondern Gewicht oder sonstiger Gunst der Umstände, auf die Enkel kam. Einflechten von Mythischem (im weitesten Sinne) war nicht erforderlich; viele Heldensagen helfen sich ohne dies. Worauf alles ankommt: die mehr zuständliche und typische Masse mußte sich schürzen zur bewegten einmaligen Fabel mit dramatischen Reden. Wir sahen, dies ist der Grundunterschied zwischen Zeitgedicht und Heldenlied.

Wer wollte die Möglichkeit dieses Vorgangs bestreiten? — Von den südgermanischen Zeitgedichten haben wir zu wenig Anschauung, um zu sagen, ob sie diese Umbildung nahe-legten. Wer sich diese Gedichte ausmalt nach den lebhaften Kapiteln bei Jordanes, Gregor von Tours oder Paul Warnefrid, dem mag der Schritt vom 'historischen Lied' zum Helden-lied nicht gar so groß erscheinen. Halten wir uns an die bekannten, überlieferten Zeitgedichte, nämlich die nordischen, dann wird der Schritt riesengroß. Daran kam ja den isländischen Überlieferern kein Gedanke, sie könnten ihre Preislieder *weiter bilden* in irgend eine andre Gattung hinüber. Zeitgedicht blieb Zeitgedicht, mochte man es viel oder wenig zersingen. Den Keim zur heroischen Fabel entbehren auch jene zwei Preislieder, die man die 'eddischen' nennt: die den Walhallempfang des Toten in Wechselreden gestalten (§ 110). Die letzte Schlacht des Königs erscheint da nicht als heldische Fehde, und die Jenseitigen wirken nicht als Spieler und Gegenspieler wie in den Sagen der Odinshelden.

Soviel ist klar: wir kennen bei den Germanen kein Zeitgedicht, das sich zum Heldenlied entwickelt hätte, und kein Heldenlied, das wir zwanglos auf ein Zeitgedicht zurückführen könnten. Darum lehnen wir allgemeine Sätze ab wie: 'das Heldenlied ist eine jüngere Stufe des Preislieds' oder: 'das Preislied, wenn es am Leben bleibt, wird zum Heldenlied'. Bei den bewahrten Liedtexten können wir keinen Augenblick zweifeln, in welches der beiden Lager sie gehören[1]). Die Grenzen verfließen nur da, wo wir Nacherzählungen zweiter, dritter Hand oder gar bloße Anspielungen vor uns sehen.

Wir erinnern an die Ausblicke des Beowulfepos auf den Rheinzug des Gautenkönigs (§ 107). Da glaubten wir ein Zeitgedicht folgern zu können, das die Engländer ins Fabelhafte gesteigert hatten, ohne es doch bis zur heroischen Geschichte zu führen. Die ähnlich gehaltenen Ausblicke auf den Fehden der Gauten- mit den Schwedenfürsten lassen fraglich, wie die Quelle beschaffen war. Einiges spricht für Heldenlieder; aber wir müßten die Vorlage des Epikers kennen, um zu urteilen, ob die artsetzenden Züge der heroischen Fabel vorhanden waren.

Jene zwei Auszüge des Weitfahrt aus der Offa- und der Ingeldgeschichte (§ 77f.) könnte man an und für sich aus politischen Preisliedern leiten; die 'rein menschlichen' Züge fehlen ihnen. Nur das Alter der Stoffe und der Umstand, daß wir beide als richtige Heldensagen wiederfinden, zeugt dafür, daß der Merkdichter heroische Lieder ausgezogen hat[3]).

[1]) Verbindung der Goten mit Armeniern: S. Bugge, Norges Inskrifter, Indl. 132ff. 178f.; mit Thrakern: Neckel, Balder 205f. 247ff. An Einwirkung der Griechen in Olbia denkt Schwietering: Anz. 45, 163. [2]) Seemüller, Festgabe für Heinzel 320. 323; Neckel, Breslauer Festschr. 134f.; Genzmer, Beitr. 44, 160ff. Kögel hat diese Ansicht (1, 131ff.) in PGrundr. 2, 49ff. fallen lassen. Vgl. auch u. § 128. [3]) Frings folgert aus der montenegrinischen Haidukendichtung der letzten Jahrhunderte, ihm wolle (wörtlich) 'die germanische Ausscheidung eines Heldenliedes und eines Preisliedes als ein jüngerer Vorgang erscheinen' (Europäische Heldendichtung 1938, 16).

125. Bleibt der Ursprung des Heldenlieds im Dunkel, so kann man über Zeit und Raum der *Verbreitung* einiges aussagen.

Diese Kunstart — der gotische Ausgangspunkt einmal angenommen — kann nur in Gestalt greifbarer Heldenlieder zu den andern Germanen gedrungen sein. In Betracht kommen die zwei ältesten gotischen Stoffe, die wir kennen: Vidigoias Fall und Svanhild (Ermenrichs Tod). Den ersten finden wir später in England und Deutschland (*Wudga, Widia; Witege*); den zweiten dürfen wir als gemeingermanisch (im losern Sinne) bezeichnen. War das gotische Svanhildlied das Hauptfuhrwerk dieser Kunstgattung?

Ermenrichs Tod fällt in die Jahre des Hunneneinbruchs, gegen 375. Von da ab riß es die Ostgoten westwärts; zu der pontischen Ausfuhr hat das Heldenlied schwerlich mehr gehört. Da die gotische Runenschrift und Zierkunst schon im dritten und frühvierten Jahrhundert nach Nordwesten drangen (§ 16), steht die höhere Dichtkunst außerhalb dieses 'Kulturstroms'; sie ist viel später, aus den pannonischen und mösischen, auch noch aus den italischen Ostgotensitzen zu den Bruderstämmen gelangt. Den skandinavischen Norden hat sie also über Deutschland erreicht; die Angeln an der Ostsee werden die letzten Vermittler gewesen sein.

Weil Franken und gallische Westgoten geschichtliche Ereignisse um 450 ins Heldenlied gebracht haben (Burgundenfall mit Attilas Tod; katalaunische Schlacht); weil die Angeln vor der Räumung Jütlands, etwa 540, von den Dänen und Gauten Heldenstoffe entlehnt und ihnen anglische Stoffe, die Offa- und die Hetel-Hildesage, gegeben haben, nehmen wir an, daß *im Zeitalter Chlodwigs* die Kunst des Heldenlieds bei den genannten Stämmen eingebürgert war[1]). Für etwas spätere Zeit wird sie bezeugt bei Thüringern und Langobarden, mittelbar bei Alemannen und Baiwaren. Auch die festländischen Sachsen und die (eigentlichen) Schweden haben vermutlich schon im 6. Jahrh. Heldendichtung gepflegt; unsichrer ist es für die Friesen.

Im 6. Jahrh. war diese Kunst annähernd gemeingermanisch geworden.

Norwegen, obwohl in Handelsverkehr mit den Völkerwanderungsreichen, scheint das Heldenlied erst später, vielleicht erst mit der Wikingzeit um 800, aufgenommen zu haben. Dafür spricht der Umstand, daß die altenglische Dichtung (Beowulf, Widsith) zwar norwegische Orts- und Volksnamen nennt, aber den vielen dänischen, gautischen und schwedischen Helden keinen einzigen Norweger zur Seite stellt; vor allem aber die bedeutsame Tatsache, daß unsre reiche norwegisch-isländische Überlieferung keine altheroischen Stoffe norwegischer Wurzel kennt; die Helden aus Norwegerstamm beginnen erst mit dem Wikingalter[2]).

Auch die oberdeutschen Stämme, Baiwaren und Schwaben, haben keine Landsleute in den alten Sagenkreis eingeführt. Sie scheinen die von den Ostgoten empfangenen Stammlieder

— mit Witege, Ermenrich, Dietrich — ausgebaut zu haben. Rechnen wir Hildebrands Sohneskampf als langobardisches Sproßlied, so erscheint als baiwarische Tat Dietrichs Aufnahme in
den Burgundenfall und was damit zusammenhängt: die Umgestaltung der Kriemhildenrache.
Die Alemannen haben Anspruch auf die Harlungenot, ein Sproßlied zu Ermenrichs Stamm-
sage. Die Waltherdichtung übernimmt aus ostgotisch-baiwarischer Überlieferung das Bild
von Etzel und seinem Hofhalt, aus fränkischer das Paar Gunther-Hagen in Worms und stellt
als Hauptgestalt dazu einen Königssohn aus Waskenland (Südgallien): eine Verbindung, die
man einem oberrheinischen Alemannen zutrauen kann³). Als eine friesische Urschöpfung
kommt die Geschichte von Kudrun in Frage⁴).

Der reichste Sagenherd in unsrer frühmittelalterlichen Überlieferung (8. Jahrh.) ist das
angelsächsische Schrifttum. Zwei Denkmäler wie Beowulf und Widsith: wie wenig hat ihnen
die übrige germanische Welt damals entgegenzustellen! Nicht nur der Merkdichter mit seinen
Namenhaufen: auch der Schöpfer des Beowulfepos trägt eine blendende Stoffkenntnis zur
Schau (Anz. 54, 104ff.). Urschöpfung des Angelnstamms ist außer Offa wohl noch die Hengest-
Finnsage.

Die fruchtbarsten aber, oder doch wirksamsten Sagenschöpfer waren wohl Ostgoten,
Franken und Dänen. Die ersthändig schöpferische Zeit der stabreimenden Heldendichtung
ging bei den Südgermanen um 600 zu Ende. Die jüngste Hauptgestalt aus der Geschichte
ist der Langobarde Alboin († 572). Die Merowingerkönigin Brunichildis — gesetzt daß
sie in der Heldin der Brünhildsage nachlebt — fiele kaum später; sie starb zwar 614, hoch-
betagt, spielte aber ihre Rolle im Frankenreich seit 566.

Hat man das 6. Jahrh. die *erste Blütezeit* deutscher Dichtkunst genannt⁵), so dachte man
an das Heldenlied. Dieses hat damals die Fabeln hingestellt, an denen Jahrhunderte um-
und auszubauen hatten.

Bei Schweden und Dänen hat die Urschöpfung, scheint es, tiefer herabgereicht⁶). Die
mächtigen, noch vorwikingischen Gestalten: Ingjald der Übelstifter, der letzte Yngling auf
dem Upsalathron; sein schonischer Nachfolger Ivar der Weitklammerer, ein Chlodwigähnlicher
Gewaltmensch; dessen Tochtersohn, der ehrwürdige Harald Kampfzahn, sie tragen eine Sagen-
reihe, die gewiß im Liede erwachsen ist, und die getrennt und unabhängig gegenübersteht den
früheren, im englischen Epos nachklingenden Fabeln der Schildungenzeit (vor 550). Nach den
isländischen Stammbäumen aber müßten wir jene mit Ingjald anhebende Gruppe zwischen
650 und 730 setzen. Damals also hätte der ostnordische Heldendichter immer noch frischen
Stoff aus der Wirklichkeit gegriffen; während Franken, Langobarden, Engländer die Größen
dieser Jahre längst nicht mehr zu 'Helden' erhoben.

¹) Der anglische Held Offa hat nach dem Stammbaum schon um 350 gelebt. Seine Sage, der kühne
Einzelkampf an der Eider, ist von der Art, daß ihr geschichtlicher Kern lange Zeit als ortsgebundene Volkssage leben konnte, eh sie ein Skop um 500 zum Heldenlied erhöhte. ²) RLex. 2, 365; Chadwick, The
heroic age 100. Die Sagen von König Hâlf stehn auf der Grenze zwischen heroischem und wikingischem
Stil. ³) Vf., Zs. für dt. Bildung 1935, 76ff. ⁴) Woebcken, Zschr. Niedersachsen 27. Jahrg. Nr. 23
(1922). ⁵) Scherer, Lit.-gesch. 18. ⁶) Vgl. RLex. 2, 450; 4, 575; Schneider, G. Heldensage 2, 190.
206ff.

126. Bedenken wir, daß man über den Franken Sigfrid von der Donau bis Grönland
dichtete; daß der Herrscher am Pontus, Ermenrich, im englischen Weitfahrt der Hauptname
ist; daß den Engländern im 8. Jahrh. die Dänen, den Nordländern im 9., 10. Jahrh. die Goten
als *das* vorzeitliche Heldenvolk vor andern vorschweben: dann sehen wir, welch starken Ge-

meinbesitz die große Völkerfamilie in ihrer Heldendichtung hatte (§ 6). Sie war oft das einzige, was ein Stamm von dem andern wußte. Geschichtliche Wißbegier, die über die nächste Vorzeit und die eigenen Grenzen hinausstrebte, wandte sich an die Heldensage; wir sahen es beim Weitfahrt. In Verona erkundigten sich durchreisende Deutsche nach den von Dietrich hinterlassenen Bauten, und als ein isländischer Abt im 12. Jahrh. deutsches Land durchpilgerte, erfragte er die Heide, wo Sigurd den Fafnir schlug[1]); das war ihm seit Kindsbeinen bekannt. Nach den Schlachtfeldern Karls d. Gr. oder Heinrichs IV. fragte er schwerlich.

Aber Gemeinbesitz war nicht nur der Stoff. Die Sagen, die wir in das Heldenalter der Germanen zurückführen können, waren nahe Blutsverwandte nach ihrem dichterischen Wesen. Sie führten einen sprachlich-metrischen Stil mit sich, der bei den getrennten Stämmen Nachfolge fand und auf ihr Formgefühl wirkte. Dieser Stil war entwickelter, kunstbewußter als der der bisherigen Kleindichtung; auch mit dem des höfischen Preislieds deckte er sich nicht.

Daran nämlich zweifelt man heute kaum mehr: das sogenannte Wandern der Heldensagen bestand gewohnterweise darin, daß man *Heldenlieder* weitergab und in die neue Mundart übertrug. Die Hofdichter waren die ersten zu diesem Vermittleramte; die Urbilder und Nachahmer des idealen Weitfahrt brachten außer den Goldringen doch wohl auch Lieder von der Fremde heim. Aber auch der Krieger, der draußen Dienst suchte, der Kaufmann, der Gefangene mochte ein Lied auswendig wissen und vor den neuen Hörern zum besten geben. Völkerverschiebungen brauchte es dazu nicht.

Das Nachdichten in der fremden Mundart wird bald treuer, bald freier erfolgt sein. Das Lied konnte Verluste, Beschädigungen, Mißverständnisse erleiden. Aus dem Liede von Sigfrids Tod, das nach Norwegen kam, verschwand, vielleicht gleich bei der Einbürgerung, die Jagd und damit die nähern Umstände beim Morde, auch die Hornhaut mit der einen Blöße. Wie treu aber die Nachdichtung den Aufbau der Glieder und einzelne Stellen, besonders in den Reden, festhalten konnte, zeigen eben die Heldenlieder der Edda, gemessen an den so viel jüngeren Liednachkommen aus Deutschland (Thidrekssaga und Nibelungen). Sogar Vokabeln, die im Nordischen nicht sprachüblich waren, sind im Wölundlied und anderswo aus dem südlichen Urtext stehn geblieben; die Elbin 'trug Schwanengefieder' (*svanfjadrar dró*); dem Gefangenen 'zeigen sich die Zähne' (*teygjask tenn*, sächsisch *tógian*, gotisch *at-augjan*). Wie weit dieses Nachwirken der Vorlagen gehn konnte, haben Hans Kuhns Beobachtungen gezeigt[2]): eine Reihe sprachlich-metrischer Vorkommnisse hebt die 'Fremdstofflieder' der Edda ab von Gedichten nordischen Stoffs. Innerhalb der Fremdstofflieder sind abstechende Züge dichter gesät in den fünf alten Ereignisliedern (§ 123), die unmittelbarer vom Süden abhängen (Beitr. 60, 443).

Anklänge so vertrauter Art verwehren uns, an Stoffvermittlung in ungebundener Rede zu denken. Früher dachte man wohl, nur den Stoff habe man weitergetragen, also Inhaltsangaben in kunstloser Mitteilung. Nun liegt doch aber viel Gemeinsames auch in der Form. Sollte man nicht Form und Stoff an den *selben* Einfuhrstücken erlernt haben? Auch nimmt es jene Meinung als selbstverständlich, daß man einen Liedinhalt mit seinen Feinheiten, seinen dramatischen Schlagern 'in formlosem Prosabericht' nacherzählen konnte und nachzuerzählen pflegte[3]). Nach neueren Gegenstücken, z. B. bei der Volksballade, ist dies keineswegs selbstverständlich; die Regel ist vielmehr, daß mit der Liedform der Liedinhalt verkümmert oder stirbt[4]).

Noch tiefer ging der Irrtum: Die Heldengeschichten lebten zunächst einmal als 'Sage' . . . für 'Sage' sagt man auch '(breite) Überlieferung von Mund zu Mund' oder 'mündlich verbreiteter

Stoff' (gölte auch für die Lieder!). Dieser sogenannten Sage traut man einige Festigung des Wortlauts zu (vielleicht so wie den Märchen oder den Volkssagen): jedenfalls aber war es kein Künstlerwerk und lebte, wie man sagt, 'im Volksmund'. Und nun hätte gelegentlich ein Dichter aus diesem prosaischen Gemeingut 'geschöpft', hätte ein Stück der 'Sage' aufgegriffen und ein Lied draus gemacht. Dies mochte geschehen oder unterbleiben: die 'Sage' lebte ihr Dasein weiter; was die Dichter dichteten, rankte sich sozusagen an den Stamm der 'Sage' an. Ging aber ein Dichter nennenswert ab von der 'Sage', dann hieß es, seine Darstellung sei nicht 'sagengemäß'; was in den Augen des Sagenforschers eine *levis macula* vorstellte. Kurz, das Geschäft der Heldendichter wäre eigentlich gewesen, Stücke der 'Sage' in Verse zu bringen. Sage konnte ohne Dichtung bestehn, nicht umgekehrt ... Dieser Mythus — der die griechische Sagenforschung ziemlich verschont hat — ist vielleicht nicht zu widerlegen, nur zu erklären. Sein letzter Grund ist die Schwärmerei der Romantiker für das Gruppenhafte, ihr Widerwille gegen die 'Willkür' des Einzelnen. 'Sage' war gruppenhaft; man konnte dabei an etwas wie Orts- oder Volkssage denken. Ein Lied, ein stolzes Heldenlied barg mehr 'Willkür'.

Das andre Bild der Dinge wollen wir in die Sätze fassen: Eine Heldensage außerhalb des dichterischen Vortrags war möglich — vielleicht sogar durch lange Zeiten hin, nach Art von Volkssagen. Aber das war doch Wiedergabe einer Dichterschöpfung! Und zwar verflachte Wiedergabe. Ob daraus neue 'Sagenformen' werden konnten, darf man bis auf Gegenbeweis bezweifeln. Lebendig, keimkräftig war eine Heldensage im Lied — bis da und dort neben das Lied jüngere und örtlich begrenzte Darstellungsformen traten, das Epos und die Saga.

[1] W. Grimm, Dt. Heldensage 45f. 226. 331; Alfrædi íslenzk hg. v. Kålund 13.   [2] Beitr. 57, 25ff., 36ff.; 60, 431ff.; 63, 178ff.   [3] z. B. RLex. 2, 234 (Hermann Fischer).   [4] Kristensen, Jydske Folkeminder 1, V; 11, 327; Liestöl, Maal og Minne 1936, 2: 'Der Inhalt einer Folkevise, der die Versform abhanden kommt, pflegt bald vergessen zu sein.'   [5] Den Gedanken hat zuerst klarbewußt durchgeführt Ranisch, Zur Kritik der Hamdismâl 1888. Neuere Äußerungen bei Neckel, GRMon. 1921, 146ff.; Schneider, ZsAlt. 58, 97ff.; Vf., Nib.-sage und NL.[3] 232. 318; Kienast, Archiv 144, 166, ZsAlt. 63, 71ff. (1926). Schneiders Werk gründet ganz auf dieser Anschauung; man nehme den Satz 1, 35: 'Eine Heldensage .. entsteht, indem ein erstes Heldenlied gedichtet wurde.' Die andre Ansicht ist doch nicht so tot, wie de Boor S. 405f. annimmt: John Meier hat sie in die große Volksliedausgabe hereingebracht (1, 26; ausführlicher im Jahrbuch für Volksliedforschung 4, 33. 53 u. ö.). Gegen Meier wendet sich Liestöl, Maal og Minne 1937, 17f.

127. Trifft es zu, daß Heldenlied, Preislied und halbberufsmäßiger Hofdichter drei zusammengehörige Neuerungen waren, dann hat das Heldenlied seine Laufbahn als *höfische Kunst* begonnen; zugleich mit dem Amte des Fürstendichters hat es sich über die Lande, will sagen die Höfe, verbreitet[1].

Im Heldenlied kaum weniger als im Fürstenpreis finden die Gedanken und Wünsche des Hofgefolges ihre Verklärung. Die Krieger der Heldensage sind selten der Heerbann des Landes, meist die kleine Auslese, die Drucht mit ihrem Druchtin.

Zu einer Standespoesie, wie es später Minnesang und Ritterepos wurden, fehlten die Bedingungen. Denn von der Drucht zum Landwirt standen die Türen offen. Noch spalteten keine Bildungsschranken den Fassungskreis des Volkes. Es gab kein höfisches Fachwelsch, und mit der höfischen Etikette war es nicht so gefährlich. Die Tugenden des Kriegers, die das Heldenlied ehrte, hatten in allen Schichten ihre Schätzung. Von hortreichen Königen und hochgeborenen Frauen hörte auch der Bauer am liebsten erzählen.

Wieweit nun aber bei den Südgermanen das Heldenlied auch am bäuerlichen Gelage — oder auf dem Ding, im Heerlager, auf dem Schiffe — ertönte, darüber erfahren wir nichts.

Doch zeigt uns die Stelle über den Friesen Bernlêf, § 122, einen beliebten Heldenliedharfner deutlich außerhalb des Hoflebens. Mag sein, daß er seine Kunst früher als Mitglied der Herrentruppe ausgeübt hatte; möglich auch, daß seine Blindheit einen Ausnahmefall bedingte (§ 100).

Heldenliedvortrag am Gelage eines Domstifts bezeugt Alkuins Brief[2]). Hier bleibt die Frage, ob die geistlichen Herren einen eigenen Sänger im Sold hatten; damit hätten sie die Sitte des weltlichen Hofhalts nachgeahmt.

In der Zeit der stabreimenden Lieder wär es niemand eingefallen, Heldensage als etwas zu bezeichnen, 'wovon die Bauern singen'. Diese Wendung kommt im späten Mittelalter auf, meist auf Dietrich von Bern gemünzt[3]). Sie spricht aus, daß diese Geschichten unter die Ge-bildetenkreise hinabgesunken, zu 'Volksdichtung', d. h. Pöbeldichtung, geworden sind. Mit dem Lied von Ermenrikes Dot, mit dem jüngsten Hildebrandslied läßt sich das vereinen: noch zur Zeit unsrer deutschen Heldenepen war davon nicht die Rede. Auch die Hildebrands-fassung, die uns die Thidrekssaga spiegelt, die ritterliche nach 1200, denkt nicht an Bauern-gesang! . . .Jene Modewendung des 15., 16. Jahrh. hat ein Schreiber in die Quedlinburger Jahr-bücher (um 1000) eingeschmuggelt, wo sie nun auf 400 Jahre hinaus inselhaft prangt! Für das 10. Jahrh. ist sie eine literargeschichtliche Unmöglichkeit. Der Annalist hätte wohl sagen können: ‚Sogar vor den Bauern singt man (d. h. der Mimus) von Dietrich'. Aber das 'de quo cantabant rustici olim' hat ja einen ganz andern Sinn.

Bauerndichtung, Volksdichtung in diesem Verstande ist das altgermanische Heldenlied nicht gewesen.

Auch nicht auf Island. Wir sahen, wie das Heldenlied aus dem höfischen Skaldenvortrag ausschied. Diese Neuerung rettete eine Altertümlichkeit: das westnordische Heldenlied blieb 'eddisch', d. h. es erhielt sich die angestammte ältere Formensprache (§ 101). Ein Zufall will es, daß die einzige nach dem Leben gezeichnete Stelle, die vom Vortrag eines Eddalieds redet, einen benannten Hofskalden zeigt: einen Isländer, den wir sonst seine regelrechten Hofton-gesätze dichten sehen. Vor Olafs des Dicken letzter Schlacht, a. 1030, trägt er zur Anfeuerung des Heeres ein Heldenlied vor, das 'alte Bjarkilied'; es mochte vor drei Menschenaltern, und zwar in Dänemark, entstanden sein; sein zweiter Name, 'Hofkriegermahnung', beleuchtet gut das Band von der Drucht zum Heldenlied[4]).

Für Norwegen ist dies ein Sonderfall. Ein Skald Harald Schönhaars, Thorbjörn, hat eines unsrer stattlichen Heldenlieder, die alte Atlakvida, zwar nicht gedichtet, aber strecken-weis in seinen persönlichen Stil umgeformt[5]): nicht seinen dunklen Hoftonstil, vielmehr den leichter schreitenden des Haraldlieds (§ 110). Auch dies ein Zeugnis, daß Skaldisch und Eddisch im selben Mann zusammentreffen konnten (§ 23). Gern wüßten wir, ob dieses neugeformte Atllied seine Hörer in Haralds Gefolge suchte. Es kann ja einige Zeit gedauert haben, bis die Heldendichtung die Höfe verließ und bei den Landwirten Zuflucht fand. Vom 10., 11. Jahrh. ab waren es wohl nur noch die Landwirte Islands. Die haben auch neue Spielarten ausgebildet (§ 144). Dann aber konnte es kaum fehlen, daß auch Unzünftige, begabte Lieb-haber, Heldengedichte vortrugen und verfaßten. Was die allerdings spärlichen Zeugnisse aus dem Süden nie belegen.

Auf Island war also das stabreimende Heldenlied, dieses Kind des Hofadels, sozusagen 'ins Volk hinabgestiegen'. Nur daß wir nach allem Gesagten nicht mehr zu betonen brauchen, daß dieses 'Volk' nicht die Unterschicht war, sondern der Kern der kleinen Nation, die vor-nehme und weniger vornehme Bauernschaft. Verbauerung des Stils kann man den eddischen

Vertretern des alten Heldenliedtyps noch nicht nachsagen: erst in jüngeren Sproßformen spürt man etwas von Entadelung.

¹) Zu diesem Abschnitt vgl. man die Ausführungen in § 12. 97. 100. 105.   ²) § 19. 99. 122. Alkuins Worte über die 'ridentium turba in plateis' und die 'ludentes in platea' (Brandl 981) beziehen wir nicht auf Heldendichtung! (vgl. § 130 Ende).   ³) W. Grimm, Dt. Heldensage Nr. 117. 122b. (125b) 129. (130) 133. 133b. c. 136.   ⁴) Heimskr. 2, 463 (Thule 15, 355); bei Genzmer I Nr. 23. Vgl. u. § 139.   ⁵) Beobachtet von Genzmer, Arkiv 42, 97ff.

128. Wo hatte das Heldenlied seine Stoffe her?

Man kann sagen, die Heldenfabeln *geben sich* als Geschichte; sogar die Klasse der 'heroischen Abenteuer'. Denn sie gebrauchen Eigennamen, und zwar echt klingende, auch für den Schauplatz: zeitlos sind sie, nicht ortlos wie Märchen. Auch die Handlung, selbst wo sie ins Wunder geht, gebärdet sich wie etwas wirklich Dagewesenes.

Nach unsern höchst lückenhaften, zufälligen Geschichtsquellen können wir gegen zwei Dutzend Menschennamen als historisch bezeichnen und sechsmal der Sagenhandlung einen unabhängigen Chronikenbericht entgegenhalten[1]). Hierbei zeigt sich, daß Stellung der Menschen und epischer Verlauf bis zur Unkenntlichkeit abweichen. Das liegt nicht nur an Gedächtnisschwäche und anderen zerstörenden Kräften bei Dichtern und Vortragenden. Der Hauptgrund ist das Bejahende: daß germanische Heldendichtung den Wirklichkeitsstoff in neue Gußformen bringt; daß ihr Motivschatz auf das Privat-Menschliche eingestellt ist und sich abschließt gegen Staatskunst und Kriegführung, gegen Völkergeschicke, Volkstum und Glauben. Sie geht darin weiter als die welsche und andre Heldendichtungen.

Das germanische Heldenlied hat offenbar von Anfang an andres gewollt als das Zeitgedicht. Diesem war es überlassen, die dichterische Chronik seiner Zeit zu geben. Darum packt es die Vorfälle aus der Nähe, legt Gewicht auf Augenzeugenschaft, ist trockenen Tatsachen nicht abhold; und das Ergebnis war — auf Island, wo wir derartiges beobachten können —, daß die Geschichtsschreiber in 300 Jahre alten Preisliedern ihre zuverlässigsten Quellen hatten. Nichts davon träfe auf das Heldenlied zu. Unsre nordische Überlieferung zeigt deutlicher als die einer andern Volksfamilie, daß heroische und historische Dichtung im Kern, nicht nur gradmäßig verschieden sein können. Sie warnt davor, Heldendichtung vorschnell nach dem Rezept des Zeitgedichts, des 'historischen Liedes', zu definieren.

Man könnte auf den Gedanken kommen: diese rein persönlichen Fabeln ohne Massenschicksal und Politik — *so* haben das Volk und seine Sänger die Wirklichkeit *gesehen*; dies war ihr kindlicher Blick auf das Geschehen; Umbildung durch Künstlerphantasie steckt darin nicht[2]). Und was wir aus dem selben Zeitalter als Geschichte lesen, das war der Blick der Schriftgelehrten.

Damit würde man den geistigen Abstand zwischen den Geschichtsschreibern und dem 'Volk' überschätzen; und wieder erbrächte Norwegen-Island den Gegenbeweis: dort haben wir eine reiche und durchaus volkstümliche Geschichtsüberlieferung in Lied und Prosa, und die hat trotz allem Steigern und Vereinfachen den Wirklichkeitsstoff keineswegs in Fabeln nach Art der heroischen umgeschaut.

Wo wir eine altgermanische Heldensage an der Geschichte messen können, ist der Abstand viel zu groß, als daß er sich aus der kindlichen Sehart der Zeitgenossen erklärte. Den Triumph des fränkischen Theuderich über Thüringen hat man nicht *sehen* können in den Linien der Iringgeschichte, wo der Franke mit seinem Leben für den verratenen Thüringer büßt. Die Niedermachung einiger tausend Burgunden durch einen einbrechenden Hunnenschwarm hat man nicht *sehen* können als trügerische Einladung der Könige zu dem hunnischen Schwager usw., wie es die alte Nibelungenot erzählt. Und so in den andern Fällen. Die bloße *Ferne* des Standpunktes erklärt nicht das Schöpferische, das Herausarbeiten einer ergreifenden Fabel.

Wieweit sich die Heldendichter ihres Erfindens bewußt waren, werden wir nie ergründen. Auch die Frage, welches Maß von Glauben die Hörer den Liedern entgegenbrachten, ist nicht so einfach, wie man oft meint. Mit dem kurzen Satze 'Heldensage galt als Geschichte' ist es nicht getan. Nach Zeiten, Ländern, Kreisen, auch nach Stoffen schattete sich die Gläubigkeit ab. Wir erinnern uns an die Stellung des englischen Weitfahrtdichters zu den berühmten Abenteuern der Sage (§ 78).

War ein Heldenlied einmal da, dann ging es seinen Weg unbekümmert um seinen geschichtlichen Kern. Es unterlag dem Umdichten nach sachlichem und künstlerischem Bedürfnis, und niemand fragte danach, ob sich das Bißchen geschichtliche Wahrheit vollends verflüchtigte. Ein paar Mal erkennen wir, wie ein mehr sachlicher, halb politischer Hergang später zum menschlich Sinnreicheren, zum heroischen Vollwuchs umbiegt[3]). Der Hauptfall, daß ein geschichtlicher Eckstein abhanden kommt, ist die Burgundensage: den Tod Attilas hat sie auf ihrer zweiten, oberdeutschen Stufe preisgegeben.

Das Ungeschichtliche an den germanischen Heldensagen besteht nicht nur aus unbewußtem Entstellen und bewußtem Erfinden. Die Dichter haben auch vorhandenes Erzählgut benützt: heimische Mythen und Ortssagen; Wanderfabeln verschiedener Art; auch Züge aus antiker Sage, die durch Bücher vermittelt waren. Manches davon war übernatürlicher Art. Märchen im spätern Sinne werden in den Heldenfabeln alten Stils noch nicht bemerkbar: seit dem 12. Jahrh. wirken sie auf deutsche und nordische Stoffe ein, umfärbend, entheroisierend. Sigfrids Jugendsagen, wie sie in der Thidrekssaga und im Niebelungenlied, dann im Hürnen Seifrid zutage treten, sind ein klares Beispiel dafür[4]).

Aber schon der alte Bestand hat aus volksläufigen Wundergeschichten geschöpft, die man Urmärchen oder Mythenmärchen nennen kann. Sie hatten zwischenvölkische Verbreitung und gingen später in unsre langen, innerlich so viel moderneren, genrehaften Volksmärchen über. Daraus erklären sich Berührungen alter Heldengestalten (besonders Sigfrids und Beowulfs) sowohl mit fremden Heroen wie mit neueren Märchenfiguren[5]).

Hierbei handelt es sich um niederen Mythus. Der Göttermythus hat, soviel wir aus unsrer Überlieferung erkennen, nur die westnordische Heldendichtung des späten Heidentums befruchtet. Die Isländer fuhren noch in der christlichen Zeit fort, Gott Odin, vereinzelt Thor, in die ererbten und die neugeschaffenen Heldenfabeln hereinzuziehen.

[1]) Vf., Berl. Sitz. 1909, 920ff., Internat. Mon. 13, 232f.; Olrik, DHelt. 2, 307ff.   [2]) So ungefähr Chadwick, The heroic age 336.   [3]) Bei der Svanhild- und der Ingeldsage: RLex. 1, 627f.; 4, 190. [4]) Nachgewiesen von Sydow, Lunds Universitets Festskrift 1918. Vgl. Vf., Berl. Sitz 1919, 162ff.   [5]) Soweit diese nicht herabgesunkene Dichtungshelden sind: Logeman, Danske Studier 1916, 173. 183f.; Panzer, Braunefestschrift (1920) 138ff. Löwis of Menar, Die Brünhildsage in Rußland 1923; Elemér Móor, Ungarische Jahrbücher 1926, 129ff. Zum Begriff Urmärchen (dessen Dasein Sydow leugnet): Honti, Volksmärchen und Heldensage 1931; Fr. Ranke, Dt. Vjschr. 1936, 280f.

129. In den folgenden Abschnitten versuchen wir, aus dem *Stile* des Heldenlieds das meist Bezeichnende herauszuheben, soweit es nicht schon zur Sprache kam. Wir halten nach Möglichkeit fern, was in der Edda und im Süden als jüngerer Geschmack zu erkennen ist. Es könnte locken, in die mutmaßlich alten Sagen Zeitstufen und Stammesunterschiede hinein-

zusehen. Vor allen Schneider, dann de Boor haben Anregendes dazu vorgebracht. Eine Bestandaufnahme wie die unsre darf die Tatsachen mehr flächenhaft ausbreiten, also auf die Eigenschaften der Gruppe zielen.

Die *Menschen* des Heldenlieds sind in dem Grade gattungshaft vereinfacht, daß man zweifeln kann, ob es für die Dichter Beobachtung des Lebens brauchte. Das Wort Charakterzeichnung kann man hier nur in uneigentlichem Sinne verwenden. Die *Rolle* bringt die Abwechslung: sie prägt den Menschen — auch in Kleinigkeiten, wenn etwa der eine hitziger, der andre bedachtsamer sprechen soll: derartiges ist zur Belebung des Augenblicks erfunden. Sache des Dichters ist, die Träger der Rollen in ihrer rechtwinkligen Wucht herauszubringen, packende *Typen* hinzustellen.

Die Mehrzahl der Gestalten fällt auf den einen Typus: den *'Helden'* in seiner Jugendkraft. Widerkehren auch der *Despot* in höheren Jahren (Atli, Jörmunrek, Nîdud, Sigar, Humli); der treue derbe *Waffenmeister;* der listige *Ratgeber* (§ 95). Dazu die zwei Frauentypen, der junge, liebefähige und die herbe Matrone.

Über diese Auswahl geht es selten hinaus.

Unterscheidung von Helden und Gegenspielern ist meistens zu spüren. Günstig beleuchtet sind in der Regel die Rächer und die tapfer Sterbenden. Doch pflegt man die Gegner nicht gehässig schwarz zu malen.

Die Helden alten Stils sind keine Athleten, keine Baumausreißer und Bärenwürger. Auch daß einer so und so viele im Kampf besteht, geht mehr nebenher. Was man an ihnen bewundert, ist die Gesinnung: Mut, Stolz, Unbeugsamkeit, Treue zum eignen Ehrgefühl und zum Herrn, zum Waffenbruder. Als Wohltäter der Völker, als Landreiniger, steht nur der Held des christlichen Beowulfepos da (§ 150).

Über die menschlichen Maße führt dies nicht hinweg. Die Erhöhung ist innerlicher Art. Dies wird klarer aus der Betrachtung der Rollen, der *Handlung*.

Wir haben zwei Hauptarten von Fabel: heroische Abenteuer und menschliche Verwicklungen.

Die ersten sind der alten Schicht nicht abzusprechen, aber spärlich vertreten: Beowulfs zwei Trollenkämpfe, Sigfrids Jugendtaten. Noch weiteres mag alt sein (Dietrich in Riesenhaft; Dietleib, Hertnid, Herbort), wird aber nicht greifbar. Auch bei Beowulf und Sigfrid läßt die eigenartige Überlieferung im Zweifel, wieweit das Heldenstück von Hause phantastische Mut- und Kraftprobe war oder seinen tragischen Zusatz hatte.

Die Hauptmasse fällt auf die zweite Art: persönliche Fehden, tragische Erschütterungen, Friedensbrüche unter Gesippen, Verschwägerten, Gefolgen; bisweilen zum sittlichen Widerstreit, zum Problem, zugespitzt.

Man kann in dieser Gruppe noch einmal unterscheiden: naturtreue Lebensbilder (z. B. Hunnenschlacht, Hildebrand, Hengest, Iring, Ingeld) und Schicksale, die ein Hauch von Wunder anweht (wie Svanhild, Brünhild, Wieland, Offa, Harald Kampfzahn).

Überall, selbst in den 'heroischen Abenteuern', ist das Überwirkliche maßvoll, verglichen mit der Heldenwelt der Inder, Perser, Iren und Russen. Man berauscht sich nicht an hohen Zahlen, am Übertreiben. Auch neben der Märchenluft der bretonisch-welschen Ritterromane wirkt die altgermanische Art erdenfest. Sie stellt sich hierin näher zur griechischen und zur fränkisch-welschen Heroendichtung.

130. Im Ganzen muß das Kriegerleben die Bausteine der Fabeln bestreiten. Sie blenden nicht durch Mannigfaltigkeit, aber jede hat ihre eigene, einmalige Schürzung. Die Kopie erstreckt sich nie auf den springenden Punkt.

Das Ziel ist: den Gestalten die außerordentliche Lage zu erschaffen, die ihr Ehrgefühl auf die Probe stellt. Am hellsten bewährt sich die Ehre in der Rache und im heldischen Sterben: das eine oder andre haben die meisten Gipfelszenen zum Inhalt.

Sagen ohne den Rachegedanken sind selten: Hildebrand, Walther, Harald Kampfzahn; im ganzen herrscht er, einseitiger als bei den Griechen, und wird in immer neuen Verhältnissen abgewandelt. Man könnte hiernach die Sagentypen einteilen: z. B. Rache für eigne Kränkung, für den Vater, den Bruder, die Schwester, den Gefolgsherrn oder Gefolgsmann.

Auch die Frau — die in zwei Fünfteln der Sagen eine gewichtige Rolle hat — ist mehrmals Rächerin; daneben Unheilstifterin oder die Leidende oder die von den Männern Umstrittene. Brautwerbungen sind schon in der alten Schicht vertreten, doch nur als Vorstufe einer Fehde (Svanhild, Brünhild, Hetel-Hilde): Liebesleidenschaft tritt erst hinzu in Sagen, die wir nicht über die Wikingzeit zurückverfolgen können: vor allem den dänischen Hagbard und Signe, Helgi und Sigrun. Bei Brynhild sehen wir, wie sich Eifersucht und Liebesverlangen erst bei Dichtern der Nachblüte herausschälen. Ehebruch, Schändung, freiwillige Preisgabe, z. T. mit Blutschande: derartiges verwenden fünf bis sechs Sagen als Ursache oder als Mittel der Rache. Die eigentliche Verführungsgeschichte, überhaupt das erotisch Spannende, liegt dem germanischen Heldendichter nicht.

Der Held, der 'auf Abenteuer ausgeht, um hehre und holde Frauen zu gewinnen': diese von Wundt einmal gebrauchte Formel muß man ungefähr umdrehen, um das Richtige zu treffen. Es sind keine Abenteuer, sondern Schicksale; man geht nicht auf sie aus: sie umstricken den Helden als ein Fatum. Die hehren und holden Frauen sind bretonisch-welscher Ritterstil: für altgermanischen Heldenstil ein unmöglicher Klang.

Die Größe der Heldendichter zeigt sich im Erfinden der dramatischen Augenblicke: wo eine Rede die Gesinnung enthüllt, ein Verhängnis heraufbeschwört oder aus Geschehenem die Summe zieht. Jede gut bewahrte Sage hat einen oder mehrere solche Gipfel. Sie sind die wahren Höhepunkte des altgermanischen Kunstschaffens[1]). Bald sind es stolze Trutzreden, bald verhaltene Bekenntnisse der innern Qual — auch des innern Kampfes: dies nirgends eindrucksvoller als in des alten Hildebrand Wort: 'In dreißigjährigen Kämpfen hat mich der Tod verschont: jetzt ist mir verhängt, daß mein liebes Kind mich erschlage oder ich ihm zum Töter werde!' Wie hier Kriegerehre mit Sippegefühl, so kämpft in Hagen die Freundestreue mit dem Mannengehorsam (Walthersage), in Thurisind die Gastgeberpflicht mit dem Groll gegen den Sohnestöter, in Hengest der aufgenötigte Manneneid mit dem Rachebegehren.

Der Schluß ist zwar öfter der Sieg des Helden als sein Untergang. Aber meist ist der Sieg erkauft durch Opfer, die dem Hörer ans Herz greifen. Wolfdietrich hat seine Mannen, Hengest seinen Herrn, Dietrich seine Pflegebefohlenen verloren; Hildebrand steht über dem toten Sohn, Iring über seinem Fürsten, der Sieger der Hunnenschlacht über dem Bruder. Das Wölundlied entläßt uns nicht mit dem Frohlocken des Rächers, sondern mit dem Seufzer des geschändeten Mädchens. Mit Siegesjubel schließen die Offasage und Ingelds Vaterrache. Offa kennen wir in der gemilderten Gestalt, die aus England zu den Dänen gewandert war[2]). Bei Ingeld zeigt uns der Weitfahrt 48 eine ältere Stufe, wonach es über den Höhepunkt der Vaterrache hinausschritt bis zum Fall des jungen Helden. Von Walther und Hildegrund darf man vermuten, daß schon im stabreimenden Lied die drei Helden samt der Heldin am Leben blieben[3]).

11

Zu diesen Stoffen gehört eine *Stimmung* ernst, von dunklen Ahnungen durchzittert, doch nicht in Trauer ergeben, sondern von Bewunderung der Heldengröße gestrafft. In der Edda geht sie mehr ins Trotzige, naturhaft Wilde, in den südlichen Resten ist sie gebändigter, ethisch erwärmt; was mehr an der innern Zeitstufe als an der Volksart liegen wird. Dort wie hier ist es eine vornehme, standesbewußte Haltung. Die Gemütlichkeit des Spielmanns, seine Späße und seine Kraßheiten liegen unter dem Skop. Das berühmte Zechen der schauderhaft Verstümmelten am Schluß des Waltharius darf man auf die spielmännische Quelle, das gereimte Waltherlied, schieben. Mochte im Leben der Drucht (wie in der isländischen Familiensaga) derartiges vorkommen: der Heldendichter trifft Auswahl; er erhöht die Stimmungen des Alltags. Die Grausamkeiten des alten Stils gehn ums ganze; sie wecken Entsetzen oder Ehrfurcht, nicht Gelächter. Das Geschlechtliche behandeln die Lieder, nach Wölund und mittelbaren Zeugen zu urteilen, schamhaft-spröde: es ist eine andre Luft als in der Scheltdichtung (§ 88. 91) oder später in der Ritterzeit.

¹) Ker, Epic and Romance 76ff.; Schücking, Beitr. 42, 370f.; Petsch, Braunefestschrift (1920) 36ff. ²) Anz. 54, 107.   ³) Ludwig Wolff, ZsAlt. 62, 81ff. (1925).

131. Für die *Stoffbegrenzung* ist wesentlich: das Heldenlied gibt nicht das Viele und Bunte, sondern die einheitliche Fabel von leicht überschaubarem Umriß; eine kurze Formel faßt sie. Also der Bau der Novelle, nicht des Romans. Lebensläufe der Helden bringt man erst in späteren Dichtungsformen (Epos; im Norden Saga und Überblickslied).

Der äußere Grund hiervon ist die Kürze des Liedes, der innere der Zug zum Geistigen, zum Formen von Gesinnungen.

Das Lied von viertelstündiger Dauer kann ganze Jahresreihen umspannen: den Sagen von Sigmund-Signŷ, Dietrichs Flucht, Wolfdietrich, Kudrun, Helgi-Yrsa, Harald Kampfzahn muß man dies schon in ihrer anfänglichen Liedgestalt zuschreiben. Gewöhnlich aber drängt sich die Handlung in einen viel engern Zeitrahmen. Nach Wochen zählt er sogar bei mehrgipfligen Fabeln wie Burgundenfall, Offa, Rosemund, Iring; nach Tagen bei eingipfligen wie Svanhild, Walther, Thurisind. In dem Liede von Hildebrand, wie in den rein dialogischen von Ingjald und von Rolfs Fall, kommt die ideale Zeit der realen nahe. Dies sind zugleich die Dichtungen, die ganz oder annähernd zur Einzahl der *Auftritte* hinabgehn. Nach oben dürfte die Zahl der Auftritte etwa bis 15 steigen.

Die handelnden und benannten *Personen* bewegen sich zwischen zwei (Hildebrand; Sigurds Erweckungssage?) und etwa zehn. In hellem Licht kommen nur Wenige auf die Bühne; für die unbenannte Menge bei Gelage oder Kampf gibt es eindruckhafte Pinselstriche. In den dramatischen Auftritten ist der Bildeindruck reliefartig: ein paar Profile gegeneinander gestellt, Einer gegen Einen, ohne kopfreichen Hintergrund. Die Vorstellung von Menge und Heerschlacht vermitteln besonders die Goten-Hunnensage und Harald Kampfzahn.

Das doppelseitige Ereignislied ist eine geschlossene, in sich verständliche Einheit, sofern es seine Fabel bis zu Ende führt, d. h. bis zur Lösung der Spannung. In der Wahl des Anfangs ist es freier: nicht nur die ruhende Exposition, auch ein aufsteigender Teil von viel epischem Gewicht kann vor der Liedschwelle liegen. Ein weitgehender Fall ist das alte Lied von Ermenrichs Tod (nach dem einhelligen Zeugnis des eddischen und des spätniederdeutschen Textes): alles was dem Aufbruch der Rächer vorangeht, das Schicksal der Svanhild, ist übersprungen. Sogar hier ist nicht glaubhaft, daß diese aufsteigende Strecke wieder ein Lied bildete, so daß die eine Fabel auf zwei Gedichte verteilt war. Es war von jeher ein Lied. Durch Anspielungen vermittelte es das Nötige von der Vorgeschichte; außerdem mochte der Vortragende nachhelfen mit einer schlichten Prosaeinführung, wie wir deren in der Eddasammlung finden. Solche einleitenden, auch schließenden, Prosasätze konnten Namen und Motive durch die Jahrhunderte tragen; die liedhafte Gußform hatte einen kleinen Rest draußen gelassen; der mochte, an das Lied gelehnt, im Wortlaut mitwandern. Die späteren Balladen freilich, die auch sehr voraussetzungsreich anfangen, kennen diese Prosahilfen nicht.

Wie dem sei, die Neigung zu straffen und zu verdichten begünstigte das Übergehn der ersten und zweiten Akte. Im Hildebrandslied führte der besondre Stoff, wie wir sahen, zum reinen Aufwicklungsverfahren: ein würdiges Liedgegenstück zu den Trauerspielen von König Oedipus und von Rosmersholm.

Die Vorstellung: der Sänger habe von Fall zu Fall ein Stück Sage in wechselnder Begrenzung ausgehoben; diese Sagenstücke seien Episoden gewesen (z. B. die Werbungsfahrt oder der Frauenzank in der Brünhildsage); viele solcher 'Einzellieder', nach vorn und hinten aneinanderschließend, auch wohl sich überschneidend, hätten den 'Sagenzyklus' ausgemacht: diese verschwisterten Irrlehren fallen sogleich dahin, wenn man bedenkt, daß die germanischen Heldenlieder kein Stegreif waren; daß eine solche Episode im Liedstil kaum länger gedauert hätte als ein herzhafter Zug aus dem Trinkhorn; daß man über der Episode und dem Zyklus nicht die Hauptsache vergessen darf, das mitteninne liegende, die *Fabel*, deren kunstvoller Bau doch nicht gut als Zufallsfrucht von dem Gezweig der 'Einzellieder' herabfallen konnte. Schwereres Geschütz braucht man nicht aufzufahren, wenn man sich zu dem Ausgangspunkt bekennt: eine Heldensage war ein Liedinhalt.

Liederkreise von der Art, daß eine Nummer die andre fortsetzen sollte, kennen wir nicht. Helden aber und Königshäuser, die in mehreren Fabeln, also Liedern, auftreten, gibt es in Süd und Nord, und manche dieser Mehrheiten stammen aus den alten Jahrhunderten. Nur überschätze man nicht die darin liegende künstlerische Leistung. Weitspannende Gedanken, wie Aufstieg und Verfall einer Sippe, Reifen und Altern eines Helden, durchgehende Schicksalsmotive, das wird, wenn überhaupt, so erst auf jungen Stufen wirksam. Ein besondrer Fall ist der, daß zwei selbständige Handlungen, die Brünhildund die Burgundensage, durch einen Anstoß von außen zu einer reicheren Doppelsage zusammentraten.

132. Nennt man die *Erzählweise* des doppelseitigen Ereignislieds 'springend', so denkt man an verschiedenes.

Ein schnelles Tempo bedingt ja schon die Kürze des Liedes, doch gibt es, wie wir sahen, sehr wechselnde Grade des Zeitmaßes. Die Schlankheit des Liedstils beruht auf dem Fehlen abtrennbarer Zwischenspiele, auf der durchaus einsträngigen Handlung, darauf daß Erzählung wie Reden vorwärts treiben und das Zuständliche übergehn; daß auch die Hauptsachen wenig Kleinzeichnung, keine stufenreiche Entfaltung bekommen.

Ein gleichmäßiger Telegrammstil aber ist es nicht. Wer in klarer, schmuckloser Sprache, etwa im Sagaton, nacherzählte, hätte hier aufzufüllen, dort viel zu streichen. Denn einzelnes, was den Dichter ergreift, namentlich in den Reden, treibt er wortreich heraus; Zwischenglieder verschweigt er oder verdünnt sie zum bloßen Bericht; auf den Gelenken, dem Begründen liegt wenig Nachdruck. Es *springt* von einem erlebten, bildhaften Auftritt zum nächsten. Eine locker verbundene Reihe von Bühnenbildern.

Aus dem springenden Stil schloß man in romantischer Zeit, die alten Dichter wollten nicht 'den Inhalt der Sage' darstellen; den setzten sie als bekannt voraus; sie wollten 'einen einzelnen Punkt' beleuchten. Man hat dies aus Wilhelm Grimm oft wiederholt. Dahinter steht die uns bekannte Anschauung von der 'Sage' als dem eigentlichen und vollständigeren Gefäß der Heldenstoffe (§ 126). Auf die späteren Kunstformen, die Heldenklagen, träfe es zu, daß sie die epischen Fabeln nicht neu erzählen wollten (§ 142 ff.): die alten Ereignislieder, die waren lange Zeiten hindurch die Träger dieser Fabeln. (Aus den kleinen 'Prosahilfen', die wir neben den Versen gelten ließen, wird niemand viel machen.) Es liegt schon so, daß die Sagenfreunde damals andere Bedürfnisse nach Deutlichkeit und Vollständigkeit hatten als wir[1]).

Bei alledem handelt es sich um gradmäßige Dinge. Verglichen mit dem beflügelten oder punktierenden Erzählen der durchschnittlichen Folkevise, wirkt selbst das ungestüme Hamdirlied schwerschreitend, tiefatmig. Innerhalb unsrer stabreimenden Texte sehen wir Stufen. Lassen wir den Sonderfall Hildebrand weg (§ 123): das englische Bruchstück zeichnet seinen Finnsburgkampf so gliederreich, daß man an buchepische Breite denkt — bis die Wendung 'Sie fochten fünf Tage, ohne daß einer fiel . . .' eine lange Strecke Vordergrundshandlung überfliegt und uns erinnert, daß hier ein Liedtempo herrscht. Leicht möglich, daß in dem England des 8. Jahrh. landessprachliche Epen abfärbten auf die Haltung des *Lieds*. Auch in Deutschland scheinen sangbare Heldenlieder der Ritterzeit breiteren Stil gelernt zu haben vom Buchepos[2]).

Jene geschauten Auftritte verfügen über eine hohe Versinnlichungskraft[3]). Wölunds Sehnsucht nach der entflohenen Frau: er sitzt am Feuer, zählt die Goldringe am Bast: einer fehlt; er glaubt, sie muß heimgekehrt sein. Jörmunreks Übermut, als ihn die Rächer gemeldet sind: er lacht und faßt nach dem Schnurrbart, tut einen Zug Wein, schüttelt das Braunhaar, äugt nach seinem Schilde, dreht den Goldbecher in der Hand. Auch das Hildebrandslied belebt sein Zwiegespräch mit dem tastbaren Zuge: der Alte streift die Ringe, das Geschenk des Hunnenkönigs, vom Arm, um sie als Zeichen seiner väterlichen Neigung dazureichen.

In lateinischen Umkleidungen erkennen wir diese Edelsteine der Heldendichtung wieder. Der kühnste Fall ist Iring: er legt die Leiche des Herrn über die Leiche des Feindes: im Tode wenigstens soll der verratene Herr die Buße haben, daß er dem Feinde obsiege.

Das eddische Erzählen wird man nicht anschaulich-klar im ganzen nennen: dem steht das ruckweise Aussetzen der Sehkraft entgegen. Aber 'grelle Sinnlichkeit' im einzeln hat man ihm mit Recht zuerkannt[4]). Auge und Ohr sind erregbar; lebhafte Sinneseindrücke blitzen da und dort auf. Sie sind von Gefühl gesättigt, haben oft etwas Berauschtes, oft etwas Schreckhaftes. Ein genießendes Abtasten der schönen Außenwelt liegt diesen Dichtern fern. Damit hängt zusammen, daß sich die Bildkraft gern in *Reden* auslebt. Den Gedanken 'Zwischen uns wird es zum Kriege kommen' faßt einer in die Worte: 'Bersten wird, Bruder, der blinkendweiße Schild und kalter Ger wider den andern treffen'. Kein unmittelbarer Kampfbericht der Edda ist so sinnlich.

Auch die volleren *Gleichnisse* stehn sämtlich — ein bezeichnender Gegensatz zu Homer — in den Reden: lyrische Steigerung, nicht Auskosten des Hergangs ist ihr Ziel. Die Mehrzahl erscheint erst in Gedichten jüngerer Kunstform.

An Gleichnissen wie an sinnlichem Leben steht die englisch-deutsche Epik neben der Edda arm und blaß da. Aber gerade der eine weltliche Splitter, der Finnsburgkampf, tut sich mit Gehör- und Gesichtsreizen hervor und begünstigt den Schluß, daß der eddische Überschwang keine nordische Neuerung ist; daß, wie die Kämpenwildheit, so die Farbengrellheit in der christlichen Luft des Südens erbleichen mußte.

Zu der bildhaften Szene gehört fast immer die *Rede* der Handelnden. Dichtungen, die so entschieden aufs Innenleben losgehn, finden in den Reden ihr stärkstes Ausdrucksmittel. In ihnen schürzt und löst sich die Fabel; auch wo sie Vergangenes berichten, geschieht es für die Mitspieler und dient dem epischen Verlauf. Zu einem bis zwei Dritteln besteht der Gedichtkörper aus Rede[5]).

Die Reden, noch mehr als das übrige, sind gehobener Stil. Es fehlen die nach dem Leben klingenden kurzen Ausrufe oder Fragen; es fehlen die Stichomythien, denen die Saga gute Wirkungen verdankt (§ 184). Es fehlt aber auch — Hildebrand macht wieder eine begründete Ausnahme — die vielgliedrige Zwiesprache, das lange fortgesetzte Hin und Her. Dramatisch in diesem Sinne wird erst das reine Redelied (§ 139). Der Zank der Schwägerinnen in der Brünhildsage vollzieht sich in einer vollatmigen Rede aus jedem Munde. Das gereimte deutsche Lied des 12. Jahrh. verbraucht acht Glieder dafür (Thidrekssaga 2, 259ff.).

Darin unterscheidet sich die Edda, schon in ihren alten Stücken, von der deutsch-englischen Epik, der weltlichen und geistlichen: neben der nachdrücklich eingeführten Rede, die im Süden alleinherrscht ('Hildebrand führte das Wort, Herbrands Sohn'), bringt der Norden nach Belieben die unangekündigte. Das dürfte Neuerung sein. Das reine Redelied, dem die versgefaßte Einführung versagt war, konnte auf die zweiseitige Gruppe, auch ihre überkommenen Texte, einwirken.

[1]) Sydow meint, die älteren Heldenlieder waren meist so wortkarg, daß sie zum vollen Verständnis 'einen Prosakommentar' brauchten (Nordisk Kultur IX 110). Der gewiegte Empiriker bewegt sich hier in Vermutungen so gut wie wir andere. [2]) Kienast, Archiv 144, 167, [3]) Beispiele: Nib.-sage und NL[3] 18. 52. Vgl. W. Haupt, Zur niederdeutschen Dietrichsage 261. [4]) Heinzel, Über den Stil der altgermanischen Poesie 20ff. [5]) Vf., ZsAlt. 46, 190. 195.

133. Beim *sprachlichen Stil* scheiden die Quellen zweiter Hand aus. Auch aus der Epenreihe von Cædmon bis zur sächsischen Genesis dürfen wir nicht, wie es Herkommen ist, ohne weiteres den 'altgermanischen Erzählstil' ablesen; diese Werke aus geistlicher Feder würden das Bild merklich verschieben. Dagegen ist es erlaubt, aus der Edda die zweiseitigen Götterlieder heranzuziehen (§ 136), mit Vorbehalt auch die Heldenlieder jüngerer Bauart (§ 137ff.), so daß sich die Grundlage über jene sieben Lieder und Bruchstücke hinausdehnt.

Es zeigt sich, daß dieser immer noch begrenzte Stoff im sprachlichen Stile wenig Einheit hat; ja daß er keinen sonderlich ausgeprägten Stil aufweist. Bei der Menge der skaldischen Preislieder war das ganz anders (§ 113ff.); auch die Geistlichenepen oder dann in späteren Zeiten den deutschen Minnesang, die nordisch-englische Ballade trägt ein gleichmäßigeres und schärfer umrissenes Formgefühl.

Gemeinsam ist unsern Liedern: Eine durchsichtige, zwar vielfach unprosaische, aber wenig verschlungene Wortstellung. Im Satzbau viel Beiordnung und die Perioden selten mehr als dreistöckig[1]). Damit wirkt zusammen der (freie) Zeilenstil, um der Sprache klare, gleichgewogene Gliederung zu geben: sie schwillt nirgend ins Langatmige an. Kurze Klammersätze, gern den Abvers füllend, verstärken den Klang von Eifer und Nachdruck[2]). Echte Kenninge spielen keine Rolle.

Der Wortschatz geht entschlossen über die Prosa hinaus. Ganz im Großen gesehen, ist er körnig, voll gehaltschwerer, vielsagender Worte, wenig farbloses Füllsel[3]). Aber hier beginnt schon die *Ungleichheit.* Zwischen dem verhältnismäßig ebenfüßigen Vokabular des deutschen und einiger nordischen Lieder und dem hochgesteigerten des Alten Atlilieds liegt eine lange Strecke; das englische Stück steht in der Mitte. Groß ist der Unterschied im Gebrauch nur·

dichterischer *Composita*: im Finnsburgkampf, im Hamdir- und besonders im Atlilied sind sie zahlreich und kühn, manche wohl neu geprägt, sie tragen zum Gesamteindruck bei; Hildebrand- und Wölundlied bringen spärliche und minder üppige Fälle, im Thrymlied treten sie ganz zurück.

Dann die syntaktischen Kunstfiguren, von denen die Liedwirkung gutenteils abhängt. Das *rein schmückende Beiwort* (das eine strenge Prosa meidet) ist ganz ungleich verbreitet. Hildebrand gebraucht es kaum: die 'scharfen Schauer', die 'weißen Schilde' kann man rechnen (die 'gewundenen Ringe', das 'teure Kind' wären auch Prosa). Auch das Thrymlied spart mit diesem Schmuck; schon beinah doppelt so oft bringt ihn das Alte Sigurdlied. Es folgen in dieser Reihe: Wölundlied, Hunnenschlacht, Finnsburg, Hamdir-, endlich in großem Abstand Atlilied: hier kommt ein Fall auf 3½ Langzeilen. Von skaldischem Geschmack ist dieses Lied zwar nicht frei, aber für die hier zu besprechenden Züge haftet er nicht. Wie schon vorhin, schließen an Hildebrand zunächst ein paar eddische Stücke, dann erst das englische Lied.

Ähnlich steht es mit der verwandten, aber stärkeren Figur, dem *stellvertretenden Beiwort*: 'Was hat Sigurd verbrochen, daß du *den kühnen* willst . . .'. Dem Hildebrandslied sind diese Klänge fremd, im Finnsburgkampf wagen sie sich vor[4]), in einigen nordischen Texten werden sie tongebend.

Dann die *Variation*: das zurücklenkende Beiwort, allgemeiner: die zurücklenkende Wiederaufnahme eines schon verlassenen Begriffs: 'der Rhein behalte den Hort, *der schnelle Fluß,* — *das Niblungerbe* . . .'. Diese Figur ist eine heißblütigere Schwester des schmückenden und des vertretenden Beiworts; auch sie ist Ausdrucksgebärde, Entladung des übervollen Gefühls. Wesentlich für sie ist das Stauen des Satzflusses, das aufgeregte und unsymmetrische Abbrechen des Fadens: ein vielsagender G e g e n s a t z zum hebräischen 'Gleichlauf der Glieder'! Der liegt auf einer andern Linie. Das Zweimalsagen tuts nicht.

Die Variation ist uns des öfteren begegnet; trägt sie doch der englische Geistliche in alle Dichtgattungen hinein. Unter den mittelalterlichen Poesien ist die stabreimend-germanische der Variation besonders zugetan. Aber mit Unterschied[5])! Das alte Erzähllied gebraucht sie maßvoll. Die zwei westgermanischen Stücke sowie Wölund- und Hamdirlied stehn hierin auf ziemlich gleicher Stufe: e i n e Variation auf z e h n oder etwas mehr Langzeilen; keine mehrstöckigen Fälle, keine Verschlingungen; Satzvariation in den Anfängen. Bei diesem Zustand wirkt die Variation nicht stilprägend; das vielberufene Wallen und Wogen kann man diesen vier Gedichten nicht nachsagen.

Nur das alte Atlilied steigt entschieden darüber hinaus: das einzige altnordische Gedicht mit fühlbarem Variationsstil. Den muß es aber einer deutschen Vorlage abgeschaut haben; auch in sonstigen Formsachen verrät sich Südgermanisches. Diese Vorlage kann wohl nur ein Lied, kein Buch, gewesen sein; mithin werden wir dem gemeingermanischen Heldenlied die Grenze des Variationengebrauchs weiter stecken: auf sechs Zeilen k o n n t e schon ein Fall kommen.

Alsdann gingen Nord und Süd entgegengesetzte Wege, hier wie im Versbau (§ 31. 123). Der Norden schob die Variation zurück, schon die doppelseitige Erzählform hat drei so gut wie variationsfreie Vertreter: Altes Sigurdlied, Hunnenschlacht und Thrymlied. Der Süden, d. h. die Geistlichkeit, steigerte die Variation nach Zahl und Art zum wirksamsten Stilmittel. Im Blick auf diese breiten Gedichtmassen, namentlich die sächsische Messiade, hat man zuweilen die 'germanische Stilseele' beschrieben. Es lag hier ähnlich wie bei den Kunstmitteln des skaldischen Hoftons (§ 116 Note 1): der Wunsch nach vereinfachtem Bilde tauchte das

tatsächlich Vorhandene und Artprägende in Nebel. Dem Namen Variation gab man so blut-
leeren, unerlebten und daher schmiegsamen Sinn, daß sich unter diesem Zeichen alles Erdenk-
liche die Hände reichen konnte[6]).

Das bisherige waren die Figuren der Bewunderung, des Überschusses und Überschwangs.
Noch viel auffälliger verhalten sich die Figuren des Ebenmaßes und der Sparsamkeit: *Gleichlauf* und *Wiederholung* (Wortaufnahme). Dies waren, wir erinnern uns, die fast ständigen
Begleiter der niederen Dichtgattungen (sieh u. a. § 53. 65). Auch in das Erzähllied ragen sie
herein, aber, kurz gesagt, nur in einen Teil der nordischen Stücke: ein andrer Teil meidet sie,
auch die zwei südlichen Reste machen wenig aus ihnen, und die Buchepen sind ihnen gradezu
abgeneigt. Diesen Befund kann man verschieden erklären; für die Annahme, erst der Norden
habe diese Formen in das Erzähllied heraufgehoben, brauchte man eine breitere südgermanische
Grundlage als die zwei Bruchstücke.

Wo Gleichlauf und Wiederholung jene Figuren des Überschwangs stark hintanhalten, wie
im Thrym-, weniger im Alten Sigurdlied, da entsteht ein klarer, gebauter, kantiger Sprachstil:
er bezeichnet einen Endpunkt unter den stabreimenden Stilen; der Gegenfüßler ist er zu dem
reichen Gewande des Atlilieds, noch mehr zu der gleichmäßig gebauschten Fülle Cynewulfs
oder des Heliand. Das Thrymlied zeigt uns nahezu Balladen-, Folkevisestil in stabreimenden
Versen. Hier ist das Genus dicendi so ausgeglichen, man möchte sagen stilrein, wie wir es
sonst in den Erzählliedern kaum erleben, am wenigsten in den reichen. Die fallen gar oft aus
Schwulst in Dürre, aus Übermaß in Armut. Auch das englische Bruchstück hält keine gleichmäßige Spannung fest. Bei dem deutschen hindert der verderbte Zustand.

Damit ist überall zu rechnen, daß uns 'zersungene' Texte vorliegen. Am klarsten nimmt
man im Atlilied und in der Hunnenschlacht ungleiche Hände wahr, ohne daß darum zwei oder
mehr vollständige Lieder in einander geschoben wären.

[1]) Vf., ZsAlt. 57, 16f.   [2]) Brot 10, 2; 14, 6; Akv. 2, 2; Hamd. 22, 2: 28, 6. 8; Vkv. 19, 3; Thr. 5, 2;
9, 2; Finnsb. 32b; Hbr. 18b. 65b.   [3]) Vgl. Ehrismann 1, 217[1].   [4]) 23a. 31b (*cênum*). 35b; doch vertritt das Beiwort kein Fürwort.   [5]) Paetzel, DieVariationen in der altgerman. Allit.-poesie 1913; Vf.,
ZsAlt. 57, 32ff.; L. Wolff, Dt. Vjschr. 1, 214ff. (1923).   [6]) Man sehe etwa: Jul. Petersen, Aus der Goethe-
zeit (1932) 198ff.; Panzer, Zs. f. dt. Bildung 14, 261ff. (1938); E. R. Curtius, Zs. f. romanische Phil. 58, 218f.

134. Hält man neben all dies noch die Unterschiede der metrischen Gruppen- und Taktfüllung, so wird das Bild leidlich bunt. Einzelnes dürfen wir als Neuerung auf dieser oder jener
Seite ansprechen: den prosanahen Ausdruck bei Hildebrand, die silben- und verszählende
Glätte im Alten Sigurdlied. Aber zu einem halbwegs einheitlichen Typus als ältestem dringen
wir nicht zurück. Von keiner der eddischen Nummern wagen wir zu behaupten, ihre Formensprache stehe dem gemeingermanischen Ausgang am nächsten. Dieser Ausgang war kein
Punkt, er war eine Fläche von einiger Spannweite.

Wollen wir das Formgefühl der ganzen Gruppe kurz bezeichnen, so kommen wir kaum
über jene allgemeinen Ausdrücke hinaus, die der Stabreimdichtung im großen gebühren, und
die uns aus der rhythmischen Linie entgegengetreten sind (§ 27): Leidenschaft, Ergriffenheit,
eifriges Wichtignehmen. Von gärender Unruhe oder von unbeholfenem Ungestüm wird bei
diesen Dichtwerken nur reden, wer ihnen sehr entlegene, sehr ausonische Maßstäbe anlegt.
Der Überschwang ist begrenzt, der Schritt ist nicht stetig, aber fest. Zwischen der in sich
verschlungenen Schnörkelsprache des skaldischen Hoftons und der uferlosen Wellenfolge der
Bibelepen bewegt sich das Erzähllied auf einer mittlern Linie: schlank und sehnig, durch Ein-

schnitte in kurzen, wechselnden Abständen ohrenfällig gegliedert. Seine wahre Ausprägung erhält dieser echt germanische Formwille im metrischen Stil — gehe der nun ins sanglich Monumentale, wie in einzelnen eddischen Vertretern, oder in die deklamatorische Zackenkette, die sich im Hildebrandslied so unvergleichlich jedem Gedanken anschmiegt.

Können wir diesen unfest umrissenen Stil entstehungsgeschichtlich zerlegen? — Die Figuren der Gleichgewogenheit wird man unbedenklich auf die niederen Gattungen, insbesondre Merk- und Spruchdichtung, zurückführen. Und die Figuren des üppigen Schmucks, stammen sie aus dem höfischen Preislied? vielleicht auch aus dem religiösen Preislied, dem Hymnus?

Aus innern Gründen spräche diese Vermutung an[1]). Dieser Überschwang wäre der gewachsene Ausdruck des Preises mehr als des Berichtes. In vedischen Hymnen erleben wir den ersten Gefühlswert, den *Sinn* dieser Sprachmittel:

> Als den reinen, im Gange raschen, den Schauer des Lichtreiches, das an des Himmels Glanz-firmamente stehende Wahrzeichen, den früh wachen, Agni, den Scheitel des Himmels, den unab-wehrbaren, — den gehn wir an mit hehrer Anbetung, den kraftvollen ... Erwache uns heute zu großer Wohlfahrt, Uschas, zu großem Glücke lenke uns hin! Verleih uns mannigfachen, glänzenden Reichtum, Göttin, unter den Sterblichen, menschenfreundliche, ruhmvollen! [2])

Die Frage zu entscheiden, hindert unsre mangelhafte Überlieferung. Wie der Fürstenpreis aussah, eh er skaldisch wurde, wissen wir nicht. Die paar Versreihen aber, die uns von Hymnenhaftem bewahrt sind, stehn nicht etwa im vedischen Lager, d. h. dem der schmückenden Beiworte und Variationen! Man sehe in § 39 und 40. Halten wir uns an das Vorhandene, dann kennzeichnet die Variation die Erzählwerke[3]).

[1]) Den Gedanken hat Heinzel angedeutet, Stil 25. 49. 51. Ihm schwebte eine urindogermanische Hymnendichtung vor, deren Bild ihm der Rigveda bestimmte. Mit den inneren Altersstufen der germanischen Gattungen und dem Gegensatz von weltlichem Lied und Geistlichenepos rechnete er noch wenig. Dazu Singer, Germanisch-romanisches Mittelalter 74ff. (1935); er vergleicht mit Irischem.   [2]) Rigveda III 2 und VII 75 in der Verdeutschung von Ludwig.   [3]) Paetzel a. a. O. 162.

135. Wieweit ist der altgermanische Erzählstil *formelhaft?*

Unter Formel verstehn wir hier einfach das Vorgefundene, die geprägte Wendung, die ein Dichter mehr oder weniger wörtlich übernimmt. Meist hat er sie von einem andern Dichter, mitunter auch aus der außerdichterischen Überlieferung: Sprichwort, Begriffs- und Gedankenformel.

Formeln derart durchziehn die gesamte Stabreimdichtung[1]). In einigen der niedern Gattungen haben sie mehr zu sagen, wohl am meisten im Zauberspruch und im Merkvers. Hätten wir viele alte Heldenliedtexte, so würde wohl die Liste der mehr als einmal belegten Verse — die darum noch lange nicht Gemeinplätze wären — ganz stattlich. Bis in unsre Reimdichtungen reichen Formeln aus dem altgermanischen Erzähllied.

Aber ihre Rolle hat man ungeheuerlich überschätzt, wenn man sich vorstellte: die Arbeit der Dichter lag darin, ihr Phantasiebild mittels vorhandener Prägungen sprachlich zu verwirklichen; kürzer gesagt: 'die Handlung in die knappen Formeln des stabreimenden Stils zu bringen'[2]). Nehmen wir das Hildebrandlieds. Es verwendet ein Sprichwort und eine Gedankenformel (§ 60); Schablone sind die Redeeinführungen 'A führte das Wort, B's Sohn'; von einzelnen Vorgängern gebraucht waren die Verse: 'das sagten mir Seefahrer', 'gürteten sich ihre Schwerter an', 'mit dem Schwerte hauen', 'mit scharfen Schauern' und weitere in für uns un-

56. Erste Seite des Hildebrandliedes. Handschrift des 9. Jahrh.
(Nach Könnecke, Deutscher Literaturatlas.)

bestimmnarer Zahl. Aber das konnte alles nur Nebenwerk sein! Die lange Reihe der Gedanken, die dem Vatersohnkampf und keinem zweiten germanischen Heldenstoff eignen, das baute man unmöglich aus fertigen Bausteinen auf. Dazu brauchte es das persönliche Neuformen. Und so in jedem Liede. Auch die Lehnstücke größern Umfangs, bis zur Strophenreihe, in eddischen Erzählliedern jüngerer Stufen (§ 137. 142) sind Zugabe zu dem, was der Dichter als Eigenes geben wollte.

Die zurückgewiesene Vorstellung trifft zu auf slavische und kirgisische Heldengedichte[3]. Da gibt es für ganze Strecken — meist Beschreibungen und Reden — bereitliegende Schablonen; der Dichtersänger hängt die 'fertigen Bildteilchen' aneinander und fügt das für seine Geschichte unerläßliche Neue bei. Nahe kommt diesem Zustand ein Teil der nordischen Balladen der Verfallzeit. Formelhaft, gemeinplätzig in dieser Art ist das stabreimende Erzähllied augenscheinlich nie gewesen. Das hat verschiedene Gründe: die nicht stegreifhafte Pflege; die Abneigung gegen zuständliches Schildern. Der Hauptgrund ist der menschlich-gesellschaftliche: der kühne, adlige Geist dieser Gedichte; ihre Vertiefung in die Seelenkämpfe; daß es Herrendichtung war, nicht Volksdichtung.

Damit hängt wieder zusammen, daß das *Zersingen* lange nicht so tief wirkte wie in den eben erwähnten Poesien. Vom germanischen Heldenlied, auch noch in der reimenden Spielmannszeit, gölten niemals die Sätze, die man auf das slavische gemünzt hat: es gibt so viel Fassungen als Sänger des Liedes; der Liedtext befindet sich in fortlaufendem Flusse[4]. Oder sogar: derselbe Sänger würde mit jedem neuen Vortrag zum mindesten eine neue *Redaktion*, . . . seltener sogar eine neue *Variante* vorlegen[5]); die (montenegrinischen) Sänger sind sämtlich Jmprovisatoren, die das Lied von Fall zu Fall neu gestalten und dabei weitgehend auf den Geschmack und die Stimmung der Zuhörerschaft Rücksicht nehmen[6]).

Erkennt man dem Liede von Hildebrand — oder dem von Wieland, vom Burgundenfall usw. — zwar einen *Dichter* zu, aber einen ohne viel geistiges Eigentum, da die volkstümliche Kunst typisch sei und die Sache mit Formeln besorge, dann mißbraucht man den Begriff 'volkstümlich' und fällt im Grunde in den vielverlachten Romantikerirrtum zurück, die Volksdichtung habe sich selbst gedichtet. Zu der unbestrittenen Kunstleistung, die diese Lieder darstellen, gehört der künstlerische Schöpfer.

Aber eine große Unsicherheit bleibt allerdings. Wer war der Schöpfer? Der letzte Autor, der Mann, der unsre Fassung hinstellte, verdient nicht ohne weiteres diesen Namen. Der Nordmann, der zuerst ein Etzellied in nordischen Lauten dichtete, den Urtext unsrer Atlakvida, war nicht der Schöpfer; denn das allermeiste bot ihm die deutsche Vorlage. Hier gibt uns die Sagenvergleichung Halt. Bei Hildebrand fehlt er uns. Da ahnen wir nicht, was der Mann aus Karls Zeit vorfand und wieviel er eignes hinzubrachte. Da verschwimmt vor unsern Augen die Person des Schöpfers. Zu unserm Hildebrandsgedicht können m e h r e r e, in weitem oder kurzem Zeitabstand, schöpferisch beigetragen haben. Und so in den meisten Fällen.

Man sieht, daran ist nicht die Formel schuld.

[1]) Sievers, Heliand 391 ff.; R. M. Meyer, Die altgerm. Poesie nach ihren formelhaften Elementen 1889 (der Begriff Formel ins Grenzenlose ausgedehnt).   [2]) Kauffmann, Festgabe für Sievers (1896) 175 ('Es ist als arbeite der Dichter mit einem Stempel. . .'). Treffend Baesecke gegen Ehrismann: Sokrates 8, 171.   [3]) John Meier 13 ff.   [4]) Miklosich, Denkschr. der Wiener Akad. 38 III, 4 (1890).   [5]) Gesemann, Studien zur südslavischen Volksepik 1, 65 (1926).   [6]) Maxim Braun, Beitr. 59, 277 f. (1935).

XVI. DAS ERZÄHLLIED: DIE NUR IM NORDEN BEZEUGTEN ARTEN

136. Vor allem hat der Norden, was uns im Süden der Meere fehlt: eine Götterdichtung. Ihre Formen sind erstaunlich mannigfach. Wir trafen schon — wenn wir absehn von den hymnischen Resten und einzelnen Merkstrophen — vier Gefäße mythischen Stoffs: die Odinsparabel (§ 63), das große Merkgedicht (§ 80f.), die Scheltszenen (§ 90f.) und die skaldisch umschriebenen Götterfabeln (§ 110f.). Hinzu bringt nun die erzählende Klasse wieder vier unterscheidbare Darstellungsformen. Die fünfte wäre die prosaische, die Göttersaga.

Wieviel von diesen Arten auch ostnordische und südgermanische Stämme kannten, wissen wir nicht. Den bescheidenen Kleinformen traute man wohl die weiteste Verbreitung zu. Sind die Mythen entstanden in ortssagenhaften Berichten?

Dieser nordische Reichtum zeigt uns die Mythen als Unterhaltungsstoff. Auf den Dienst beziehen sie sich nicht. 'Kunstreligion' darf diese Mythenwelt heißen, sofern sie den zwei Fragen fernbleibt: was leisten uns diese Gottheiten? und was schulden wir ihnen? Darum konnte sie den Bekenntniswechsel überdauern[1]). Das isländische Rechtsbuch verbietet, 'heidnische Wichte' zu verehren. 'Dann verehrt man heidnische Wichte, wenn man sein Gut weiht anderen als Gott oder seinen Heiligen ...' An etwas wie unsere Götterdichtung kein Gedanke! Die war unverfängliches Phantasiespiel ... Nur verschone man Island mit dem Gegensatz 'Volksglauben' und 'Dichtermythologie'! Wir wissen nachgerade: auf Island gab es keine Bildungsstände. Was die Poeten den Göttern andichteten, war keine Zunftweisheit; fand es Anklang, so wurde es 'volkstümlich', wurde 'Glaube' der Vielen ... Wie Homer und die Tragiker waren die nordischen Mythendichter die Gottmacher ihres Volkes.

Was wir in der Heldendichtung als Stammvaterform ansahen: das episch-dramatische, 'doppelseitige' Ereignisgedicht, das liegt uns mit mythischem Inhalt nur in zwei Nummern vor. Also, es gibt hier zwei Kvidur (§ 123): die Thryms- und die Hymiskvida[2]). Es sind Thorsabenteuer; beide doch wohl nachheidnischen Ursprungs.

Das Thrymlied hat als Hauptmotiv die Brautrolle Thors: ein morgenländischer Zug[3]), der nicht wohl vor dem 12. Jahrh. in den heimischen Mythus von der Zurückholung des Hammers eindringen konnte. Als Formtyp ist uns das Lied schon begegnet (§ 133): ein auffallend folgerechtes Gebilde, vom Gemeingermanischen weit abgerückt, auch darin, daß der strenge Zeilenstil nahezu durchgeht. Sehr unballadenhaft ist die bunte Zeilenzahl der Gruppen (die vierzeiligen bilden knapp zwei Drittel).

Auch das Hymirlied ist eine Spätfrucht der doppelseitigen Erzählart; in manchem ein Gegenfüßler zu dem vorigen. Hier hat die skaldische Götterdrâpa eingewirkt (§ 111); es ist der Hauptbeleg für Mischung eddischen und skaldischen Geschmacks. Skaldisch sind die Kenninge und andrer Schmuck, ist das Überwiegen der Erzählverse (75%) und damit des Beschreibens und Ausmalens. Der Dichter legt den alten Mythus von Thors wunderbarem Fischzug, wenig verneuert, mitten hinein in die Geschichte von der Kesselerbeutung, die hier mit ihrem Märchenbehang eddafremd spielerisch anmutet.

Die Frage drängt sich auf: ist es Zufall, daß die alte Erzählform bei den Göttern so viel schwächer vertreten ist als bei den Helden? Liegt das an Verlusten? Dürfte man trotz allem annehmen, daß die stattliche Mythenmenge der beiden Edden in dieser Kunstform geworden ist? — Eine schwierige Frage![4]). Zu einem zuversichtlichen Ja kommen wir nicht. Die Dinge liegen so.

Snorri fand einen Teil seiner Mythen schon in Prosa vor; die Sagakunst der Insel hatte sich auch mythischer Stoffe bemächtigt. Eine jüngste, stark irisch bestimmte Gruppe (Ûtgarda-Loki, die Bockschlachtung, Fenrirs Fesselung) war in Prosa erwachsen; anderes ging einst in Versen — und bei dem einen Stoff, der Baldrsage, darf man wohl wirklich auf ein doppelseitiges Ereignislied (10. Jahrh.?) zurückschließen. Nicht gilt dies für die Strecke mit Lokis Sechsversstrophe: 'Mit trocknen Tränen / wird Thökk beweinen / Balders Beisetzung...'[5]) Denn aus diesem Versmaß, dem Redeton, baut man keine *Kvidur!* (§ 29).

Dieselbe Erwägung tritt ein bei Thors Fahrt zum Riesen Geirröd. Diesen urwüchsigen Mythus erzählt Snorri (mittelbar?) nach der uns bewahrten Götterdrâpa, § 111[1]); zwei Redestrophen des Gottes, die er einschiebt[6]), führen noch über das Skaldenlied, auf dessen Quelle, zurück. Auch dies Strophen im Redeton, folglich nicht aus einem Doppelseiter! War es ein reines Redelied, wie die Fahrt Skirnirs (§ 139)? So kann man sich das Geirrödabenteuer schwer ausmalen. War es von Anfang an Prosa mit eingelegten Redestrophen? Eine 'gemischte Form', wie sie später im Abenteuerroman erscheint (§ 89)? — Der Mythus von Thors Fischzug, die Quelle des alten Bragi, hat ein so einfaches Gerippe: gäbe dies ein episch-dramatisches Lied her? Haben hier erst die Skalden Prosa in Hofton gegossen? Der dritte im Bunde von den altertümlichen Thorsmythen: der Kampf mit Hrungnir, wäre noch am besten doppelseitig zu denken ... die Wiedergabe im Hofton (§ 111) und später in Snorris Prosa entscheidet nicht.

Bei den Lokimythen, älteren und jüngeren, scheint uns eine Formung als Doppelseiter unglaubhaft. Endlich den Odinsparabeln im Redeton (§ 63) wagen wir keine Vorstufe in andrer Kunstform zuzumuten ... So lassen wir die Frage unbeantwortet: wann zuerst und in welchem Umfang die alte Gestalt des germanischen Heldenlieds auf göttermythische Stoffe des Nordens übergriff.

Vollends im Dunkel bleibt, ob dieses Übergreifen auch bei südgermanischen Stämmen vorkam. Zusammen hinge das mit der Frage, welche Stämme noch als Heiden das Vorbild kennenlernten, das episch-dramatische Heldenlied.

[1]) Vgl. § 4. 81. 146.   [2]) Edda 107. 85; bei Genzmer II Nr. 1 und 2.   [3]) Singer, Neophilologus 1931, 47.   [4]) Darüber die bedeutsame Untersuchung H. Schneiders, Über die ältesten Götterlieder der Nordgermanen 1936.   [5]) Bei Genzmer 2, 73.   [6]) ebd. 2, 72f.

137. Norwegen hat, wie wir vermuten, um 800 die fremden Heldenlieder bei sich eingebürgert (§ 125). In ihnen kamen die fremden Sagenstoffe und kam die Kunstform des doppelseitigen Ereignislieds. Bloßer Zufall ist es nicht, wenn diese Kunstform ihre fünf altertümlichsten Vertreter hat in den südlichen Sagenkreisen, also eben in jener Einfuhrmasse (§ 123). Zufällige Ungunst der Überlieferung mag mitspielen, wenn uns die ältesten dänisch-schwedischen Stoffe, die Schildungen- und Ynglingensagen, keine Lieder des alten Typs hinterlassen haben.

Von der gotisch-deutschen, vielleicht auch der dänisch-schwedischen Einfuhr ist die Form des episch-dramatischen, zweiseitigen Sagenlieds ausgestrahlt auf eigene Schöpfungen norwegisch-isländischer Dichter. Von den Götterliedern haben wir gesprochen. Was dem Hymirlied auf seine Weise gelang: die Fabel mit viel gerader Erzählung abzuwickeln, das lag einem andern Spätling nicht mehr. 'Balders Träume'[1]) legen episch los wie das Thrymlied und entlehnen herzhaft von ihm, aber das Bewegungsgefühl hält nicht vor: von Strophe 5 ab wird es ein unepisches Zwiegespräch. Es ist keine rechte *Kvida*.

Deutlicher zeigen die Heldenlieder, wie die doppelseitige Urform mit der Zeit, sagen wir seit Anfang des 11. Jahrh., außer Mode kam.

Innerhalb der südlichen Stoffe stellt sie noch einen kleinen Nachzügler, Gudruns Gottesurteil[2]). Die Armut an Erzählversen (25%) und der Einsatz gleich mit Rede zeigen Wirkung der reinen Redeform. Doch ist es noch ein schlichter Erzähler, ohne Anlauf zu seelenmalender Beredsamkeit. Die größeren Taten aber der nachheidnischen Nibelungendichter liegen in anderen Linien (§ 141f.).

Von den Stoffen skandinavischer Wurzel ist einiges übergegangen zur Sagaprosa mit Strophen, so die in ihrem Grundstock alte Vaterrache der Halfdanssöhne[3]). Andres erscheint in reinen Redeversen. Erzählverse, Zeugen doppelseitiger Anlage, treffen wir viermal. Die paar Zeilen in dem Schlußgedicht von Helgi und Hedin[4]) überraschen; wenn irgendwo, glaubte man hier an ein Herüberwirken der Ballade, und zwar der zarten dänischen Riddervise! — Nach älterem Gestein sieht der zweite Fall aus. In die Sammelnummer von Helgi dem Hundingstöter II ist ein Splitter eingelegt, der sticht ab durch Erzählverse und schlichten eckigen Stil, auch durch die Sagenform. Als Trumm für sich, und zwar als alten, bestätigt ihn die Einführung des Sammlers: '. . . in der Alten Völsungenkvida'[5]). Man beachte den Namen *Kvida!* Dieses sprödere Gedicht hatte der Nachfolger an die Wand gedrückt, das Redelied von Helgis Tod und Wiederkehr, so daß nur jener Splitter bis in die Sammlung kam.

Wieder zur zweiseitigen Art bekennt sich aber die noch jüngere 'Erste Kvida von Helgi dem Hundingstöter', wohl um 1070 zu setzen[6]). Der Bruchteil der Erzählverse ist sogar ungewöhnlich hoch, gegen 54%. Darin darf man skaldische Einwirkung sehen. Die Helgakvida ist, wie die Hymiskvida, ein Blendling, und zwar hier aus Heldengedicht und Fürstenpreis. Die Namen, die Fabel stammen aus der Heldensage, der Vers ist das schlichte Langzeilenmaß in sehr glatter Füllung; die Sprache hat ziemlich viel eigentliche, noch mehr uneigentliche Kenninge, ist aber im ganzen dünnflüssiger eddischer Stil. Skaldisch ist vor allem die innere Eigenschaft: daß der Sagenstoff als Kriegerlaufbahn hergerichtet ist und lobpreisende Klänge die einstmals tragischen ersetzen. Ein Preislied, aber auf einen altsagenhaften Helden. Der Unterschied ist recht groß von den fünf älteren Vertretern der zweiseitigen Art.

Anders liegt es bei dem letzten unsrer Fälle. Der 'Mühlensang' (*Grottasöngr*) — ein Stoff aus der Schildungenreihe —[7]) ist im Grunde als Redelied entworfen: der Verlauf zusammengeschoben zu einer großen, rückblickenden und vorwärtsdrängenden Redeszene mit Einheit des Orts und enger Begrenzung der idealen Zeitspanne. Das nächste Gegenstück, wohl das Vorbild, der dänische Ingjald, hat die einseitige Darstellungsform (§ 139). Mögen die 20% Erzählverse des Grottilieds immerhin vom Dichter selbst rühren[8]), sie sind eine leicht wiegende Zugabe. Der Verfasser benützt dieses gegebene Mittel, um sein voraussetzungsreiches Hauptstück zu unterbauen und nachher die Handlung, die sich schon in den Reden spiegelt, zu unterstreichen. Die Erzählverse bedeuten nicht viel mehr als in den streng durchgeführten Redeliedern die ungebundenen 'Bühnenanweisungen'. So gehört der Mühlensang zu den nordischen Sonderformen, aber ganz ist er aus der *Kvida* nicht herausgewachsen[9]).

[1]) Edda 273; bei Genzmer II Nr. 3.   [2]) Edda 226; Genzmer I Nr. 8.   [3]) Vgl. Edd. min. Nr. 11 A. Auch die schwedische Sage vom Samseykampf, ib. Nr. 11 B.   [4]) Edda 144 Str. 36; auch 35 sähe nach unmittelbarer Erzählung aus.   [5]) Edda 149. Eine dichterische Einheit kann die Masse 'Helg. Hund. II' nicht sein (gegen Ussing, Heltekvadene i ældre Edda 28ff.; F. Jónsson 1, 258); auch das Sagenbild zeigt Schichten (Vf., Berl. Sitz. 1919, 179f. 186).   [6]) Edda 126ff.; bei Genzmer I Nr. 20.   [7]) Edda 293ff.; Genzmer I Nr. 22.   [8]) Als Einschiebsel sucht sie Neckel zu erweisen, Btr. 298ff.   [9]) Drei zweifelhafte Fälle von doppelseitigem Lied s. § 139 Note 5. Standortlieder mit Erzählversen s. § 142 f.

138. Setzt man Thrym- und Hymirlied ins 12. Jahrh., so hätte die zweiseitige Erzählform noch späte Eroberungen gemacht. Sogar auf ihrem angestammten Felde, dem der Heldendichtung, scheint sie einen zahmen Nachzügler getrieben zu haben, das 'Falkenlied' (bezeugt durch Grîpisspâ 19. 27ff. und Völsungasaga). Kein Zweifel aber, ihre gute Zeit lag weit zurück. Die alten Stücke, diese wuchtigen Vorträge von Sigurds Mord, Atlis Verrat usw., die wiederholte man zwar stetig — sonst wären sie nach 1220 nicht aufs Pergament gekommen; aber den Hörern der Schreibezeit muß dies als Altertum erschienen sein. Man nahm keinen Wettkampf damit auf. Die einst aus dem Süden gekommene, scheinbar so schmiegsame Erzählform, die nach Bedarf zwischen Rede und Bericht wechselte, sie mußte im Norden anderen Formneigungen weichen. Das zeigen auch die Verseinlagen der Vorzeitssagas: was man nicht aus alten Gedichten stehen ließ, geht ganz in Redeversen und fällt auf eine der jüngeren Arten.

Gemeinsam ist den nordischen Neubildungen: das eigentlich Epische, das sachliche Erzählen aus Dichters Munde, drängen sie zurück.

Einen ganz neuen Kurs schlug man damit nicht ein. Schon der germanische Urtypus kannte wenig äußeres Geschehen und wenig ruhiges Entfalten (§ 131f.); wo es ging, entlud er sich in Rede. Aber das nordische Formgefühl wollte auch darüber noch hinaus.

Und zwar in *zwei Richtungen:* Verstärken des Dramatischen — und des Lyrischen oder Beschaulichen. Es sind zwei entgegengesetzte Richtungen. Einigen lassen sie sich auf das Seelische, nach innen Gewandte. Tatsächlich konnten sie in einem Liede zusammenwirken.

Das Neubilden hat sich zumeist an Heldenstoffen betätigt. Aber auch auf Göttermythen hat es übergegriffen.

139. Verstärkung des Dramatischen zeigen die *'einseitigen Ereignislieder'*.

Wir rechnen zu ihnen: zwei vermutlich norwegische Gedichte noch aus heidnischer Zeit, das Götterlied 'Skirnirs Fahrt' und das 'Hortlied', das die beiden Jung-Sigfridsagen vom Drachenkampf und vom Albenhort zu einer neuen Einheit umgoß[1]); ein Heldenlied mittlern Alters, 'Helgis Tod und Wiederkehr'[2]); zwei junge isländische Lieder, für den Zusammenhang von Vorzeitssagas gedichtet, Hervör- und Innsteinlied[3]); endlich zwei Heldengedichte, die uns lateinisch bearbeitet bei Saxo zufließen, nach Olrik dänische Schöpfungen des 10. Jahrh.: das Bjarki- und das Ingjaldlied[4]). Bei weiterem ist die Hergehörigkeit zweifelhaft[5]).

Eine sehr einheitliche Gruppe bilden diese sieben Denkmäler nicht. Das ihnen gemeinsame Merkmal ist folgendes[6]).

Es sind *Ereignislieder:* sie führen eine epische Handlung unmittelbar vor. Aber sie tun es *ohne Erzählverse:* der Stoff ist so zurechtgerückt, daß er in Redeversen herauskommt. Was die Reden nicht einfangen, ergänzen prosaische Zwischensätze. Also eine Folge von Redeszenen mit 'Bühnenanweisungen'.

Solchen Gedichten stehn die beiden Strophenmaße offen: außer dem gemeingermanischen, epischen auch das nordische, dialogische (§ 29). Dieses zweite wählen die zwei alten westnordischen Vertreter, Skirnirlied und Hortlied.

Früher begegnete uns eine 'gemischte Erzählform': Prosabericht mit schmückenden Redestrophen (§ 89). Die hier behandelte Kunstart verdient den Namen *ungemischt;* reines Redelied.

Die Reden spiegeln planmäßig das äußere Bild. Wo das doppelseitige Lied sagt: 'Thrym saß auf dem Hügel', sagt das einseitige: '. . . Hirte, der du auf dem Hügel sitzest'. Wo das doppelseitige den Flammenritt berichtet: 'Das Feuer raste, die Erde bebte, . . . Sigurd spornte den Hengst . . .', da bringt das einseitige Frage und Antwort: 'Was ist das für ein Getöse, daß die Erde bebt? — Ein Mann ist draußen vom Roß gestiegen . . .' Den Ritt übers Hochland erzählt das doppelseitige Lied: 'Da zogen hinüber die Jungen, über das feuchte Gebirg, auf hunischen Rossen . . .'; das einseitige gibt dem Reiter eine Anrede an sein Tier: '. . . an der Zeit ists uns, zu ziehn über das feuchte Gebirg . . .' Man sieht, erzählt wird da nicht in Prosa: die Redeverse erzählen! Nebengestalten und kleine Auftritte kann der Dichter erfinden, um dem Vorgang mit Reden beizukommen.

Was dem doppelseitigen Gedicht noch fehlte (§ 132): die gliederreiche Kette von Reden und Gegenreden, meist eine Strophe auf das Glied, das handhaben mehrere unsrer Lieder mit Geschick. Helgi- und Bjarkilied ziehen die schwerere, mehrstrophige Rede vor, und ganz für sich steht das Ingjaldlied: es hat nur einen Sprecher, den alten Starkad. Es ist zwar kein Monolog, aber eine Ansprache aus einem Munde, unterbrochen durch das redelose Eingreifen der Königin und gegen Ende begleitet von den Schwerthieben Ingjalds. Auch dieses nicht-zwiesprachige Rollenlied ist ein deutliches Ereignisgedicht: es wickelt eine gehaltstarke Fabel, Ingjalds Vaterrache, vor unsern Augen ab. Es ist ein ganz ander Ding als die monologischen Rückblicke von § 143.

Jene straff gegliederten Wechselreden nähern sich ein paar Mal der selbständigen Schelt-szene, die auf einen Wortkampf abzielt, nicht eine Geschichte (§ 90). Am weitesten geht darin das Hortlied: zwischen die in Prosa berichtete Fällung des Drachen und seinen Tod legt es ein siebzehnstrophiges Zwiegespräch mit viel Rückblick und Spruchweisheit. Doch steht auch da noch der Dialog im Dienste der Sagenhandlung.

Weil die Lieder unsrer Gruppe durch Rede nebst Bühnenanweisung einen epischen Ver-lauf, eine richtige Fabel, verwirklichen, stehn sie im Grunde dem *Schauspiel* näher als jene dramatischen Wortgefechte, Graubartslied und Lokis Zank. Im Verdichten der Szenenfolge sind sie recht ungleich. An dem einen Ende liegt das Skirnirlied mit sechsmaligem Ortswechsel. Diesen Hergang würde ein doppelseitiges Gedicht nicht viel weniger zusammenrücken; den An-fang, Freyrs Verliebung, würde es wohl direkt erzählen, anstatt ihn mit zwei rückschauenden Redeszenen zu bewältigen. An dem andern Ende steht das Ingjaldlied: ein Einszenengedicht mit annäherndem Zusammenfall der beiden Zeiten. Die epischen Voraussetzungen sind hier allerdings einfacher als bei Hildebrands Sohneskampf; doch war die Aufgabe insofern kühner, als nach Möglichkeit alles in Rede zu spiegeln war, und zwar in der Rede eines Mannes. Die beiden Lösungen sind einander ebenbürtig.

Auch das Bjarkilied hat hohe Kunst im Zusammenrücken. Der Hergang ist: der nächt-liche Überfall auf das Gehöft des Dänenkönigs; wie das Gefolge erwacht, sich waffnet, zum Kampfe eilt; wie König Rolf heldenhaft fällt und um ihn, über ihm seine Getreuen bis zum letzten Mann. Dies versinnlichen, ohne eigentlichen Ortswechsel, die Reden zweier Kämpen und einer Nebenfigur. Die Reden vermitteln uns abwechselnd beides, die fortschreitende wilde Handlung und das zeitlich Zurückliegende, den Hintergrund. Sie wissen dabei den König, der selbst nicht redet, als geistige Achse zu beleuchten. Das Ganze ist so von heldischer Lyrik durchdrungen, daß es zum Preisgesang wird auf Mannen- und Fürstentreue und den Namen führen konnte der 'Hofkriegermahnung' (§ 127).

Die Dichtung von Helgi steht als lose Szenenfolge dem Skirnirlied näher. Künste des aufwickelnden Verfahrens kamen hier nicht in Frage. Diesen Verfasser mußte es zum Redelied drängen: ihn erfüllt das Herzensleben seiner Gestalten. Wohl vollzieht sich im Lauf seines Liedes die Sagenhandlung: die Lenorenfabel, heroisch umgeformt, bringt er unmittelbar auf die Bühne. Aber im Auskosten der seelischen Wirkungen deutet er auf die eddischen Rückblicksdichter. Die Sprache der Leidenschaft hat er in der Gewalt wie kein Zweiter. Was sich in den älteren Liedern von Wölund, Brynhild und Gudrun stockend hervorringt, was Egils Sohnesklage bedachtsam vorskandiert, das strömt hier in breiter Beredsamkeit aus. Lyrische, sangliche Glut vereint sich mit einer Bildkraft, worin die sinnliche Eddasprache eine einmalige Höhe erreicht. Es sind nicht die Gefühle des Kriegeradels: es sind die unständischen Gefühle von Rachezorn, Klage, Preis, Liebesjubel, zumeist aus Frauenbrust; im Ausdruck noch ungebrochen, heldisch überlebensgroß: gegen die erdenahen Innigkeiten der englischen Elegie eine andre, ältere Welt.

[1]) Edda 67. 169; bei Genzmer II Nr. 4, I Nr. 14. Zur Begrenzung des Hortlieds s. Vf., Berl. Sitz. 1919 164f.　　　[2]) Edda 152; bei Genzmer I Nr. 19D. Ein Anfangsteil kann verloren sein.　　　[3]) Edd. min. Nr. 2 und 4; bei Genzmer I Nr. 28 und 30.　　　[4]) Edd. min. Nr. 3, Olrik DHelt. 1, 42ff., 2, 11ff.; bei Genzmer I Nr. 23 und 24.　　　[5]) Sigurds Vaterrache, Helgis Vaterrache (H. Hund. II 1. Teil) und das Hagbardlied bei Saxo können Erzählverse enthalten haben. Andremale verfließt es in Saga mit Lose-Strophengruppen, s. § 89.　　　[6]) Vf., ZsAlt. 46, 198ff.; Symons, Edda CCCXXIff.; Schneider, Dt. Vjschr. 10, 192ff.

140. Mustert man die herausgehobenen Züge, so kann man nicht mehr wohl zweifeln: das einseitige Ereignislied ist kunstvoller, ist innerlich jünger als das doppelseitige.

Diese Gattung ist nichts weniger als urtümlich, sie ist auch ganz und gar nicht gemeinmenschlich. Darüber täuscht man sich leicht, wenn man alles Getier, das ungleichartigste, wo es nur gebundene Rede neben ungebundener zeigt, in eine Arche Noäh tut und die Inschrift darüber setzt 'Gemischte Form' oder 'Prosimetrum'[1]).　　　Tastet man die Gestalten ein wenig ab, so wird es zweifelhaft, ob unsre eddische Gruppe irgend sonstwo nähere Verwandte habe.

Da südgermanische Gegenstücke fehlen, vermuten wir nordische Neubildung. Jedenfalls vor der isländischen Nachblüte. Die zwei dänischen Vertreter legen die Frage nahe, ob die Hofdichtung Dänemarks im 10. Jahrh. die Wiege war. Aber Skirnirlied, Hortlied und Helgilied stehn so weit ab; vielleicht gab es mehr als einen Ausgangspunkt — oder einen uns verlorenen. Noch weitere Fragen bleiben ohne Antwort; z. B. ob die Form auch in Schweden bekannt wurde, ob sie eine Zeitlang gemeinnordisch war. In unsrer westnordischen Dichtung hat sie sich nicht stark ausgebreitet; man könnte keinen Stoffkreis, noch weniger einen Zeitraum nennen, da sie in besondrer Gunst stand. Ihr spätes Aufleben bei zwei Isländern um 1200 erinnert an die Nachzügler der zweiseitigen Gattung (§ 138). Beziehungen zur Vorzeitssaga hatte nur das Redelied; von ihm geht es ohne scharfe Grenze über in andre Arten des Sagaschmucks.

Eine eigentliche *Entwicklung*, ein allmähliches Herauswachsen der einseitigen Art aus der doppelseitigen, ist schwer vorstellbar; so, daß man schrittweise den Bericht in Rede umgossen hätte. Damit wären jene Replikenketten, Merkmale der einseitigen Gattung, noch nicht gegeben. Viele, wohl die meisten Stoffe der älteren Darstellungsform hätten überhaupt dem reinen Redelied getrotzt. Wir sind nirgends in der Lage, an einem Stoff die beiden Rezepte zu vergleichen; hätten wir die alte Völsungenkvida und das Redelied von Helgi vollständig (§ 137 und 139), dann würden sie sich wohl auf eine Strecke hin decken.

Übergänge von der doppelseitigen zu der einseitigen Art sind kaum zu erspähen. Man könnte einige der Gedichte aus § 137 nennen wollen. Bei 'Gudruns Gottesurteil' brauchte es keinen großen Schritt, um die zehn berichtenden Zeilen auch noch in Rede umzuschmelzen. Aber ein Bahnbrecher nach der neuen Form hin ist das kleine Lied gewiß nicht gewesen. Dann der Mühlensang; der hat ja die innere Anlage des Redelieds und dabei doch 20% Erzählverse.

Eine *Vorstufe* jedoch der zweiten Gattung kann er schon den Jahren nach kaum sein; er hat den jüngern Typus bereits vorgefunden und dem ältern noch ein Zugeständnis gemacht. Noch weniger können 'Balders Träume' den *Übergang* veranschaulichen; sie darf man wohl eine späte Kreuzung nennen von Ereignis- und Standortlied und Merkgedicht.

Wo sonst die Erzählverse unter ein Drittel herabsinken — im Jüngern Sigurdlied, in Gudruns Sterbelied und in der Oddrunklage —, da stehn wir in einer andern Entwicklungslinie: die Handlung weicht der Beschaulichkeit; es treibt zu nicht auf das einseitige Ereignisgedicht, vielmehr die Frauenklage.

Das episch-dramatische Sagenlied in lauter Rede ist ein entschieden kunstmäßiges Vorkommnis. Wo und wie es entstanden sein mag, es muß Dichtern mit Formehrgeiz sein Dasein

57. König Atli läßt Hogni das Herz ausschneiden. Kirche zu Austad in Telemarken.
(Nach Schück, Studier i nordisk Literatur och Religionshistoria I.)

verdanken. Da dürfen wir mit persönlich schöpferischen Taten rechnen, die nicht im Bilde pflanzenhaften Keimens zu denken sind. Doch wagen wir, wie gesagt, keinem unsrer Stücke, weder dem Bjarki- noch dem Hortlied noch Skirnirs Fahrt, die Rolle des Chorführers zuzusprechen.

[1]) Sieh die reichen Zitate bei Immisch, NJahrb. 1921, 409ff.; wozu noch Geldner, Marburger Festschrift 1913, 93ff.; Bonus, Isländerbuch 3, 143ff. Die von Immisch 413ff. besprochenen griechischen Prosimetra stellen sich am nächsten zur isländischen Saga mit (geschichtlichen) Lausavisur (§ 89).

141. Als zweite Richtung nannten wir die aufs Beschauliche und Lyrische. Ausmalen und Begründen der Seelenvorgänge.

Diese Bewegung war jünger und räumlich viel begrenzter. Aber in unsern isländischen Handschriften hat sie eine reiche und vielgestaltige Ernte hinterlassen.

Da sind zunächst unsre zwei umfangreichsten Heldengedichte: das grönländische Atlilied (*Atlamâl*) und das jüngere Sigurdlied (die *Sigurdarkvida en skamma*)[1]). Das dritte, das längste von allen, kennen wir aus der Prosaumschrift der Völsungasaga: das Große Sigurdlied (die 'Sigurdarkvida en meiri', ein neuer Name). Diese Gedichte stellen sich noch zu den zweiseitigen Ereignisliedern; es sind *Kvidur*. Von den alten Vertretern unterscheidet sie die Neigung zu handlungsarmer Rede und Seelenmalerei. Wir haben hier den seltenen Glücksfall, daß wir den ältern und den jüngern Typus in gleichlaufenden Liedern nebeneinander halten können: das alte Atlilied neben das grönländische, das alte Sigurdlied neben das jüngere und das große.

Das grönländische Atlilied steht aber in manchem für sich; es gehört zu den einmaligen Versuchen ohne

58. Gunnar, von Schlangen umgeben, schlägt mit den Zehen die Harfe.
Taufstein des 10. Jahrh. aus der Norumkirche in Bohuslän.
(Nach Fleischer, Vorgeschichtliche Musiktheorie in Europa, Mannus XI/XII.)

Nachfolge. Seinen großen Umfang (382 Langzeilen) verdankt es nur zum Teil den beschaulichen Reden, vorab den Zwiesprachen, worin sich Atli und Gudrun die Gründe ihres Hasses
vorrechnen; auf die Reden der beiden Gatten fallen achtmal so viel Verse als im alten
Liede! Neben diesem Hang zur Verinnerlichung geht der zur epischen Bereicherung. Die
benannten Gestalten sind von 6 auf 13 angewachsen, die Auftritte von 14 auf 24. Unter diesen
Zugaben sind geschaute, handelnde Glieder: Högnis Frau bleibt am Feuer zurück, um die
Runenbotschaft zu entziffern; beim Eintritt in Atlis Gehöft machen sie den tückischen Boten
nieder; die Schlachtung der Knaben, einst nur in Rede angedeutet, ergibt einen grellen Auf-
tritt. Die Überwältigung der Gibichunge erscheint ausgeführt zum Gefecht von 42 Langzeilen.
Das Tempo im ganzen ist langsamer.

Das sind Schritte zu 'epischer Breite'. Wäre man darin weitergegangen, so hätte es die
eddische Nachblüte auch zum Heldenbuch, zum Versepos, gebracht! Doch dies unterblieb
aus erkennbarem Grunde. Die Wendung zum schriftlichen Betrieb haben die Eddadichter
nie genommen; unser Atlilied war auch weder von Vergil noch von christlichen Epen berührt. Den Anstoß zum breiteren Erzählen hat ihm vielmehr die heimische Saga gegeben.
Auf dieses Vorbild weist auch der Wirklichkeitssinn, der oft unheldische Alltagston. An
den Gelagen des alten Liedes fühlten wir uns unterm Hofadel, jetzt im Bauernhaus. Die
Horterfragung mit ihrer Verherrlichung des Heldenstolzes ist gründlich umgedichtet zu einem
Bilde von Grimmelshausenscher Kraßheit, das sich an den Ängsten des Koches weidet. Auch
in Sprache und Versfüllung stellt sich der Grönländer dem Herkommen des Heldenlieds sehr
frei gegenüber.

Das Jüngere Sigurdlied liegt weit mehr auf dem Wege zur Elegie. Neue Namen gibt es
hier nicht. Die äußere Handlung ist dünn und blaß geworden: der Anteil gehört den Gesinnungen, und die sind jetzt feiner und lebensnäher gezeichnet. In der Skamma zuerst ist Brynhild die Eifersüchtige, von Liebe und Haß zerrissen. Das drängende Erzählen mit den gewölbten Bildern und den einhakenden Antworten weicht sinnenden Selbstgesprächen, rück- und
vorausschauenden Anreden, dazwischen gedanklichem Bericht. Zwei ungegliederte, fast hand-
lungslose Brynhildenreden, die eine von 80 Zeilen, sind Art der Standort-, nicht mehr der Ereignislieder. Der Dichter tritt rechtfertigend vor: 'Keines Makels war die Maid sich bewußt . . .
Dazwischen fuhr ein feindlich Geschick.' Er wagt es, Gunnars innern Kampf in unmittelbare
Beschreibung zu fassen: '. . . Er wußte das wahrlich nicht, Welchen Weg er wählen sollte . . .
Er sann um beides dieselbe Zeit . . .' (10 Langzeilen). Starke Bühnenbilder wie den Flammenritt und das Bad der zankenden Frauen scheidet er aus — man fragt sich, ob er sie wegdenkt
oder dem Hörer zu ergänzen gibt. Denn die Zusammenhänge sind eigentümlich halbklar geworden. Die Stimmung ist stärker als die Logik.

Aus der aufsteigenden Hälfte, bis zu Brynhildens Rache, erhalten wir in fünf Strophen die
Summe. Vieles holt später der Rückblick der Heldin nach: schwebende Andeutungen, die
man in den Eingangsumriß mit Mühe einfügt. Im alten Lied hatte diesem Rückblick ein kürzeres,
dramatisches Glied entsprochen, darin eine ahnungsdunkle Weissagung. An deren Stelle
bringt die Skamma ihre zweite, längere Ansprache der Brynhild: eine hell bewußte, namen-
reiche Prophetie, will sagen ein Auszug aus der Burgunden- und der Svanhildsage. Hier wuchert
neben der Lyrik die Lehrhaftigkeit. Aber am Schluß erhebt es sich zu der großen Erfindung
vom doppelten Flammenlager. Hier wie in den kurzen Eifersuchtsmonologen findet der Dichter
Herzensklänge von zwingender Gewalt. Man darf da mit dem Meister von Helgis Wiederkehr

59. Ramsundfelsen in Södermanland. Die auf einen Stein geritzte Sage von Sigurd
dem Fafnirtöter. (Nach Montelius, Kulturgeschichte Schwedens.)

vergleichen (§ 139): der steht an bildhafter Fülle und Redefluß weit voran; der Brynhilden-
dichter übertrifft ihn als Künder neuer, geheimer Regungen.

Das dritte im Bunde, das Große Sigurdlied, die 'Meiri', will den Vorgänger überbieten
im Umfang nicht bloß, auch in der seelischen Durchpflügung des Sagenstoffs. Die Fragen
des Brynhildenschicksals sind noch verwickelter geworden: Vorverlobung und Treubruch hat
dieser Dichter ersonnen, fast sagte man: entbunden, — und damit neue Töne von Klage und
Anklage. Er bewältigt die innern Kämpfe nicht in Monolog und zähflüssiger Ansprache: ihm
dient ein Aufwand betrachtender, z. T. leicht gegliederter Wechselreden. Darin läßt er die
Atlamâl und alle anderen weit zurück. Der Dichter der Meiri ist der dramatische Seelenspäher
der Brynhildsage. Seine Erfindungskühnheit gipfelt in dem Auftritt, da zum erstenmal Held
und Heldin selbst die Verrechnung unter sich anstellen. Hier und anderswo berührt er uns
neuzeitlich; den Luftkreis der Heldenmären überschreitet auch er, doch mehr nach dem Liebesroman hin, nicht ins Dumpf-Bäuerliche wie der jüngere Atlidichter. Mit diesem teilt er die Annäherung an breiten Epenstil, doch einseitiger ins Unsinnliche hinüber.

¹) Edda 242 und 202; bei Genzmer I Nr. 7 und 6.

142. Man versteht, daß dieses Streben nach Innerlichkeit dazu führen konnte, die Form
des Ereignislieds zu verlassen. Diese Form brachte zu viel Rohstoff mit sich. Was man neues
zu sagen hatte, verlangte kein Durcherzählen der altbekannten Fabeln. Man konnte sich
mehr auf einzelne Augenblicke und bestimmte Beleuchtungen zurückziehen. Man konnte das
Erzählen den vom Schicksal getroffenen Helden überlassen; der Ichbericht ist gefühlvoller
oder kann es doch sein. Meist ergab sich festgehaltener Schauplatz und Zusammenfall der
beiden Zeiten.

So kam man zum *Standortlied*, zur *Heldenklage*. Es ist eine ansehnliche Gruppe: 5 weibliche und 7 männliche Rückblickslieder¹). Einen Teil könnte man mit dem nordischen Namen
grâtr 'Klage' belegen.

Messen wir diese Kunstart an jenen großen rückblickreichen Ereignisliedern, so ist sie gewiß das folgerechtere, innerlich spätere Gewächs. Damit wäre noch nicht gesagt, daß sie nach
Jahren jünger sei; Gattungs- und Zeitstufe könnten sich überschneiden. Für die Zeitfolge

kommt dies in Rechnung. Das Jüngere Sigurdlied spielt an auf die Oddrunklage; es fiele mithin später als diese Elegie, die kaum zu den ältesten zählt — wenn man sich nicht entschließt,
in den bewußten fünf Langzeilen der Skamma (Str. 58) einen Zusatz zu sehen: ein Nachfahr
vermißte das Oddrunschicksal. Dann stände nichts mehr im Wege, der arthaft früheren
Gruppe — den drei großen Ereignisliedern von § 141 — den zeitlichen Vortritt zu gönnen.
Mehrere Einzelheiten stützen die Annahme[2]).

Drei dieser Frauenklagen verwenden Erzählverse, sind also 'doppelseitig'; die übrigen
sind 'reine Redelieder'. Doch hat diese Zweiheit bei den Standortliedern weniger zu bedeuten
als bei den Ereignisgedichten.

Viermal formt das Lied selbst eine bestimmte Lage, worin die Heldin ihre Rede von sich
gibt. In diesem Rahmen- oder Einführungsteil kommen eine oder mehrere Nebenpersonen,
Gegenspieler zu Worte.

'Gudruns Gattenklage' setzt die Witwe neben Sigurds Leichnam. Zwei überlieferte Züge:
Gudrun, vom Schmerz versteinert, und Gudrun, mit geller Klage das Gehöft erfüllend, verknüpft der Dichter; den zweiten führt er aus dem ersten hervor. Den Übergang bewirken
drei edle Frauen, die ihr eignes Leid klagen und endlich den Toten enthüllen. In fünf Strophen
ergießt sich dann Gudruns Rückblick, aufgelöst in Preis, Klage und Vorwurf. Den Vorwurf
nimmt die Gegnerin Brynhild auf zu eigner Rechtfertigung. Es liegt nicht so, daß der Dichter
einen Ausschnitt aus der alten Fabel zu gesonderter Behandlung ergriffen hätte: er hat an
einem Punkte des Sagenverlaufs eine ganz neue Erfindung, ein wehmütiges Idyll, eingelegt.
Dem Gespenst der episodischen Einzellieder (§ 131) geben all diese Elegien kein Blut zu trinken.

Ein zweiter Dichter stellt der zur Hel fahrenden Brynhild eine anklagende Riesin entgegen:
Brynhild verteidigt sich in elfstrophiger Ansprache; ein episch-sachlicher Überblick über ihr
Leben erklärt, wie man sie 'liebelos und eidbrüchig' gemacht hat.

Eine neue Hauptperson — erfunden oder aus deutscher Sage angeflogen? — wählt ein
dritter als Mundstück seiner Rückschau: die Oddrun, die als sanftere Schwester Brynhildens
und Liebhaberin Gunnars in die Leiden der beiden Gjukungensagen eintritt. Den Anteil der
Hörer erregt nun gleichermaßen das Los dieser Fremden wie die altvertrauten Schicksals-
schläge der Sage. Auf Brynhild und Gunnar, so bedingt es die Parteistellung der neuen Heldin,
fällt das günstigere Licht: eine Art Ergänzung zu den Gudrunliedern; da sind die zwei Genannten die Gegenspieler. Einmalig in unsrer Gruppe ist die breite Einführung. Sie sprengt
die Einszenenanlage und steuert sogar einen zweiten Liebesroman mit vier Namen bei, der
abseits der Gjukungenbühne liegt und vollends bürgerlich anmutet.

'Gudruns Sterbelied' hält sich ganz an die alten Figuren und bestreitet seinen Eingangsteil mit einer ziemlich wortgetreuen Anleihe von sieben Strophen aus dem Hamdirlied. Es ist
der Hauptfall von Entlehnung in der uns bekannten Stabreimkunst. An dieses herüberge-
holte Vorspiel schließt die eigene Schöpfung des Klagedichters: der Rückblick der einsam übrig-
gebliebenen Heldin. Sie, eine weltliche Schmerzensmutter, hat Unausdenkliches erlitten; das
Grausame der Heldendichtung preßt sich hier in schonungslose Bekenntnisse zusammen. Zum
erstenmal in unsrer Gruppe treffen wir hier das Selbstgespräch ohne Zuhörer. Zu diesem
Phantasiebild stimmt die Entstofflichung der Sagenereignisse, die Umsetzung in leidenschaftliche Lyrik. Eine sachlich neue Erfindung bringt erst der Schluß: die müde Dulderin ersehnt
noch eines, den gemeinsamen Tod mit dem Gatten, den sie liebte. Aus der Wiederkehr des
toten Helgi und aus Sigurds Flammenlager mit Brynhild erwächst dem Dichter eine Eingebung
von erhabener Kühnheit[3]).

Auch die längste der Frauenklagen, 'Gudruns Lebenslauf', ist ein Monolog, diesmal aber ohne jeden Rahmen. Es ist eine zusammenhängende 'Gudrunrede', *Gudrúnarrœda*, wie sie in der Nornengastnovelle heißt. Schon nach den ersten paar Strophen fällt der Dichter in ein stoffschweres Erzählen; ein zusammenhaltender Gedanke wie in den vier früheren Fällen ist kaum zu spüren. Das Bild des Selbstgesprächs durchbrechen Dinge, die die Rednerin nicht mit angesehen hat, besonders aber der Umstand, daß die anderen und Gudrun selbst viel gerade Rede erhalten. Eine Lebensgeschichte, unvollkommen in die Ichform umgedacht. Hat dahinter ein zweiseitiges Ereignisgedicht gestanden? Den schon von Svend Grundtvig ausgesprochenen Gedanken stützt der überlieferte Name 'die alte Gudrúnar-*kvida*': so heißen doch sonst Lieder mit Erzählversen (§ 123 u. ö.). Für 'alt' hielte man leichter diese vermutete Quelle (oder Teilquelle) als den vorliegenden Monolog. Der muß nach seinem Sagenbild wie nach seinem Stil recht jung sein[4]). Formgeschichtlich ist die durchgeführte Selbstbiographie, die jeden Rest unmittelbarer Handlung ausscheidet, die letzte Auswirkung des Rückblicks; dafür sprechen auch die männlichen Elegien (s. u.). Das Einzwingen des widerstrebenden Stoffs in den Ichbericht stimmt zu dem Geschmack eines Kreises, dem die alte, unmittelbare Darstellung nicht mehr zusagte (§ 138).

[1]) Edda 197. 214. 218. 228. 258; Edd. min. Nr. 5—9. Bei Saxo grammaticus 273ff. ('Starkads Jugendlied' in Prosa aufgelöst); 397ff. ('Starkads Sterbelied'); dazu Olrik, DHelt. 2, 88ff; 149ff.; Herrmann, Erläut. 2, 424ff. 557ff.; Schneider, G. Heldensage 2, 158ff. 179ff.; Ranisch, ZsAlt. 72, 118. 126ff.   [2]) Vf., AnzAlt. 51, 17ff. Man nehme dazu, daß Gudrunarkvida II, wohl auch Helreid, mit der berühmten 'Vorverlobung' rechnen und damit auf der Meiri fußen. Gudruns Sterbelied (Gudrunarhvöt), wohl älter als die Oddrunklage, setzt das Flammenlager der Skamma voraus.   [3]) Wir danken es Symons, daß er für diesen Dichtergedanken eingetreten ist: Gerings Kommentar zu den Liedern der Edda 2, 411f.   [4]) Symons a. a. O. 2, 290f.

143. Heldinnen hatten den Vortritt in der Elegie. Sie waren die großen Dulderinnen. Nach ihrem Muster erst schuf man Rückblicke *männlicher Sagenhelden*.

Der dänische Starkad war der erste, der sich dazu anbot. Auch er hatte in der jüngern Sage ein langes Leben mit harten Schicksalsschlägen erhalten. Außerdem dachte man ihn als Dichter; aber dies war vielleicht erst die Folge der großen Rückblicke, die man ihm in den Mund legte.

Der älteste von diesen dürfte Starkads Sterbelied sein, uns nur in Saxos Hexametern bekannt. Obwohl ein glieder- und namenreicher Fahrtenkatalog, steht es doch mit einem Fuße beim einseitigen Ereignisgedicht, denn die Rede — in die auch der Gegenspieler eingreift — hat Spannung auf ein dramatisches Ziel hin: Starkad bringt den andern dazu, daß er ihm den erwünschten Todesstreich gibt. Als Fabel eines Ereignislieds wäre das zu wenig; welch andere Handlungstiefe hat das Vorbild, das im Äußern ähnliche Ingjaldlied!

Schon diese Sterberede war wohl gedichtet als Schlußzierde eines isländischen Vorzeitsromans, der Saga von Ali dem Beherzten, die vielleicht schon auf Island, vielleicht erst bei dem Dänen Saxo in das umfassende Starkadleben eintrat. Die späteren Heldenrückblicke stehn an Dichterkraft und Eigengewicht dem Sterbelied nach. All diese männlichen Ansprachen oder Monologe fordern die (mündliche) Saga als Rahmen oder Hintergrund, der die Anspielungssprache der Strophen verdeutlicht. Es ist die Gruppe der 'Abenteuerromane' (§ 196), die diesen Schmuck empfing: dem aus Liedern umgesetzten 'Heldenroman' hat man keine Männerklagen zugedichtet. Starkad reicht zwar aus der heroischen Schicht herab, aber seine Elegien sind sagamäßiger Ausdichtung des 12. Jahrh. erwachsen. Auch was man auf Island von dem deutschen Hildebrand erzählte, lag diesseits des Heldenstils.

Der Sagavortrag konnte die lange rückblickende Strophenreihe stückweise einschieben in den fortlaufenden Prosabericht; so bei Starkads Vikargedicht. Zwei der Sterbelieder, die des Hjalmar und des Hildibrand, sind kurze Einlagen von 12 und weniger Strophen; sie nähern sich reiner Lyrik. Zu dichterischer Einführung in die Lage findet sich nur einmal ein Ansatz; sonst sind es fortlaufende Einzelreden ohne begleitende Handlung: also die letzte Stufe des Standortlieds.

Neben den Sterbeliedern gibt es Rückblicke aus früherer Lebenslage. Mehr hat zu sagen, daß drei dieser Heldenreden, wohl die jüngsten[1]), nicht auf Klage gestimmt sind: sie ergehn sich in preisendem Hervorheben der Taten; die innere Einheit lockert sich. Streckenweise verschwindet die Stimmungslyrik vor trockenem Herzählen, auch in die Namenliste kann es umschlagen: es streift an Merkdichtung.

Während in all diesen Liedern (§ 142f.) der *Rückblick* den Kern ausmacht, hat das späte 'Traumlied'[2]) zum Hauptinhalt eine *Weissagung* in Gestalt einer umständlichen Traumdeutung. Gudrun und Brynhild sind die Figuren dieses doppelseitigen Standortstücks, das den Grundriß der Oddrunklage nachahmt. Einer um 1230 herum dichtete es als Vorspiel hinzu zu der jüngsten Fassung der Brynhildsage (mit Vorverlobung), also zu dem Großen Sigurdlied. Der Keim dazu war der kurze Falkentraum Kriemhildens, der in dem deutschen Spielmannslied Isländern zu Ohren kam. Das leidgeübte, den Jammer häufende Wesen der Frauenklagen erlebt hier eine Verjüngung, ins Kleinere gewandt, ritterlich angehaucht. Das genaue Vorwegnehmen der Zukunft mit all ihren Bedrohungen gehörte zu den weniger künstlerischen Liebhabereien dieser Erzähler. Wir sahen, wie schon das Jüngere Sigurdlied dieser Neigung frönte.

[1]) Starkads Jugendlied, Örvar-Odds Lebenslauf, bedingt das Hrôklied.   [2]) In Prosa aufgelöst in der Völsungasaga c. 25.

144. Nehmen wir diese beschauliche Heldendichtung, § 141ff., im großen, so sehen wir: anders und jünger als die episch-dramatische ist sie nicht nur im Handwerklichen: auch in der geistigen Masse. Es ist eine Heldendichtung zweiter Hand. Die sentimentalische Heldendichtung nach der naiven.

Sie ist empfindsam und grüblerisch. Die heldischen Taten erscheinen ihr der Erklärung bedürftig. Manche werden ihr zu Gewissensfragen; sie hat zu rechtfertigen und anzuklagen. An diesen Vorzeitsschicksalen spürt sie das Ungeheure — und vor allem das *Leiden*. Den Widerhall dazu gibt mitunter ein verallgemeinerter Weltschmerz. 'Zu allzu großem Leid werden Weib und Mann immerfort ins Leben geboren ...'! Übertönte das alte Burgundenlied den Einsturz mit einer Siegesfanfare, so kann es nun ausklingen mit:

Allen Männern   mindre den Harm,
Allen Weibern   wende das Leid
Das Klagelied,   das erklungen ist. . . .

Abgerückt von seinem Pflanzboden ist das Heldengedicht. Als Hörer ahnen wir nicht mehr die zechenden Hofkrieger: es ist eine Gesellschaft in der Bauernstube, Männer und Frauen, denen diese uralten Geschichten eine ernsthafte Unterhaltung sind; die auch die flüchtige Anspielung der Strophen zu ergänzen wissen. War das Heldenlied alten Schlags ganz und gar männlich, so darf man bei unsrer Gruppe nach weiblichen Verfassern fragen; bei der Oddrunklage zwingt sich der Gedanke auf. Mit dem Lebensgefühl der heldischen Geschichten deckt sich das dieser Nachfahren nicht mehr. Man hört, wie es da und dort ins Bürgerliche oder ins Bäuerliche fällt.

Eigentümlich schwebt die Innenwelt dieser Heldinnen zwischen heidnischem und christlichem Wesen. Darin zeigt sich das kenntlich Isländische, das nur-Isländische dieser Gruppe. Es ist kein Mittelalter . . . und wir stehn an der Schwelle der Kreuzzüge! Die Vorzeitstracht ist gewahrt; das versteht man auf der Insel besser als in dem England des Beowulfdichters (§ 150). Kirchliche Namen und Bräuche stören nicht herein. Ein paar Striche 'poetischen Heidentums' wagen sich in das Oddrunlied vor: 'Helfen sollen dir holde Wesen, Frigg und Freyja . . .' (s. § 40). Auch wenn wir absehen von dem Bekenntnis zur Nächstenhilfe, das in der ganzen Edda so einsam steht (ebenda 10) —: im Mark heidnisch ist diese Gesellschaft nicht mehr. Die Freudigkeit zum Heldentum ist ihr gebrochen. Darin wirkt die 'neue Sitte' . . . zu Wort kommen darf sie nicht.

Diese Schöpfungen machen eine zusammenhängende Familie aus, ähnlich wie die altenglischen Elegien (§ 120). Sie mögen über mehrere Geschlechter strecken; besser: einem ersten, weiblichen Zeitraum folgte ein zweiter, männlicher: da schwingt die Saite zurück, die Seelen verhärten sich wieder. Denn die neue Milderung, die durch die Rittersitte, kam auf Island erst hundert Jahre später.

Wir haben für diese Familie nur auf Island Platz. Grönland, den Ableger Islands, mag man dazu nehmen, doch steht ja das große grönländische Gedicht in vielem abseits. Während in Norwegen das Kirchentum der heidnischen und heroischen Kunst an die Wurzel ging, blieb sie auf Island im Safte. Hier konnte sie einen starken jungen Schoß treiben; hier konnte sich in die Vorzeitsstoffe, die jedem aus den alten Liedern vertraut blieben, der Geist einer neueren Zeit ergießen. Es war der Geist der verhältnismäßig friedlichen Jahre, welche einsetzten mit dem Aufkommen eines heimischen Priesterstands, mit dem sittigenden Regiment der frühen Bischöfe, in den 1050er Jahren. Die beschauliche Heldendichtung in ihren älteren, stärkeren Vertretern — den großen Ereignisliedern und den Frauenklagen — ist ein Kind der isländischen Friedenszeit (friðaröld). Flössen die weltlichen Sagas aus diesen sechzig Jahren ein wenig reichlicher, vielleicht erfühlten wir in ihnen einen verwandten Lebensblick.

Das ungeschwächte Fortleben der alten Liedkunst und Sagenmasse und das Bedürfnis, sich diese gewohnte Phantasiewelt blutwarm zu erhalten, sich schöpferisch in ihr zu tummeln: beides zusammen ergab eine *isländische Nachblüte der Heldendichtung*. Der vornehmste Ertrag dieser Nachblüte war das elegische Heldenlied.

Das Schöpferische lag weniger im Umdichten der Sagengerüste, schon mehr im Zudichten von Anwüchsen (Oddrun; Gudruns Gottesurteil, mehrere Starkadtaten), vor allem aber in der Durchseelung der Sagen, in herzenskündenden Eingebungen und lyrischem Erguß. Aus den gattungshaften Masken des Heldenalters wurden da und dort Menschenbilder mit gebrochenen Linien; Bilder, an denen eigenes Erleben mitgezeichnet hatte.

Da sich die Starkadelegien und ihre Nachfolger auf die isländischen Vorzeitssagas (Fornaldarsögur) stützen, darf man das Jahr 1119 als obere Zeitgrenze für sie ansetzen (§ 195). Der Vikarsbálkr dürfte einer der älteren Heldenrückblicke sein. Ihm zieht eine untere Grenze ein skaldisches Erblied von 1139 (oder bald danach). Dieser Sigurdarbálkr des Ivarr Ingimundarson ahmt in Inhalt, Form und Überschrift das Starkadlied nach, s. Ranisch, Gautrekssaga CVII f.; Neckel, Btr. 427. (Das Verhältnis zu Gisls Erblied auf König Magnús † 1103 ist mehrdeutig.) Nach abwärts können die männlichen Rückblicke tief ins 13. Jahrh. reichen und zu den jüngsten Strophenreihen eddischen Stils gehören.

Verschwiegen sei nicht, daß es ganz andere Ansätze gibt. In wenigen Literaturgeschichten kommt überhaupt die tiefe Kluft zur Geltung zwischen dieser elegischen oder beschaulichen Gruppe und den eigentlichen Sagenliedern, die um ein halbes Jahrtausend höher hinaufgehn. (Man lese nach, wie Grundtvig seinerzeit [1867] der Frage nachtastete: Udsigt over den nordiske oldtids heroiske digtning 77ff.) Im übrigen nehme man diese Angaben. F. Jónsson setzt 'Gudruns Lebenslauf' nach Norwegen zwischen 925 und 950, vor das alte Sigurd- und Atlilied. Olrik setzt das älteste Rückblickslied des Starkad nach Schweden um 860. Neckel setzt die Urgestalt von Starkads Sterbelied in das Dänemark des 6. Jahrh. Diese Ansichten bedingen ein andres *Gesamtbild* von der germanischen Stabreimdichtung als das in vorliegender Schrift entworfene.

145. Einfluß der *skaldischen Lyrik* auf die Heldenelegie möchten wir nur in dem mittelbaren Sinne annehmen, daß jene persönliche Ichdichtung mitgearbeitet hat an dem Lockern und Bereichern der Seelenschwingungen ... obwohl dann die Lyrik im Bande der heroischen Rollen viel strömender, sanglicher wurde, mehr Naturlaut, als es dem Hofton und seinen Genossen vergönnt war! An Nachahmung der *Erblieder* durch die eddischen Rückblicke ist kaum zu denken; sie sind sich zu unähnlich. Klänge von Totenklage begegnen in dem ersten Gudrunlied und wieder in dem jungen Hróklied, sonst mehr nebenher. Im allgemeinen wollen doch diese Elegien anderes als einen Toten verherrlichen. Das Aufzählen der Kriegsfahrten in den Starkadreden und ihren Nachzüglern mag immerhin vom gewohnten Fürstenpreis beeinflußt sein. Aber eine Vermählung von Sagenlied und Zeitgedicht sehen wir in der Gattung der Heldenrückblicke nicht!

Mit den altenglischen Elegien (§ 118ff.) hat unsre eddische Gruppe eine oft bemerkte Verwandtschaft in der Stimmung, im menschlichen Baustoff. Befruchtung durch diese Werke des 8. Jahrh. dürfen wir schon aus zeitlichem Grunde ausschalten: es ist nicht glaubhaft, daß isländische Besucher Englands um 1050 diese Elegien noch vortragen hörten. Aber auch nach ihrer Art liegen sie allzuweit ab. Näher vergleichen kann man eigentlich nur die beiden Frauenklagen der Engländer; da haben wir ebenfalls die trauernde Rückschau einer Gestalt aus einer dichterischen Fabel. Der große Unterschied ist der, daß die Elegien der Edda immer noch *epische Sagenlieder* sind, wenn auch in abgeleiteter Kunstform. Trotz aller Lyrik und Beschaulichkeit wollen sie immer noch erzählen. Sie wollen die altbekannte Fabel neu umspielen und beleuchten; darum sind ihnen die Eigennamen unentbehrlich, und die epischen Momente kommen eindeutig heraus. Damit hängt zusammen, daß der Stoff, als *Heldensage*, in gewissen Grenzen doch noch objektive Vorzeitskunde sein will.

Es scheint uns, alles erwogen, daß man das beschauliche Heldengedicht der isländischen Nachblüte als *innere Weiterbildung* des alten Sagenlieds, des Ereignisgedichts, verstehn kann ohne Anstöße aus der Fremde und ohne greifbares Einwirken andrer Dichtarten.

Ob ein zweites Germanenland eine vergleichbare Nachblüte des stabreimenden Heldenlieds aufbrachte, ist zweifelhaft. In Deutschland erlebte die reimende Heldendichtung zwischen 1150 und 1250 eine letzte Blütezeit: als die höheren Spielleute Liedinhalte zu großen halbritterlichen Buchepen erneuerten. Das war eine ganz andre Kunstform, es waren andre Antriebe und Ziele. Erweichung und Durchwärmung des Reckentums brachten freilich auch diese deutschen Heldenbücher, und das für sich stehende Gedicht von der *Klage* hat, bei allem augenfälligen Unterschied, seine besonderen Ähnlichkeiten mit den heroischen Elegien der Isländer.

Vor Torschluß erscheint die Untersuchung Wolfgang Mohrs, ZsAlt. 75, 217—280 (1939). Mohr sieht in den Gedichten, die wir seit § 141 besprachen, eine zweite Einfuhr südlicher Lieder nach Island. Der Vf. hält die von Mohr aufgebotenen Vorfahren der dänisch-norwegischen Balladen für vorläufig ungreifbar;

die Sonderstellung Islands auf der Spätstufe des Heldenlieds sieht er anders. Doch möchte er dem wage-mutigen Versuch kein grämliches Nein entgegenhalten, um so weniger als Mohr am Schluß verspricht, das jetzt noch Vermißte nachzuholen.

146. Mit den Frauenrückblicken, und zwar dem rein monologischen, teilen drei *Visions-lieder* die allgemeine Anlage: zusammenhängende Rede aus Frauenmund, belehrend über sachlichen Stoff aus Sage oder Geschichte. Tatsächliche Abhängigkeit oder Nachbarschaft sei damit nicht behauptet. Von einer 'Gattung' kann man hier nicht sprechen. Wir kennen ein bedeutsames Dichtwerk, die Völuspâ, eine einmalige Schöpfung von viel Eigenart; dann Bruch-stücke einer jungen, wenig selbständigen Nachahmung, der 'kurzen Völuspâ'; endlich das völlig anders geartete Walkürenlied[1]).

Die *Völuspâ*, 'der Seherin Gesicht', ist ein Götterlied, aber gleichweit entfernt von den beiden erzählenden Typen, die eine geschlossene Fabel dramatisch lebhaft abwickeln (Thryml-lied; Skîrnirlied), wie von den großen Merkgedichten, die eine bunte Fülle mythischer Einzel-heiten lehrhaft zusammentragen (Grîmnir- und Vafthrûdnirlied). Eine übermenschliche Seherin aus Riesenstamm, aber götterfreundlich, enthüllt in Odins Auftrag einer gehegten Volksver-sammlung — *helgar kindir* 'Geschlechter unter Rechtsschutz' — die Hauptschicksale der Göttergesellschaft von der Urzeit bis zum Weltuntergang und zum Erstehn einer neuen Walhall.

Es ist eine redelose Kette von Bildern, die sich kaum einmal zur erlebten Szene verdichten. Lyrischen Einschlag bringen die persönlichen Worte und Sätze der Seherin und insbesondre die Kehrverse und -strophen, die, in zwanglosen Abständen angebracht, das skaldische *Stef* frei nachahmen (§ 113).

Zu den Bildern gehört mehrmals die Landschaft: überwirkliche kosmische Vorgänge, stark bewegt. Bald gemahnt es an skaldische Meer- und Gewittereindrücke, bald an den Falken-flug der Urfehdeformel. Zu den mehr empfindsamen Naturerlebnissen englischer Elegien sind es einbildungshaftere Gegenstücke.

Sprachlich steht die Völuspa zu der eddischen Erzähldichtung; und zwar ist ihr Stil nach den Maßstäben von § 133 vielseitig, weitspannend zu nennen: Von den Kunstmitteln des Reich-tums liebt er Compositum und schmückendes Beiwort, doch in Art und Zahl maßvoller als die Atlakvida; entschiedener tritt die Variation zurück (noch nicht ein Fall auf 15 Zeilen). Anderseits aber liegen diesem Dichter Gleichlauf und Wiederholung; sie tragen viel zur Gesamtwirkung bei.

Also einer der *mittleren* Stiltypen, wie im Wölundlied, um einige Grade gewählter, balladen-ferner als dort. Von Kenning und Wortverschlingung ist eben ein Anhauch da. Ausgeprägt nordisch ist das Gedicht in dem Gleichmaß der Strophen und der Versfüllung.

Nach seiner innern Form steht es einsamer. An Vorstufen wären eigentlich nur zu nennen: Einzelstrophen der Wahrsager und Wahrsagerinnen, uns nur in zweithändigen Stücken bekannt (§ 38), dazu die prophetischen Traumstrophen, die gattungsmäßig weit zurückreichen können (§ 88); die kurzen Ichreden Odins, zumal die geheimnisdunkle von der Galgenlösung (§ 63); Merkstrophen, einzeln oder auch in Gruppen: manche mochten unmittelbar als Bausteine dienen (§ 71). Der Stoff der Völuspa sind ja mit wenig Ausnahmen (Balder) jene Mythen von Einrichtung und Untergang der Welt, die keine episch-dramatischen Lieder bildeten. Neben dem Merkvers konnte prosaische Sage, richtige Volkssage, Quelle sein.

Das Wesentliche ist nun: daß diese vielen Mythen zwar nicht eben zur Einheit verbunden, aber doch zu einem Ganzen zusammengeschaut sind. Mögen die Gelenke oft im Dunkel liegen und den Deuter verführen, zwischen den Zeilen zu grübeln: der Unterschied von den mythischen Katalogen ist mehr als gradmäßig. Nenne man die Völuspa ein Übersichtslied: sie ist es in anderm Sinne als die Grîmnir- und Vafthrûdnirreden. Ein Numerieren des Lehrpensums kennt sie so wenig wie die Scheltgeschichte (§ 91). Lehrhaftigkeit und Stoffeifer finden ein Gegengewicht in seherischer Spannung, in ahnungsvoller Lyrik. Eine Gliederung in drei Teile — Vergangenheit, Gegenwart, Zukunft: 'ich gedenke, ich sah, ich sehe' —, symmetrisch durchgeführt[2]), wahrt den Eindruck einer abrollenden Handlung. Von Strophe 8 bis ans Ende zieht sich die Feindschaft zwischen Göttern und Riesen. Ein kleines Motiv, die goldenen Brettsteine, läßt gegen Schluß den Anfang widerklingen. Den Ton kann der Sprecher einheitlich nehmen: ein feierlicher Ernst, der die Gefahren der 'hochheiligen Götter' miterlebt. Bis zu dem genesenden Aufatmen in der Neuen Erde ist es eine schickdalsdüstre Tragik, wie sie die Götterdichtung nur in der Balderfabel kannte, verwandt mit Stimmungen des Heldenlieds, zumal des jüngern, klagenden.

Diese Anlage war keine altvolkstümliche Erbschaft, und aus dem Vorbild der Heldenklagen können wir sie nicht erklären. Wie es zu der Höhe der Völuspa aufstieg, bleibt uns unsichtbar. Der Gedanke ist schwer abzuweisen, daß dem Dichter eine christliche Heilslehre, eine 'Summa theologiae' in Versen oder Prosa, den Anstoß gab. Auf einen geistlichen Verfasser dürfen wir mit Zuversicht schließen: aus dem wörtlichen und halbwörtlichen Anklingen mehrerer Sprüche aus Evangelium und Apokalypse, besonders auch aus dem Gebrauch von Vokabeln, die der Predigtsprache, dem kirchlichen Nordisch, eignen[3]).

Danach kommt Anpreisung des Götterwesens bei diesem Dichter nicht in Frage. Aber ebensowenig Bekämpfung oder ein Vermitteln zwischen den zwei Lehren. Die Einstellung ist sachlich: die des Altertumsfreundes und des Poeten. Der Mann will die Anschauungen der Väter geben; wo er Christliches bringt, fließt es ihm unbewußt ein. Er hat für den Stoff menschlich-künstlerische Wärme, ja Ehrfurcht. Man vergesse nie: der Gegensatz der *Religionen* blieb außer Spiel; die Völuspa handelt nicht von dem, was der Heide seinen Gottheiten schuldet und worum er sie anruft; sie ist ein Ausschnitt aus der Mythen-, nicht der Glaubenslehre[4]). Darum steigt sie kaum mit einem Wort zu uns, den gegenwärtigen Menschen, herab. Die krähenden Hähne der Jenseitsreiche sind ihr wichtiger als die Anliegen des Erdenvolks. Keinem nordischen Heiden aber kam der Gedanke, die jenseitigen Göttergeschichten, die Mythen, machten die Kraft seines Glaubens aus; sie könnten zum Bollwerk dieses Glaubens werden, wenn man sie schön ausdichte. Die Größe der Gottheiten hatte sich anders auszuweisen: als die stärksten in der Hilfe sollten sie sich bewähren. Daran rührt die Seherin nicht. Auch in der Völuspa haben wir 'Kunstreligion', so gut als in den Götternovellen (§ 136). Unser Gedicht als Lehrvortrag an heidnischen Opferfesten — das ist nordische Romantik. Es ist ein Unterhaltungswerk mit dem Rückgrat geschichtlicher Belehrung. Da ein Dichter dahintersteht, wurde es mehr als ein frostiges Schulstück.

Es bedarf keiner Worte, daß ein Geistlicher mit solcher Gesinnung nur auf Island denkbar war. Das Norwegen der Olafe kam nicht so um das große 'Entweder-Oder' herum. Dem weißen Krist zu 'dienen' und dabei das Andenken der heimischen Gottheiten zu hegen, als wären es würdige Vorzeitshelden: das war die nur-isländische Duldsamkeit ... Ein skaldisches Erblied von 1064 oder wenig später umschreibt ein Naturbild unsres Dichters. Das zieht eine anerkannte untere Zeitgrenze[5]). Die obere ist weniger klar. Soll man Gewicht darauf legen, daß zum Jahr 1033 die Erwartung des Weltendes wieder fieberhaft anschwoll? Drei

Fünftel unsres Gedichts sind von solcher Stimmung geladen ... Die Völuspâ als Abschiedsgruß der 'Sagazeit' (§ 161): das ließe sich hören. Das zweite Menschenalter nach dem Übertritt — so viel scheint uns glaubhaft — war ein möglicher Saatboden für die merkwürdige Schöpfung. Damals stand Island dem Väterglauben fern und nah genug, daß die Völuspâ mit ihrem Phantasieheidentum entstehn konnte.

[1]) Edda 1ff., 289ff., Edd. min. Nr. 10; bei Genzmer II Nr. 5—7.   [2]) Im Texte bei Genzmer: Str. 1—15, 16—30, 31—45, dann noch 7 Strophen mit der Neuen Erde. Doch können Strophen verloren sein. [3]) Erkannt von Meißner, 51. Philol.-vers. zu Posen 1911, 101ff. (ZsPhil. 43, 450f.); Anz. 43, 43f. De Boor, Dt. Islandforschung 1, 68ff. (1930), will das Gedicht 'fest einordnen' in die Skaldensprache des ausgehenden 10. Jahrh. Nur daß dem letzten Heiden Jarl Hakon und seinen Mannen die kanzelhaften Klänge fern lagen! [4]) Schon Snorri und viele Neuere haben Religiöses hineingetragen; z. B. die 'Belohnung der Guten nach dem Tode'. Wie einst Müllenhoff, so verehren heute S. Nordal und H. de Boor — um nur diese zu nennen — in der Völuspâ ein Bekenntniswerk gläubigen Heidentums.   [5]) Skjald. 1, 321 Str. 24. Die Stelle Kormâks Str. 42: *Heitask hellur fljôta...* zielt nicht auf die Völuspâ; sie enthält — gegen Olrik, Ragnarök (1922) 23. 46f. — nicht Weltuntergangs-, sondern Unmöglichkeitsmotive, 'Adynata', 'Impossibilia', und zwar in naher, erklärungsbedürftiger Übereinstimmung mit Horaz, Epoden 16,25: Simul imis saxa renarint vadis levata ... (quando Padus Matina laverit cacumina) in mare seu celsus procurrerit Appenninus (*færask fjöll in stôru î djúpan ægi*).

147. Ein kleineres, ebenso einsames Denkmal ist das *Walkürenlied*. Als Einlage einer isländischen Saga von Brjân, dem Irenkönig († 1014), ist es überliefert.

Zwölf Walküren weben an einem phantastisch-unheimlichen Webstuhl und singen dazu einen Chorgesang. Er spielt an auf die geschichtliche Schlacht mit Brjans Tod. Die Weiber weben zauberisch diese Schlacht; zugleich rufen sie sich zum Mitkämpfen auf und zum Schirmen ihres Freundes, des jungen Königs:

> Laßt sein Leben   ihn nicht verlieren!
> Walküren lenken   der Walstatt Los.

Seherisch deuten sie den Ausfall der Schlacht an.

Der kurze Elfstropher ist nichts weniger als schlichte Volkskunst[1]). Er ist ein merkwürdig zusammengesetztes Gebilde; Fäden von verschiedenen Gattungen her laufen in ihm zusammen.

Als ausgeweitetes und ins Überwirkliche gesteigertes Arbeitslied grenzt er an den Mühlensang (vgl. § 84). Wie dort von dem Mahlen der Riesinnen, soll hier von dem Weben der Kriegshexen Zauberwirkung ausgehn.

In seiner verzückten Stimmung und einzelnen Ausdrücken stellt er sich zu den Wahrsage-, Traum- und Widergängerstrophen (§ 38. 88).

Nach seinem sachlichen Hintergrund ist er ein Zeitgedicht, auch mit preisenden Klängen; nur daß er nicht Geschehenes berichtet, sondern Gegenwart und nahe Zukunft visionshaft beleuchtet. Mit den 'eddischen Preisliedern' in § 110, die viel erdenfester sind, teilt er nur das schlichtere Gewand und die Verwendung von Walküren.

Endlich hat das kleine Lied etwas von einem kunstmäßigen Schlachtgesang. Darin vergleicht es sich gewissen skaldischen Einzelstrophen, etliche Wendungen erinnern uns an die Heereslosungen, man denkt auch an das Bjarkilied, die 'Hofkriegermahnung' (§ 139). Aber man sieht nicht, wie hier, den hersagenden Skalden vor sich: der Eindruck von Massenvortrag kommt nicht übel heraus, und zwar von chorischem Gesang — mochte immerhin der Erzähler der Brjanssaga beim Sprechton bleiben[2]).

Das Lied hat seine mannigfachen Bestandteile in sangliche Lyrik zusammengeschmelzt. Die lyrische Neigung nordischer Dichter ist uns an vielen Stellen begegnet; auch ihre Fähigkeit, zusammenzudrängen, zu einem bewegten Bilde zu verdichten: der Gegensatz der epischen Ruhe und Breite. In beidem bezeichnet das Walkürenlied eine äußerste Steigerung.

[1]) Soviel ist richtig an dem sonst so zimperlich verständnislosen Urteil Heinrich Rückerts ('schwächliches Behagen an der absoluten Häßlichkeit' u. ähnl.): Culturgeschichte des deutschen Volkes 1, 172 (1853)
[2]) Das Lied selbst nennt den Vortrag 'singen' und '*kveda*' (Str. 10); vgl. § 32.

XVII. AUSBLICK AUF DAS EPOS

148. Ihre umfänglichsten Denkmäler hat die stabreimende Erzählkunst hervorgebracht in den englisch-niederdeutschen Epen.

Nach unserm Plane schließen wir diese Gruppe von der nähern Betrachtung aus (§ 5). Danach wollen wir sie befragen, was sie über germanisches Formgefühl lehrt. Streifblicke auf ihre Entstehung sind dabei nicht zu vermeiden.

Lange sprach man von einem 'altgermanischen Epos'. Man dachte dabei an weltliche Erzählwerke, von den Liedern irgendwie unterschieden, zumeist wohl durch stattlichern Umfang. Goten, Deutsche, Engländer, wohl alle Südgermanen, hätten solche *Volksepen* besessen. Ein Erbe aus der Heidenzeit. Die Kirche, las man oft, habe diese Blüte geknickt; in England sei wenigstens ein letztes Volksepos, der Boewulf, noch durchgeschlüpft.

Das ist ungerecht gegen die Kirche. Wo im stabreimenden Kreise ein Epos entstand, verdankte es der Kirche sein Dasein. An einem Punkte nur in der altgermanischen Welt sehen wir ein Epos entstehn: aus den besondern Bedingungen Nordenglands (§ 3).

Die stabreimenden Epen der Engländer sind Schriftstellerwerk und damit Geistlichenschöpfung. Diese Buchepik hat sich nicht, wie die Forscher der 1870er, 80er Jahre so kunstreich auseinandersetzten, stufenweise, 'organisch' aus den weltlichen Sagenliedern zusammengeballt und dann auf Bibel- und Legendenstoffe ausgedehnt. Der Zusammenhang mit dem gemeingermanischen Erzähllied ist loser. Es war eine neue, scharf abgehobene Linie.

Nach dem Vorbild lateinischer Epen, heidnischer und christlicher, fingen englische Kleriker an, Epen in ihrer Muttersprache zu schreiben; und zwar fingen sie mit biblischen Stoffen an. Der Bahnbrecher Cædmon[1]), vor 700, hat viele Teile des Alten und Neuen Testaments bedichtet. Erst etwa zwei Menschenalter später, nach 730, wandte ein Namenloser, der seine Aeneis gut kannte, diese Kunst auf heroische Liedstoffe an. So entstand das erste Heldenbuch der Germanen und überhaupt der neuern Welt: das Beowulfepos; über 3000 Langzeilen, leidlich bewahrt. Es folgte noch ein Waltherepos; davon haben wir 60 Zeilen.

Daneben gingen weiter die Epen kirchlichen Inhalts nach lateinischer Vorlage. Dreie sind als Werke Cynewulfs verbürgt (2. Hälfte des 8. Jahrh.).

Solche Denkmäler kamen mit englischen Sendboten in sächsische Büchereien, und als der ungenannte Sachse nach 820 in kaiserlichem Auftrag dasselbe tat, was 150 Jahre früher in Klosters Auftrag Cædmon getan hatte, da hielt er sich an jene englischen Muster. Sein Heliand (6000 Zeilen) und die Genesisstücke seiner Schüler (330 bewahrte Zeilen, dazu 600 in angelsächsischer Übertragung) sind deutsche Absenker der englischen Geistlichenepik.

Diese Kunst hat also ungermanische Ahnen: Vergil, Juvencus u. a. Wo das Mittelalter zum Heldenbuch gelangt, da tritt es in die Stapfen Homers; das gilt schon für die Stabreimzeit. Aber eine starke Wurzel reicht allerdings, auch wo der Stoff kirchlich ist, zu der heimischen

Liedkunst hinab. Die Form: den stabenden Vers und seine Sprachmittel, dies hatte der englische Pfaffe aus der weltlichen Dichtung, und zwar der höhern; Zeitgedicht und Heldenlied mochten etwa gleichmäßig beitragen. Wir sahen, wie der Begründer, Cædmon, schon in seinem ersten, noch sanglichen und unbuchlichen Wagnis, dem Schöpfungslied, die Vers- und Sprachkunst des Skops übernimmt.

Reine Nachahmung der weltlichen Art war die Pfaffenepik nicht. Sie konnte es nicht sein in den Fragen der Stoffwahl und des Aufbaues; hier stellten sich von selbst neue Aufgaben. Auch in der Stimmung, in der Beseelung des Stoffes mußte sich der kirchliche Verfasser, gewollt oder triebhaft, vom weltlichen unterscheiden. Aber auch das Handwerkliche, den metrisch-sprachlichen Stil, haben die Epen über ihre Liedmuster hinausgeführt.

¹) Vgl. § 85 und 108.

60. Gott schafft das Licht. Aus der angelsächs. Cædmon-Handschrift. 10. Jahrh.
(Nach R. Wülker, Gesch. der engl. Literatur.)

149. Kirchliche Vorlage, auch wo sie nicht das Bibelwort ist, war eine Fessel des Dichters in allem Sachlichen. Er sinkt zum Bearbeiter hinab. Keinen weltlichen Epiker hat die 'Sage' so gebunden . . . Lederne Stammtafeln, widerhaarige Namen, breitspurige Jahreszahlen muß er, wo die exotische Quelle es will, in seinen Vers hereinquälen.

Die Heldenwelt des Liedes verschwindet vor Erzvätern, Propheten, Blutzeugen und Büßern. Die Ideale des Macht- und Ehrgefühls, der Selbstbehauptung und Rache weichen denen der Gottergebenheit und des Duldens; aber auch das heldische Sterben bekommt bei den gefolterten Heiligen einen andern Inhalt als bei Signý und Gunther. Statt des Kriegerfürsten und seiner Drucht ist nun die Gottheit der wahre Held der Geschichte, demnächst der Satan. Fromme und Unfromme sind ihre Werkzeuge. Die Unfrommen sind Bösewichter kurzweg; unverhohlene Schwarz-Weiß-Manier.

Jene 'dramatischen Gipfel' erfindet man nicht mehr. Die Gipfel sind nun die Wunder Gottes, je schrankenloser je besser. Das geheimnisvolle Außersinnliche, das den Dumpfen verwirrt und lockt, ersetzt die erdenhaften, durchempfindbaren Zwiste.

'Nicht mehr Männer sollten jetzt erfreut, sondern Himmelskandidaten erzogen werden'¹).

Nur wenn man den erbaulichen, erzieherischen Gehalt dieser Stücke im Sinne ihrer Urheber wertet, kommt man um das Urteil herum, daß sie als Substanz, als dichterische Stoffwahl, einen tiefen Abstieg bezeichnen von den Vorwürfen, an die der Heldendichter sein Feuer setzte.

Allein diese kirchlichen Übertrager hängen mit dem heimischen Wesen doch zu fest zusammen, um den palästinisch-römischen Geist rein auszudrücken. Die meisten führt eigne Neigung und der Einfluß des weltlichen Liedes, dann auch das Herkommen im eignen Dichtbetrieb zu einem kriegerisch-gefolgsmännischen Umfärben der frommen Quellen. Es ist jene

Germanisierung des Morgenlands, die in der Reimdichtung weniger herzhaft mehr vortritt, man empfindet sie als die persönliche Marke dieser stabenden Bearbeiter.

Die trockene Genesis wird am saftigsten, wo sie Loths Befreiung mit dem Aufwand des 'germanischen Schlachtenstils' anschwellt (§ 112). Vollends die Exodus verwandelt die tatenlose Judenflucht in eine hochkriegerische Aktion — nur eben das Losschlagen fehlt notgedrungen!; aus Moses macht sie den beschildeten Scharenführer und Streitrufer. Cynewulf steuert zu dem Eingang der Kreuzfindungslegende eine große Feldschlacht bei gegen Hunnen, Goten und Franken. Dem recht ähnlichen Annalengedicht von 937 (§ 108) hat er zwar geschenkt; aber ihrerseits sind solche Stücke der Epiker älteren Zeitgedichten, mehr noch als Heldenliedern, verpflichtet. Sie ergänzen unser Bild von dem Rüstzeug dieser Kunstart. Noch der sächsische Heliand hängt an den einzigen Pflock, den die Vorlage bietet, Petri Schwerthieb, ein eifriges Kampfbildchen.

Aber auch wo der Schlachtenstil ruht, hat man wenigstens die *Worte* ins Kriegeradlige umgesetzt. Nicht immer so grad heraus wie im Eingang des Andreas, der uns die Zwölfboten in aller Form vorstellt als 'wackere und kampfeifrige Heerführer, tüchtige Krieger, da wo Schild und Faust auf dem Schlachtfelde den Helm schirmten ...' Auch nicht vor der Gottheit hält diese Umkleidung: 'Es rüstete sich der junge Held, stark und kraftgemut: kühn bestieg er den hohen Galgen' heißt es von Jesus.

Hätte man Ernst gemacht mit dem Sinn solcher Ausdrücke, so wären Bibel und Legende in Stücke gegangen. Aber unsre Mönche machten nicht Ernst damit. Die Tatsachen in ihren Quellen ließen sie ja gehorsam stehn. Der Heerführer, die Faust und der Helm waren zwar keine Gleichnisrede — dies wäre ein schmerzliches Mißverständnis! —, aber eine dünne, durchsichtige Maske. Mehr vor den Lesern des 19. Jahrh. als vor den Hörern des neunten hat der Heliand durch diese hofmännische Nomenklatur einen Schimmer von deutschem Königtum erhalten[2].

[1] Brandl 1051.   [2] Seit Vilmar ist hier das Nachsprechen eine Macht geworden — die Brüder Grimm dachten noch kühler darüber. Bei einem Herausgeber aus der Kriegszeit lesen wir, der Heliand sei ein 'kernhaftes Lied deutscher Männlichkeit'. Auch ein Sieg des Wortes über den Geist!

150. Widersprachen sich hier das christliche Eigenleben der Fabel und ihr halbheldisches Gewand, so trat genau das Gegenteil ein, da wo ein Kleriker *weltliche Sage* ergriff.

Schon in der Stoffwahl verrät der Beowulfdichter seinen Stand. Von dem Edelerz der heimischen Überlieferung, von jenen tragischen menschlichen Verwicklungen (§ 129f.), kannte er ein ganz Teil; aber das zeigt er uns aus der Ferne, in flüchtigen Zwischenspielen, und zum Thema seines großen Buches erkiest er zwei 'heroische Abenteuer', Trollengeschichten. Man hat dies oft beklagt; man hat sich gesagt, das englische Heldenbuch wäre dem jonischen näher gekommen, hätte es in den andern Topf gegriffen. Aber die Wahl hatte ihren Grund. Unser Kirchenmann wollte einen entsagungsvollen Befreier, einen Kämpfer gegen Teufelsspuk verherrlichen. Aus diesem Beowulf ließ sich besser ein Held machen im Sinne des christlichen Fürstenspiegels als aus einem Ermenrich oder einem Rolf kraki oder selbst einem Offa. Mögen Cædmon und Cynewulf an klösterliche Hörer oder gar Leser gedacht haben, der Beowulfdichter wendet sich gewiß an eine Fürstenhalle — oder auch, noch bestimmter, an einen Fürstensohn, der heldisch-höfisch-kirchlich zu erziehen war[1]. Es ist Hofdichtung, aber nicht mehr vom Skop frei hergesagt oder zur Harfe gesungen, sondern vom Geistlichen aus dem Buch vorgelesen. Ein *geistlich-höfisches Heldenepos*. Der Name Volksepos träfe hier noch weniger zu als bei Nibelungen, Kudrun und Wolfdietrich, Werken weltlicher Spielleute.

61. Eine Seite der Beowulf-Handschrift. 10. Jahrh.
(Nach Wülcker, Geschichte der engl. Literatur 1896.)

Dem Beowulfdichter ist bewußt, daß sein Stoff unter Heiden spielt, und er macht ein paar Anläufe, heidnische Sitte zu treffen; der Hauptfall ist des Helden Feuerbestattung (§ 44). Verchristlichen will er nicht[2]). Sogar wo er selber das Wort führt, schweigt er von Christus, Kreuz, Heiligen und Seligkeit; er beschränkt sich auf das Zwillingspaar Gott und Teufel und ein paar Striche aus der alttestamentlichen Urzeit. Von heidnischer Denkweise aber hat er keine Anschauung mehr. Namentlich die Beredsamkeit des alten Dänenkönigs ist ihm von innen her christlich geraten. An hundert Stellen, in Bericht und Reden, bricht eine zerknirschte, rührselige oder moralsüchtige Stimmung durch, die nicht dem Christenvolk Englands um 750, sondern dem Geistlichen eignete. Dieses Heldenbuch, das unter den Urenkeln der Neubekehrten entstand, ist viel christlicher als die deutschen Nibelungen nach 1200 — obwohl man nicht in die Kirche geht und Seelenmessen zahlt. Zuweilen würde die Tonart besser zu einer Märtyrerlegende stimmen. Die geistige Nachbarschaft mit den schwermütigen, zartsinnigen Elegien haben wir früher angemerkt (§ 120). Manches Unreckenhafte, Verfeinerte auch im Beowulf kann Vergil geweckt haben[3]).

Die Frage jedoch, warum denn dieser Mann nicht lieber einen 'Heiland' gedichtet habe, verkennt ihn. Sein Werk bezeugt doch von Anfang zu Ende: er war ein begeisterter Freund der Heldenzeit! An Sagenkenntnis nahm er es wohl mit jedem Skop auf. Nachdem er jahrelang den Liedern der Hofsänger gefolgt war, entschloß er sich, seinerseits ein Heldengedicht hinzustellen — mit den Mitteln, die er vor dem Skop voraus hatte: Schreibekunst, Kenntnis Vergils und der Cædmonischen Ependichtung. Diese landessprachliche Buchkunst erprobte er an den ihm teuren Liedfabeln. Über die Heiligen hatten seine Vorgänger gedichtet: er sah es auf die Helden ab. Eine Allegorie — Christus unter der Maske des Trollentöters — hat ihm nicht im Traume vorgeschwebt!

So ist in den Beowulf notwendig viel Unchristliches eingemündet; es ist eine andre Luft als selbst in Exodus und Judith! Es fehlt ihm auch wahrlich nicht an dem Feuer und dem Pathos germanischer Heldendichtung. Unser Meister war kein stumpfer Lehrling der Skope gewesen. Unter dem tiefen Gegensatz zwischen Helden- und Christentum hat er schwerlich gelitten; Vergil half diesen Gegensatz mildern. Ohne Arg ergoß er sein frommes Gemüt in diese Sagen. Ob er merkte, daß er ihnen damit eine neue Seele gab? Wir merken es und können den Zwieklang, oft Mißklang in seinem Heldenbuch nachweisen. Dazu helfen uns die anderen, vorab die nordischen Heldenurkunden, die dem Völkerwanderungsstil näher geblieben sind.

[1]) Schücking, Beitr. 42, 400ff.   [2]) Darin müssen wir den vortrefflichen Ausführungen Klæbers, Anglia 35 und 36, widersprechen.   [3]) Hauptschrift hierüber: Klæber, Archiv 126, 40ff. 339ff.

151. Stoffbegrenzung und Aufbau wollen wir uns nur an dem weltlichen Epos, dem Beowulf, ansehen.

Er ist ein *zweikreisiges* Werk: die zwei Trollensagen, nur durch die Person des Helden verknüpft, mit ungleichem Schauplatz, in der Mitte ein rasch überflogener Zwischenraum von fünfzig Jahren.

Sehr verschieden in der Anlage sind die mehrkreisigen Heldenepen der deutschen Ritterzeit: Kudrun, Dietrichs Flucht, Ortnid-Wolfdietrich. Der englische Dichter bleibt im Rahmen e i n e s Menschenlebens und hält die eine Hauptgestalt leidlich im Vordergrund fest. Zur richtigen Lebensgeschichte verfließt es deshalb nicht, weil sich so vieles nur in Ausblicken eingliedert: Beowulfs Knabenzeit und später die Denkwürdigkeiten zwischen den beiden Trollensiegen.

Hervorstechen an dem Aufbau die zwei Eigentümlichkeiten:

Erstens das Vorspiel von einigen sechzig Zeilen. Schon die Liedquelle wird bei dem heimgesuchten Dänenhof begonnen haben, nicht bei dem gautischen Helden, der als Befreier einzieht. Aber der Epiker hat dem betroffenen Dänenherrscher einen Stammbaum von drei Geschlechtern vorangestellt und von dem ersten, dem Namengeber, einen Mythus erzählt. Eine den Zeitrahmen sprengende Annäherung an Chronik, zugleich ein lauter Preis der Dänen, dem ihre folgende Ohnmacht widerstreitet. Wie immer die Quelle gewesen sein mag, den Dichter hat gleich zu Anfang seine lehrhafte Stofffreude geleitet.

Dieser Stoffeifer, dazu das Vorbild der Aeneis, bedingt das zweite: die Überfülle von beschaulichen Ausläufen, die in Gestalt von Rückblicken und Prophezeiungen und Liedvorträgen, aber auch direkt aus Dichters Munde, allerhand außenliegende Sagen skizzieren. Da die Handlung in beiden Teilen von vorn anfängt, wäre für die Feinheiten des Aufwickelns kein Bedarf: die wiederholte Rückschau auf die Vorstufen ist epischer Überschuß. Vollends kunstverlassen eifert der Dichter dem langen Ichbericht des Aeneas nach, wenn er seinen Helden das erste Abenteuer, das uns eben in 1900 Zeilen erzählt war, noch einmal in 160 Zeilen berichten läßt! In manchem hat der Beowulf die Unbeholfenheit eines ersten Versuchs.

Dies führt auf die Frage, welche Mittel die *buchepische Anschwellung* bestreiten. Die beiden Hauptfabeln, als Lieder gedacht, konnten bei ihrer Einfachheit kaum viel mehr als zusammen 200 Langzeilen betragen; der Epiker hätte danach etwa aufs Fünfzehnfache ausgeweitet. Dazu benützte er eine ganze Anzahl Nebenquellen: außer Heldenliedern, einem Zeitgedicht und vielleicht Merkversen auch eine keltische Prosageschichte für den Kampf in der Wasserhöhle.

Den großen Umfang erreicht er in der Hauptsache durch die zwei Mittel[1]): langfädige beschauliche Reden mit Einschluß der Liedvorträge; redeloses Ausführen der Handlung (Strekken von Liedumfang ohne Rede). Diese breit erzählte Handlung ist teils sagenwichtig, also schon in der Quelle unterbaut: die Trollenkämpfe; teils Gelenk, Schmuck, also im wesentlichen Zugabe: die Seefahrten, die Hofgelage u. a. Zu ruhendem Ausmalen kommt es da und dort; aber die berühmte, von Vergil befruchtete Schilderung des Grendelsees ist zumeist in Rede untergebracht (Z. 1357ff.).

Weniger Raum füllen vorbereitende Auftritte mit handelnder Rede, gleichfalls Zutat des Epenstils. Leichtgegliederte Wechselrede gibt es nicht einmal in dem Maße des alten doppelseitigen Liedes.

Welcher Unterschied von dem Verfahren des Nibelungenlieds! Wege zur epischen Breite gab es gar ungleiche.

Was dem Ausweiter f e h l t, ist die eigentliche epische Erfindung: dramatische Zwischenspiele und neue dramatische Rollen. Also Gegenstücke zu den Iring-, Rüedeger- und Dankwartteilen der Nibelungen. Die *Szenenzahl* ist im Beowulf verhältnismäßig wenig über den notwendigen Liedbestand gesteigert — wenn man vergleicht, daß die ältere Nibelungenot, die etwa so lang war wie das dänische Abenteuer (bis Z. 1904), schon in der aufsteigenden Hälfte einige 60 Auftritte enthielt![2]) Die neuen *Gestalten* aber sind sämtlich Zierat: keine greift in die Fabel ein; auch Unferd, der dramatische Züge hat, belebt nur die Zustandsschilderungen. Voraussetzen wir, daß der Helfer Wîglâf im Drachenkampf mit seinem Gegenspiel, den untreuen Mannen, schon der Quelle angehörte. Wo nicht, so wäre dies die einzige *Erfindung*, die denen der zwei deutschen Notdichter gleichkäme.

Mit dem Gesagten ist gegeben: Unser Heldenbuch ist nach Umfang *und Art* etwas anderes als das germanische Heldenlied. Es ist eine zähflüssige Masse. Sie hat wenig Gliederung. Das Knochengerüst der Fabel zeichnet sich unscharf ab. Wir schieben uns in langsamem Gleiten vorwärts. Wo sichs die höfische Gesellschaft wohlsein läßt, bleiben wir lange hängen. Es *geschieht* wenig Großes in den 3200 Versen, aber es wird von viel Großem gesprochen. Von Dialogkunst kann nicht gut die Rede sein; das bißchen halbdramatische Repliken liegt fast immer abseits der Höhepunkte; die erschütternden Schlager, die die Nibelungen so gut wie die stabreimenden Lieder krönen, gibt es im Beowulf nicht. Bei alledem bedenke man, daß der Inhalt 'heroische Abenteuer' sind.

13

Im ganzen: die *Führung der Fabel* ist schwach. Der Epiker hat dafür zu viel besinnliche und gefühlvolle Fracht an Bord. 'Den epischen Stil' darf man ihm unbedenklich zusprechen, sofern dazu das Verweilen bei Unwichtigem gehören soll[3]). 'Springende' Art, Zusammenstoß getrennter Bilder, hat der Beowulf kaum je. Dem Entfalten zusammengesetzter Vorgänge zieht Schranken die unbildnerische, mehr malerisch erregbare Anlage des Dichters und sein Gemütsüberschwang, der das sinnliche Bild immerzu durch seelische Widerhälle durchlöchert.

Aus dem Beowulf geschöpft und fälschlich verallgemeinert ist die Vorstellung: der germanische Dichter habe wenig übrig für Bewegung, nur für Ruhendes; die Handlung sei ihm Mittel zum Zweck, ein Rahmen für Schilderungen[4]). Wir wissen, wie wenig dies von der weltlichen Erzählkunst gölte! Deren Formgefühl ist in vielem grundverschieden. So sehr, daß der Beowulfdichter jedenfalls nur kleinste Splitter wörtlich aus den Liedquellen aufnehmen konnte.

Darin führt es die isländische Nachblüte auf ähnlichen Boden wie den englischen Epiker: im Hang zu Ichbericht, Rückblick, auch Voraussage (§ 141ff.). Aber da geht es doch um anderes als den Gegensatz von Bewegung und Ruhe, von Handlung und Schilderung.

Neben den Epen *kirchlichen* Inhalts steht der Beowulf noch verhältnismäßig knochig und gelenkig da. Außer der chronikdürren Genesis huldigen sie alle der Beschreibungssucht. Der Gefühlserguß wird zu einer Hauptsache; bei Cynewulf hat man von 'eingelegten Arien' gesprochen. Nicht die Kunst, aber den Zweck dieser Werke fördert das stete Ausbiegen ins Unsinnliche, in Lehre und Predigt. Auch die sächsische Messiade will schließlich in erster Linie Heilslehre sein. Was kann der Dichter dafür, daß wir durchaus ein 'Epos' in ihr sehen wollen?

---

[1]) Vf., ZsAlt. 46, 196f. 218f.   [2]) Vgl. die Zahlen Braunefestschrift (1920) 58f.   [3]) Heinzel, Stil der altgerm. Poesie 25f.   [4]) Man vgl. ten Brink, Gesch. der engl. Lit. 1, 449f.; Krackow, Die Nominalcomposita im ae. Epos 15f.

152. Auch im *äußern Stil* haben die dichtenden Geistlichen nicht kurzweg das weltliche Lied wiederholt. Ihre Vers- und Sprachkunst ist von dem Brauche des Skops mehr oder weniger abgegangen, und auch da stand ihr lateinischer Lesestoff nicht außer Spiel. Wir hatten dies früher zu berühren (§ 31 und 133) und wollen uns hier die Hauptlinien vergegenwärtigen.

Es läuft hinaus auf ein *Lockern* der verhältnismäßig straffen Liedart.

Der Bogenstil erlaubt dem Vortrag, an beliebiger Stelle einzuschneiden; diese Freiheit nutzen die Sätze aus mit ihrer sehr wechselnden Länge und ihren vermehrten Stockwerken. Das fortwährende Hinwegdrängen über die metrische Zeilengrenze hat die Wirkung des Strömenden, einer tiefatmigen und zugleich ruhelosen Beredsamkeit. Die noch über das Liedmaß gesteigerten Auftakte und die gern an feierlicher Stelle einsetzenden Schwellverse tragen dazu bei, die gleichgewogene Taktkette zu lösen und das Kantige zu runden.

Es ist ein völlig unsanglicher Deklamationsvers, geeignet für wortreiche Schilderung und Predigt. Aus Abstand möchte man ihn zuweilen mit den frühen Hexametern Klopstocks vergleichen.

Von den sprachlichen Figuren ist es die eine, die vielgenannte *Variation*, die mit dem Bogenstil innig zusammenwirkt: mit Vorliebe im Eingang der Langzeile ruft sie den verlassenen Begriff neu auf und trägt so das Hinausfluten über den Versabschnitt:

Den Herrn der Dänen,

Den Freund der Schildunge,   ich fragen will,

Den Brecher der Bauge,   deiner Bitte gemäß,

Den hohen Herrscher,   was hier dein wartet...

Nach Menge und Art ist die Variation bei den Buchdichtern mächtig erstarkt; sie gibt mehr als ein andres Sprachmittel den Ton an; in ihr vor allem wird hörbar die eindringliche, bald begeisterte bald lehrhafte Wärme, der es nicht genug tut, die Sache einmal zu sagen.

Dazwischen kommen immer wieder schlankere Strecken im freien Zeilenstil. Sie sind im Beowulf nicht selten. Auch wo keine Liedstelle vorschwebte, konnte das aus den Liedern gewohnte Bewegungsgefühl den Vers- und Satzbau bestimmen.

Reich ist diese Sprache auch an schmückenden Beiworten und vor allem an nominalen Zusammensetzungen, wobei die einen Dichter wortschöpferisch Neues wagen (Beowulf, Cynewulf), die andern mehr das Überkommene verwalten (englische Genesis, Heliand). Beowulf und Exodus stehn an Dichtigkeit der Composita auf gleicher Stufe wie die zwei reichsten Eddaerzähler, altes Atli- und Hymirlied (ein Fall auf 2—2½ Zeilen). Über den Durchschnitt des weltlichen Sagenlieds geht dies hoch hinaus: möglich, daß hierin mehr die Preislieder das Vorbild der Epiker waren. In diesem Punkte haben die sächsischen Bibeldichter nachgelassen; aber eine tiefe Kluft trennt sie immer noch von Otfrid und von der Reimdichtung insgesamt. Die dünnere, zahmere, bescheidnere Sprache des Reimverses verträgt nur noch wenig von diesem ausladenden Schmuck.

Hatten die Figuren, welche Gleichgewicht und einförmige Wucht verkörpern, schon im weltlichen Erzählstil begrenzte Verbreitung, so versteht man, daß sie in das Schwellen und Fluten der Geistlichensprache nicht hineinpaßten. Sie würden daraus wie eckige Zierstücke hervorstechen. Die nicht häufigen Anaphern des Beowulf klingen anders, buchmäßiger als die der Edda; sie scheinen eher von Vergil eingegeben zu sein[1]). Man muß an Thrymlied, altem Sigurdlied und an den Balladen messen, um das Unplastische, wenig Ohrenfällige der Gleichlaufsfiguren zu empfinden, die man aus den geistlichen Epen gesammelt hat. Nicht bloß die Wortaufnahme zwischen Rede und Antwort ist unsern Epikern zu kindlich: auch das Wiederholen gleichlautender Verse in größern Abständen üben sie kaum jemals zu künstlerischer Wirkung. Beinah die einzigen Langzeilenfälle im Beowulf, die Redeeinführungen (21 mal die aus dem Hildebrandslied bekannte Formel), sind ein gutmütiges Zugeständnis an das Skoplied.

Das englische Heldenbuch stellt sich hierin zu Vergil, den Nibelungen und der Kudrun — im Gegensatz zu Homer, der Chanson de geste und den deutschen Spielmannsfabeln. Will man darin den Unterschied von kunstmäßig und volksmäßig sehen, so beachte man doch, daß auch die weltlichen Lieder schon gutenteils im ersten Lager standen.

[1]) Klæber, Archiv 126, 358. Von der Liste bei Kistenmacher, Die wörtlichen Wiederholungen im Beowulf 18, ist das meiste zu streichen.

153. Zieht man noch das Verstechnische heran: daß die Auswahl der Füllungstypen viel feine Rücksichten kennt; daß der im höfischen Lied geübte Brauch beim Kirchenmann strenger, nicht sorgloser wird: dann muß man diesen Leseepen, und vor anderen dem Beowulf, eine nicht niedrige Formkultur zuerkennen. Im äußern Gewand hat der Engländer mehr Kunst als im Führen und Ausdichten der Fabel. Die germanische Langzeile, wie er sie handhabt, will keinen Wettbewerb mit dem Vers der Aeneis: als rohe Halbform steht sie ihm sicher nicht gegenüber.

Sieht man nicht sehr aus der Nähe hin, so ist die nach Cædmon benannte Dichtfamilie leidlich gleichmäßig im Stil, einheitlicher als die so viel kleinere Masse der weltlichen Lieder (§ 133). An das große Epos ist der Stil nicht gebunden: in den Sproßformen der niederen Gattungen, dann in Zeitgedicht und Elegie ist er uns begegnet[1]). Von Cædmon bis ins 10. Jahrh.

herein herrscht er; das zeitgeschichtliche Epos auf Byrhtnoths Tod a. 991 ist das erste größere Werk, das in manchem aus diesem Formgefühl hinaustritt und wieder mehr Anschluß nimmt an die herbere und straffere Art der weltlichen Erzähler.

Der Gipfel dieses Stils ist der Heliand. Nicht in allen, aber in den meisten Dingen hat der sächsische Nachfolger den Reichtum der englischen Vorläufer übernommen und gesteigert. Bei ihm durchdringen der flutende Bogenstil und die schwellende Variation die ganze Masse; die Sätze erreichen sechs und sieben Stockwerke; die Senkungen sind im Durchschnitt silbenreicher, die Auftakte steigen bis zu elf Silben, und die beliebten Schwellverse schweifen zu üppiger Fülle aus. Eine Eigenheit des Sachsen, der Hang zu abhängiger Rede, gleitendem Übergang aus ungerader in gerade Äußerung: dies arbeitet mit dem übrigen zusammen. Auch da Abrunden der Kanten, Überfluten der Einschnitte.

Mit alledem ist der Abstand vom *Liede* — also von der gemeingermanischen weltlichen Erzählart — am größten geworden. Heliand und Hildebrandslied liegen in der Tat weit auseinander. Verlängert man die Linie in die Edda hinein bis zum Thrymlied, so sieht man zwei Endpunkte und ermißt, wie vielgestaltig sich der germanische Langzeilenstil ausprägen konnte.

Auf dieser ganzen Linie ist doch nie ein eigentlicher Bruch erfolgt. Vom skaldischen Hofton konnten wir sagen, daß er den Kurs umlege (§ 116), und auch der Reimvers hat dies auf seine Weise getan. Vom Heliand gölte dies nicht. Sein Vers und seine Sprache sind gewiß etwas für sich, nichts weniger als gemeingermanisch; aber hier darf mán von einer stufenweise erfolgten *Weiterbildung* des germanischen Grundgefühls reden.

Ausgeglichen, folgerecht wie das Thrymlied ist auf seine Art auch der Gegenfüßler, der Heliand. Bei diesem begnadeten Stilisten, dem größten Sprachmeister unter den schreibenden Stabreimdichtern, erscheint der Formwille ans Ziel gelangt, der in der englischen Epenreihe bald zurückhaltender, bald entschlossener am Werk ist. Die Schwungkraft geht ihnen manchmal aus, diesen Früheren, und sie werden auf eine Weile stockig und kümmerlich. Der Sachse hält sich staunenswert in seinem gleichmäßig weitklafternden Fluge. Ein Dutzend Zeilen, aus beliebiger Stelle der Messiade herausgehoben und fühlend gesprochen, setzt den Hörer in die Schwingungen, die einem kenntlichen, einmaligen Stil entsprechen.

Dieser Stil ist Spätstufe: seine Mittel sind hochgezüchtet; ein Guthaben auf Weiterbildung hat er kaum mehr. Satz- und namentlich Versbau rühren oft an die Linie, wo es sich zu überschlagen droht. Aber noch enthalten sie so viel Plan und Regel, so viel Gewandtheit und selbst Anmut, daß man wohl von Übersteigerung, nicht von Verwilderung sprechen kann.

Die Überreife des Heliand halte man nicht für kurzweg sächsisch oder deutsch! Diese Bibeldichtung fußt ja auf dem Unterbau englischer Schriftwerke; diese waren das Muster, nicht die Lieder sächsischer Skope. Das Wenige, was uns sonst noch an deutschen Stabreimwerken geblieben ist, verträgt sich mit der Annahme: der Heliandstil war eine zeitlich und räumlich eng begrenzte Erscheinung; er ruhte auf wenig Augen.

[1] § 64. 69. 76. 78. 108. 118.

XVIII. DIE ISLÄNDISCHE SAGA: IHR WERDEGANG

154. Wir überschreiten den Versbereich und wenden uns einer Prosa zu: der einzigen 'altgermanischen' Prosa, die den Anspruch erhebt, Dichtung zu sein.

Es handelt sich um *Erzähl*prosa, um die *Prosaepik* Altislands. Saga heißt sie in ihrer eignen Sprache.

62. Eine Seite des Heliand. Handschrift des 9. Jahrh.
(Nach Enneccerus.)

Damit nimmt uns, entschiedener als auf unsrer bisherigen Wanderung, der Boden der fernen Insel auf. 'Altgermanisch' darf man hier nur in dem Sinn von § 6 verstehn: das Vor-römische und Vorritterliche. Zum 'Gemeingermanischen' gehört die Saga nicht; sie ist in hohem Grade eine nur-isländische Pflanze. Einsam ragt sie aus den Literaturen der mittleren Jahrhunderte auf; ob sie von auswärts einen Anstoß erfuhr, steht dahin (§ 160). Sie von ihren isländischen Wurzeln abzuschneiden, kann nicht unsre Aufgabe sein, wohl aber, das an ihr zu beleuchten, was sie dem Fernblick denkwürdig macht. Kenntlich Germanisches wird sich auch an diesem inselhaften Gebild zeigen.

Aus der Saga im weiten Sinn jedoch fällt nur das in unsern Bereich, was den Namen Prosaepik verdient. Den Werken gelehrter Historiographie, so hohe Schätzung sie genießen, gönnen wir nur Seitenblicke.

Das isländische Wort *saga* hat den Grundsinn 'Erzählung'; und zwar ursprünglich als Nomen actionis: das Erzählen. Erzählung, unabhängig vom Gegenstand: Wahres und Er-dichtetes, Heimisches und Fremdes ...; unabhängig auch von der Form: es gibt Erzählung in Versen wie in Prosa. Davon zweigt ab der Sinn: die erzählten (oder erzählbaren) Dinge, das Geschehene, 'res gestae'. Die gleiche Wandlung wie bei unserm 'Geschichte', nur in um-gekehrter Folge. — Schon die alte Sprache hat 'saga' in den verengten Bedeutungen: die Er-zählung in Prosa (Gegensatz *kvæði* 'das Gedicht', *sǫgu-ljóð* 'das erzählende Gedicht') — und: die stattlichere Erzählung, die von einigem Umfang, zum Unterschied vom *þáttr*, 'dem Ge-schichtlein', der 'short story' (vgl. § 178. 192).

Die heutige Wissenschaft gebraucht 'saga' in den zwei letzten Bedeutungen — und zwar mit dem Beiklang: eine irgendwie kunstmäßige Erzählung; *Prosaepik*. Ein beliebiger Bericht hieße uns nicht 'Saga'.

Vor zwei Mißverständnissen hüte man sich: als ob die 'Saga' geschrieben sein müsse; sie kann auch mündlich (schriftlos) sein. Und die für uns Deutsche gefährlichere Verwechs-lung: als ob 'Saga' gleich 'Sage' wäre! Die zwei Merkmale des Begriffs Sage — Gegensatz zu Geschichte und Gegensatz zu Erfindung des Einzelnen — hängen dem Begriff Saga nicht an.

Die nordischen Wörter *sǫgn, sagn, sogn, segn* überschneiden sich in ihren Bedeutungen mit 'Saga' und 'Sage' (vgl. auch § 164). Einen neuartigen Gebrauch von 'Sage' und 'Saga' hat Jolles befürwortet: Einfache Formen (1930) 71 ff.

Als Mehrzahl von *Saga* wählen wir *Sagas*. Die echte Form *sǫgur* klänge im Mund der meisten Deut-schen allzu schallfremd: mit weichem *s-*, geschlossenem *-ö-* und vokalischem *-r: zöhgua!* Der Isländer spricht *ssögör*; das erste *-ö-* offen und lang, das zweite kurz und nach *ü* hinüber; das *-g-* als weicher *ach*-Laut.

155. Im altisländischen Schrifttum steht die Prosa, und zwar die erzählende, weit oben-an. Nicht nur an Umfang übertrifft sie die Verswerke, die skaldischen und die eddischen, ums Vielfache: die Saga hat auch im Zuge der Aufzeichnung die Führung gehabt, und so man-ches Gesätze ist nur unter ihren Flügeln aufs Pergament gelangt.

Von den Gattungen der altisländischen Saga kommen für uns viere in Betracht:

1) Die Isländersaga (*Íslendinga saga*), auch Familiengeschichte oder Bauerngeschichte ge-nannt, mit Stoff aus dem 9. bis 11. Jahrhundert.

2) Die erfabelte, romanhafte Isländergeschichte, im Rahmen derselben Jahrhunderte spielend. Ein überkommener Name fehlt; man kann passend 'Isländerfabeln' sagen.

3) Geschichten aus den nordischen Bruderländern, zwischen 850 und 1280 spielend; meist stehn Könige Norwegens im Mittelpunkt, daher der Name Königsgeschichte (*Konunga saga*).

4) Nordische Abenteuer- und Heldenromane, die Ereignisse vor Islands Entdeckung gedacht. Mit einem Namen des 19. Jahrh. nennt man sie *Fornaldarsagas*, d. i. Vorzeitsgeschichten.

Das sind die vier Gruppen, die den zwei Bedingungen genügen: sie erzählen von nordischen (skandinavischen) Menschen, wirklichen und erfundenen. Und — für die Dichtungsgeschichte besonders bedeutsam —: sie hängen zusammen mit dem Wurzelgrund der isländischen Sagakunst: mit dem schriftlosen Vortrag. Die übrigen Spielarten der Familie 'Saga' wachsen nicht mehr aus diesem Boden.

Unter den vier Gattungen können wir noch einmal scheiden. Nr. 1 und 3, die umfänglichen Massen der Familien- und der Königsgeschichten, stehn gattungsmäßig an der Spitze. In ihren Beeten ist die Sagakunst gekeimt und herangewachsen. Nr. 2 und 4, die Isländerfabel und die Vorzeitssaga, zeigen uns zeitlich spätere und innerlich irgendwie abgeleitete, zweithändige Erscheinungsformen der isländischen Saga.

Damit haben wir schon an zwei umstrittene Hauptpunkte gerührt. Zwar kommt die Saga nicht — wie die altgermanischen Dichtarten — aus vorgeschichtlichem Dunkel herab; dennoch steht ihr Werden weniger klar vor uns, als man wünschen möchte.

Von den Streitfragen können wir nur wenig streifen. — Die Hauptschrift über die altisländische Bauernsaga ist das Buch von Liestöl, Upphavet til den islendske Ættesaga, Oslo 1929 (englisch u. d. T. The origin of the Icelandic family sagas, ib. 1930). Dazu Liestöls Vortrag in der Zschr. Maal og Minne 1936, 1—16. Bibliographie der Isl. ss.: Halldór Hermannsson, Islandica Band I und XXIV (1908 und 1935). Anregende Einführung: Otto Springer, Journal of English and Germanic Philology 38, 107ff. (1939).

156. Wir sprachen eben von dem Wurzelgrund der isländischen Sagakunst ... Wir bekennen uns zu den Sätzen: Das Urphänomen der 'Saga' ist eine mündliche Prosaepik. Darauf führt unser Sagaschrifttum zurück; davon haben sich die einen Gruppen weniger, die anderen weiter entfernt. Der schriftlichen Saga ging mündliche Saga voraus. Die Saga fing an als schriftloses Vortragsstück, nicht als Buch. Das Schaffen lag gutenteils dem Schreiben voran.

Wir haben gute Zeugnisse dafür, daß die Isländer einen freien Geschichtenvortrag kannten — über das gemeinmenschliche Erzählen hinaus an Aufwand, an Kunst und Hochschätzung. Die Zeugnisse reichen vom frühelften bis ins 13. Jahrh. Wo sie den Erzählstoff nennen, fällt er in die Gruppen 1, 3 und (am öftesten) 4 (s. § 155).

Als gesellige Unterhaltung erscheint, neben Brettspiel, Ringen, Tanz, Gedichtvortrag, die *Sagnaskemtun:* das ist 'Zeitkürzung (Zeitvertreib) durch Geschichten'; Unterhaltung durch Sagas[1]). Das Wort 'Geschichtenkurzweil' klänge eine Schwebung zu leicht, denn 'skemtun' gebrauchen die Quellen auch von gelehrtem Lesestoff. Wählen wir also 'Geschichtenunterhaltung' als Kunstausdruck. — Man achte darauf, ob die Stelle nicht an Vorlesen denkt — oder an harmloses Berichten, wie es unter jedem Breitegrad gedeiht. Dann hat sie keinen Zeugenwert.

Was der Isländer aus dem Leben kannte, mochte er auch ins Fabelreich verlegen. Dem geheimnisvollen Fremden am Norwegerhof leiht der Verfasser die Antwort — auf des Königs Frage nach seinen 'Kunstfertigkeiten': er verstehe Harfe zu spielen und *segia sögur*, Geschichten zu erzählen[2]). Bei uns im Süden würde der Fahrende außer der Harfe etwa Lieder, oder Mären in Versen, nennen.

Man ist sich bewußt, daß Übung und persönliche Begabung mitspielen. 'Er gab sich viel mit Sagas ab und unterhielt gut mit Gedichten' heißt es von einem Geistlichen noch vor der Schreibzeit. Dabei taucht auch ein besonderer Ausdruck auf für den Erzählkundigen: *sagnamaðr* 'Sagamann, Geschichtenmann'[3]).

[1]) Eiríks saga rauda c. 8 in.; Sturl. 1, 22; Fas. 3, 404. An Fóstbrœdra saga 158, 4ff. (1925/27) ist das beachtenswerte der äußere Aufwand: wie man sich in Positur setzt, um zu erzählen und zuzuhören. — An Vorlesen kann gedacht sein an der vielbeachteten Stelle des Thidrekssaga-Prologs (Bertelsen 1, 6, 13ff.). Auch Bisk. ss. 1, 109 meint wohl geschriebene Historien.   [2]) Nornagests þáttr c. 1. — Der Sternen-Oddi träumt von einem Fremden, der im Bauernhof zur Herberge kommt, und abends, als man zu Bett gegangen ist, 'war ihm, als habe man den Fremden um einen Zeitvertreib gebeten; der Mann legte los und erzählte eine Geschichte...' (Bardarsaga usw., 1860, 106f.).   [3]) Sturl. 1, 9, 18. Das Wort 'sagnamaðr' steht auch für den *historicus* der buchhaften Überlieferung.

157. Mehr sagen uns einzelne erzählerisch festgelegte Vorkommnisse.

Ein oft genannter Isländer, Halldor, Sohn des Goden Snorri, hatte König Haralds Südfahrten (um 1040) mitgemacht (u. § 158). Einige Jahre später, als er bei seinem norwegischen Gastfreund weilte, 'saß er oft und unterhielt die Hausfrau: er erzählte des Königs Südfahrtgeschichte, und die Leute gingen oft zu diesem Vortrag'[1]).

Jm Jahr 1119 beging man im nordwestlichen Island ein reiches Hochzeitsfest; eine Saga, die auf Augenzeugen fußt, macht viel Aufhebens daraus. Sie berichtet, unter den Lustbarkeiten gab es 'Sagaunterhaltung'; ausdrücklich nennt sie die zwei Erzähler mit Namen, und von den Geschichten, die sie hersagten, deutet sie den Inhalt an. Die eine erkennt man als Abenteuerroman (§ 195), die andre als Isländersaga. Von der ersten heißt es: 'diese Geschichte hatte Rolf (der Vortragende) selbst verfaßt': ein Anerkennen der Kunstleistung[2]).

Tief in die Schreibzeit, ins Jahr 1263, fällt ein Erlebnis des Historikers Sturla, von ihm selbst anschaulich berichtet[3]). Es zeigt uns, wie auch jetzt noch der auswendige Sagavortrag blühte. Wir sind auf dem Schiff des Norwegerkönigs. Abends fragt die Mannschaft nach einem Zeitvertreib, und Sturla, der einzige anwesende Isländer, erzählt eine Geschichte. 'Da drängten sich viele vor, um deutlich zu hören...' Die Königin fragt, was es gebe. 'Die Leute wollen die Saga anhören, die er, der Isländer, erzählt'. Tags darauf muß Sturla vor dem Königspaar die Geschichte wiederholen; '... und er erzählte die Saga einen großen Teil des Tages über'. Dann läßt er ein eigenes Preislied auf den König folgen. Die beiden Kunstleistungen gewinnen ihm die Gnade des Königs zurück.

Wie hier in Norwegen, so erscheint im Jahr 1167 ein isländischer Sagamann in Dänemark als höfischer Unterhalter. Es ist Arnoldus, *Thylensis*, 'der Mann aus Thule (Island)', wie unser Gewährsmann Saxo grammaticus ihn nennt: 'bewandert in der Vorzeit; geübt in kunstvollem Erzählen von Geschichten'[4]). Er gehört zu der *clientela*, dem Gefolge des Erzbischofs Absalon und hat sich dem Zuge seines Herrn angeschlossen, 'delectandi gratia': auf Isländisch hieße das 'til skemtanar', zur Geschichtenunterhaltung. Nachdem König Waldemar mit dem Erzbischof Rat gepflogen hat, wünscht er von Arnold 'Geschichten zu hören' (res gestas cognoscere) und besteht darauf, daß ihn der Isländer nach dem Zubettgehn noch mit seinem Erzählen unterhalte. (Rund vierzig Jahre später hat der Historiker Saxo selbst von solchen isländischen Sagamännern einen großen Teil seines Stoffs aufgefangen, auch Stücke aus der geschichtlichen Zeit, dem 10. Jahrh.)[5]) Aus isländischer Quelle wissen wir, daß dieser selbe Arnold auch ein Preisgedicht auf den Dänen Waldemar den Großen dichtete. Wir finden da, wie vorhin bei Sturla, die Dichtkunst mit der Prosakunst vereinigt.

[1]) Flat. 3, 428f. Heimskr. 3, 87, 11 hat nur das neutrale: hann (Halldórr) hafði þessa frásögn hingat til lands. — Ein späterer isländischer Fall von gewohnheitsmäßiger *skemtun*, dreimal die Woche (um 1400), geht vielleicht nur auf Gedichtvortrag (imu): Grönlands hist. Mindesmærker 1, 112.   [2]) Sturl. 1, 22. [3]) Sturl. 2, 325.   [4]) Saxo p. 812, Ausg. 1931 p. 459. Die Rolle von König und Künstler im Schlafgemach erinnert an das Sittenbild vom Skalden Stúf § 100.   [5]) Sieh o. § 4, u. § 192 und 195; Vf., Festschrift für Th. Plüß 1905, 5ff.

158. Als Schluß dieser Zeugenreihe die ausgiebigste Urkunde, der 'locus classicus' für den mündlichen Sagavortrag. Es ist die kleine Geschichte von dem ungenannten Isländer (ein jüngerer Text nennt ihn Thorstein) am Hofe des Norwegerkönigs Harald des Gestrengen, um das Jahr 1050: Morkinskinna 199f. (Thule 17, 315f.). Wir geben den Bericht gekürzt.

Eines Sommers erbittet ein Isländer, 'ein junger anstelliger Mann', Haralds Fürsorge. Ob er Kenntnisse habe? fragt der König. Die Antwort ist: er verstehe sich auf Geschichten (*sögur*). Daraufhin nimmt ihn der König an; doch müsse er die Mannen unterhalten (*skemta*), so oft mans von ihm wünsche. So geschieht es. Der junge Mann wird beliebt und erhält Geschenke. Als es gegens Julfest geht, fragt ihn Harald, warum er mißgestimmt sei; ... er errate es: Deine Sagas sind nun endlich alle — gerade zur Julzeit! — Es ist, wie du sagst, erklärt der Isländer; eine Geschichte ist übrig, die wage ich hier nicht vorzutragen; das ist die Geschichte von deiner Südfahrt. Gerade an der liegt mir, sagt der König; — der Isländer solle nun jeden der zwölf Julabende ein Stück dieser Saga hersagen; er, Harald, wolle dann Halt gebieten, so daß die Geschichte für die ganze Festzeit reiche. So geschah es. Die Hörer fanden es wohl keck, daß der Isländer diese Erzählung vor dem König vortrage ...: 'die Einen meinten, er erzähle gut, Andre machten sich weniger daraus'. Der König hielt darauf, daß man gut zuhöre ... Mit dem zwölften Abend ist die Saga zu Ende. Dem Isländer bangt vor Haralds Urteil. Der König aber lobt die Erzählung; 'sie ist ihres Gegenstands würdig. Wer hat sie dich denn gelehrt?' — Jeden Sommer habe er, draußen auf dem isländischen Allding, von Halldor Snorrissohn ein Stück der Saga gelernt. (Wir wissen, Halldor war Teilnehmer an des Königs Südfahrt.) 'Dann ist kein Wunder, daß dus gut weißt!' meint Harald: 'es soll dein Glück sein; sei willkommen an meinem Hof, so oft du willst!' — Der König stattete ihn reich mit Handelsware aus, und sein Weg war nun gemacht.

Wir nehmen die Erzählung als Kulturzeugnis; die innere Wahrheit des sittenkundlichen Bildes kann man ihr nicht absprechen. Hätten wir gleichwertige Stimmen zum Vortrag eddischer Lieder! — Folgende Sätze ergeben sich uns:

Der Sagavortrag am Fürstenhof nähert sich dem Beruf, dem Lebenserwerb — wie anderwärts die Skaldschaft.

Stillschweigende Voraussetzung ist, daß man am Hofe für 'Geschichtenunterhaltung' empfänglich sei.

Schon wenige Jahre nach dem Ereignis kann der Bericht davon Vortragsnummer sein.

Die Mannen, und wohl auch der König, nehmen die Geschichte nicht nur als Tatsachenbericht auf: auch als erzählerische Leistung.

Der Sagamann hat, wie der Skald, seinen Vorrat an Stücken. Hier einen auf Monate reichenden Vorrat.

Die eine Erzählung hat der Mann, stückweise, in aller Form gelernt. (Das Zeugnis von Halldor, vorhin § 157, spricht dafür, daß schon dieser Gewährsmann eine unterhaltsame Saga zum besten gab.)

Diese zusammenhängende Geschichte hatte ansehnlichen Umfang. Denken wir uns für jeden der zwölf Abende eine Viertelstunde Erzählens, so kämen wir auf eine dreistündige Einheit.

159. Überblicken wir unsre Zeugnisse! Sie zeigen uns: Schon lange eh man Sagas schrieb, aber auch noch während der Schreibezeit stand neben der Versdichtung, in ähnlicher Schätzung wie sie, ein buchloser Prosavortrag, die 'Sagaunterhaltung'; stand neben dem Skald der Geschichtenmann.

Einer einzelnen Gesellschaftsschicht kann man die Erzählkundigen nicht einreihen — in diesem Volk ohne Bildungsstände! Bei welchen Anlässen die *skemtun* erfolgte, dafür erhielten wir Winke. Sie erschöpfen das Vorkommende nicht; z. B. Vortrag in der 'Stube', vor dem Hausvolk — den Nachkommen der Sagahelden — kann kaum gefehlt haben.

Deutlich tritt an diesen Geschichtenmännern hervor das Unterhaltsame, wenn man will: das Künstlerische des Betriebs. Das sind keine gelehrten Antiquare, die in Zeitrechnung und Stammbäumen aufgehn. Mit derlei hätte man den Hochzeitsgästen, den Hofkriegern, auch den hohen Herrschaften in Norwegen und Dänemark nicht die Abende verkürzt. Oft schließt schon der Inhalt der Vorträge solche Gelehrsamkeit aus.

Unsre Quellen nennen oft 'frôdir menn', das sind kundige, im besondern geschichtskundige Leute, Frauen wie Männer. Aus der Pflege der Erzählwerke, zumal der historischen, wären diese Leute nicht wegzudenken. Ein Erzähler, der mit geschichtlichen Sagas unterhielt, muß wohl etwas vom *frôdr madr*, vom Antiquar, in sich gehabt haben. Nur glaube man nicht, der *frôdr* madr schloß schon den guten *skemtanarmadr* in sich. Altisland zeigt uns berühmte Werke von *frôdir menn* — Ari, die Sammler der Landnamabok —, denen niemand ein unterhaltsames Vortragsstück zutrauen wird.

Ebenso klar wird aus der Reihe der Zeugnisse: diese geschätzten Geschichtenmänner sind Isländer. Zum Greifen ist das, wo sie im Ausland — an norwegischen und dänischen Höfen — auftreten. An Zufall oder einseitige Berichterstattung darf man nicht denken. Das altnorwegische Schrifttum als ganzes bestätigt es: dem Mutterland fehlte eine derartige Prosapflege. Damit hing so vieles zusammen. Auch in der Schreibezeit brachte Norwegen keine kräftige Landesgeschichte hervor: seine paar lateinischen Königshistorien zehren von den Isländern (§ 190). Auch alte Versdichtung hat Norwegen keine gerettet: sogar dies liegt mittelbar an dem Fehlen der Sagamänner.

Hierin aber steht zu Norwegen das ganze übrige Europa des früheren Mittelalters. Prosaepik, heimische, in der Volkssprache, gibt es vor dem 13. Jahrh. nicht. Prosaepik hat auch der vielgewandte Spielmann, der Mimus, Minstrel, nicht aufgebracht. Mag bei den Lateinchronisten so manche Geschichte von Hand und Fuß stehen: derlei führt noch nicht zurück auf Prosapflege in Laienkreisen. 'Wo es in den Chroniken lebhaft und dramatisch zugeht', sagten wir bei der Heldendichtung (§ 122), 'darf man nicht gleich mit der Liedquelle kommen'; fügen wir jetzt bei: noch weniger mit der Sagaquelle, d. h. einer Erzählübung, die ernsthaft zu vergleichen wäre mit der Geschichtenunterhaltung und den Sagamännern Islands. Wo mans einmal in der Landessprache versuchte, da bleibt es bei schwachem Anlauf (die kleine Geschichte der Insel Gotland) — oder es ist geistliche Federübung ohne gesprochene Kunst dahinter (die altenglischen Annalen) . . .

Mit einer Ausnahme.

160. Die Inselkelten besitzen, als erste mittelalterliche Gruppe, eine reiche Erzählprosa, mündlich und schriftlich. Sehen wir hier ab von dem kymrischen (britischen) Zweige: in unserm Zusammenhang gehn uns nur die Iren an. Sie treten viel früher, seit dem 7., 8. Jahrh., auf den Plan.

Bei den Iren geht es so weit: die angestammte Form der Erzählkunst, der üppigen Heldendichtung, ist nicht das Lied oder das Versepos: es ist die Prosaerzählung. Was uns vor allem berührt: der äußere Betrieb des Geschichtenvortrags hat Verwandtschaft mit dem der Isländer. Der irische Fili, zugleich Dichter und Geschichtenerzähler, sagt seine Prosastücke aus dem

Gedächtnis her, sei es als Beamter seines Fürsten, sei es wandernd von Clan zu Clan. Von einem Fili wird gerühmt, daß er seinem König jeden Abend vom 1. November bis 1. Mai eine neue Geschichte vortrug. Das gemahnt sehr an unsern Isländer bei König Harald. Nur erscheint bei den Iren alles hoch gesteigert ins Berufliche, Zünftige hinein (§ 103). Ein irischer Fili, möchte man sagen, verhält sich zum isländischen Sagamann wie der altkeltische Druide zum nordischen Priester.

Ist es barer Zufall, daß gerade diese zwei Nachbarn dort im Nordwesten Prosaepik pflegen? . . . Besteht Zusammenhang, dann müssen die Iren die Gebenden sein. Sie sind so viel früher aufgestanden.

Aber den Zusammenhang bezweifeln heute die meisten, auch Liestöl. Sie haben Gründe. Die beiden Lager sind in Stoffen und Stil beinah gegensätzlich zu nennen. Als Ähnlichkeit fällt auf: Iren und Isländer schieben in die Prosa Verse (Strophen) ein. Die Keltisten sprechen von 'more Hibernico', wo die Germanisten 'more Islandico' sagen könnten! Doch geht diese Ähnlichkeit nicht tief; Ursprung und Zweck der Gesätze weichen ab.

Das Trennende liegt in folgendem. Einmal, der Inhalt der irischen Prosaepen ist seit Alters die heimische Heldensage: sie vertreten, stofflich, das Heldenlied andrer Völker. Auf Island hat die Saga als Gegenwartsbericht, als Historie, eingesetzt. Sodann, im innern und äußern Stil besteht der durchgreifende Gegensatz: die irische Prosa ist ausgeprägt dichterisch, gehoben: das Wesen der isländischen ist 'unbedingte Prosa'.

Gegen Einwirkung spricht drittens: die großen und kleinen Sagenhelden der Iren sind auf Island Fremde geblieben. Keinen der irischen Erzählstoffe hat man dort aufgenommen.

So kann von 'Nachahmung' auf Seiten des jüngern Volkes nicht die Rede sein; eine *Entlehnung* — wie wir deren in den Schrifttümern des Mittelalters aller Enden treffen — ist die isländische Saga nicht.

Bringen wir es nicht über uns, die Ähnlichkeit im sittengeschichtlichen Umriß für Zufall zu halten, dann können wir nur an einen äußern befruchtenden Anstoß denken. Isländische Besucher lernten an irischen Kleinhöfen die gesellige Sitte kennen, daß geübte Künstler die Gäste unterhielten durch frei vorgetragene Prosastücke. 'Vom Inhalt verstanden sie wohl nicht allzu viel' (A. Bugge). Die Prosa als gewohnheitsmäßige Ergötzung — in der Rolle, die der Norden bisher nur am Versgedicht kannte. Dies machte Eindruck. Es brachte die Isländer darauf, daß 'Geschichtenunterhaltung' in ungebundener Rede möglich sei: *Sagnaskemtun*. Dem fremden Fili trat der heimische Sagamann gegenüber.

So möchte man den beiden Erwägungen, der bejahenden und der verneinenden, ihr Recht geben . . . Aber wir versagen uns, den Hergang mit weiteren Vermutungen auszumalen. Die Quellen lassen uns im Stich. Wo der Funke hinübersprang; wie er auf dem neuen Boden zündete: es bleibt uns dunkel. Eine 'Befruchtung', die keine 'Nachahmung' ist, weder im Stoff noch in der Form: das bleibt eine schwer zu fassende Größe.

Nur über den Zeitraum, da dieser Funke gesprungen sein möchte, dürfen wir aussagen. Alles erwogen, passen die letzten Jahrzehnte des zehnten Jahrhunderts am besten dazu.

Über die irische Erzählprosa belehrt man sich am besten aus dem Werk von Thurneysen, Die irische Helden- und Königssage 1921. An Abhängigkeit der isländischen Saga von den Iren glaubten die meisten älteren Forscher. Lebhaft trat dafür ein der Keltist Heinrich Zimmer, u. a. in der 'Kultur der Gegenwart' XI 1, 56 ff. (1909); mit Vorbehalten: Sophus Bugge, Norsk Sagaskrivning og Sagafortælling i Irland (1908) 180. 210 ff. Am nächsten kommen der oben umrissenen Anschauung die Sätze Alexander Bugges in Norges Historie II 2, 276, Festskrift til G. Gran (1917) 17 ff. Den Gegensatz im Formgefühl betonte Arthur Bonus, Isländerbuch 3, 32 f. 151 ff. (1907); sieh auch Vf., Anfänge der isl. Saga (1914) 42 ff. Liestöls Äußerung:

Upphavet 144ff. 'More Hibernico': Stokes, Revue celtique 23, 395. — Als Vermittler der irischen Anregung können die gaelischen Siedler auf Island nicht in Frage kommen (F. Jónsson, Den isl. Saga, 1921, 9): die hätten doch, wenn etwas, die Stoffe mitgebracht; als Erzählkünstler nach Art des Fili hätten sie sich in der fremdsprachigen Umwelt nicht betätigen können.

161. Fest steht, daß Island den Inhalten der irischen Erzählmeister verschlossen blieb. War der Sagakunst ein Antrieb von außen geworden: betätigt hat sie sich vom ersten Schritt ab an heimischen Stoffen. Nicht an Stoffen aus der Götter- und Heldensage! Die ließ man noch auf lange dem Gedicht. Die Sagaunterhaltung ergriff nüchterne Gegenwartsstoffe; zeitnahe Erinnerungen. Es waren einmal die heimatlichen, isländischen Denkwürdigkeiten — und zweitens die Taten nordischer, zumal norwegischer Könige.

Das sind die zwei Stoffkreise der *Íslendinga saga* und der *Konunga saga:* die erste und die dritte der Gruppen von § 155. In diesen beiden darf man wohl gleichalte Geschwister sehen. Der führende Teil aber war die Isländersaga. Sie hat auch früher ihre volle Reife erlangt. Auch den Isländern lag das Hemde näher als der Rock!

Wenden wir uns den Isländersagas zu!

Auf Island standen die Denkwürdigkeiten der adligen, großbäuerlichen Häuser in hohem Ansehen. Diese selbstherrlichen Menschen nahmen sich wichtig; ihr Lebensgefühl, ihren Standesstolz hatte das eben Erlebte noch gesteigert: die Landnahme auf der herrenlosen Insel, die Begründung eigener Machtkreise — und dann die hundert Jahre der Halbanarchie, wo sich das Herrentum in einem schwachen Staatswesen auslebte in Privatfehden ohne Zahl. Denkwürdigen Stoff lieferte diese Zeit in Fülle: die 'Sagazeit' 930 bis 1030.

Pflege der Haustradition, buchlose Familienchroniken gab es mancher Orten: über die gemeinmenschliche Stufe hinaus hoben die besonderen Zustände Islands, diese einzigartigen, nur-isländischen Verhältnisse der selbstgenügsamen Insel. Hier konnte aus den Memorabilien der Häuptlinge und Gaue etwas wie die Saga erwachsen.

Der Grundstock dieser mündlichen Adelschroniken war der reiche Bestand an Namen: Namen der Menschen, zu Stammbäumen geschlossen; Namen der Orte: der Gehöfte, der Föhrden, Flüsse, Täler, Berge, die den Schauplatz dieser Menschen bilden.

Dies war der ruhende, namenkundliche, unepische Bestand. Er gab das Skelett her.

Aber zum Memorabile gehörte von Anfang an, was diese Menschen an Behaltenswertem taten und erlebten. Der epische Einschlag des Gewebes. Zu einem ausgewachsenen Stammbaum brauchte es den Bericht über die Landnahme auf isländischem Boden: das grundlegende, tief einschneidende Erlebnis jeder Sippe. Weit darüber zurück reichte die Erinnerung selten: von norwegischer Vorgeschichte der Siedler mündete wenig in die Chronik ein. Aber aus dem weitern Lebenslauf der Familien, durch drei bis fünf Geschlechter hin, hielt man Denkwürdiges fest; der Gegenwart abgeschaut und abgelauscht; eine das Leben begleitende Chronik. Sie umfaßte Friedliches und Kriegerisches: Heiraten, Guterwerbungen, Mißjahre und ihr Gegenteil; Auslandsfahrten zu Handel und Hofdienst ... auf der andern Seite die Fehden im Inland, durch Waffe und Dingklage ausgefochten; dazu die Kriegszüge in der Fremde, wo der Isländer 'Gut und Ruhm' erjagte. Diese ernsthaften Dinge — die Waffentaten, wo es um Habe, Leben und Ehre ging —, das muß schon auf der Stufe der häuslichen Chronik breiten Raum gefüllt haben: als die wahrhaft erzählenswerten, 'erzählbaren' (*söguleg*) Begebenheiten.

162. So denken wir uns die *Vorstufe* der mündlichen Saga — die Stoffquelle der nachmaligen Vortragsstücke — keineswegs als bloße Namenhaufen und dürre Stammbäume. Deren Lebens-

kraft erhöhten eingestreute Berichte von allerlei Einprägsamem, zumal von außeralltäglichen Taten und Schicksalen.

Eine gewisse Kunst wird dieser epischen Muskelbekleidung schon geeignet haben. Vermeiden wir den Gegensatz 'Folklore' und 'mündliche Literatur' und scheiden wir: ein Erzählen, das im praktischen Zweck aufgeht, und eines, das drüber hinaus Spiel und Ergötzung erstrebt: dann sprechen wir den hier vermuteten Erzählbetrieb für das erste an und setzen ihn auf eine Staffel, wohin unzünftige schriftlose Erzähler auch anderswärts reichen. Diese isländischen Großbauernchroniken kennzeichnete: daß sie Wirkliches festhalten wollten, auf stoffliche Belehrung zielten; daß sie die Wißbegierde voraussetzten der beteiligten Familie, der beteiligten Landschaft. Eine orts- und hausgebundene Überlieferung. Um dieses Wissen weiterzugeben, brauchte es Gedächtniskraft — nicht Einfühlung, Phantasie und Sprachkunst. Der Aufbau war locker, die Menschenzeichnung äußerlich; die belebten Teile waren *Kurzgeschichten* mit körniger Einzelrede, Zwiesprache erst im Keim, — darunter Stücke von der Art der Ortssage oder der geschichtlichen Anekdote. Nicht selten bildete eine *Strophe*, ein versgefaßter Ausspruch, der im Andenken haftete, den Kern eines knappen Berichts.

Von solchem 'vorsagahaftem Rohstoff' setzt sich manches fort bis in unsre Sagatexte herein; nicht nur Stammbäume und dergleichen: auch Kurzgeschichten, die nun mit ihrer abgebrochenen, kunstlosen Art abstechen von dem Fluß des Erzählwerks.

163. Die unvergleichlich reichste Fundgrube unverbundener Kurzgeschichten ist das Besiedelungsbuch (Landnâmabôk). In seine Kernteile, die Namenhaufen, sind eingebettet achtzig oder mehr erzählerische Strecken, in denen etwas *geschieht*; im Umfang von wenigen Zeilen bis zu einem Paar Druckseiten. Vieles davon ist nachweislich aus dem Zusammenhang einer (mündlichen) Saga geholt; vieles kann wenigstens diese Herkunft haben. Auch wo dies nicht der Fall ist: wo die Kurzgeschichte aus der vorsagahaften Steinschicht herabreicht, etwa als einzelne Landschaftssage dem Sammler zukam, erscheint sie meist gekürzt, ja in dünnem Auszug. Wie die Vorstufe der Isländersaga, die ersthändige Bauernchronik, geartet war, das können wir aus dem Besiedelungsbuch mit seinen geripphaften Erzählteilen nur sehr bedingt ablesen.

Schalten wir zwei Proben aus dem Besiedelungsbuch in getreuer Verdeutschung ein. Die erste, eine Anekdote, männisch genug, doch ohne Fehde, kann 'vorsagahafte Kurzgeschichte' sein; Kürzung muß sie nicht erfahren haben. Wir folgen dem Text der Sturlubok: Landnamabok Islands 1925, c. 306 S. 128f.

'Es war ein Mann namens Arngeir, der nahm Besitz von der ganzen Sletta zwischen Havararlon und Sveinungsvik. Seine Kinder waren Thorgils und Odd — und Thurid, die den Steinolf aus Thjorsardal zum Mann hatte. Arngeir und Thorgils brachen einmal im Schneetreiben auf, nach dem Vieh zu suchen, und kamen nicht mehr heim. Odd zog aus, nach ihnen zu suchen, und fand sie beide entleibt: ein Eisbär hatte sie umgebracht und lag eben auf den Leichen, als Odd herzukam. Odd erschlug den Bären und schleppte ihn heim, und die Leute berichten, er habe ihn ganz aufgegessen, und habe erklärt, seinen Vater rächte er damit, daß er den Bären erschlug, seinen Bruder aber damit, daß er ihn aufaß. Odd war seither bösartig und schwierig im Umgang. Er verstand sich dermaßen auf Gestaltenwechsel, daß er eines Abends von Hraunhöfn aufbrach und am Morgen darauf nach Thjorsardal gelangte seiner Schwester zu Hilfe, die die Thjorsdalleute zu Tod steinigen wollten.'

Die zweite Probe ist eine augenscheinlich stark gekürzte Fehdegeschichte. Sie kann aus einer (mündlichen) Saga bezogen sein. (Unser Sturlubok-Text weicht beträchtlich ab von den zwei anderen Fassungen; diese haben u. a. eine eingeschaltete Strophe.) Ausg. 1925, c. 125 S. 51, 17 bis 52, 19:

(Sigmund, Sohn des Ketil thistil, hatte zur Frau die Hildigunn. Seine Wirtschaft hatte er in Laugarbrekka. Dort wirtschaftete später Einar, der eine seiner drei Söhne.) 'Einar und sein Vater verkauften Lonland an (einen andern) Einar, der wirtschaftete seither dort; man nannte ihn Lon-Einar. Einmal trieb es einen Wal auf seinen Strand, und er schnitt einen Teil davon; das übrige riß die Flut hinaus und trieb es auf das Land des Einar Sigmundssohn. Lon-Einar erklärte, dahinter stecke die Zauberei der Hildigunn. Als es aber den Wal von Lon-Einar hinausgetrieben hatte, machte er sich auf die Suche und kam gerade dazu, als Einar Sigmundssohn mit seinen Knechten den Wal zerschnitt. Er versetzte sogleich einem von ihnen den Todesstreich. Einar von Laugarbrekka hieß seinen Namensvetter abziehn; 'denn euch wirds nicht flecken, dahinter her zu sein.' Lon-Einar machte sich fort, denn er war in der Minderheit. Einar Sigmundssohn schaffte den Wal heim. — Nach Sigmunds Ableben zog Lon-Einar selbsiebent nach Laugarbrekka und lud Hildigunn vor um Zauberei. Ihr Sohn Einar war nicht zuhaus; er kam heim, als sich Lon-Einar eben davon gemacht hatte. Hildigunn erzählte ihm das Geschehene und reichte ihm einen eben fertigen Rock. Einar nahm Schild und Schwert und ein Arbeitsroß und ritt ihnen nach. Das Roß sprengte er zu Schanden auf den Thufubjörg, konnte jene aber einholen bei Mannafallsbrekka. Dort schlugen sie sich, und es fielen vier Mann auf Seiten Lon-Einars, aber zwei der Knechte rannten davon. Die zwei Namensvettern gingen lange aufeinander los, bis der Hosengürtel Lon-Einars entzweiging; und als er danach griff, gab ihm sein Namensvetter den Todeshieb. Ein Knecht des Laugarbrekka-Einar namens Hreidar war hinter ihnen hergelaufen und sah bei den Thufubjörg die Knechte des Lon-Einar ziehen: er rannte ihnen nach und erschlug sie beide in Thrælavik. Dafür schenkte ihm Einar die Freiheit und so viel Land, als er in drei Tagen umzäunt kriegte. Dort heißt es Hreidarszaun, wo er seither wirtschaftete.'

164. Zu § 161 bis 163 sehe man die Arbeiten W. H. Vogts, Arkiv 37, 28ff., ZsAlt. 58, 161ff., Altnordische Übungstexte VI, 1935, Einl. Vogt gebraucht 'frásögn' als Kunstausdruck für Kurzgeschichten, die der Saga vorausliegen. Sie ständen, wie er sich denkt, unter eignen Bildungsgesetzen' und wären einzeln, selbständig durch die Jahrhunderte gegangen — nicht als epischer Einschlag breiterer Hausüberlieferung. Diesen Sinn hat 'frásögn' weder alt- noch neuisländisch. Das Wort kann sich, wie das einfache *sögn* (und das neunorwegische *fråsegn*), von *saga* und *frásaga* dadurch unterscheiden, daß es als Nomen actionis dient: er þessi *saga* hér samin til skemtunar gódum mönnum, til *frásagnar* . . . (Hungrvaka c. 20, 5). Neuisl.: af frásögn sögunnar 'von der Darstellung der Saga' u. ähnl. (In Composita hat auch 'saga' diese Funktion: *uppsaga* 'Vortrag', *lögsaga* 'Rechtsvortrag' u. aa.; sieh Wessén, Zur Geschichte der *n*-Deklination 1914, 167f.). Öfter steht 'frásögn' so, daß man mit 'saga' vertauschen könnte: þar hefjum vér *sögu* eða *frásögn* frá hinum helga Jóni (Bisk. ss. 1, 151); er þessi *frásögn* (die schriftliche Darstellung Eiriks) mest eptir *sögu* (dem mündlichen Bericht) Hákonar maga (Morkinskinna 419, 9; ebensogut stände: '. . . þessi *saga* . . . eptir *frásögn* . . .'; Heimskringla und Eirspennill lesen: suma frásögn reit hann eptir fyrirsögn Hákonar maga); eru þar margar *frásagnir* ritaðar um þat (Heimskr. 1, 480, 13); Nú er þar til *frásagnar* at taka (Bisk. ss. 221, 23), wie sonst 'til sögu'. Sieh auch Yngvars saga vídförla (1912) 49, 3ff.: þessa *sögu* segizt Oddr munkr heyrt hafa segja þann prest, er Ísleifr hét . . . Af þeira *frásögn* hafði hann þat er honum þótti merkiligast. Wir wüßten keine Stellen, wo 'frásögn' die 'einfachen schlichten Erzählungen' unterschiede von der 'saga', dem 'ausgebildeten Kunstwerk' (Mogk, PGrundr. 2, 732; de Boor 419f.).

165. Von neuzeitlichem Erzählstoff vergleicht sich wohl am lehrreichsten die Menge der Bauerngeschichten aus dem südwestlichen Norwegen, v. a. dem Sætersdal. Schon der gleiche Menschenschlag, die verwandte Umwelt bedingen weitgehende Ähnlichkeit — neben tiefem sittenkundlichem Gegensatz. Eine eifrig betriebene Erzählpflege, die wohl an die drei Jahrhunderte zurückreichen mag, hat freilich diese Sætersdaler Geschichten hinausgeführt über den Ehrgeiz und das Können 'gemeinmenschlicher' Volkskunst. Vor allem gelingen Zwiesprachen, lebhaft gegliedert, mitunter dramatisch gewürzt. Wir fühlen uns auf dem Weg zur 'Saga' — mag der Weg auch in andrer Richtung, nicht zur Adelschronik, gegangen sein, und mag er auf einer sehr viel tieferen Kunststufe geendet haben als bei der Saga Altislands. Wieviel die isländischen Siedler schon an Erzählkunst aus dem Mutterland mitbrachten, kann die neunorwegische Bauerngeschichte nicht lehren.

Die beste Darstellung ist die von Liestöl, Norske Ættesogor, Oslo 1922. (Eine Ergänzung aus Schweden nennt C. W. von Sydow, Arkiv 42, 234ff.). Dazu sehe man Liestöls 'Upphav' (§ 155) passim, besonders c. III. Den glaubwürdigen Gehalt schlägt viel niedriger an: Halvor Nordbø, Ættesogor fra Telemark, Oslo 1928.

166. Diese Haus- und Landschaftschroniken — der vorsagahafte Rohstoff, wie wir es nannten — waren den isländischen Adelsbauern ein ernstes Anliegen: wir verstehn, daß dieser Stoff würdig erschien der Veredelung. In Gedichtform ließ er sich nicht fassen! Vortragsstücke in Prosa: dazu war er berufen. Er war der gegebene Gegenstand der neu aufkommenden Sagaunterhaltung.

In welchen Stufen, in welchem Tempo aus der Chronik das Unterhaltungswerk wurde: dies erhellen uns keine Zeugnisse. Die allgemeinen Linien dürfen wir uns so vorstellen:

Man wollte nicht bloß glaubhaft: man wollte auch wohlgefällig erzählen. Was man auf einen Sitz vortrug, nahm an Umfang zu. Es gab geschürzte Geschichten; die belebten Strecken ('der epische Einschlag') dehnten sich. Man erreichte Steigerung und Stimmung. Die Menschen wollte man lebendiger vor sich sehn, Stücke ihres Innenlebens vermitteln.

Die Vortragsstücke erlangten ein neues Schwergewicht: das des menschlich Fesselnden. So konnten sie Hörer finden nicht mehr nur im beteiligten Kreis: auch im Nachbarstal, wohl selbst im ganzen Land ... oder am Allding, wo das ganze Land vertreten war. Die Geschichten wurden freizügig. So brauchte auch der Mann, der von einer Sippe berichtete, kein Angehöriger zu sein. Was ihm nottat, war nach wie vor ein starkes Gedächtnis; waren doch die Erzählungen so viel länger, und ihr Ausdruck festigte sich: das heischte Auswendiglernen! Dazu aber kamen nun die Begabungen, die den guten Erzähler machen.

Der Chronist wächst sich aus zum Prosaepiker; die stoffsüchtige Familiendenkwürdigkeit zum Lebensbild. Es ist ein erhöhter Typ des Erzählens: immer noch volkhaft-ungelehrt, doch von anderm Ehrgeiz als die übliche Ortssage[1]). Auf diesen sagahaften Betrieb — wie er uns in den Zeugnissen von § 157f. entgegentritt — wären nicht mehr anzuwenden die Beobachtungen, die heutige Sammler an der 'Lebensform der Volkserzählung' machen[2]). Es sind keine 'Erzählungsgemeinschaften', gutenteils weiblich, mit lebhafter 'formender Wechselwirkung zwischen Erzählern und Hörern'; der jeweilige Erzähler ein 'Sprecher der Gemeinschaft'. Über diese Stufe ist es hinausgelangt; die Leistung des Geschichtenmanns ist abgerückt vom Gruppenhaften; man würdigt sie entschiedener als Können, als Übung des Einzelnen.

Als durchgreifenden Wandel denke man sich diese Erhöhung nicht! Die Steigerung, die Ausformung packte nicht die ganze Masse. Vor allem das Skelett der Eigennamen blieb, was es war. Aber auch die Weichteile ergriff es hier mehr, dort weniger ... viel Zufall mochte da spielen. Auch ein lebenswichtiges Glied der Erzählung konnte dem Neuguß widerstehn (§ 183).

In der Geschichte (oder Vorgeschichte) der isländischen Saga war dies die entscheidende Wendung. Dieser Aufstieg von der formschwachen Hausüberlieferung zum selbstbewußten Vortragsstück hat bewirkt, daß diese Gebilde, als es so weit war, aufs Pergament kamen. Als 'volkskundliche Vorstufe' wären sie nicht literaturfähig geworden, wären sie verschollen — wie die Familiengeschichten andrer Völker.

[1]) Sydow, Arkiv 43, 227 (1927).   [2]) Hagemann, Zschr. f. dt. Bildung 14, 149ff. (1938).

167. In der Pflege der buchlosen Erzähler lebte die Saga viele Geschlechter. Merken wir folgende Zeitgrenzen!

Die 'Sagazeit', d. h. den Zeitraum der Sagahändel, rechnet man von 930 bis 1030. Ein paar Nachzügler spielen um 1050 herum. Dann hört es mit diesen alten Familiengeschichten auf. Das lag daran, daß nun eine 'Friedenszeit' folgte, die weniger spannende Stoffe bot; aber gewiß auch daran, daß diese Kunst einmal ihren schöpferischen Hochstand hatte und dann zum Wiederholen und Ausbauen überging — wie andere Kunstarten auch, z. B. die altgermanische Heldendichtung (§ 125).

Über die Zeit der Sagaschreibung hat man sich so ziemlich geeinigt. Die zweite Hälfte des 12. Jahrh. als Hochstand; der Leitsatz: 'diese Saga ist klassisch, *also* vor 1200 verfaßt': damit hatte man ein wichtiges Quellenzeugnis mißdeutet[1]). Ums Jahr 1200 ist das weltliche Schrifttum der Insel — von den Rechtsbüchern abgesehn — noch dünn zu denken. Eine kirchliche Bischofsgeschichte kurz nach 1200, die Hungrvaka, spricht davon: die Schrift wolle junge Leute dazu locken, sich mit unsrer Sprache vertraut zu machen und nordisch Geschriebenes zu lesen, Rechtsbücher oder Sagas oder (sonstiges) Biographische. So spräche keiner, der auf ein umfängliches Unterhaltungsschrifttum zurückschaute. Mit dem 13. Jahrh. beginnt eine neue Welle der ungelehrten Buchwelt. Jetzt wollte man auch Unterhaltungs- werken mit der Feder zu Hilfe kommen (das 12. Jahrhundert hatte fast nur Zweckprosa und gelehrte Prosa gebucht); jetzt wurde es Brauch, aus unsren Familiensagas Büchlein zu formen. Bald griff der junge Snorri ein und stellte in seiner Egils saga, um 1210, das erste anspruchs- volle Buch hin aus unserm Stoffkreis. Dem eigensten dieser Saga hat man zwar wenig nach- geeifert: daß nämlich norwegische Stoffmassen vor der Landnahme zu der Ausführlichkeit erblühten, dem scheinhistorischen Nahblick, wie es sonst erst Händel tief aus dem 10. Jahrh. erfuhren. — Bis um 1230 darf man die Frühzeit der geschriebenen Islendinga sögur rechnen. Die zweite Zeitspanne mag mit dem isländischen Freistaat, um 1264, enden. Dann folgt eine Nachblüte, die noch einzelne hochstehende Gestaltungen zeitigt. Im frühvierzehnten Jahr- hundert läutet das Schaffen aus — nicht das Abschreiben und Sammeln.

Im großen deckt sich die Schreibezeit der Familiengeschichten mit dem 13. Jahrh. Die behandelten Stoffe fallen zwischen rund 870 und 1030 (1050). Demnach haben unsre Ge- schichten 1½ bis 4 Jahrhunderte, das sind fünf bis dreizehn Menschenalter, im schriftlosen Gedächtnis gelebt. (Geformte Vortragsstücke, 'mündliche Sagas', wären es nach § 160 erst seit dem Ende des 10. Jahrh. gewesen.) Wie oft sich in diesem Zeitraum die Sagamänner ablösten, bleibe offen. Wir wollen die Zahl nicht herabdrücken durch die Annahme: die geschätzten Erzähler hätten immer erst als Greise ihren Vorrat an Junge abgetreten — so daß es in zwei Jahrhunderten nur dreimal zu wechseln brauchte![2]) Was ein Zwanzigjähriger eindrucksvoll erzählte (wie der Jüngling an Haralds Hof § 158), mochte gleich schon seinen Abnehmer finden, an neue Verwalter kommen.

[1]) Die richtige Erklärung bei Jón Helgason 166f. Etwas anders bei Bj. M. Ólsen, Safn til Sögu Islands VI 5, 1ff.   [2]) Liestöl, Upphavet 190f.

168. Diese Jahrhunderte der mündlichen Saga muß man sich als Zeit reger Fortbildung denken. Das 'Lernen' einer Erzählung war zum Teil gewiß Auswendiglernen: viele Stellen, zu- mal Reden, hakten sich im Wortlaut ein. Man denke an die wortgetreue Widergabe, die zum Märchen gehört. Aber dies hatte seine Grenzen. Ein starres Wiederholen der ganzen langen Geschichten hat man nicht verlangt. Die Masse blieb wandelbar: nicht nur wegen der Schran- ken des menschlichen Gedächtnisses; auch weil der kundige Sagamann bewußt änderte, aus künstlerischem oder aus kritischem Antrieb, d. h. weil er das eine gefälliger, das andre glaub- würdiger meinte geben zu können. An den südnorwegischen Sippengeschichten kann man diese Hergänge beobachten (§ 165).

In welcher Richtung dieses Fortbilden ging, läßt sich einigermaßen vermuten. Es war der gleiche Kurs wie beim Übergang von der Chronik zum Vortragsstück (§ 166). Man fuhr

fort, das menschlich Fesselnde zu verstärken; rein Stoffliches auszusieben, die Umrisse zu
klären. Also ein Vereinfachen der Massen (auch der Namenhaufen) — zugleich ein Heraus-
wölben und Bereichern des Wichtigen. Die Darstellung der Hauptsachen gerät umständlicher
(Liestöl). Die Seelenzeichnung vertieft sich und wird mehr Selbstzweck. Das Werkzeug dazu
ist der verfeinerte Dialog.

Das sind nicht bare Vermutungen! Stützen lassen sie sich auf die Geschichten der Sturlungasammlung. Hier haben wir gute Gegenbeispiele. Diese Geschichten nämlich kamen bald
nach den Ereignissen zur Niederschrift. Das schnitt ihnen ein weiteres Wachstum ab: sich im
Munde von Erzählern zu vereinfachen, zu klären, dazu hatten sie keine Zeit.

Nur müssen wir auch hier wieder das Gradmäßige betonen! Aus der 'Chronik' wuchs es
nicht hinaus — wollte es nicht hinauswachsen. Das bekunden noch unsre Sagatexte. 'Zwischen-
formen zwischen Chronik und Roman' hat sie Vedel genannt[1]). Für 'Roman' sagen wir besser
Unterhaltungsstück. Denn was wir 'geschichtliche Romane' nennen, stellt sich grundsätzlich
anders zu Dichtung und Wahrheit. Sie legen eine freigeschaffene Fabel in einen geschichts-
treuen Rahmen. Das tun unsre Isländersagas nur ausnahmsweise; es gölte von der Gattung
'Isländerfabel' (§ 155. 189). Im übrigen trifft Vedels Formel ins Schwarze. Mittelding zwischen
Chronik und Unterhaltungswerk: unter diesem Blickpunkt wird man dem Stil — auch dem
Kunstwert — unsrer Sagas gerecht. Vgl. u. § 175.

Anfing die Linie bei der Chronik: sie steuerte auf den 'Roman' — und hat auf diesem Wege
bald hier, bald dort Halt gemacht. Daraus fließen gutenteils die Verschiedenheiten der Sagas.
Aber die Gruppe im ganzen will Chronik — glaubwürdige Vorzeitskunde — bleiben. Das Unterhaltsame oder Künstlerische darf vielleicht noch an vollreifen Werken der dienende Teil heißen.
Wie Liestöl sagt: 'Die Familiensagas haben geschichtliche Grundlage, sie waren von Anfang
an Geschichte, wollen Geschichte sein und wurden dafür gehalten' (Upphavet 229).

'Familienchronik' im strengen Sinne: diese Anlage zeigen doch nur wenige unsrer Sagatexte. Nennen wir die Vatnsdœla, die Vapnfirdinga, die Egils saga; schon bedingter die Reyk-
dœla und die Svarfdœla saga. Da gibt das eine Geschlecht, durch mehrere Generationen,
den Grundplan her. Der Stoff ist geschaut von der Familie aus, mit einem Unterton von
Sippenstolz. In der Mehrheit der Islendinga sögur sind es andere Baurisse, die das Viele umspannen (sieh § 178). Ist das erst im Lauf der mündlichen Pflege so geworden? Haben sich
geschlossene Einzelleben, haben sich novellenartige Bauten erst gleichsam abgeschnürt aus
profilärmeren Überlieferungsmassen?

[1]) Valdemar Vedel, Helteliv 88. 'Eine Art geschichtliche Romane' sagte Sars, Udsigt over den norske
Historie 2, 294 (1877).

169. Es konnte nicht anders sein, die Umsetzung ins spannende Vortragsstück mußte
den 'geschichtlichen' Bestand überziehen mit einer Decke von Erfindung. Auch das Gerüste
der großen Begebenheiten konnte sich verschieben ... überprüfen können wir das zur Ausnahme:
aus dem Siedelungsbuch, aus Ari, oder die eine Saga berichtigt die andere. Zuverlässig, wie es
eine zeitgenössische Aufzeichnung sein kann, ist unsre Sagagruppe nicht. Wo eine Prüfung
nicht gelingt, also in 99 Fällen von 100, da bleibt uns nichts, als die Glaubwürdigkeit auf sich
beruhen zu lassen. Mit dem 'Was keinen Verdacht erregt, ist wahr', kutschieren wir doch nicht
mehr ... Im großen ist das ruhende, sittenkundliche Bild treu festgehalten; und zwar
die Zustände der Besiedelungs- und der Sagazeit. Das lehrt der Vergleich mit den Abbildern
jüngerer Jahrhunderte (in der Sturlungasammlung), sowie mit den Rechtbüchern der Insel.

Kulturgeschichtlich sind die Isländersagas von unschätzbarer 'Echtheit' . . . lückenhaft und gedämpft ragt nur der Heidenbrauch herüber: das muß man den Vermittlern der ersten christlichen Jahrzehnte zugut halten! Erst später sah man die heidnischen Dinge als unverfängliches Altertum . . . Was aber in diesen Sagas geschieht: diese spannenden Schürzungen mit ihrer Tragik —: jeder Leser fühlt, das ist *zu schön*, um bare Wirklichkeit zu sein. Grad in den besten Sagas, bei all ihrem Tatsachensinn, steht so vieles, 'was sich nie und nimmer hat begeben' . . . Richtig romanhaft werden unsre Erzähler, wo sie den nordischen Boden verlassen: in Britannien, in Rußland oder gar am Bosporus. Auch das aktenmäßige Gebaren der Egils saga c. 50 ff. (der englische König gewinnt einen großen Sieg dank zwei isländischen Bauernsöhnen) darf uns da nicht täuschen. In den Auslandskapiteln regt sich auch ein gewisses Prunken mit den lieben Landsleuten: eine Neigung, die sonst das altisländische Schrifttum verschont.

Neben dieser geschichtsfeindlichen Wirkung jedoch stand die gegenteilige: das episch aufgefaltete Werk hatte mehr Anwartschaft auf Zukunft; es war ein dauerhafteres Gefäß der chronikartigen Inhalte.

Neuere Forschung hat den Namen 'Traditionssaga' aufgebracht. Soll der meinen 'eine Saga mit viel überliefertem Baustoff' —: das träfe ohne weiteres auf die ganzen drei Dutzend zu. Weniger blaß wäre der Sinn: ein Text, der eine mündliche Saga — die 'Quellensaga' — fortsetzt. Diese Überschrift hätten Frühere ohne Skrupeln den Familiensagas zugestanden. Heute fühlt man sich weniger sicher. Bewiesen ist es vorläufig für keine, daß ihr der Name Traditionssaga, im bezeichneten Sinne, nicht zukomme.

In der Frage nach der Glaubhaftigkeit hat sich bei isländischen Forschern ein Umschwung vollzogen: sie nehmen es nicht mehr auf die vaterländische Ehre, daß ihre Familiensagas reine Geschichtsurkunden seien.

Beispiele bei Bj. M. Ólsen, Safn til Sögu Islands VI 5, 22 ff. Dazu Matthías Thórdarson, Skírnir 1921, 62.

170. In der Schreibstube hörte die Entwicklung des Sagakörpers nicht auf . . . Gern wüßten wir, wie es da zuging! Wie weit man dem erprobten Erzähler seine Kabinettstücke einfach nachschrieb? — Vergegenwärtigt man sich die Geschichtenunterhaltung an der isländischen Hochzeit von 1119 und an König Haralds Hof (§ 157 f.), so sagt man sich: besseres konnte eigentlich ein schreibkundiger Sagafreund nicht tun, als diese belobten Nummern möglichst treu aufs Kalbsfell zu bannen! — Doch verallgemeinern wir nicht! Die ungelehrten Sagamänner waren nicht lauter Meister; ein Schreiber mochte sich zutrauen, eigenes, besseres beizutragen. Blieb er damit, nach Gedanken und Ausdruck, im Gleis der mündlichen Vorgänger: dann ist es verlorene Mühe, seinen Eingriffen nachzuspüren. Nur die Frage lohnt sich: erkennen wir an diesem Sagatext Züge, die hinausgehn, so oder so, über die Kräfte eines schriftlosen Sagamanns? *Buchhafte Züge.*

Solche leugnet niemand. So im Umfang. Unsre fünf Großen Sagas, mit 170 bis 400 Druckseiten, gehn über den dreistündigen Vortrag (§ 158) weit hinaus. Ferner: Benutzung schriftlicher Quellen; kunstvoller Aufbau; Annäherung an kritische Historie; periodenreiche Sprache —: auch darin kann sich Buchmäßiges, Schriftstellerwerk verraten. Abermals handelt es sich um eine Gradsache. Wieviel Schreibstubenhaftes hat die und die Saga mitbekommen? Wieweit spürt man ihr die Feder an?

Mit dieser Frage sollte man an die Texte herantreten.

Will man dem unbefangen nachgehn, so reiße man sich das Argument von der Seele: diese Saga hat Persönliches — und Persönlichkeit erwacht erst vor dem Tintenfaß. Behutsam sei

man auch damit: dies und das ist *zu gut* für einen buchfreien Sagamann. Kenner volkstümlicher Überlieferungen sind des Glaubens, der Schritt vom Sprechen zum Schreiben bedeute
nicht in allem ein 'besser' . . .

Einigkeit sollte zu erreichen sein in den zwei Punkten: einmal, daß die schriftliche Saga
vielfältig abweichen kann von ihrer mündlichen 'Quellensaga'. Anderseits aber, daß die Gruppe
Islendinga saga, als ganzes, der vorbuchlichen Saga-Art nah geblieben ist; ohne Vergleich
näher als die Masse der Königssaga (§ 191. 194). Im 13. Jahrh. lag die Kunst des Schreibens
noch überwiegend bei Geistlichen. Nicht immer werden sie willenlos dem Diktat eines Geschichtenmanns gefolgt sein . . . übrigens sind a u c h geistliche Geschichtenmänner mündlicher
Zeit bezeugt, wennschon nicht gerade für Familiensagas. Genug, Spuren kirchlicher Einstellung
und Redeweise trifft man nicht so selten. Diese Takte in abweichender Tonart schränken
den Satz wenig ein: die Niederschrift hat die urprofane Isländersaga in kein neues Erdreich
umgepflanzt. Am wenigsten die S p r a c h e dieser Sagas. Diese Sprache haben die geistlichen
Schreiber nicht in ihrem Trivium gelernt: sie ist die Erbschaft der volkstümlichen Geschichtenmänner. Wie Neckel bündig sagt: Der Sagastil ist mündlich.

Zu weit ging man wieder, wenn man erklärte: der Sagastil war f e r t i g, eh die Niederschrift
begann. Eine unklare Vorstellung! Die Niederschrift zog sich durch 3—4 Menschenalter (§ 167).
Soll das 'fertig' schon zu Anfang dieser Spanne gegolten haben — auch für d i e Nummern, die
erst gegen Ende das Pergament erlebten? (vgl. § 172 Ende.)

Die merkwürdige Tatsache, daß zu k e i n e m dieser hochgeschätzten Werke ein Urheber-
name laut wird (bei der Königssaga sind es zehn! § 191), besiegelt den Schluß: die Sagaschreiber
sind in der Gattung Islendingasaga nur sehr bedingt die Sagaverfasser. Das meint hier so viel
als: die schöpferische Leistung ist gruppenhaft; sie verteilt sich — k a n n sich verteilen auf eine
Mehrheit von Erzählern, mündlichen und federführenden. Denn n a c h der ersten Buchwerdung
noch konnte die ‚Entwicklung' weiter gehn: Abschreiber, Bearbeiter konnten aus schriftlichen
Vorlagen nennenswert Neues schaffen. Zwei Hauptwerke der Gattung, die Njâls und die
Grettis saga, haben dieses Schicksal gehabt.

Man sieht, der Begriff 'die ursprüngliche Saga' hat bei unseren Denkmälern etwas Schatten-
haftes. Was meint man damit? Die erste Niederschrift? . . . oder das, was sich zufrühest aus
der Denkwürdigkeit zum Vortragsstück ballte?

Die Forschung wird sich nicht nehmen lassen, auch auf diesem Felde nach dem Verfasser-
Ich zu suchen; nach dem persönlich Einmaligen, der Eingebung des Einzelnen, zu fragen.
Nur behalte man im Auge, wie die Bedingungen bei dieser Gruppe liegen. Man ziehe den Ent-
stehungsmöglichkeiten den Kreis nicht zu eng.

171. Auch diese letzten Abschnitte mußten sich mit Vermutungen tummeln . . . Nicht bekämpfen,
nur kurz kennzeichnen wollen wir eine grundverschiedene Auffassung vom Werden der Saga. Danach wären
unsre Sagatexte ungefähr so entstanden wie Walter Scottische Romane. Mündliche Quellen hatten sie,
gewiß; die gehn unter dem weitspannenden Namen 'Tradition' (isländisch *munnmæli*). Aber *das Werk* kam
durch den Schreibenden zustande. Bj. M. Olsen hat es so gefaßt: in den Sagas mischen sich Vorzeiterinne-
rungen, die der Verfasser sammelte, mit Schmuck, den er selbst hinzutat . . . . Das träfe ja leidlich auf die
Schaffensweise Sir Walters zu! 'Schriftstellerische Bearbeitung von Folklore' nannte es Neckel. Der 'Schmuck'
begann, so scheint es, mit dem Schreiben; bis dahin, 200 Jahre lang, wären die Erinnerungen noch schmuck-
los gewesen; wahrscheinlich auch geschichtstreu. Danach zerfiele eine Saga in die zwei Bestandteile: einen
volkssagenhaften Grundstock und die halbdichterische Behandlung durch den schreibenden Verfasser.
Gegenstücke zu diesem Werdegang vermissen wir. Jenen ersten Werdegang — aus mündlicher Erzählübung — hat Liestöl auf prüfbare Gegenstücke gestützt. Der Gegensatz der beiden Standpunkte meldet

sich auch in der Stilbetrachtung auf Schritt und Tritt. Man sehe unser folgendes Hauptstück; noch öfter hätten wir den Unterschied unterstreichen können. Nicht überall brauchen die beiden Standpunkte schroff gegeneinander zu stehen; es gibt Vermittlungen. Erkennen wird man die Vertreter des zweiten daran, daß sie von *mündlicher Textspaltung* nichts wissen wollen (Literaturblatt 1939, 19f.); daß ihnen das 'Sammeln' der Hauptbegriff ist bei der Sagaentstehung; ferner daran, wie sie von *dem Verfasser* der Saga reden. Der Verfasser (*author, höfundur*) ist ihnen — ohne Vorbehalt — der eine Mann, der zuerst die Feder geführt hat. (Bezeichnend bei E. Ó. Sveinsson, Acta Phil. Scand. 1938, 83: 'the last stratum of the saga, *in other words the author*'.) Summiertes Schaffen aus mündlicher und schriftlicher Zeit stellen sie nicht in Rechnung. Leugnen kann man ja die mündlichen Vorträge schwer; aber man hat den Eindruck, aus lauter Sorge, wir machten zu viel daraus, behandelt man sie mit Abgunst. Sichtlich unbequem wird der locus classicus, der Sagamann bei König Harald (S. Nordal, Egils saga 1933, Einl. LXI). Worauf es ankommt: der Folgerung weicht man aus, unsre Sagatexte könnten auf solchen Vortragsstücken gebaut haben. Die mündliche Erzählkunst *in abstracto* räumt man ein: das mündliche Erzählstück *in concreto* läßt man aus. Nie fragt man: Was kann an dieser Saga auf das Vortragsstück zurückgehn? Um diese Frage gutzuheißen, müßte man die Größen anerkennen: Vortragsstück, mündliche Saga, Quellensaga. Auch dem Begriff 'buchhafte Züge' wird man kaum begegnen: die Saga *ist* überhaupt *Buch*. Was isländische Forscher die *arfsögn*, z. B. über Egill, über Grettir, nennen, ist keine *arfsaga: es will nicht das sein, was wir die 'Quellensaga' nennen. Es tritt gleichsam an deren Stelle: es ist die 'Erbtradition', der Inbegriff dessen, was man an Ort und Stelle über Egill, über Grettir weitergibt.

Diese Ansicht kam zu Worte erst bei Konrad Maurer, ein Geschlecht später bei Björn Magnússon Ólsen: zwei Männern mit einem Überschuß von logischem oder rechnerischem Bedürfnis. Wer die beiden kannte, bringt Widerhall auf für Liestöls Wort: hinter der Lehre steht letztlich 'ein gewisser Schreck vor so viel Unbekannten und so viel Variablem', womit man bei langer mündlicher Überlieferung zu rechnen hat (Maal og Minne 1936, 1). Freilich besteht auch die 'Tradition', das Factotum dieser Erklärer, aus lauter Unbekannten und Variablem; aber da nimmt mans nicht so genau. — Um die Jahrhundertwende war die vor-Maurersche Anschauung stiller geworden. Rudolf Meißners Eintreten für sie (1902) wirkte erfrischend — ähnlich wie zehn Jahre vorher Axel Olriks erstes Saxoheft. Aber erst Jón Helgason (1934) gab der Ansicht Einlaß in ein neueres Lehrbuch. Zur Zeit führt Sigurd Nordal, sekundiert von seinen Reykjaviker Schülern, eine elegante Klinge für das Erbe Björn Magnússons; sieh u. a. Studia Islandica Heft 4 (1938), bes. 26f. Die hier gegebene Schilderung, wie die bekämpfte Lehre zuerst an den Königssagas Schiffbruch gelitten und dann die Isländersagas als Rettungsboot aufgesucht habe, ist witzig, stimmt aber nicht im Tatsachen — schon aus Gründen der Zeitrechnung. Peter Erasmus Müller, z. B. in seiner Sagabibliothek I 1817 (bes. S. 21 ff.), steht unbefangen auf dem Boden, den man heute 'Freiprosalehre' nennen würde, und zwar im Blick auf die isl. Familiensaga, — lange bevor Rudolf Keyser, geb. 1803, seine Theorie von dem norwegischen Ursprung der Königssagas aufstellte. Oder hätte G. Vigfússon sein schroffes Bekenntnis zur mündlichen, wortgetreu wiederholten Saga (Safn til sögu Islands 1, 191. 1855) erst aus dem Schiffbruch der Keyserschen Lehre bezogen? Führen wir aus S. Nordals Einleitung zur Egils Saga 1933 eine kennzeichnende Äußerung an. Er gibt zu, daß die Sagaschreiber in gewissem Sinne 'auf dem Boden der mündlichen Erzählkunst standen' — und versichert gleichzeitig, daß sie sich 'den Sagastoff überhaupt nicht anders aneigneten als so, daß sie ihn mit ihren eigenen Worten wiedergaben' (S LXII). Wenn man das wüßte! Statt des 'überhaupt' ließe man doch besser das Gradmäßige offen.

Die Schlagworte 'Freiprosa' und 'Buchprosa' haben wir bis eben gemieden. Sie haben etwas Starres und verführen leicht zum Übertreiben, zu Zerrbildern der gegnerischen Ansicht. Solche können freilich auch ohne die Schlagworte entstehn; z. B. im Safn til Sögu Islands VI 5, 99. Auch Dag Strömbäck (Sejd 1935, 4—16) stellt einen Spiegel auf, worin sich ein Freiprosagläubiger schwerlich erkennen wird. Macht es soviel Mühe, sich in das Gradmäßige, das Abgeschattete hineinzudenken?

Der Sagaschreiber, bemerkt Liestöl a. a. O. 14, kann viererlei gewesen sein: Aufzeichner — Sammler — Überarbeiter — in hohem Grade neuschaffender Verfasser. Frühere Freiprosaiker haben einseitig das erste, die Buchprosaiker einseitig das zweite und vierte geltend gemacht.

XIX. DIE ISLÄNDISCHE SAGA: IHR STIL

172. Drei Dutzend Familiengeschichten sind uns bewahrt. Untergegangen sind viele; man hat geschätzt, ein Drittel, wo nicht die Hälfte. Für ein Volk von 50000 Köpfen eine starke Hervorbringung — neben all dem andern!

Die drei Dutzend verteilen sich über die vier Viertel der großen Insel. Ihre Art hat viel Gemeinsames. Dem Fernblick erscheint sie einheitlich bis zur Eintönigkeit; treuherziges Formelgut im großen wie im kleinen. Dem Nahblick löst es sich auf in greifbar verschiedene Einzelwerke. Wer an anderen mittelalterlichen Gattungen mißt, wird die Isländersaga nicht zu den stark schablonenhaften stellen. Darin hat sie einen hochgeborenen Zug. Mit stehenden Motiven, 'Gemeinplätzen', arbeitet sie weniger als die irische und die französische Heldensage und der Ritterroman. Liebhaber des 'Schemas' finden hier wenig Ausbeute. Fertige Prägung zeigt sich mehr in Äußerlichkeiten (Wendungen des Übergangs, Abschlusses usw.).

Die bedingte Einheitlichkeit konnte entstehn, weil schon in dem langen mündlichen Zeitraum Sagas aus getrennten Gauen tauschten; will sagen: ein Erzähler führte viele Geschichten in seinem Vorrat ... wir müssen nochmals an den Namenlosen bei König Harald erinnern (§ 158). Die einstigen Hauschroniken waren als Vortragsstücke freizügig geworden (§ 166). Das ganze Bild der Saga sähe anders aus, hätten die einzelnen Werke erst als Bücher aufeinander wirken können.

Aber auch das Gegenteil, die verhältnismäßige Vielfalt der Gruppe, muß schon vorbuchlich angefangen haben. Hat es etwas gegeben wie die 'unbedingte Unterordnung unter den Kunstbrauch gewisser Sippen und Schulen'? (Sars). Von *Schulen* der Sagakunst lesen wir immer nur bei neuzeitlichen Gelehrten, nie in alten Quellen (vgl. § 103). Man frage sich auch, wieviel man von den trennenden, nicht gattungsmäßigen Zügen der Sagas als buchhaft anspräche.

Es liegt nahe, aus den Ungleichheiten — im Seelischen und im Handwerklichen — zahlenmäßige Altersstufen zu folgern. Wäre denn in der Schreibzeit die Entwicklung stillgestanden? Nach 1240, als Snorri schied, mochte es um Geschmack und Können anders stehn als vierzig Jahre vorher oder nachher. Einige Zeitstufen hat man annehmbar gemacht; es sieht nicht so hoffnungslos aus, wie G. Vigfússon 1855 meinte. Von den fünf Großen Sagas darf man die Eigla und die Eyrbyggja in den ersten Zeitraum setzen, die Laxdœla in den zweiten, die Njala und die Grettla in den dritten. Solange man glaubte: alles Gute, 'Klassische', lag am Anfang und dann rutschte es stetig in die Tiefe, — solange geriet man in Klemmen bei Laxdœla, Njála, Grettla; denn die waren unleugbar 'gut' und zugleich offensichtlich neuartiger. Man mußte sich wenden und drehen, um den Leitsatz zu retten.

Wichtiger als Jahreszahlen ist uns die Erkenntnis, was eine Saga altertümlich aussehen macht. Als Züge 'moderneren Geistes' kann man etwa die folgenden nennen.

173. Verwirrung der Stammbäume und der Örtlichkeiten.

Hinweggleiten über die scharfen Tatsachen des Rechtshandels. (Wogegen die Begeisterung für den Wortlaut der Rechtsformeln eine Besonderheit der späten Njála ist.)

Übertreibungen in Waffentaten, leiblichen Vorgängen ...; das Gedunsene, Barocke, Ruhmredige.

Schwarz-Weiß-Zeichnung der Menschen. Wunschbilder an Stelle 'gemischter' Köpfe.

Seelische Hochspannung im Sinne des *drengskapr*, der edeln Großmut. Anderseits Zunahme schalkhafter Spottlaune.

Neigung zu Fabelei, zu Märchenartigem, zu Zauberspuk (wobei zu sondern ist zwischen ernsthaftem Volksaberglauben und wurzelloser Einbildung. Als Beispiel und Gegenbeispiel die Eyrbyggja und die Vatnsdœla saga).

Ausmalung von Abenteuern in der Fremde, besonders Seekämpfen, im Geschmack der Wikingromane.

Ritterlicher Aufputz, Wappenwesen, Hofzeremoniell.

Christliche Züge, die für die Sagaperiode einen Zeitverstoß bedeuten.

Anteil am Geschlechtlichen, Anflug südlicher Erotik.

Neuartigeres in der Formgebung:

Ausgeglichene Breite, keine jähen Sprünge. 'Vorsagahafte' Kurzgeschichten stechen nicht mehr ab (§ 162). Wogegen gemächliches Tempo schon einem sehr alten Texte eignet.

Das meiste der Saga gehört zur Sache (zur fortlaufenden Geschichte); nebenaus liegendes wiegt leicht.

Man erzählt Dinge, die keine Zeugen hatten.

Vorliebe für Wechselreden, die der Ablauf entbehren könnte. Gesprächigkeit.

Glatte Flüssigkeit des Satzbaus; 'ausgeschriebene Feder'.

Zunahme der Lehnwörter, besonders der ritterlichen und deutschen.

Solche Züge können die Teile einer Saga gegeneinander abheben. Ungleiche Formgefühle sogar innerhalb eines Werks. Das verliert sein Wunderbares, wenn man Ernst macht mit dem 'summierten Schaffen' (§ 171). Gute Beispiele gibt die Laxdœla saga, wohl die buntscheckigste der Familiengeschichten. Kein Sammelwerk! Aber der Letzte hat, was er vorfand, nicht gleichmäßig eingeschmelzt.

Den Schlüssen auf Jahreszahlen (vor. §) steht entgegen: es gab schon früh die Gattungen des Abenteuerromans, der kirchlichen Saga usw.: seit wann konnten die auf die Familiensaga abfärben? Allgemeiner gesagt: ungleiche Richtungen der Prosa liefen auf Island schon seit 1200 nebeneinander her; das lehren uns die zeitlich bestimmbaren Königs- und Bischofsgeschichten. In dem Island des 13. Jahrh. ist Stilunterschied nicht ohne weiteres Altersunterschied.

Von jenen neuartigen Zügen weist einiges auf südlichen Anhauch. Denkwürdig, wie schwach das Europa der Kreuzfahrer auf unsre Sagagruppe gewirkt hat! Die Mitarbeit der schreibenden Geistlichen hat aus der Isländersaga keine römische oder welsche Gattung gemacht (vgl. § 4). Leise Annäherungen daran hört ein geübtes Ohr. Einen Fall gibt es, die Laxdœla saga, da hat der verborgene Einfluß des Südens — an eine bestimmte fremde Vorlage ist nicht zu denken — ein Hauptwerk hervorgebracht von eigenartiger Mischung der Klänge[1]).

[1]) Fein gekennzeichnet durch Paasche 342f.
Wie ungleich man die Altertümlichkeit einer Saga (und mittelbar ihren Wert) schätzen konnte, zeige das Urteil zweier Kenner. F. Jónsson nannte die Gunnlaugssaga eine Perle; sie müsse an die drei Geschlechter älter sein als die 'unklassische' Hœnsnathorissaga. Bei Bj. M. Ólsen drehte sich dies um: der Hühnerthorir bezeichne eine noch wenig entwickelte ältere Stufe, und die Geschichte von Gunnlaug sei ein halb romantischer Spätling, 50 bis 80 Jahre jünger als jene! — Hier würden wir uns nur zu sagen getrauen: in der Hœns. sind die Fäden sichtbarer von einer unliterarischen Bezirksüberlieferung her; die Gunnl. ist mehr 'Roman' — und insofern deutlichere Spätblüte.

174. Versuchen wir, den Sagastil zu zeichnen. Nach 'mündlich gegen schriftlich' fragen wir hier nicht mehr. Wir haben auch hier die Gruppe der Familiengeschichten im Auge, vieles

aber kehrt wieder in einem Teil der Königsgeschichten (§ 192), bedingt auch in den übrigen Gruppen. Einen Gegenpol bezeichnet der 'kirchliche Strang' (§ 193). Unsre Absicht geht auf das Gemeinsame; die Klausel 'mit wenig Ausnahmen' könnte man öfter ergänzen. Es gibt 'den Sagastil', mag sich auch die Einheit, wie wir sahen, in vielfältigen Strahlen brechen.

Zuerst etliche große Umrisse.

Es sind Bauerngeschichten, aber nicht für Wirtschaft und Stilleben offen, vielmehr für männisch-heldisches; 'Ehrverletzung und Sühne ist der eigentlich erzählenswerte Gegenstand der Saga' (Wolfgang Mohr): die Erlebnisse, die am Manne, auch der Frau, die höchst geschätzten Eigenschaften erproben.

Ein scharfäugiger Wirklichkeitssinn schaltet mit einer chronikenhaften Tatsachenmenge. Es fängt beim Anfang an und schreitet geordnet vor. Auch leicht ergänzbare Glieder fließen ein: das Anklopfen, das Öffnen der Tür ... Vor unsern Augen wächst die Handlung aus dem Zuständlichen. Dieses Zuständliche ist der Mensch; der gewohnte Eingang ist: 'Ein Mann hieß Ketill ...'

Subjektive Lichter setzt es spärlich: das Wahrzeichen der Saga neben antiken und neueren Romanen ist die Sachlichkeit. Wir Hörer folgen als Zuschauer — oder Zuhörer. Eine beispiellos unpersönliche Wirklichkeitsbuchung.

Fast alles ist fortschreitende Handlung. Beschreiben und Belehren erhält engen Raum. Die Menschen macht, außer kurzen Einführungen, nur die Geschichte selbst lebendig.

Der gute Erzähler knetet möglichst viel zu geschauten Auftritten, die er uns ohne Kommentar erleben läßt. Zeichenhafte Züge können die Hintergründe erhellen — berechnetes Halbdunkel die Täuschung des Miterlebens erhöhen.

Das Rezept gleichsam des Erzählens ist: Menschen gegeneinander zu stellen, Profil wider Profil, so daß in handelnden Reden eine Verwicklung keimt, Gegensätze erstarken und die Geschichte vorrückt.

Neben dieser dramatischen Einstellung spielt das Bildmäßig-Malerische keine Rolle. Die Saga ist ohne Farben und Töne (W. Baetke). Steigerung ins Lyrische, Begeisterte kommt höchstens in Strophen vor. Die kühle Ruhe kann sich in den Zwiesprachen erwärmen zu verhaltener Leidenschaft, gedämpftem Pathos.

175. Eine Reihe Einzelheiten wollen wir näher betrachten.

Unser Weg ging davon aus: die Saga begann als Chronik — oder wie man nun diese Denkwürdigkeiten nennen will. Und davon hat sie viel bewahrt; sie blieb Zwischenform von Chronik und Unterhaltungsstück (§ 168). Auch die besten, 'ausgeschriebensten' Werke. Allen sind wichtig die Massen von Namen, Stammbäumen, Örtlichkeiten; — Menschen mögen, einmal genannt, gleich verschwinden. Es ist der 'künstlerisch tote Bestand' (Liestöl), der 'unerlöste Stoff' (Bonus). Die Teile, die ein Übersetzer immer gern weglassen möchte, damit die Geschichte geistiger werde! ... Aber, dieser Stoff will gar nicht erlöst sein. Ohne ihn verlören die Sagas ihr Lebensrecht, gleichsam ihre Wirbelsäule. Sie wollen doch eben Tatsachen der Wirklichkeit in breitem Bestande festhalten. Nur von hier aus, sagten wir schon, wird man dem Wesen der Saga gerecht; dem was sie sein und nicht sein will.

Die geschichtlichen Sagas sind keine aus der Einbildung geborene Fabeln; sind nicht die frei-phantasiemäßige Gestaltung eines erregenden Gedankens. Sie gleichen Gebäuden, die, zweckdienlich erwachsen, in manchen ihrer Teile gar nicht als 'Kunst' gedacht sind.

Dazu nehme man, daß diese Namenhaufen den alten Hörern, und auch noch heutigen

Landsleuten, keine toten Schälle sind. Bei der Merkdichtung haben wir von der Wonne des Aufzählens gesprochen (§ 70). Die große Njâls saga häuft da, wo sie ihren Gunnar präsentiert, die Namen von neunzehn Verwandten, und nur drei davon treten in der Saga auf. Für diese langen und prächtigen Stammbäume preist ein heutiger Isländer die Njâla ... Auch hier gilt: Wer den Dichter will verstehn, muß in Dichters Lande gehn.

Gleichviel, diese Namenhaufen — allgemeiner: der Rest 'Chronik' — sind einer der Gründe, daß die Njâla der Menschheit nicht werden konnte was der Don Quichote.

176. Private Familiengeschichte geben die Islendinga sögur, nicht Landesgeschichte. Der Gegensatz war nicht so groß auf der Insel mit ihren 5000 freien Familien. Islands 'Volksleere', *folketomhet* (Kinck), hielt Massenereignisse hintan, in denen der Einzelne verschwindet. Immerhin zeichnet es unsre Sagagruppe, wie sie die Vorfälle des öffentlichen Lebens — den Ausbau der Verfassung, die Bekehrung zur 'neuen Sitte', die Thronkämpfe im Mutterland — zwar streifen kann, doch stets vom Blickpunkt der Personengeschichte. Die zwei lehrreichsten Fälle sind: wie gleichgültig der Hœnsnathoris saga die neue Dingteilung ist, die ihr doch am Wege liegt (ohne Aris Bericht wüßten wir nichts davon); und dann, wie die Njâla die Schaffung des neuen Gerichtshofs mit privaten Ränken unterbaut ... den politisch-gesellschaftlichen Triebkräften kommen wir nur auf Umwegen bei. Um das Landesschicksal bemühen sich gelehrte Schriften (Ari, Landnamabok), auch kirchliche (Kristni saga, Bischofsleben): nicht beschieden war es der Insel, die reife Erzählkunst der Familiengeschichten dienstbar zu machen einer Landessaga ... ein isländisches Gegenstück gleichsam zu Snorris Königsbuch, wo sich Kunst und Kritik so gut einten (§ 194). Dies blieb aus, nicht nur weil ein zweiter Snorri fehlte: auch weil es zu schwer war, den bunten Händeln der Sagazeit ein landesgeschichtliches Rückgrat zu geben.

Vergleichen wir mit der nord- und südgermanischen Heldendichtung, so führen unsre Sagas ungleich mehr das Volk — die waffenführenden Landwirte und Seeleute — in seiner Breite vor. Ihre Hauptgestalten aber wählt die Saga aus den Leuten von Geburt, den isländischen Adelsbauern, das ist Grundeigentümern. Es ist dieselbe Gesellschaftsschicht wie in der Heldensage. (Fürsten kommen in der Egils saga dem Rang von Hauptpersonen nahe.) Wir sehen das Leben von oben. Diese 'Bauerngeschichten' sind eine so wohlgeborene Gattung als irgend eine im Mittelalter. 'Saga ist Häuptlingskunst, nicht Bauernkunst schlechthin' (de Boor). Als Nebenfiguren finden wir eine buntere Lese: auch den sogenannten 'Gemeinfreien', das ist den Freien ohne Grund und Boden: Pächter, Hausleute, Landstreicher; sodann Hörige und Ausländer jeden Standes.

177. Chronikenhaftes haben die Isländergeschichten: die Art des Tagebuchs (der Memoiren) ist ihnen fremd. Denn ein Verfasser-Ich wird nirgends spürbar ... 'Urteile und Empfindungen des Autors', mit Heinzel zu reden, beschränken sich auf Sätzchen wie: 'an solchem kann man merken, was für ein Häuptling NN. gewesen ist'; 'darum wird dies erzählt, weil es den Leuten sehr prachtliebend vorkam'. Der Erzähler spricht und fühlt im Namen der Gesamtheit. Auch die Begeisterung des Njâlaverfassers für seinen Kâri flüchtet sich hinter die Aussagen seiner Gestalten: 'ihm kommt keiner gleich!' Parteiisch ist die Saga grade noch so weit, daß wir die ungleiche Leuchtkraft von Spieler und Gegenspieler empfinden. Auch hier steht das Urteil der Gemeinde dahinter.

Der Erzähler ist Berichterstatter ... oder wenn man will, Beobachter. Tatsachen will er vermitteln, keine Gemütsbewegungen. Darin ist der Abstand von Zeitgedicht und Heldenlied besonders groß. Aber auch von der richtigen Volkserzählung deutscher Landleute (§ 166): die Sagas sehen nicht danach aus, als hätte der Erzähler durch geheimnisvollen Tonfall, durch Mienen- und Gebärdenspiel auf stürmische Begeisterung der Hörer hingewirkt. Den Untergang seines Helden kann der Sagamann berichten, ohne mit der Wimper zu zucken. Ein sprechendes Zeugnis für die unpersönliche Haltung ist der Fall aus der Gîsla saga: Da tut der Held einen Schritt, der ihm zum Verderben wird, und der Erzähler schiebt die drei Wörtchen ein: *er æva skyldi* 'was nie hätte geschehen sollen'. Diese Wörtchen stechen schon so aus dem gewohnten Ton heraus, daß sich der isländische Herausgeber berechtigt oder gezwungen fand, sie aus dem Text in die Lesarten zu verweisen[1]).

Ins Technische greift über, daß die Saga streng vermeidet, dem Verhalten ihrer Menschen erläuternde und wertende Täfelchen umzuhängen: 'da fragte er höhnisch . . .'; 'sie antwortete boshaft . . .' 'er setzte sich mit verhaltenem Zorn . . .'; 'sie in ihrer rührenden Treue eilte . . .' (Anz. 39, 16). Ebenso wenig versteht sich der fortlaufende Bericht zu sittlichen Beiwörtern wie: 'der gerechte Askell', 'der streitsüchtige Styrr' . . .

[1]) Gîsla saga ed. F. Jónsson 1903 S. XIII; 1929 S. 30, 18. Schon die eine, jüngere Handschrift entbehrt die drei Worte.

178. Auch bei der Stoffbegrenzung, der Frage des 'Wieviel', muß man sich an den Chronikenursprung der Saga erinnern.

Halten wir moderne Romane dagegen, so ist der Eindruck: in den Sagas geschieht viel einzelnes, nicht wenig großes. Die Grundrisse sind vielbuchtig, schwer überschaubar. Die Eyrbyggja saga mit ihren 170 kleinen Oktavseiten kann man sechsmal gelesen haben und hat noch Mühe, sich ihre Gliederfolge zu vergegenwärtigen.

Auch der Schauplatz ist fast durchweg ausgedehnt und vielnamig.

Ferner geht die Handlung durch lange Zeiträume. Sechs Sagas strecken über gute anderthalb Jahrhunderte. Bezeichnend, daß auch die Sagas mit Novellenform (s. u.) nicht unter drei Jahre hinabgehn.

Endlich die Zahl der handelnden und benannten Menschen: sie ist im Verhältnis zum Umfang groß. Die neun Personen der kurzen Hrafnkels saga sind eine ungewohnt niedrige Zahl (schon etliche der Kurzgeschichten, der þættir, s. u., gehn drüber hinaus). Zwei der kleineren Werke, die Finnboga und die Gullthoris saga, erreichen die Ziffern 60 und 70. Die fünf Großen Sagas steigen noch viel höher.

Diese vierfache Vielfalt — in Handlung, Raum, Zeit, Personen — weist auf den Ursprung aus stoffschwerer Zeitgeschichte.

Dennoch erkennt man planmäßige Begrenzung der Masse. Unsre Sagas sind keine blindlings zusammengeschleppten Haufen. Auch kleine Einzelheiten, die wie zwecklose Einfälle aussehen, können sich nachher als handlungswichtig erweisen.

Der Kern, worum sich die bunte Stoffmenge schließt, ist entweder: 1. die Person des Helden, oder 2. die Familie, oder 3. der Bezirk, oder 4. die eine geschlossene Handlung (die Fabel). Das ergibt die vier Formen des Aufbaus: Lebensläufe, Familienbiographien, Bezirksgeschichten, Novellen.

Die Grenzen fließen; auch innerhalb einer Saga kann der Blickpunkt wechseln. Klar ist, daß den Faden keineswegs immer der Lebenslauf hergibt. Entschieden unbiographisch angelegt sind Hœnsnathôris, Hâvardar, Bandamanna, Vallaljôts saga und Njâla.

Vereinzelt stellt eine Saga ein gedankliches Leitmotiv hin, eine Art Klammer aus dem Schicksalsglauben. Am nachdrücklichsten die Vatnsdœla saga — und hier will das Erzählte nicht recht dazu stimmen. Man lasse sich durch Liestöl warnen, rote Fäden in die Geschichten hineinzusehen (Upphavet 92).

Die Kurzgeschichten (*þættir*), ein Dutzend an der Zahl, gehören zu der vierten, novellenhaften Form. Ein Teil von ihnen zeichnet sich aus durch verdichtete Problemstellung ... ohne dieses Schwergewicht hätte man sie nicht selbständig niedergeschrieben. Als Glieder größerer Geschichten aber begegnen ähnliche Kammerstückchen. Sie erinnern an die 'Kurzgeschichten' Montenegros ... manche von denen, noch zugespitzter als die isländischen, beleuchten beispielhaft einen Helden, eine Sachlage (Gesemann, Der montenegrinische Mensch 1934, 7ff.).

Die Kunst des Aufbaus (das Maß innerer Geschlossenheit) steht auf ungleichen Stufen. Am höchsten steht sie in der 'Novellenform'; die langen Bezirks- und Familiengeschichten könnten am leichtesten abgeben oder zusetzen. Die Größe der Njála liegt nicht in ihrem Bauriß. Im ganzen betrachtet, ist die ordnende Kunst ansehnlich. Meist hat man eine klar gesteuerte Geschichte vor sich. Von den Islendinga sögur gölte nicht, was man von den irischen Sagen geäußert hat: daß es ihnen selten gelinge, eine längere Reihe ... fest zur Einheit zu verketten (Thurneysen, Sagen aus dem alten Irland S. IL). Auch von dieser Seite bestätigt sich die sogen. Freiprosalehre (o. § 171). Hinter dieser Durchsiebung des Stoffs steht die Arbeit mündlicher Erzählerfolgen. Womit sich wohl verträgt, daß gewandte Schriftsteller den Aufbau weiter festigten und klärten.

179. Man hat oft betont: der Saga liegt mehr an den Köpfen als an den merkwürdigen Ereignissen. Sie zählt mehr zu den geistigen Gattungen als zu den sinnenfrohen.

Es ist wahr, 'merkwürdig' im Sinn von fremdartig, unerhört sind die Vorfälle der geschichtlichen Saga selten. Doch auch nicht alltäglich! Das ruhige Kleinleben liefert nur die Vorstufen, die Zwischenakte, das Ausklingen. Die Fabel besteht aus spannenden, aufregenden Vorfällen, wobei Geringeres als Leben und Ehre kaum auf dem Spiel steht.

Außerdem: die Fabel gibt den Rahmen her; in diesem Rahmen müssen sich die Köpfe darstellen. Die Auftritte sind zu zählen, die nur der Menschenzeichnung dienen (wie Thule 12, 34 c. 12). Jeder Beitrag zum Bildnis ist ein Beitrag zur Geschichte. Die Handlung führt das Regiment. Wie in den meisten Erzählgattungen des Mittelalters und drüber hinaus bestehn die Personen als Träger der Handlung. Seelisches fesselt die Saga nur, soweit es Handlung wird ... darum wissen wir über vieles am Sagamenschen fast nichts (Baetke, Islandfreunde 17, 68).

So darf man behaupten, die beiden Dinge, das spannende Geschehen und die besondre Menschenart, halten sich die Waage — mehr als in den meisten andren Erzählgattungen. (In der Vorzeitssaga wie im Ritterroman überwiegt die fabelnde Buntheit, in der germanischen Heldendichtung die begeisternde Gesinnung.)

Man kann bei den Sagamenschen wirklich von 'Köpfen' reden in anderm Sinne als im Heldenlied (§ 129). Die Hauptgestalten sind nicht wie dort auf ein paar klare Typen zu verteilen. Schlägt man an, wie gleichförmig die Volkserziehung war, dann sind es nicht so wenig Köpfe, die einmalig-kenntlich anmuten. Darunter solche, die wir in mehreren Sagas wiedererkennen; allen voran jener Gemischte, Fragwürdige: Gudmund der Mächtige, der Häuptling mit der zerbrechlichen Ehre; er lebt in steter Furcht, man entlarve ihn einmal als Feigling oder Schlimmeres.

180. Die gute Saga-Art ist Wirklichkeitskunst (Realismus). Das umfängt jeden mit einem eigenen Zauber, der von einer südlicheren Gegend des Mittelalters herkommt. Aus Weihrauchduft gerät er in salzigen Meerwind . . . Aber Wirklichkeitskunst oder Lebenstreue ist eine vieldeutige Größe; das weiß man schon von den Realisten der letzten Menschenalter. Lebenstreu nennen wir an der geschichtlichen Saga folgendes.

Aus der Stoffwahl.

Die Menschen der Saga sind keine Vollkommenheiten. Bezeichnend, daß sich kriegerische und geistige Überlegenheit kaum in Einem zusammenfinden (Bj. M. Ólsen, Safn 1. c. 66). Ein gewisses Maß von Kriegertum hat jeder, sonst wär er keine sagafähige Figur, und gegen das Abc der Kriegerehre verstößt auch der 'Geistige' nicht leicht. Den leisen Grad von Verklärung merken heutige Leser schon, wenn sie heldisch empfinden wie der Sagamann und daher das Rauhe, Unbürgerliche der Gestalten nicht als Sonnenflecke werten. Helden, die als Muster bewundert sein wollen, und anderseits vollendete Bösewichter, das wagt sich in jüngeren Werken hervor (Njála, Hâvardar saga, Finnboga saga). Im ganzen ist die 'gemischte Zeichnung' die Stärke der Saga.

Auch im Erfassen des Äußern. Der gute Blick für Gesichter erstrebt wenigstens zum Teil Kennzeichnendes. Nicht jeder soll ein Ausbund von Schönheit sein. Die Wendung 'nicht sonderlich schön' begegnet sogar bei einem Mädchen, in das sich ein Dichter verliebt (Fóstbr. 67, 4). Die Menschenauswahl dürfte kaum viel weniger bunt sein, als das Leben sie bot. Auch daß die Köpfe stetig bleiben, keine Umwandlung, Läuterung erfahren, entsprach dem Leben, der Forderung nach einurđ, Geradlinigkeit. So wird auch sittlicher Widerstreit in der Brust der Sagahelden weniger bewußt als in bekannten Fällen der Heroendichtung; der stärkst betonte Fall steht in der jungen Thórdar saga hredu (Thule 10, 209ff.).

Dann die erzählten Vorfälle. Es ist gar nicht wenig, was die Sagas folgerecht verschweigen. Darunter fast all das, was einem schamhaften Nordvolk 'unanständig' erscheinen mochte. Aber auch sonst eine Menge aus Haus und Stall. Also der Werktag strömt nicht schleusenlos ein! Nur ist es keine höfische Auslese, die über das 'sögulegt', das sagamäßige, erzählenswerte entscheidet. Darin ist diese Prosa unständischer als die Heldenepen. Sie darf unbefangener ins breite Leben greifen als der wählerische Vers. Ein beliebter Baustoff sind Gerichtshändel: das wäre dem Heldendichter zu 'unpoetisch'.

Vor allem kommt auf das Blatt der Lebenstreue, daß in der Saga nur das Mögliche geschieht; das was geschehen konnte — oder was die Landsleute für möglich halten konnten: das Unwirkliche des Aberglaubens. Das Schwelgen in großen Maßen, die Übertreibung: damit hält der Germane schon in seiner Mythen- und Sagendichtung zurück (§ 129). Vollends die Sagaprosa spart mit solchen Räuschen; seltene Ausnahmen wirken als 'nachklassischer' Geschmack (§ 173). Wir atmen die Luft der wachen Wirklichkeit, nicht des Traums.

Noch zwei Einzelheiten: diese Erzähler versagen sich den Monolog — und meist auch den Bericht über zeugenlose Begebenheiten (§ 173).

Schlagende Fälle dieser Enthaltsamkeit: Eyrbyggja c. 16, Thule 7, 36; Hardar saga c. 39. 40, Thule 8, 255; Hâvardar saga c. 4, Thule 8, 149. Verwandt sind die Fälle, wo ein Mordanschlag im Dunkel bleibt, nur als Gerede vermerkt wird; z. B. Droplaugarsona saga c. 7, Thule 12, 154; Vâpnfirdinga saga c. 4, Thule 12, 21.

Zur Wirklichkeitskunst gehört, daß alles benannt und bestimmt sei: Die Menschen: der Erzähler kann sich bei einer Nebenfigur entschuldigen: 'wir finden ihn nicht genannt'; — die Orte: man liest die geschichtlichen Sagas mit der Landkarte vor sich; denn es ist eine erdenfeste Bühne, kein schwebendes Irgendwo. Auch kein Irgendwann, d. h. kein unbestimmtes 'Es war einmal'. Fehlen auch die Jahreszahlen, so haben doch die Sagas ein stillschweigendes Zeitgerüst, dem man nachrechnen kann ... und das geht bis in die Jahres- und Tageszeiten herab. Daß ihr sittengeschichtliches Bild nicht zeitlos ist, sahen wir § 169.

181. Mit alldem ist die Saga der Gegenfüßler der Erzählarten, denen der augenblickliche Einzelfall immer der schönste und beste ist. Die Saga ist die 'vielleicht einzige Dichtung des Weltschrifttums, welche Taten und Leben eines Heldenalters nicht verklärend-'poetisch', sondern lebenstreu-seelenkundlich gestaltet'[1]). Von den schattenlosen Wunschbildern etwa der Volksbücher[2]) ist ein großer Schritt zu der gemischten Zeichnung der Saga. Der Gegensatz zur Märchenart ist besonders vollkommen. Eine streng altertümliche Isländergeschichte und ein vollblütiges Zaubermärchen stehn an den Enden der langen Linie. Das Märchen verflüchtigt Raum und Zeit und entschattet seine Helden; ganz aus dem Wunsch geboren, setzt es die harte Wirklichkeit, wo es meist schief geht, in eine Welt um, wie man sie haben möchte ... wenigstens enden muß es immer gut, nämlich für die 'Helden', die Glückspilze, zumal die niedrig geborenen. Die Gegenspieler sind die Bösen und gehn mit grausamer Strafe ab. So stimmt es zum Bedürfnis kleiner Leute; die unheldische Einbildung will vereinfachte Gerechtigkeit kosten ... Der heidnische Adelsbauer hat diese Traktätchenbeleuchtung nicht nötig. Ihm hat kein Priester gelehrt, den kleinen Weltrichter zu spielen. Sein Lebensblick will weder schönfärben noch bessern. Ob es eine zweite Erzählgruppe gibt, so frei von erbaulichen Hintergedanken? Man lese den Ausgang der Hühnerthorirsaga (Thule 8, 58); wie es da von dem kreuzbraven Thorodd heißt: er, der junge Ehemann, fährt ins Ausland, er will seinen Bruder aus der schottischen Gefangenschaft loskaufen ... „Er kehrte nie wieder nach Island zurück, weder er noch sein Bruder." Und dann lebt noch der alte Vater, Odd, ein Herrenmensch rauhen Schlags. Als er die Hoffnung auf die zwei Söhne aufgeben muß, wird er krank, und sein letzter Befehl ist, man solle ihn, wenn er tot sei, auf den Berg hinaufschaffen dort überm Gehöft. Von da wolle er über das ganze Stromland hinschauen ... Das ist kein 'Ende gut, alles gut' und keine ausgleichende Gerechtigkeit. An die glaubt der Wirklichkeitssinn der Saga nicht.

Auch äußerlich steht die Gruppe Islendinga saga in schwacher Schuld zum Märchen. Wenige Erzählfamilien des Mittelalters dürften so arm sein an Märchenformeln. Der Isländer E. Ó. Sveinsson bringt acht Fälle bei, und davon sind fünf vielmehr als Wanderanekdote bzw. -novelle anzusprechen[3]).

Fügen wir bei, daß jene naiven Gußformen, die Axel Olrik als 'epische Gesetze der Volksdichtung' beleuchtet hat, für die geschichtliche Saga weit weniger zu bedeuten haben als für die Gruppe Märchen. Aus der Dreizahl hat man zu viel gemacht. An mehrsträngiges Führen der Handlung wagt sich manche Saga[4]).

[1]) Bonus, Isländerbuch 3, 136. Schon ein Jahrhundert früher äußert sich ähnlich, weniger auf das Formgefühl zielend, P. E. Müller, Sagabibliothek 1, 10. [2]) Polheim, Grenzboten 1914, 144ff. [3]) Verzeichnis isländischer Märchenvarianten (Helsinki 1929) XVIIIff. Die fünf sind: die Kalbsprobe (Vigaglúms saga); die Fliege auf der Glatze des Ziehvaters (Ljósvetninga saga), Hahn und Henne (Flóamanna saga), die Scharte in der Lippe (Svarfdœla saga); das Tristanische Gottesurteil (Grettis saga). [4]) Seip, Zschr. Edda, 5, 3f. 6f.; Liestöl, Upphavet 66. 74ff. (Dreizahl). 101.

182. Nach einer 'Stimmung' der Saga wird man nur mit Vorbehalt fragen. Die Grundeigenschaft dieser Werke, das Unpersönliche, läßt Stimmungen nur aus dem Geschehen entspringen (§ 177). Der Gegenpol dazu ist die von Boccaccio eröffnete europäische Novelle:

da ist der Erzähler der unsichtbare Mitspieler und strömt seine Laune ungehemmt in die Geschichte herein: sein Behagen und seinen Spott, seine Bewunderung und seinen Abscheu . . .

Der Sagamann will nicht Stimmung wecken. Er ist die Scheibe, wodurch der Gegenstand durchscheint. Wie die Geschichte aus dem Keim wächst, so beginnt jede Saga, einer Chronik gleich, trocken stimmungslos. In den gedämpften Ton können ahnungsvolle Zeichen, schreckhafte Stimmen hereinklingen. Dann kann es sich steigern ins Erschütternde—doch wohl schon für den alten Hörer; nur daß sich die Sprache diesem Beben nicht anschmiegt: sie kennt keine Ausdrucksform der Erregung; Leidenschaft hüllt sich gern in Ironie.

Chronikenhaft ist die Saga auch darin, daß sie tragische Spannung nie so festhält wie ein eddisches Heldenlied. Sorglosere, geschäftliche Auftritte kommen dazwischen . . . Und nie bricht der Erzähler auf der Höhe der Tragik ab: es klingt aus; es kann sich erwärmen im Ausblick auf kommende Geschlechter. Wo sich am Schluß die überlebenden Feinde die Friedenshand reichen, wie in der Vâpnfirðinga, der Njáls und der Finnboga saga, da kam wohl auch den Hörern der Vorzeit etwas wie Rührung.

An komischem Einschlag sind die Islendinga sögur reicher als die übrigen altnordischen Prosen. Überwiegend dreht es sich um die eine Angel: es ist der Spott des *Mikilmenni* über das *Litilmenni*; modern gesagt: des Herrenmenschen über den Spießer. Gern liegt es nach Schadenfreude und Schabernack hinüber. Doch richtet sich der Galgenhumor der Sprecher auch gegen das eigne Ich. Ausnahmsweis färbt es sich gutmütiger (der Björn der Njâla, der Atli der Hâvarðar saga): zu warmherzigem Humor blüht es kaum auf. Nächstenliebe und Mitleid sind in diesem Klima noch unentdeckt . . . Lachhaftes in mannigfacher Tönung durchdringt in der einen Saga geradezu die Haupthandlung: in der Novelle vom durchtriebenen Ôfeig (Thule 10, 280ff.). Auch da zieht der Erzähler ernsthaft seine Drähte. Von dem Schwankton, woran uns neuere Bauerngeschichten gewöhnt haben, weiß die Saga nichts. Sind es doch keine Städter, die lachlustig auf das Bauernvolk hinabschauen: der Bauer selbst, der sich als Herrn fühlt, berichtet von seinen Angelegenheiten, und die nimmt er so wichtig als die der Statthalter und Jarle im Mutterland.

183. Seinen Stoff bewältigt der Erzähler auf zwei Arten. Nennen wir es *dünnen Bericht* und *geschaute Auftritte*.

Der dünne Bericht (die Berichterstattung) gibt nur den gedanklichen Inhalt, das Ergebnis; wir fühlen uns nicht als Augenzeugen: ein Mittelsmann erstattet uns Meldung. Bezeichnend: das Fehlen gerader Rede.

Man höre diese Probe aus der Bjarnar saga c. 5 (Thule 9, 76). Sie zeigt, wie sich auch ein bedeutsames Glied der Fabel in dünnen Bericht kleiden kann (o. § 166). (Thôrd war aus Norwegen heimgekehrt, während sein jüngerer Genosse Björn noch draußen auf Heerfahrt zieht. Auf Björns Verlobte Oddnŷ auf dem Hof Hjörsey hat auch Thôrd ein Auge geworfen.) — 'Im Sommer zuvor erfuhr Thôrd von Kaufleuten in der Weißach, daß Björn verwundet worden war, und er gab ihnen Geld, daß sie ihn tot sagten. Das taten sie. Danach redete Thôrd vor Aller Ohren von Björns Hinschied: er habe es von Leuten, die bei seinem Begräbnis waren. Niemand konnte dawiderreden, und die Lüge traute man Thôrd nicht zu. Darauf kam Thôrd nach Hjörsey und hielt um Oddnŷ an. Ihre Verwandten wollten sie ihm nicht verheiraten, eh die Frist um wäre, die sie mit Björn abgemacht hatten. Im Sommer aber, wenn die Schiffe kämen, und man höre nichts von Björn, dann, sagten sie, könne man darüber reden. Nun kamen die Schiffe, und auf ihnen wußte niemand Neues von Björn; er war nämlich erst in Norwegen angekommen, als sie schon ausgelaufen waren. Thôrd betrieb nun seine Sache und erreichte es, daß man ihm Oddnŷ verheiratete.'

Hervor sticht der Fall, wie die Hœnsnathorirsaga den Mordbrand, den Gipfel ihres Verhängnisses, als dünnen Bericht in einem ärmlichen Kapitel abtut (Thule 8, 40). Ein umfängliches Beispiel, etliche achtzig Zeilen — Streit um die Heiligkeit der Dingstätte, Eyrbyggja saga c. 9/10, Thule 7, 24ff. — schwankt ein paarmal nach dem Momentbild hinüber, doch bleibt es bei abhängiger Rede, hier in ungewohnter Ausdehnung. — Manche dieser bläßlichen Strecken mögen nie anders ausgesehen haben; manche mögen erst später, durch Eingriff eines Erzählers oder Abschreibers, vom Fleisch gefallen sein (so die Probe aus der Bjarnar saga).

Keine Saga kann dünnen Bericht entbehren; sonst käme sie mit ihrem Pensum nicht zu Rande. Kunst kann sich auch im dünnen Bericht zeigen: durch klare Abfolge, geschickte Auswahl und Gruppierung. Auch hierin merkt man die lange Schulung des Sagamanns.

Sein wahres Können aber weist der Erzähler in dem zweiten: den geschauten, heraus- gewölbten Auftritten. Da wo er uns auf den Tatort führt, uns zuschauen und zuhören läßt. Da verschwindet der Berichterstatter; nichts trennt uns von dem Hergang. Da kommt das Unpersönliche des Sagavortrags zur Geltung.

Schon der 'vorsagahaften Stufe' wird man geschaute Szenen zutrauen; Augenblicksbilder, die sich aus irgendeiner Ursache eingruben. Das Werk der Sagamänner aber mag bewußt das Herausmodeln solcher Auftritte gewesen sein. Es versteht sich, daß die schreibenden darin fortfahren konnten.

184. An Ausführlichkeit sind diese Teile ungleich. Auf manche Strecken hin darf man von Kleinzeichnung reden: das Geschehen baut sich auf aus vielen naturtreuen, alltaghaften Gliedern in Bericht oder Rede. Ruhende Umweltsschilderung beschränkt sich auf einzelne Striche. Ein äußerster Fall von holländischem Stilleben ist die Vorratskammer des kümmer- lichen reichen Atli in der Hâvardar saga (Thule 8, 175ff.). Aber auch da steht Schicksal und Menschenenthüllung dahinter. Zur Frage der Anschaulichkeit nehme man noch, daß unsre Familiengeschichten topographisch genaue Angaben kennen —: eine Landschaft nachzeichnen ließen sie kaum je (ein Grenzfall, leicht gesteigert, ist das Thoristal der Grettla, Thule 5, 167). Der bildhafte Natursinn war noch nicht geweckt ... mit dem lyrisch-gefühlvollen verhält es sich anders: den bezeugt die Versdichtung reichlich; wenn unsre Bauerngeschichten hier spröde sind, ist es Sache der Stoffwahl, nicht der Zeitstufe[1]).

Wo eine Saga auch in geschauten Szenen kurzatmig wird, wohl bis zur Gefährdung der Klarheit, da darf man an Kürzung durch Schreiber denken. So in der Flôamanna saga, Thule 13, z. B. 120. Nicht jeder Schreiber hatte die Neigung zum Verbreitern: das häufigere war wohl, daß sie mit Raum und Mühe geizten. In wortkarger Darstellung finde man nicht unbesehen ein Zeichen früher Niederschrift. Zu denken gibt, daß die hochaltertümliche Geschichte von den Hochlandskämpfen (die Heidarvîga saga) an Ausführlichkeit ziemlich obenan steht. So wird nicht erst die Schreibezeit vom dürren Gerippe zur Fülligkeit vorgeschritten sein; sonst rührte nicht gleich der Erstling an die obere Grenze. Die älteste irische Prosasage verhält sich da anders mit ihrem 'vorwärtsstürzenden, sprunghaften Erzählen' (Thurneysen 60).

In den geschauten Bildern der Heidarvîga saga überrascht etwas wie Eindruckskunst[2]). Die herrschende Erzählart der Saga ist das Gegenteil ... wieder ein Unterschied vom Eddastil (§ 132). Was dort als grelle Sinneseindrücke hervorsticht —: für diese stockende Reizbarkeit ist die Saga zu rauschfrei. Wo sie sich schon Zeit nimmt, sieht sie den Ablauf in klarem Um- riß. Nicht 'springend' ist ihr Stil; keine Gipfelbeleuchtung: man könnt ihn schon eher 'voll- ständig' nennen, episch entfaltend. Für reiche und zugleich scharfe Griffelführung, als schau- ten wir aus der Nähe hin, haben wir Belege in jungen so gut wie in alten Texten, in der Grettis wie in der Egils saga. Es ist diese merkwürdige Aktenmäßigkeit, an der man die Saga Islands

erkennt. Von Hause war es der Ton des Augenzeugen; dann hat es der Nacherzähler 'gelernt' . . .
es ging an den nächsten, ging durch die Zeiten und festigte sich als *Stil*, als die Erzählart, die
man solchen Gegenständen angemessen fand.

Wenn heutige Leser leicht den Eindruck erhalten von 'lapidarer Kürze', liegt es an dem
Fehlen der Zustandsmalerei und der Seelenschilderung: der zwei Teile, denen unsre Romane
ihren Umfang verdanken.

Zu der Kunst der geschauten Auftritte gehört als außeralltägliche Würze: eine eigentümliche Teilklarheit, ein berechnendes Verschweigen; die verzögerte Aufhellung des Zusammen-
hangs. Der Erzähler wiegt sich hier ordentlich in seinem Können: er spielt mit dem So-tun, als
wisse er auch nicht mehr. Und den Hörer weht es geheimnisvoll an; er fühlt sich steuerlos vor
das Ereignis gestellt: . . . was geht eigentlich vor?[3] Nirgends ist der Abstand so groß von dem
subjektiven Allessagen der südlichen Novelle.

[1] Keine Ausnahme macht die vielberufene Njâlastelle c. 75 (Thule 4, 164): 'Wie schön ist die Halde! . . .'
Das ist die stoffliche Naturfreude des Bauers (Meißner, Anz. 57, 69). [2] Am meisten in c. 27 der Reykjaviker Ausgabe 1938 = Kâlunds Ausg. 1904, S. 85ff. (Thule 8, 320f.). [3] Beispiele: Vâpnfirdinga saga
c. 4f. (Thule 12, 20f.); Vf., Germanentum 133ff. Einige der wirkungsvollsten Fälle stehn außerhalb der
Isländergeschichten: König Hrœreks Flucht, Heimskr. 2, 150ff. (Thule 15, 126f.) und mehrere in der Saga
von den Færingern: Thule 13, 336; 342—344; 345f.; 349—351. Eine reiche Lese ungleichwertiger Fälle
bei Hallvard Lie, Studier i Heimskringlas Stil: Dialogene og Talene, 1937, c. IV.

185. Man versteht, daß die Saga ihr bestes in den Reden, den Gesprächen gibt.

Die 'Deutlichkeit' dieser geistigen Erzählkunst (§ 179) liegt in kraftgeladenen Äußerungen
der Gestalten — nicht in der sinnlichen Bildwirkung. Die Saga will nicht den schönen Schein
genießen: dafür sind diese Erzähler zu naiv, zu wenig 'art pour l'art'. Sie gehn in der Sache
auf: das Geschehn erfüllt sie. Die Handlung — und damit der Mensch — muß herauskommen.
Die Grundeinstellung ist dramatisch, nicht augenhaft. Darum wird ihnen wohl im Dialog.
Und darum sind die Reden der Saga etwas so grundanderes als die des Decameron und seiner
langen Gefolgschaft!

Selten erlangen Auftritte ohne Rede das volle Maß von Durchlebung. Ein äußerster
Fall ist die nächtliche Mordszene der Gîsla saga (Thule 8, 87ff.). Ebenbürtig die Trollenkämpfe
der Grettla c. 35 und 65ff. (Thule 5, 101ff. 177). Im allgemeinen gehört zum gewölbten Auftritt die Wechselrede. In ihr hebt sich oft die 'dünne Sprechart' der Saga zu einer mittleren
Höhe. Die Reden sind farbensatter als der Bericht; sie verfügen über ein reicheres Register. —
Nicht alle Sagas stehn auf gleicher Höhe. Die kirchlich angehauchte Vatnsdœla (Thule 10,
23ff.) bildet mit dem Talmi ihrer Reden ein Widerspiel zu den meisten anderen.

Lange Strecken der guten Isländergeschichten dürfte man bezeichnen als lockere Folge
von Schauspielszenen, dazwischen schlichtes episches Füllwerk. Denn es sind handelnde
Reden. Sie tragen den Fortgang der Fabel. Zuweilen in lebhaftem Schritt, Schlag auf Schlag[1];
nicht so selten aber in ruhigem Auffalten der Gedanken[2].

Die Redekunst der guten Saga vereinigt drei Tugenden in einem Maße, wie es nicht bald
wiederkehrt: Echtheit — d. i. unpapieren, durchempfunden. Ausdruckskraft, Fähigkeit, den
Sprecher zu modeln. Dramatische Triebkraft, wodurch die Fabel vom Fleck kommt. Wie die
Glieder ineinander greifen! Der Empfängliche denkt oft an Ibsens späten Stil; der hat ja von
der Saga gelernt.

Bei aller Lebenswahrheit: natursüchtig kann man den Sagadialog nicht nennen, so
wenig als den Ibsenschen. Die Leute reden besser als im Leben. Das Stottern, die kleinen

Gebrechen der kunstlosen Rede ahmt die Saga nicht nach[3]).　Sehr selten nimmt sie auch das begleitende Mienen- und Gebärdenspiel auf.　Das wäre schon zu viel Zustand, zu wenig Fortschreiten.　Die Redeauftritte werden dadurch unepischer, nähern sich Bühnentexten.　(Eine bestimmte Ausnahme kehrt öfter wieder: 'er grinste (oder glotzte) dazu', *glotti at*.)　So erscheinen die Reden der Saga bewußt gesichtet und der fortschreitenden Handlung dienstbar gemacht.

Also 'Stilisierung' gibt es hier schon.　Die geht aber nicht auf rednerische Fülle, 'Wortfeuerwerke', Etagenbau und dergleichen: sie geht umgekehrt auf das Gedrungene, eng Ansitzende.　Darin liegt viel Nordisches, Unrömisches.　'Gens breviloqua' nennt ein Kelte die Nordmänner.

Die Zwiesprachen nähern sich oft der Leichtgliedrigkeit der Stichomythie — was nicht im Bereich der Versdichter lag (§ 132).　Außerhalb der Gespräche stehn die einzelnen Schlager: geschliffene Kernsprüche, 'übervoll von Nichtgesagtem' (A. Bonus); boshafte, gern doppelsinnige Trutzworte.　Sie sind die Zierde der Njáls, der Grettis saga.　Dagegen kommen die großen Ansprachen, die Staatsreden, erst in gewissen Werken der Königssaga zur Entfaltung[4]).　Von den Familiengeschichten zeigt die Bandamanna saga am vielseitigsten, was dieser Stil in Redekunst vermochte (Thule 10, 265ff.).

[1]) Beispiele: Ljôsvetninga saga, Thule 11, 187 (Ôfeig und Gudmund); Fôstbrœdra saga, Thule 13, 180 (Thorgeir und Jödur); Glûma, Thule 11, 70f. (Halli und der Knecht).　　　[2]) Man sehe Hrafnkels saga, Thule 12, 85f. (Sâm und Thorkell); Ljôsvetninga saga, Thule 11, 143 (Thôrarin und Gudmund).　　　[3]) Als Ausnahmen kann man nennen: die kurze Stelle der Hâvardar saga (1923) S. 8 Z. 14—19, Thule 8, 143; vor allem die Worte Thorvids des Stammlers auf dem Schwedending: in Snorris Heimskringla 2, 189. 192, Thule 15, 154f.　　　[4]) Hallvard Lie, Studier (o. § 184) 85ff.

186.　Poesie ist zwar nicht die Ursprache der Menschheit, aber bei vielen Völkern hat sich erst an der Versdichtung eine höhere, buchfähige Prosa emporgerankt.　Wir denken auch hier nur an erzählende Prosa, Prosaepik.

Den altgriechischen Gelehrten ist der Satz geläufig, daß Prosa künstlerischen Anspruchs die Dichtung nachahme.　Herodot sei nicht denkbar ohne Homer . . .　Von zweithändiger Prosa sprechen wir da noch nicht.　Greifbar zweihändig ist der spätmittelalterliche Prosaroman, der seit etwa 1200 von Frankreich ausstrahlt.　Er wächst aus dem heldischen und ritterlichen Epos hervor; er setzt die Stoffe der Versromane in ungebundene Rede um.

Man hat verallgemeinert: epische Prosa sei 'die jüngere Schwester, oder noch lieber die Tochter der Poesie' (Wackernagel, Poetik 313).　Die jüngere Schwester: das gilt auch von der isländischen Saga.　Die Tochter: das gilt nicht.

Die Saga ist aus keinerlei Dichtung hervorgewachsen, weder aus der eddischen noch der skaldischen noch aus einer fremdländischen.　Die eingestreuten Gesätze in manchen der Isländergeschichten, die 'Losen Strophen' (§ 83), darf man ja nicht so mißverstehn, als hätten wir hier Überreste des einstigen Versgewandes!

Die Saga — in ihrer ältesten Erscheinungsform, die geschichtliche Saga — hat einen ganz anderen Ursprung.　Wir kennen ihn: die Saga erwuchs aus dem Erzählen des Lebens. Sie war nie etwas anderes als Prosa; hat nie der Versdichtung ihre Stoffe streitig gemacht. Dieser Wurzel — der freien Erzählübung — ist im deutschen Gebiet überhaupt keine buchfähige Prosa entkeimt.　Die älteste deutsche Prosa war ein Kind der Schreibstube, an lateinischen Vorlagen gezüchtet.　Auch hinter den 'Volksbüchern' des Spätmittelalters steht keine volksmäßige Erzählkunst, und sie haben von ihren Vorgängern, den ritterlichen Romanen, so vieles geerbt, was sie, an der Saga gemessen, zur Halbprosa stempelt.

Die isländische Saga ist ein großes Beispiel von ersthändiger Prosa.

Damit hängt das zweite zusammen: die Saga blieb, was sie war; sie hat der Dichtersprache nicht nachgeeifert. Sie hält den vollen Abstand. Sie blieb *reine, unbedingte Prosa.*

In dem kleinen Isländervolke gingen — sagen wir: von 1000 bis 1300 — nebeneinander her die Dichtung, eddisch und skaldisch, und die Saga: zwei von Grund aus ungleiche Gebilde, gegensätzlichen Formgefühls ... die Frage machte uns verlegen, aus welchem der beiden wir die isländische *Art,* das isländische Kunstwollen, ablesen sollten!

Wir reden hier von der erstgeborenen Saga und ihrem Formwillen, dem 'reinen' Sagastil (§ 154). Es gibt Saga-Arten, die nicht 'ersthändige Prosa' und nicht 'unbedingte Prosa' sind.

187. Wie das Gegenspiel 'Saga: Dichtung' die innere Form beherrscht, hätten wir an jedem dritten Satz unsrer Stilbeschreibung unterstreichen können. Ebenso greifbar ist der Gegensatz im äußern, im Sprachgebrauch.

Wir erinnern uns, die auf Island gepflegten Dichtfamilien beide erheben sich bewußt über die Prosa: durch reichere und freiere Sprache. Die eine, die skaldische, erlangt darin eine selten erlebte Prosaferne (§ 113ff.). Dem gegenüber verbannt die Sagasprache jeden Schmuck; allgemeiner: jede Erhöhung der lebenden Rede. Die Sprache fügt, sozusagen, dem Inhalt nichts bei. Sie sitzt dem Inhalt faltenlos an. Ohne Bild: der Erzähler denkt nur an den Inhalt und will ihn unbeschwert herausbringen.

Darin liegt eine denkwürdige Enthaltsamkeit. Die Erzähler üben sie triebhaft. Diesen Verzicht auf jegliche Zierde kann man im einzelnen verfolgen durch die Fächer des Wortschatzes, des Satzbaus, der Erzählfiguren. Auf der ganzen Linie hält die Saga zu der 'natürlichen' Rede, der Umgangssprache (Vf., Germanentum 136ff.).

Genau besehen, nimmt diese schlichte Prosa Front nicht nur gegen den Schwung der Dichterrede: auch gegen den gefühlsseligen Überschwang der Predigt und gegen die staubige, verkritzelte Kanzleisprache. Undichterisch, unrednerisch, unpapieren: das will die reine Saga sein. Diese drei Eigenschaften teilt sie mit der Prosa der heimischen Rechtsbücher. Von ihr hebt sie greifbar ab der schlanke, leichtschreitende Satzbau (s. u.).

Bei dem römisch erzogenen Europäer findet die Enthaltsamkeit der Saga schwer einen Schallboden. Man denke, eine Sprache ohne schmückendes Beiwort — ohne 'epitheton ornans'! Soweit die römische Erziehung reicht, setzt man 'Stil', guten Stil, gleich erhöhter Sprache; auch von 'vollblütig' oder 'fleischig' redet man. Enthaltsamkeit — das glatte Ansitzen, wie wirs nannten — ist ärmlich, ist stil-los; ist nicht die erste der Sprachtugenden ...

In den Islendinga sögur erscheint diese 'unbedingte Prosa' als folgerechter *Stil.* Ein Stil von weitgehender Empfindlichkeit: kleine Übertretungen stören schon. Man ist in der Lage, solche Übertretungen zu beobachten; denn ganz vereinzelt spielen doch kirchliche Federn herein mit ihrer Halbprosa, ihrem rednerischen Schmuck. Vor allem der Kreis der Königsgeschichten zeigt oft denselben Gegenstand hier in reinem Sagastil, dort in geblümter Kanzlei-rede — mit Zwischenstufen.

Die nächste Ursache dieser Enthaltsamkeit liegt in der Entstehungsgeschichte. Hier haben einmal echte Erzähler eine Sprache gebildet, buchlose *Sprecher,* keine Schriftsteller. Die zum Schreiben übergingen, blieben bei der freiluftigen Art der Vorgänger.

Aber es versteht sich, dieser sozusagen technische Grund sagt nicht alles. Dazu kommt die Volksart. Die nordische Sprödigkeit des Sagavolkes trägt den Knochenbau dieser unbedingten Prosa, ihr herbes und karges Wesen. Die welschen Väter der europäischen Erzählkunst

15

— ihnen müßte man den Mund verbinden, sollten sie ihr sprudliges, sprühendes Wesen den Geschichten fernhalten. Wer unterschiede im Decameron noch, wo die Nur-Prosa aufhört, wo die Gehobenheit anfängt? Was dem Isländer Schlichtheit ist, bequemer Hausrock, wäre dem Florentiner versiegelte Lippe — Zwangsjacke.

Die isländische Saga steht seitab von dem Stammbaum der Erzählarten, die unsern Erdteil in alten, mittleren und neuen Zeiten entzückt haben. In der isländischen Saga hat ein germanischer Stamm einen Prosatyp hingestellt, der neben den südlichen eine Größe eigenen Wuchses bedeutet. Das ist den Menschen außerhalb des Mittelmeerbeckens selten geglückt. Den Wert dieses Formgefühls schätze man nicht nach der Massenwirkung ab! Wer sich einmal hineingelebt hat, weiß, was er an ihm hat, und wird seine Schlichtheit nicht mit urtümlicher Unkunst verwechseln. Es geht erzieherische Kraft aus von dieser sachlichen Strenge und Keuschheit.

188. Von dieser Grundeigenschaft abgesehen, können wir die Sagasprache so kennzeichnen. Es ist eine Sprache des Hauptworts und Prädikatadjektivs mehr als des Zeitworts[1]). Sie liebt beigeordnete Sätze und unter den mehrstöckigen die einfachen, unverschränkten. Sie geizt mit logischen Gelenken. Kurze Hauptsätze können einander folgen, stoßweise ... man denke sich die natürlichen Pausen des Erzählers dazu.

Eine sparsame Sprache, gelegentlich an Telegrammstil erinnernd. Doch kein Verschweigen der Zeitwörter[2]). Man sagt lieber zu wenig als zu viel; die Andeutung liegt der Saga mehr als das Volltönige. Es heißt hinhorchen, auch zwischen den Zeilen lesen!

Die bewegliche Wortstellung des Isländischen verhilft zu ausdrucksstarkem, zackigem Zeitfall, namentlich in den Reden.

Im allgemeinen eine spröde, verhaltene Sprache, ohne sangliche Wirkungen[3]). Man hat den Eindruck: sie zwingt, was damals, unter diesen Menschen, zu sagen war: ihre Grenze erfährt man, wo einmal ein Heutiger diese Geige zu streichen versucht.

Dazu nehme man immer das Gewachsene, Unverkünstelte, Lebenatmende, das diese Sprache geerbt hat aus dem freien Vortrag der volkstümlichen Sagamänner. Die schwere Aufgabe, 'zu schreiben, wie man spricht', konnten die Aufzeichner deshalb so gut lösen, weil der mündliche Vortrag kein unfester Stegreif war: hatte man gelernt, mündlich in ähnlichem Wortlaut zu wiederholen, dann mochte man es auch mit der Feder auffangen.

Endlich gehört zu dem Unbuchhaften die heimische Echtheit des Sprachbaus. Auf Island wie anderswärts ahmte ein Teil der Geistlichen lateinische Satzfügungen in der Muttersprache nach. Dieser sogenannte gelehrte Stil (§ 193) hat die Menge der Isländergeschichten verschont. Hier kann man lernen, wie eine germanische Prosa frei von fremdem Richtmaß ihre Sätze baut[4]).

Die reine Sagaprosa, auch wo sie so urwüchsig auftritt wie in der altertümlichen Heidarvíga saga, ist kein bäuerlicher Wildling. Sie hat eine lange Schulung durchgemacht: im Munde der ungelehrten Erzähler. Es ist eine erzogene, gebildete Sprache. Nur muß man dieser Bildung andere Maßstäbe gönnen als die aus Hellas und Rom gelernten.

---

[1]) Man nehme Wendungen wie diese: þat er mér ofráð 'das geht über meine Kräfte'; hann var engi skapbœtir hennar 'er wirkte nicht günstig auf sie ein'; vera ræningi Ljóts 'sich von Ljot ausräubern lassen'; væri þér litillætis raun 'du bewährtest dich damit als leutselig'; þeir váru frumferlar út hingat 'sie hatten die Fahrt hierheraus zum erstenmal gemacht'; — hann var tillaga-illr 'er bestärkte (ihn) im bösen'; ver þú sem réttordastr 'halt dich recht an die Wahrheit'; sýndiz þat sáttvænlegra 'davon erhoffte man eher Ver-

söhnung'; vandskipaðr mon þér vera stafninn í stað hans 'du wirst Mühe haben, seinen Posten auf dem Steven zu besetzen'. Man vergleiche Liestöl, Målreising (1927) 21f. [2]) Ausdrücke wie: 'er hinter ihnen her'; 'das Pferd davon in wildem Lauf' (wie in Björnsons Erzählungen) wären für die Saga zu aufgeregt, zu impressionistisch. [3]) Verschweigen wir nicht, daß ein Landeskind, ein Tonsetzer, anders urteilt. Jón Leifs sagt in den Islandfreunden 20, 7 (1934) von der Saga: 'Die gemeißelten Sätze klingen wie Musik . . . Selbst die langen Namenreihen der Stammbäume scheinen abzurollen wie das musikalische Themenmaterial eines Fugato . . .' Anderseits beherzige man, was Jolles zu Boccaccio äußert: das Musikalische in seiner Sprache 'war wieder ein Mittel, bei dem Leser die Wirklichkeitsempfindung zu verringern und das Gefühl der Entfernung zu steigern' (Einleitung zum Decameron verdeutscht von Wesselski 1921, LXXIII). Ein solches Ziel hat sich jedenfalls der Sagaerzähler nicht gesteckt. [4]) Wogegen man von der deutschen sagen konnte: 'Den bewußten und unbewußten Einfluß der lateinischen Syntax und Stilistik hat die deutsche Prosa des Mittelalters nirgends überwunden' (Roethe, Luthers Septemberbibel 8). Zum römischen Einfluß auf neunordische Satzbildung s. Liestöl, Zschr. Saga och Sed 1935, 12ff.

XX. ANHANG ZUR SAGA:
DIE ISLÄNDERFABELN, DIE KÖNIGSGESCHICHTEN
UND DIE VORZEITSSAGAS

189. Ein kleiner Anbau am Gebäude der Islendinga saga sind die Isländerfabeln (§ 155). Vier Werke mittleren Umfangs, dazu ein paar Thættir.

Hier trifft der Name zu, den wir der Familiensaga bestritten (§ 168): es sind *geschichtliche Romane*. Sie legen in geschichtliche Umwelt erfundene Menschen und Geschehnisse. Wir atmen eine unwirklichere Luft; zauberische oder erträumte Bausteine drängen sich ganz anders vor. Die geschichtliche Umwelt aber ist die isländische Landnahms- und Sagazeit. Dies zieht den scharfen Strich gegen die 'Vorzeitssaga', so vieles aus dieser entlehnt ist. Wohlbekannte Gestalten der isländischen und norwegischen Geschichte treffen wir als Staffage — in sorgloser Zeitrechnung.

Volkskundlicher Sagenstoff ('Rübezahlmärchen' u. a.) spielt nur in der einen Saga eine Rolle. Die übrigen sind mehr freie Dichtung: teils aus heimisch-bäuerlicher Wurzel, teils empfindsamer Liebesroman mit ritterlichem Anhauch. Die Erzählweise bleibt der Sagastil, unverziert, gut isländisch. Neues wagt man nur in der Motivwahl.

Glauben haben diese Isländerfabeln schwerlich verlangt. Dies trennt sie von den Familiensagas, die auf der Linie Chronik→Roman weit vorgerückt sind (§ 168), ohne den Anspruch auf Geschichte aufzugeben (Hâvardar, Finnboga, Thôrdar, Svarfdæla saga); es trennt sie sogar von manchen der Vorzeitssagas: die galten nicht jedem als 'Lügengeschichten' (§ 196). Ob es auch in dieser Gruppe die 'mündliche Saga' gab? Mag sein, daß die Isländerfabel erst aufkam, als das Vorbild, die Isländersaga, ausgeblüht hatte (§ 167): eine Erbin, eine neue Daseinsstufe der Isländersaga nennen wir unsre Gruppe nicht. Sie ist ein später Seitenschoß — wenn man will, eine Kreuzung mit dem Vorzeitsroman. Den alten Stamm, die geschichtliche Saga, hat sie auf ihrem Ehrensitz gelassen.

190. In ihren Wurzeln gleichalt wie die Isländergeschichte, ihr ebenbürtig nach Umfang und Schwergewicht ist die dritte Gruppe der Prosa: die *Konunga saga*, die lange Bändereihe der Königsgeschichten (§ 155. 161). Ihre stärkste Leistung, Snorri Sturlusons Königsbuch, darf der Höhepunkt dieses ganzen Schrifttums heißen (Thule Band 14—16).

Von bedingter Einheit des Stils ist hier nicht die Rede. Das Bild ist ungleich zusammengesetzter als in den drei übrigen Gruppen.

Der Schauplatz der Taten ist vor allem Norwegen. Die westlichen Siedelungen, Orkaden und Færöer, vertritt je eine Saga, Dänemark zwei—während Schweden nur zahlreiche Zwischenspiele beherbergt. Dies gilt auch von Großbritannien. Ein Bruchstück faßt irischen Stoff, eine Kurzgeschichte russische Händel. Über den Rand der nordischen Meere greift es selten hinweg. Zeitlich spannen die Begebenheiten über mehr als vier Jahrhunderte: von 850 bis 1280. Was vorausliegt, ist vorgeschichtlicher Erzählstoff und rechnet zu der Gruppe 'Vorzeitsagas', *Fornaldarsögur* (§ 155. 195).

Das Schreiben begann auf unsrem Felde an die hundert Jahre früher als bei den Familiengeschichten. Gelehrte Abrisse der Königssaga gehören zu den Erstlingen der isländischen Buchwelt. Mehr Erzählerisches, Sagaartiges setzt gegen 1170 ein. Die stattlichsten Urniederschriften fallen ins 13. Jahrh.; den Gipfel bezeichnet Snorris 'Heimskringla', 1230er Jahre, den Abschluß Sturlas Leben der Norwegerkönige Hakon († 1263) und Magnus († 1280). Im 14. Jahrh. folgen noch weitschichtige Sammelwerke.

Das Mutterland Norwegen nimmt Teil als Auftraggeber, als Käufer und Abschreiber: eigene Schöpfungen stellt es nur zweie, und zwar in lateinischer Sprache, also keine *Sagas*. Sie hängen stofflich ganz von der isländischen Sagaüberlieferung ab; ihr Geist ist der des katholischen Schrifttums.

191. Mit dem zeitigen Beginn der Aufzeichnung hängt zusammen: das Schicksal der Königssaga läuft viel mehr in den Schreibstuben ab. Zum kleinen Teil sind diese Bücher reine Abbilder des mündlichen Vortrags. Das 'Buchhafte' spielt hier eine ganz andre Rolle. Daher denn auch zu knapp zwei Dutzend Werken zehn überlieferte Verfassernamen — bei der Familiengeschichte ist es zu drei Dutzend keiner! (§ 170). Wohl floß die Hauptmenge des Stoffs aus schriftloser volkstümlicher Überlieferung zu. Aber in der Schreibezeit geriet dies in die Tiegel der *klerkar*, der Gelehrten, und stieg verwandelt daraus hervor. Hierbei setzte es Umarbeitungen, Mischungen — weit bunter als bei der ersten Gruppe; zuweilen vielgliedrige Textstammbäume wie bei Chroniken südlicher Länder. Wichtiger als in den Familiensagas sind die Gesätze zeitgenössischer Skalden, meist aus Preisliedern (§ 112). An epischem Gehalt sind sie mäßig reich, aber man schätzt ihre genauen Zahlen und Namen; vor allem festigen sie urkundlich die Angaben der Prosa und genießen daher bei kritischen Köpfen hohes Ansehen.

Nach dem Bauriß (der Stoffbegrenzung) kann man fünf Arten Königsgeschichten unterscheiden.

1. Einzelregierungen. Ein richtiger Lebenslauf ist es bei den zwei Bekehrerkönigen, den Olafen, weil da die Jahre vor der Thronbesteigung ausführlich mitkommen.

2. Ein vielkreisiger Zeitausschnitt ohne biographisches Rückgrat. So ein Werk der 1160er Jahre über die Throninhaber und -bewerber des vorangehenden Menschenalters.

3. Geschlossene Ereignisse und Anekdoten, die Helden oft Isländer, die Könige mehr im Hintergrund. Uns nur als Teile größerer Einheiten bewahrt (§ 192).

4. Ganze Königsreihen in belebter, sagahafter Ausführung. Es sind die drei Werke aus den 1220er, 30er Jahren: Morkinskinna, Fagrskinna, Heimskringla.

5. Reihen von Regierungen in geripphaftem Auszug. Hierher schon die Abrisse um 1100 (§ 193). Mehr nach 4 hinüber das 'Agrip' gegen 1200 (spannt auf 45 Druckseiten von 850 bis 1177) sowie die zwei Beiträge Norwegens.

Nr. 1—4 vergleichen sich den vier Baurissen der Familiensaga: Lebensläufe, Bezirksgeschichten, Novellen, Familienbiographien (§ 178). Nr. 5 hat dort kein Gegenstück.

Der mündlichen Sagapflege darf man die Formen 1—3 zutrauen. 4 würde den Rahmen
sprengen, und 5 ist Gelehrtenarbeit, nicht 'Sagnaskemtun'.

192. Auf andrer Linie liegt es, wenn wir drei Richtungen unterscheiden in der Gestaltung
des Stoffes. Wir meinen nicht drei trennbare Gruppen; vielmehr drei geistige Einstellungen —
drei Stränge, die sich im selben Werk verflechten können.

Wir nennen es kurz: den *sagamäßigen* — den *kritischen* — den *kirchlichen* Strang.

1. Isländer kamen viel im Norden herum; ausdrücklich bezeugt ist, daß sie Gesehenes
und Gehörtes 'ins Gedächtnis einführten', 'zum Erzählen verwandten'. Neben den heimischen
Denkwürdigkeiten mündeten die des Mutterlands in die Rinne der *Sagnaskemtun* ein (§ 161).
Seite an Seite gingen die zwei Stoffkreise durch die jahrhundertelange Pflege der Sagamänner.
Unser Hauptzeugnis für Geschichtenvortrag galt einem Stoff aus der Königssaga (§ 158).
Auch der Däne Saxo ist hier Zeuge, denn seinen 'thulensischen' Sagamännern hat er etliches
abgelauscht aus der norwegischen Geschichte des 10. Jahrh. (§ 157). Wollte ein Isländer der
Schreibezeit ein Buch von den älteren Königen schaffen, so brauchte er keinen Schiffsanteil
zu lösen nach Drontheim oder Kaufmännerhafen: ihm floß die reichste Quelle auf der eigenen
Insel: in den mündlichen Sagas.

Es waren lange und kurze Geschichten; die Erzählart teilten sie mit den Schwestern,
den Bauernsagas. Der Gebrauch von Strophen (§ 191) war schon den ungelehrten Sagamännern
geläufig.

Am ungemischtesten zeigen diesen Sagastrang die Geschichten der Færinger, der Joms-
wikinge sowie die vierzig abgerundeten Kurzgeschichten (*thættir*), die man im 13. Jahrh. größeren
Königsreihen eingefügt hat (Hauptsammlung die sogen. Morkinskinna); sieh Thule 13, 269ff.;
19, 393ff.; Bd. 17. Hier findet man viel wieder von dem Können der Isländersaga. Die Færinger-
geschichte, eine echte und rechte Bauern- oder Familiensaga; die Jomsburger, ein 'geschichtlicher Roman' im Rahmen der dänischen Historie — oder, wenn man will, eine prosaische Heldendichtung auf dem Boden des 10. Jahrh. —: sie enthalten Auftritte, den besten in der Familiengeschichte gewachsen. In reine Sagaluft führen uns die Kurzgeschichten; sie hätte man
einem Erzählmeister nachschreiben können! Gelehrten wie geistlichen Strang, ja das Kalbsfell vergißt man über dieser Taufrische. Das ist volkshaft und unpolitisch; bald Schwank,
bald Seelenstudie, bald beides in einem; derb und zart, lustig und rührend . . . Nirgend sind
wir so weit ab von dem Chronikenwesen im Kirchenlatein.

In den meisten übrigen Königsgeschichten erscheint Saga-Art wechselnd gemischt mit
den andersartigen Einsätzen. Ganz außer Bereich der isländischen Volkskunst fühlt man sich
bei den wenigsten.

193. 2. Den 'kritischen' Strang kennzeichnet, daß es weder um Menschenbilder noch
lebhaftes Geschehen geht: das Ziel ist Glaubwürdigkeit, sorgfältiges Zeugenverhör; Stammbäume und Zeitrechnung.

Wo diese Einstellung vorherrscht, stehn wir außerhalb der epischen Kunst. Was die
zwei Geistlichen Sæmund und Ari um 1100 über Königsregierungen schrieben, der erste in der
Kirchensprache, das waren 'catalogi'; es stand vermutlich einem Tatsachengerippe nahe.
Braucht man vor dem Fehlblick zu warnen, hier liege das Maß von Erzählkunst vor, das Island
bis dahin erreicht hatte, und wenn fünfzig Jahre später ein episches Blühen beginne, so sei

dies die Errungenschaft jüngerer Geschlechter? — Keines der späteren Werke folgt Aris nur-wissenschaftlichem Verfahren. Die Regel ist, daß sich von dem kritischen Sauerteig eine stär-kere oder schwächere Dosis dem sagahaften oder kirchlichen Baustoff beimengt.

Schon die 'fródir menn' der vorbuchlichen Zeit hatten etwas von 'kritischer' Ader (§ 159); das wird nicht erst kirchliche Erziehung sein. Eifer für Zeitrechnung, das gehörte, scheint es, zur isländischen Erbmasse; von den Stammbäumen zu schweigen. Priester Ari, in seinem Lebensgefühl diesseitig, nicht 'Sprache Kanaans', zeigt uns, daß kritisch-gelehrt und klerikal zweierlei waren. Ohne einige Kenntnis des südlichen Buches wäre man doch wohl auf der Stufe der Isländersaga verblieben. Sæmund hatte in Paris studiert, Ari führt eine Legende aus Eng-land an. Man wußte auf Island um Beda, Adam von Bremen, Eckehards Weltchronik, Hugo von St. Victor. Das Denkwürdige ist, wie wenig man aus dieser Kunde machte! Auch Snorris Geschichte gerät ins Wackeln, sobald seine heimischen Quellen versiegen. Fremde Historien sich vorübersetzen zu lassen, fand er unnötig ... Die Selbstgenügsamkeit der Isländer ist die Kehrseite ihrer starken Unabhängigkeit.

3. Etwas greifbar Fremdes ist der dritte, kirchliche Strang. Hier fühlen wir uns im römi-schen Europa, nicht auf der Saga-Insel. Legende, Predigt, dazu antike Rednersprache sind die Vorbilder. Der klösterliche Blick, die sittenrichterliche Parteinahme, die Neigung zum from-men Wunder, zum Erbaulichen und Rührseligen; dann in der Form das Überschwängliche, die lobenden und scheltenden Beiwörter, die Schmuckmittel aus der Dichtung, die uferlosen Satz-gebäude: dies zeichnet auf der ganzen Linie den Gegensatz zu der sachlichen und enthaltsamen Saga-Art. In lateinischer Sprache lebte sich dies am ungehemmtesten aus; aber man ahmte es in der Landessprache nach, und dann gab es den 'gelehrten Stil' mit seinen unnordischen Fügungen.

Die ausgewachsensten Vertreter dieser kirchlichen Richtung wurden zwei lange Lebens-läufe des ersten Bekehrerkönigs Olaf. Isländische Mönche um 1200 schrieben sie in Latein. Aber dieser Abfall von der heimischen Schriftsprache drang nicht durch: nur isländische Über-tragungen — gelehrter Stil in Reinzucht — blieben am Leben. Schon ein früheres Werk, die Älteste Saga von Olaf dem Heiligen, mischt mit dem kirchlichen Formgefühl buntscheckig das sagaechte. Das Hauptdenkmal aber des frühdreizehnten Jahrhunderts, eine stattliche Saga von König Sverrir, wurde einheitlich, aus einem Guß, und zwar Ausdruck profanen Geistes mit Einschlag des kritischen Strangs ... Die heimischen Kräfte hatten gesiegt; folgenreich für den weitern Ablauf. Island sollte nicht um den Kranz kommen, früher als der Kontinent die Fürstengeschichte dem Latein zu entwinden. Die drei großen Königsreihen nach 1220 (§ 191 Nr. 4) verbinden sagahaften und weltlich-kritischen Einsatz, unter gedämpf-tem Hereinklingen der dritten, kirchlichen Tonart. Die abschließenden Werke, die zwei Königsleben aus der Feder Sturlas (§ 190), erzählen Gegenwartsgeschichte in der stoff-reich-trockenen Sagaspielart, die wir aus den isländischen Zeitgeschichten der Sturlunga-sammlung kennen (§ 168), ohne empfindliche Zugeständnisse an die kirchliche Beleuchtung.

194. Snorri in seiner 'Konungabôk', der sogenannten Heimskringla, erscheint als Voll-ender eines seit vier Menschenaltern betriebenen Baues. Was ihm vorlag, kennen wir nicht alles; überwiegend hat er Geschriebenes neugefaßt: nach seinen Historikeransprüchen und aus einem Formgefühl, das die Saga erzogen hat. Die nächste Vorgängerin, die geistesverwandte Fagrskinna, überbietet er beinah ums Vierfache. Wo wir ihn an Älteren messen, zeichnet ihn gesättigte Fülle, klares Auffalten des Geschehens. Dazu fühlt man das größere geistige Format.

Jene zwei Kräfte, die *sagamäßige* und die *kritische*, sind hier besonders glücklich vermählt. Beiträge aus dem dritten Lager, dem kirchlichen, mußten wohl oder übel mit: die Olafsmirakel mit ihrem derben Wunderglauben — so fühlbar sie abstechen von der wasserklaren Diesseitigkeit des Werkes! In diesem Königsbuch gibt es keine Weltregierung — und kein Bedürfnis danach. Snorri hat den Wirklichkeitssinn der Saga: er weiß nichts von ausgleichender Gerechtigkeit (§ 181). Vor allem, das Wahrzeichen des Christentums, das Schwarzweißmalen, dawider blieb Snorri fest. Ein fremder Strich aus einer Vorlage stiehlt sich vereinzelt herein. Aus einem Guß ist die quellenreiche Schöpfung nicht geworden. Wo Snorri am freiesten formt, ist seine Sprache umständlicher, tiefatmiger als die schlanke Sagarede. Oft hört man mehr den Schriftsteller als den einfältigen Erzähler. Womit sich vertragen die gemütlichen Satzbrüche, wie sie dem Diktierenden kommen.

Am kecksten regt sich der Sagageist in dem mittleren Drittel, dem zuerst verfaßten: der Saga vom heiligen Olaf. Hier modelt Snorri mit nachfühlbarer Künstlerlust eine Schar dramatisch gespannter Zwischenspiele. Vor jenen Kurzgeschichten der Morkinskinna (§ 192) haben sie voraus ein Mehr an Würde, an Geschichtsschreiber-Selbstgefühl. Man spürt: was die Sagamänner zum besten gegeben hatten, ist durch Snorris Kopf gegangen und dabei stärker, metallener geworden.

Die Bildungsstufe des Geschichtenmanns übersteigen am weitesten die Staatsreden, die Snorri aus der Rolle seiner Könige, Bischöfe und Großbauern frei entwirft. Wenn irgendwo, vernimmt man hier die eigene Stimme des Historikers und möchte man hier an Anstoß vom Süden denken. Vermittelt mag haben eine Bearbeitung Sallusts, die Romverja saga; dann hätte sich Snorri auch hier um kein fremdländisches Buch zu bemühen brauchen! (Paasche, Symbolae Osloenses 1935, 13, 129 f.)

Ein Opfer an das kritische Bestreben war das Zerhacken der Zusammenhänge. Snorri wollte die gleichlaufenden Handlungen jahrweise abwickeln. Vier Stränge galt es in der Saga des älteren Olaf zu verflechten! Das waren Aufgaben, weit jenseits des volkstümlichen Erzählens; hierin vor allem würde das Werk buchhaft. Den stetigen Fluß der guten Isländersaga suche man in den geschlossenen Zwischenspielen.

Man möchte Snorri zwischen Herodot und Thukydides stellen. Er ist gedanklicher als der erste, kindlicher, mehr 'Mythistoricus' als der zweite — man halte die Vorgeschichten der beiden gegeneinander! Was vor Snorris Bewußtsein stand, war der Geschichtskritiker, nicht der Darsteller. Das lehrt sein Vorwort. Umsichtig erörtert es die Behelfe der Glaubwürdigkeit — und sagt keine Silbe vom Wollen des Gestalters. Diese Seite lag im Unbewußten. Und doch, was die Konungabok unerreicht macht unter den Geschichtswerken mit den berühmten Namen; was sie zur lebensvollsten Fürstengeschichte des Mittelalters erhebt und sie befähigt hat, als Volksbuch Islands und Norwegens zu auferstehn, ist das episch-dramatische Gestalten. Hierin aber verwaltet Snorri isländisches Erbe; hierin ist er Zögling der Saga.

195. Unsre vierte Sagagruppe, die sogenannte *Fornaldarsaga* = 'Vorzeitsgeschichte' (§ 155), umschließt außer den dreißig Nummern des Sammeldrucks 1829/30 ein reiches Supplementum in lateinischer Sprache: in den neun vorgeschichtlichen Büchern von Saxos Gesta Danorum. Die Merkmale der Gruppe sind: Die Handlung spielt in der vorisländischen, vor-Haraldischen Sagenzeit. Sie kann zu der Schwelle der Landnahme herabführen: dann öffnet sich der Blick auf geschichtliche Nachkommen der Sagenhelden; doch fällt auf die vorangehenden nicht das Licht der Ahnenchronik. Man wahrt die Tracht der heidnischen Vorzeit; die

Götterwelt ist wohl aus der Ferne gesehen, Eigenart steckt nur in dem Bild der Odinshelden (der Urtyp: Harald Kampfzahn). Vertraulicher steht der Abenteuerroman zum niedern Mythus, zu den Gebirgsriesen.

Die Vorzeitssaga — darin hat man sich geeinigt — ist eine jüngere Erscheinungsform der isländischen Sagakunst. Was in Bauern- und Königsgeschichte gereift war, diese Erzählübung eroberte von einer Zeit ab das neue Stoffgebiet, das heldisch-sagenhafte. Unsre Fornaldarsögur tragen diese Abkunft zur Schau; denn ihr Wesen trifft man mit: 'Phantasiestoffe, in schein-historisches Gewand gebracht' — eben in das Gewand der lebenstreuen Saga. Dies unterscheidet sie von den nächsten Verwandten in Frankreich, Deutschland, England: den spielmännischen Epen heldenhaften Inhalts.

Möglich, daß wir die Geburt der Gattung aufs Jahr datieren können. Der eine Abenteuerroman an jener Hochzeit von 1119 (§ 157) kann ein Erstling, ein Bahnbrecher gewesen sein; als etwas Neues fiel das dem Berichterstatter auf. Noch auf lange hinaus war es 'viva voce'-Vortrag. Dieser ist uns bei der Fornaldarsaga besonders gut beglaubigt. Saxo, nach 1200, hatte seinen isländischen Reichtum von Mund zu Ohr. Auch in Norwegen, vor König Sverrir und seinem Urenkel Magnus, stiegen ungeschriebene Vorzeitssagas. Die Gattung machte ihr Glück über die Heimat hinaus! Ihre wahre Blüte fällt wohl in die mündliche Zeit, sagen wir vor 1264 (§ 167). Übertreiben wir das nicht dahin, unsre Texte böten nur entartete Nachfahren einstiger Herrlichkeit!

Die Darstellungsart ist soweit einheitlich, daß man zeitliche Stufen schwer unterschiede. Es ist der weltliche Sagastil, etwas erweicht oder geebnet, kaum je an die Steilheit und seelische Schlagkraft der besten Saga reichend. Etwas wie den Erdgeruch der 'Hochlandskämpfe' suche man nicht! Endpunkte markigen Dialogs bezeichnen Gautreks saga S. 28, 25ff.; Sögubrot S. 11, 3ff. Die Niederschrift hat wenig Buchhaftes hereingebracht. Welche dieser Sagas erst auf dem Pergament zustande kamen, merkt man ihnen nicht an. Auch wo einer mit der Feder eine Gedichtreihe zur Saga umschrieb (Völsunga saga, Nornagests þáttr), blieb der Erzählton mündlich. *Kirchlicher* Richtung folgt eine Nummer der Sammelausgabe (3, 661—74). Als rechte Schöpfungen der *kritischen* Richtung stehn fühlbar abseits die Skjöldunga saga und ihre Nachfolgerin, Snorris Ynglinga saga: zwei Werke der Feder, die wir im weitern fernhalten. Zu dem zweiten allein kennen wir den Verfasser.

196. Nach Herkunft und Ethos der Stoffe ergibt sich eine leidlich scharfe Grenze: zwischen 'Abenteuerroman' und 'Heldenroman'. (Man denke an verflechtbare 'Stränge' wie in § 192.) Den Abenteuerroman versucht man wohl wieder zu teilen in 'Wikingsaga' und 'Märchensaga'.

Der Abenteuerroman ist der stofflich jüngere, aber die Gestalt der *Saga* hat er, wie wir glauben, früher angenommen. Zum Jahr 1119 fanden wir ihn bezeugt. Seine Stoffe sind nicht im Lied erwachsen. Sie waren von jeher Prosa. Recht ungreifbar bleibt uns, wie diese Prosen aussahen, eh sie — seit 1119 — sagamäßige Fülle gewannen, zu gliederreichen Lebensläufen oder gerundeten Novellen auswuchsen. Örtlich gebundene *Sage* mag es einst öfter gewesen sein; noch bei Saxo stehn mehr (norwegische) Ortsbindungen als in unsren isländischen Texten. Oft aber waren es freischwebende Geschichten, denen bekannte Ortsnamen genügten. Ihr anfänglicher Lebensraum, so denken wir uns, waren die Heere der nordischen Stämme. Nicht 'Volkssagen', vielmehr 'Kriegersagen' taugt als Name für diese schlichtere Vorstufe der Abenteuersaga. Hier, bei der Vorstufe, mag man an gemeinnordisch denken.

Der 'Ostweg' spielt viel öfter als der britische Westen. Über Umfang, Personenzahl, Kunsthöhe der vorsagahaften Geschichten wagen wir nicht zu vermuten.

Solche nordischen Kriegersagen sind aus Britannien bezeugt; sie lieferten, scheint es, Stoff zu französischen und englischen Versepen (Gruppe Horn und Haveloc). Bei den Isländern führten alle Wege zur *Saga*. Es lag hier wie bei den heimatlichen Adelschroniken (§ 166): der Ausbau zum stattlichen Vortragsstück, also der Eintritt in die Pflege der Sagamänner, schützte die Kriegersagen vor dem Untergang, gab ihnen die Anwartschaft aufs Pergament.

Die Helden sind geborene Nordländer, meist Norweger, mag sich auch der Schauplatz einige Male in märchenhafte Ferne (Afrika, Indialand) dehnen. Es sind Fornaldarsögur Nordrlanda: ein Hauptunterschied von den südlichen Ritterromanen und ihren isländischen Nachahmungen. Soweit geschichtlicher Kern besteht, ist an die Wikingzeit, 9., 10. Jahrh., zu denken. Der Hauptfall, in vier Fassungen überliefert, ist der königliche Wiking Ragnar Lodenhose mit seinen Söhnen. Eine Zweiteilung aber: Sagas mit und ohne geschichtlichen Keim, läßt sich nicht durchführen.

Zum Nachbilden der älteren Saga gehörte das Einschalten von Redestrophen, auch in ganzen Gruppen. Schon das Zeugnis zum Jahr 1119 beglaubigt es. Diese 'Lausavîsur' sind hier Schmuck, nicht Überlieferungsstoff (§ 89). Auch ein ganzes Gedicht — einen Rückblick, eine Elegie des Helden (§ 143) — hat man schon in mündlicher Zeit als Zierde beigeben können (vgl. Saxo). Entlehnt hat man vor allem Erzählgut, zumal aus der Königssaga. Mit deren Hilfe verlieh man dem Abenteuerroman eine gewisse Altertumsfarbe. (Umgekehrt konnten dann auch Familiengeschichten aus dem Roman borgen: § 173.) Daneben wuchern, mehr oder minder ausschweifend, die Züge des Zaubers und Wunders. Wandermotive, Novellen- und Märchenformeln sprechen hier ganz anders mit als in den geschichtlichen Sagas (§ 181); der Ausdruck 'Stiefmuttergeschichten' begegnet schon um 1200. Kein ganzer Sagainhalt, aber einzelnes in Menge stammt aus keltischer Überlieferung; die steigt jetzt auf Island aus der Unterschicht auf. Auch erneute irische Einwirkung auf die Kunstform der Vorzeitssaga ist zu erwägen (§ 15).

So birgt diese Gruppe viel außernordischen Baustoff. Freie Romandichtung wog schon im 12. Jahrh. die ererbte Sage auf. Dafür zeugen die bei Saxo, kurz nach 1200, gelandeten Stücke; sie überraschen oft durch ihre neumodische Art. Aber nicht nur ihm, dem Dänen, galt dies als Geschichte: auch die Isländer damals wehrten sich gegen die Benamsung *lygisögur* 'Lügengeschichten' (die zum Gattungsnamen gar nicht taugt).

Dem südlichen Europa fühlen wir uns auch darin näher, daß die Brautwerbung ein beliebter Grundriß ist. Es ist Werbungsgeschichte, Kampf um das Weib: ein Liebesroman kann nur die für sich stehende Fridthjófs saga heißen; auch sie beleuchtet einseitig den Mann. Von der Liebesleidenschaft dänischer Heldensagen (Hagbard und Signe, Helgi und Sigrun) spüren wir wenig; vollends Vertiefung in die leidende Frauenseele — in den eddischen Gudrun-, Brynhild-, Oddrunliedern — liegt auf einer andern Ebene, ist auch einer andern Zeitspanne zuzuweisen (§ 143). Keine der Abenteuersagas ist 'sentimentalisch' oder ließe an weibliche Verfasser denken. So können diese Werbungsfahrten mit gutem Ende (sogar der dreifache Hochzeitsschluß findet sich) wohl an unsre Spielmannsfabeln (Gruppe Oswald) erinnern, nicht an den Minnelohn der Artusritter.

197. Jedenfalls noch im 12. Jahrh. tat man den Schritt zum Heldenroman. Inhalte, die bisher im Heldenlied gelebt hatten, goß man in Sagaform um. Ein Sieg der nüchterneren

Rede über die gehobene; zugleich des schmiegsameren Gefäßes über das engere. Die Liedform war immerhin gealtert; Ereignislieder wagte das 12. Jahrh. kaum mehr (§ 138. 142) — aber die heroischen Stoffe fesselten noch. In ihrem neuen Gewand konnten sie das alte, den Vers, überleben; Sagen Alt-Dänemarks sind uns meist nur als Prosa bewahrt. Die Niflungenlieder hatten durchgehalten neben der (älteren, kürzeren) Sigurdssaga; sie waren schon schriftlich geborgen, als sie unsrer Völsungasaga zufielen.

Danach hatten die beiden Klassen der Vorzeitssaga, der Abenteuer- und der Heldenroman, unbeschadet ihres Gemeinsamen zweierlei Entstehung. Das eine Mal erhöhte man zwischen-völkische Prosageschichten zur Saga; das andre Mal sprang man dem müde gewordenen Er-zähllied bei mit der leistungsfähigen Prosaform. Der zweite Hergang sieht doch wohl nach dem jüngern aus.

Im Heldenroman gewann die isländische Prosaepik ein neues Stoffgebiet. Zu dem Wiking, dem 'Seekönig', dem das Abenteuer Selbstzweck ist; der auf weiter Bühne nach Ruhm und Beute jagt und aus allen Schrecken heil hervorgeht: zu ihm trat der ältere, ernstere Edelings-typ, der heroische: von tragischem Schicksal umwittert, im Verbrauch von Zauberspuk spar-samer; Gestalten, die bis zu Goten, Franken, Dänen der Wanderungszeit zurückführen. Es ist ein kleineres Häuflein von Vorzeitsgeschichten: die vier Hauptnummern sind die Sagas von den Völsungen, von Rolf Kraki, von den Königen um Harald Kampfzahn und vom Tyr-fingschwert. Aus Saxo die Gruppe Rolvo und die umfängliche Starkaddichtung (wo Heroisches und Wikingisches zusammentrifft).

In Deutschland und England blieb den Heldensagen diese Darstellungsform, die der kunst-bewußten Prosa, verschlossen. Die *Saga* erscheint in dieser vierten Gruppe als isländischer Gegenwert des Buchepos. Freilich, ein Aufquellen der straffen Liedinhalte, wie in den Helden-büchern des Südens, beobachten wir in den Sagas weniger. Wo die Völsungensaga der eddischen Liedreihe folgt, zaubert sie keine neuen Blüten hervor; ihren Umfang verdankt sie dem Auf-reihen vieler Liedfabeln, nicht der 'epischen Breite'. Anders läge es wohl bei den drei übrigen Vertretern (s. o.); hier haben wir weniger Liedtexte zum Vergleich. Ein Ausdichten ins Barocke verfolgt man an den Stufen der Rolftexte.

Die Familiensaga nannten wir ein großes Beispiel ersthändiger Prosa (§ 186). In den Heldenromanen erhielt Island eine *abgeleitete, zweithändige Prosa;* das meint: eine aus Versen umgesetzte; bei der Völsungasaga: aus Versen umgeschrieben. Darum brauchte sie noch nicht geschmückte Halbprosa zu sein . . . Dieser Vorgang: daß man epische Verse um-setzte in epische Prosa, beginnt auf der nordischen Insel noch etwas früher als in Frank-reich; einen Anstoß von dort hat Island sicher nicht erfahren.

198. Die große Gruppe der Vorzeitsgeschichten stelle man gegenüber den Sagenepen Frankreichs und Deutschlands mit Einschluß der unheroischen Spielmannsfabeln (Rother, Orendel, Oswald, Dietleib, Herbort u. aa.): dann wird man ihrer fabellustigen Phantasie gerecht werden. Es ist eine andre Welt als die der geschichtlichen Saga: farbenbunter, sinnlicher, spielerischer; mehr hochmittelalterlich und europäisch — dabei immer noch kenntlich nordisch, unwelsch und vor-kreuzzugshaft. Island hatte sich diese Zone der unterhaltsamen Stofffreude erobert ohne die Hilfe des Spielmanns und ohne bestimmte südliche Modelle. Die Führerin war hier die *Saga* in ihrer ersten Erscheinungsform: die geschichtlich-lebenstreue Saga. So wurde Prosa die Form dieses neuen Erzählergeschmacks.

Beide Felder, das wirklichkeitsstrenge und das fabelfreudige, hat das Isländervolk emsig bestellt — schon vor dem Tode des Freistaats; eh die Welle der südlichen Ritterdichtung nahte. Zweierlei Abnehmerkreise kann man nicht ansetzen; Islands gesellschaftlicher Zustand schließt das aus. Man spreche auch nicht von einem Dualismus, am wenigsten in religiösem Sinne. Geschichtliche und fabulierende Saga stehn sich nicht als weltlich und kirchlich — oder germanisch und römisch — gegenüber. Man spreche von der großen Spannweite des isländischen Sprachschaffens. Die Gegenpole liegen weit auseinander; aber zwischen ihnen und neben ihnen lagert so vielerlei und schlägt Brücken . . . Bei näherm Zusehen zerrinnt die Zweiteilung.

XXI. RÜCKBLICK. GERMANISCHER STIL

199. Unser Abstand von den Denkmälern war ein mittlerer; so vieles, was die Lehrbücher ausführen, mußte aus der Zeichnung wegbleiben; oft zogen wir nur einen Umriß. Und doch wird man beim Rückblick den Eindruck des Vielfältigen haben. Stilbetrachtung, Formgeschichte, die uns am Herzen lagen, ergaben keine einfache Gesamtformel. Was ist 'altgermanischer Stil'? Auf die Frage schienen Zauberspruch und Sittengedicht, Hoftonstrophe, Sagenlied, Bibelepos usw. gar verschieden zu antworten. Dringen wir zu einer brauchbaren Zusammenfassung vor?

Das echt germanische Formgefühl klipp und klar zu bestimmen, war mehr das Anliegen der Kunst- und Sittengeschichtler. Der Literaturforscher tritt ihnen nicht zu nahe, wenn er gegen ihr Heranziehen der Dichtung Bedenken erhebt.

Das Bild von germanischer Art, das man auf anderen Gebieten gewonnen hat, wünscht man durch die Dichtung reinlich bestätigt zu finden. Der Wunsch wird zum Vater des Gedankens, und man sieht die Dinge einfacher, als sie dem Literarhistoriker erscheinen. Die gewünschte, ja geforderte Einfachheit des Ergebnisses — den Einklang des dichterischen Stils mit dem bildnerischen, baulichen, sittlichen —, dies erreicht man allzuleicht damit, daß man eine Gruppe der Poesie herausgreift und von ihr kurzweg *den* altgermanischen Stil abliest; noch leichter damit, daß man aus mehreren Gruppen zwanglos auswählt, was zu dem schon feststehenden Bilde stimmt oder zu stimmen scheint. Eine 'eklektisch-apriorische Stildefinition'. Davon zu schweigen, daß uns die Beurteiler oft im Dunkeln lassen, was ihnen eigentlich von altgermanischer Dichtung vorschwebt.

Wir haben an manchen Stellen betont, daß es in der Stabreimpoesie tiefschneidende Grenzen gibt: nicht nur zwischen Nord und Süd, zwischen englisch und deutsch, zwischen älter und jünger, sondern auch im selben Lande und zur selben Zeit zwischen geistlich und weltlich, zwischen eddisch und skaldisch . . . und mannigfache weitere Verschiedenheiten unter den Gattungen und in einer Gattung. Gewiß, man kann den Blickpunkt so in die Ferne rücken, daß all diese Gegensätze schwinden. Je einheitlicher die Gestalten aussehen, um so verschwommener sind sie —: es fragt sich, welchen Wert man legt auf vier, fünf Beiwörter allgemeinster Art, die man mit gutem Gewissen der ganzen Gestaltenreihe verleihen kann. Der Kenner dieser Dichtung wird sich schwerer als der von außen kommende entschließen zu einem Fernblick, der die sinnliche Vielgestaltigkeit verflüchtigt zu ein paar möglichst körperlosen, gleichnishaften Begriffen.

Bedenken grundsätzlicher Art gegen die vereinfachende, einklangerzwingende Stilergründung können wir nur andeuten. Es gibt doch Gegenwirkungen, die das Ausleben der menschlichen Sonderart im Dichtwerk kreuzen oder dämpfen. Eine von der Fremde angeregte Form — man denke an den Hofton — kann mit ihrem Eigenleben den heimischen Formtrieb in neue

Bahnen drängen. Das Eigenleben auch der Inhalte oder Gattungen ist eine schwer zu fassende Macht, die nicht kurzer Hand in dem rassenhaften Formgefühl aufgeht. Dieses Formgefühl kenntlich auszudrücken, dazu taugen nicht alle Dichtarten gleich gut; es gibt *sprechende* Arten und minder empfindliche — wie auch die verschiedenen Versmaße ungleich befähigt sind, einen Zeit- oder Volksstil auszuprägen. Wer mit den möglichen oder nachgewiesenen Gegenwirkungen, überhaupt dem Spiel der zufallbedingten Kräfte rechnet, den schaudert vor Axiomen wie: Von dem einheitlichen *Stilprinzip* hängen 'naturgemäß' alle Einzelformen ab. In solchen Forderungen äußert sich ein wahrhaft religiöses Vereinfachungsbedürfnis. Was ist in der Kunst 'naturgemäß'? Die aus der Naturlehre stammende Vorstellung vom 'organischen', nicht sprunghaften Wachstum hatten wir mehr als einmal abzuwehren.

Zu denken muß geben, daß so ungleiche Stile bestehen zu ein er Zeit und an ein em Orte. Die Dichtung belegt dies wohl deutlicher als die Raumkünste. Von der englischen Masse bilden ja neun Zehntel ein e leidliche Familie: das ist ein e Schule, die Cædmonische. Aber wie bunt sieht es auf Island aus, in dieser kleinen, gar nicht zersplitterten Volksgemeinde! Schon die Edda auf ein e Stilformel zu bringen, wäre ein Kunststück; nun aber daneben die Skaldenart — und gar deren Gegenpol, die Prosa der Saga! Und all dies zwar ungleichen Alters, vieles vom Festland ererbt, aber doch Jahrhunderte lang nebeneinander auf der Insel gepflegt! Welcher von diesen Stilen soll die Volksart *vertreten?* (Vgl. § 186.)

200.   Überschätzen wir auch nicht die zeitlose Beharrlichkeit einer Volksart! Mag man mehr die vererbliche Anlage oder mehr die Volkserziehung betonen —: Die Anlage wandelt sich durch Blutmischung und andres; alle Germanenstämme zu der Zeit, der unsre Denkmäler angehören, waren gemischt, die Isländer sogar in hohem Grade. Die Volkserziehung wandelt sich noch greifbarer. Neben und vor dem Christentum, überhaupt dem Römererbe, gab es tiefwirkende Erlebnisse, die nicht die ganze Volksfamilie gleichmäßig ergriffen. Wir ahnen nicht, wieweit geistige Stammesunterschiede schon damals bestanden, als auf dem weitgedehnten Gebiet von der Havel bis zur Drontheimer Föhrde aus dem Prägermanischen die germanische Sprache wurde.

Soviel sehen wir, der *altdeutsche* Mensch, der uns seit den Staufertagen faßbarer wird, verrät gerade in seiner Dichtung ein sehr anderes Formgefühl als das *altgermanische*, sagen wir das des Hildebrandlieds! Es hielte schwer, an dem Dichten der Staufer- und dem der Karlszeit Gemeinsames zu sehen, das nicht gemein-mittelalterlich wäre! Von zeitloser Beharrlichkeit der Volksart zeugt dies es Blatt im Bilderbuch des Weltschrifttums gewiß nicht. Wolframs Art mutet uns neben Gottfried deutscher an, und für 'deutscher' ist man wohl versucht 'germanischer' zu sagen. Eigentlich müßte man vorher die Probe machen, ob diese Züge bei den reinsten Germanen, den Skandinaviern, wiederkehren.

Die Betrachtung der deutschen Raumkünste wählt mit Vorliebe *Spätformen* als artsetzend aus: nach dem (nordischen) Tierornament des 8./9. Jahrh. die spätromanische — die spätgotische — die spätbarocke Kunst. Da von habe man das unabänderliche Formgefühl dieses Stammes — das deutsche oder germanische oder 'nordische' Formgefühl — abzulesen. Die Frühstufen und Hochstufen zwischeninne sind spröder; da tönt das fremdländische Vorbild zu vernehmlich herein … Ins einzelne geht der Gleichlauf mit der stabreimenden Dichtung nicht. Aber auch hier hält man sich gern an die Spätstile, da wo man vereinfachend vergleichen will. Zwei ausgeprägte Spätstile bieten sich dar: kurz gesagt der Heliandstil und der Hoftonstil. Die beiden sind so ungleich als möglich. Den Heliandstil (§ 153) kennzeichnen vor anderm die drei Schlagworte: freie Silbenmenge — Bogenstil — Variation; den Hoftonstil (§ 113f.) die drei: Silbenzählung — Satzzerstückelung — Kenning. Man muß davor warnen, diese beiden weit auseinanderliegenden Gipfelgebilde in eins zu sehen (§ 116 Ende); sie nach Bedarf, 'mal so, mal so', zu Vergleichszwecken aufzubieten, oder sie gar zur Zwitter zusammenzulegen: aus dem Hofton nähme man das verschnörkelte Goldgedrähte, aus dem Heliand den breiten Redestrom . . . Der Fall Hofton konnte uns lehren, wie ein scharf ausgeprägter Dichtstil nächstverwandt sein kann mit einem vorzugsweise germanischen Bildstil, während es doch erweislich falsch wäre, jenen Dichtstil als zeichnend germanisch hinzustellen! Beim Heliand wird einleuchten, daß er uns nicht ohne weiteres *den germanischen Stil* spiegeln kann, wenn wir sehen, daß eine Kette englisch-sächsischer Geistlicher diese Heliandeigenheiten ausgebildet hat — hinausgetrieben über den Fassungsbereich der Laienkunst. Eine Schöpfung des Außenkreises darf nicht für das Ganze gutsagen. Zeigt uns der Heliand 'rastlose Bewegung' oder anderes, was in Spätformen der Raumkunst als germanische Marke gilt, so ist das beachtenswert und erklärungsbedürftig, macht aber die Messiade noch nicht zum berufenen Vertreter der Familie.

201. Versuchen wir nach diesen Zweifeln und Vorbehalten, wieweit uns der bunte Stoff vereinfachte Schlüsse hergibt.

Für die *Formlosigkeit* der Germanen kann man sich auf die altgermanische Dichtung nicht berufen. (Wir sind einig, daß es ungleiche Formziele gibt; daß etwas darum noch nicht Vogelgekrächz ist, weil es einem hellenischen Kaiser oder Schulmeister so klingt.) Schon unsre Kleindichtung hat, bis zum Priamel, Epigramm und Rätsel hinab, eine ansehnliche Höhe: an Klarheit, Ausdruckskraft, Einklang von Kern und Hülle. Selbst die Merkverse durchzieht eine Formfreude über den memorialen Zweck hinaus. Formenschwach wäre ein Teil der Zaubersprüche und der Denkinschriften zu nennen.

Vollends die größeren Gebilde, nehme man nun die eddische Sittenlehre oder das Vafthrudnirlied oder Lokis Zankreden, nehme man das Hildebrandslied oder Gudruns Gattenklage — lauter Werke aus dem engern, weltlichen Kreise —, sie haben alle einen Ehrgeiz der Form, daß Ausdrücke wie 'urtümlich' oder 'rohe Kraft' unsinnig wären. Das kecke Formzerbrechen beim Graubartdichter steht über, nicht unter dem Herkommen (§ 91).

Dies ist nun freilich der isländische Sonderfall! Dahin rechnen wir auch die erstaunliche Verzweigung der Arten in der mäßig umfänglichen Eddamasse. Ein Liederbuch von vierzig Nummern mit solcher Abwechslung der Formtypen, mit so wenig Schablone, steht wohl einzig in der Welt da! Aber die Minderzahl dieser Typen hätte ein schwedischer oder ein sächsischer Sammler auf seinem Wege gefunden . . . Gemeingermanisch ist wieder die Kunst des Aufbaus, die sich in den Sagenliedern oft bewundernswert erprobt. Sie ist auf das Heldenbuch des Geistlichen nicht übergegangen, während die äußere Technik dieser Leseepen die der Lieder eher steigert.

Die Übernahme des spätrömischen Gewandes, des Reimverses mit zugehöriger Sprache, brachte auf lange hinaus eine Erniedrigung: die Form wurde dürftiger, ausdrucksärmer, anspruchsloser. In Deutschland wie in England ist dies klar zu beobachten, da wo gleiche Aufgaben vom alten zum neuen Stil übergehn: Evangelienharmonie; Zeitgedichte. Das englische Epos Brut um 1200 steht neben dem Beowulf wie ein Wildling da, und von den altdeutschen Reimpaarwerken sind es erst die der Ritter seit Hartmann, die an Formhaltigkeit neben die stabenden Gedichte treten dürften.

Die altgermanische Dichtung hatte das Glück, ihre Form in gesundem heimatlichem Wachstum hervorzutreiben. Soviel wir sehen, stand in ihrer Frühzeit keine 'Rezeption' überlegenen Kunstgutes. Ein äußerster Fall von Selbwachsenheit ist die isländische Saga: sie hat eine sprachliche Form gefunden, die ihren Zweck erfüllt und dabei doch gleichsam verborgen bleibt. Was ist Form, was Inhalt in diesem freiluftigen Naturzustand? — Auch das germanische Versgewand *saß* der Sprache und den Nerven dieser Menschen in dem Grade, daß etwas wie artistische Klemme nicht so leicht entstehn konnte. Der unzünftigen Anlage des Stammes entsprach es, daß die *Form* der dienende Teil blieb. Die große Ausnahme sind die ausgeprägt skaldischen Formen in Norwegen-Island, nicht n u r der Hofton. Hier haben wir ein barockes Überwuchern des Gerüstes durch den Zierat, wie man es bei Pindar genannt hat[1]), wenn auch in recht andrer Weise. Ohne fremdländischen Anstoß wäre dieses Vorkommnis noch rätselhafter, als es s o ist. Zugleich hat nur die Skaldenkunst, auch dies nach fremden Vorbildern, eine Vielheit von Versmaßen gewonnen. Hierin war die gemeingermanische Dichtung in der Tat formenarm (§ 31). Auch die skaldische Vielfalt erstreckt sich n i c h t auf den Gruppenbau; dazu hätte es wohl die Tonkunst gebraucht.

Soll man auch den zweiten Fall von 'Spätstil', die Heliandform, hierher stellen? Das Beiwort 'verrätselt' (§ 116) träfe h i e r nicht zu; auch nicht 'artistisch überfeinert'. Braucht man das vielsinnige 'barock', mit Gottfried Weber, für die Sprache Wolframs, also gleich 'eigenwillig, absonderlich', dann wird man den Heliand auch hiervon freisprechen. Die Heliandsprache hat etwas Naturhaftes bis zur Wildheit. Sie wirkt sachlich, als könnte der Dichter nicht anders reden. Wen ihr Wellenschlag trägt, der vergißt die Regel. *Maßlos* kann man diese Spätform nennen. Sie ist der Hauptbeleg dafür, daß germanische Kunst eine wohlbedachte, sinnvolle Form bis an die Grenze der scheinbaren Formlosigkeit überheizen konnte.

[1]) Dornseiff, Pindars Stil 10.

202.   Obwohl auch der metrische Stil keineswegs einheitlich ist, obwohl seine Spielarten ziemlich weit auseinanderliegen, ist doch das umschließende Band der mannigfachen außerskaldischen Gruppen mehr als alles andre der Z e i t f a l l; dieser Zeitfall, wie er schon dem Rohstoff, den germanischen Sprachen, innewohnt und sich dann ausprägt in einer Versart, die dem Stoff wie angegossen ist (§ 13. 31). Wie sehr der Zeitfall die Wirkung bedingt, erlebt man so recht beim Vergleichen mit Reimwerken verwandten Stoffes. Man stelle den englischen gegen den fränkischen Normannensieg (§ 109), den sächsischen gegen den fränkischen Krist: immer wieder hängt der Unterschied am Rhythmischen. Oder man höre, wie die Umdeutung des Beowulf in jambische Fünffüßler — ein Maß mit der kenntlich romanischen Ebnung der Zacken — die Dichtung von innen heraus verwandelt![1]). Aus dem metrischen Stil kann man am besten Eigenschaften ablesen, die über einzelne Gattungen und Inhalte hinaus das altgermanische Formgefühl zeichnen und von anderen Formgefühlen unterscheiden. Wir haben es in Abschnitt VI versucht.

Die gegensätzliche Behandlung des Zeitfalls: bei den Alten u.d noch mehr bei den Welschen (auch in unsern verwelschten Versarten) Ausgleichung der Kurve, geschmeidige Ebnung, Rundung; bei den Germanen Auszackung, Hervortreiben der Zeit- und Stärkestufen —: in diesem Gegensatz fassen wir den allgemeineren: dort die Richtung aufs Harmonische, hier auf das Kennzeichnende. Oder: ruhige Anschauung, geklärtes Gefühl, genießende Sinnlichkeit gegen Ergriffenheit, Gemütsüberschwang, pathetischen Nachdruck.

Ein gewisses Pathos legt schon der Versfall samt dem Stabreim nahe mit ihrer bewegten

Atemführung, die ins Heftige gehn kann. Der Vers ist in unterbrochenem, stark schwanken-
dem Gleichgewicht. Es ist eine kühne, herrenhafte Schallform, zu mächtig für das Stilleben,
großzügig bis in den Alltagsvers hinein.

Diese Eigenschaften kommen bald mehr bald weniger heraus — je nach der metrischen
Spielart, je nach den Inhalten und den so wechselnden Sprachmitteln. Es gibt auch hellere
Winkel mit ruhigerer Luft. Etwas wie das große Sittengedicht der Edda liegt besonders
weit hinüber nach dem Abgeklärten und Beschaulichen (§ 65), und es ist doch gewiß gut
germanisch. Aber auch so vieles andre, in den meisten Gattungen, vertrüge nicht Bezeich-
nungen wie 'ungestüm' oder 'gewaltsam', 'berauscht' oder 'verzückt'. Es ist doch ein starker
Einschlag von gesunden Nerven und bäuerlicher Festigkeit in dieser Dichtung. — An der
Außengrenze steht wieder die Saga: der Inbegriff der Ruhe und Nüchternheit. Gewiß, gemeingermanisch ist sie nicht; aber wer die Möglichkeiten germanischen Formgefühls abstecken
will, darf sie nicht vergessen. Erzählen ohne Gemütswallung; Erzählen in dünner Rede: das
ist uns nur hier begegnet.

Wir wissen, auch diese Häuptlingsgeschichten in Prosa bekennen sich zum heldischen
Lebensgefühl. Das Heldische ist — bei aller geziemenden Einschränkung — der hellste, der
beherrschende Klang im altgermanischen Sprachschaffen. Ein außerkirchliches Kriegervolk
hat die Linien vorgezeichnet, die tief in die getauften und staatsbürgerlichen Zeiten herein
wirksam blieben. Darin hebt sich, was wir *altgermanisch* nennen (§ 6), ab vom *altdeutschen*
Wesen, vom *deutschen Mittelalter* . . . Hier kamen jüngere Kräfte obenauf: beschauliches
Stilleben, häusliche Traulichkeit und Versonnenheit, jenseitige Schwärmerei; das deutsche
Gemüt. Hieronymus im Gehäus —: das ist sehr altdeutsch — und sehr fern dem Altgermanischen.

Was kaum je in dem Bereich des germanischen Dichters liegt, ist die leicht federnde, die
tänzerische Bewegung. Der Germane ist von Hause Reiter, Schwimmer, Läufer, kein Tänzer.
Eine gewisse Schwere und Wucht eignet ihm, mag er nun trockenen Merkstoff herzählen oder
scharfe Gegenreden aushämmern oder sich in weicher Klage ergießen. Das Gewichtlose, Ent-
stofflichte des gotischen Baustils ist ein deutlich ungermanischer Zug.

Unser Dichter nimmt die Dinge nie leicht; er muß mit ganzer Seele dabei sein, um
in Fluß zu geraten. Er steht unter starken Eindrücken und will sie beim Andern wecken, und
wär es mit außerkünstlerischen Mitteln. Der Schritt zum gespannten Augenblick, auch der
zum Herzenserguß war den germanischen Dichtern näher als zum Auffalten der Sinnenwelt.
Also der Schritt zum Dramatischen und zum Lyrischen.

Ein *Drama* hat es im altgermanischen Kreise nicht gegeben; aber die Heldenfabeln schließen
viel von dramatischer Wucht und Kunst in sich; jene tragischen Gipfelszenen könnten für die
Bühne nicht besser erdacht sein. Zu dem Vatersohnkampf können wir nach irischen, persi-
schen und russischen Vertretern eine vorgermanische Stufe erschließen, und es zeigt sich: der
germanische Hildebrandsdichter hat in ausgesprochen *dramatischem* Sinne umgestaltet, zu-
sammengerückt, verinnerlicht[2]). In dem nordischen Aste sodann sahen wir diese Anlage an
drei Stellen selbstherrlicher auswachsen: in den Erzählliedern aus lauter Rede; in den Schelt-
gedichten, denen man Vortrag mit verteilten Rollen zutrauen konnte; endlich in der isländischen
Saga, die uns Ausdrücke wie dramatisch und Schauspielszenen auf die Zunge legte.

Einen durchgehenden Zug zur *Lyrik* darf man der Stabreimdichtung nicht nachsagen.
Wir erinnern uns, daß gesellige Kleinkunst und Totenklage, wo wir sie kennen, im Norden, zum
Stofflichen und Verstandesscharfen neigen; auch haben Gesang und Leier die germanischen

Dichtformen weder geschaffen noch beherrscht. Aber es war nicht von außen angeflogen, wenn auf jüngern Stufen bei Engel- wie Nordländern eine tiefe, dunkle Lyrik in sagenhaften Rollen zum Durchbruch kam.

In der Gemütslage dieser Menschen, möchte man glauben, überwog Cholerisches und Melancholisches ... Aber wir müßten von Rechts wegen den alten *Vortrag* kennen: in welchem Tempo ging er? würde er uns zunächst als plump oder als gewaltsam anmuten? Kannte die Sprechstimme leidenschaftliche Steigerungen, war sie mimisch wandelbar, oder näherte sie sich einem gedämpften Singsang? Und noch so vieles! Was wir entziffern, führt uns nicht bis zum Herzschlag dieser Kunst.

[1]) Beowulf übertragen von Moritz Heyne 1898.   [2]) Preußische Jahrbücher 1927, 147f.

203.   Das altgermanische Dichten liegt auf bestimmten Stufen der allgemeinen Gesittung. Es war eine Gesittung mittlerer Höhe (§ 11), auch noch in den schriftkundigen Kreisen Cædmons und des Helianddichters sehr viel jugendlicher, unreifer als die der antiken Poetenstädte. Was aus dieser Dichtung geworden wäre, wenn ihr Kirche und Mimus den Weg frei gelassen hätten zu den spätern Stufen hinauf, ahnen wir nicht. Die Verhältnisse Islands dürfen wir da nicht verallgemeinern.

Die Ansicht hört man heute seltener mehr, daß die unklassischen, die sogenannt nordischen, gotischen Züge bedingt seien durch Unreife, tiefere Bildungsstufe, und daß der Kulturaufstieg von ihnen fort zum andern Pole führen mußte. Mit der nachmaligen Entwicklung in den germanischen Ländern kann man dies nicht beweisen, denn die steht ja überall unter der Zucht der klassischen oder doch ungermanischen Mächte. Aber auch innerhalb der Stabreimdichtung gewönne man keine Stütze dafür.

Wir sehen ja *Stufen* in dieser Dichtung: von der urtümlichen Kleinkunst über die mittleren Werke zu den höfischen Arten und den Schöpfungen geistlicher Schriftsteller. Man darf da in gewissem Sinne, ohne Werturteil, ein Steigen der Dichtgattungen feststellen. So aber liegt es nicht, daß auf diesem Anstieg die 'nordischen' Züge schwänden und die klassischen erstarkten. Die Beiwörter, mit denen wir das Formgefühl des dichtenden Germanen zu treffen suchten, verlangen gewiß von Fall zu Fall wechselnde Betonung und Mischung; aber daß sie auf den tieferen Sprossen unbedingter gölten als weiter oben, träfe nicht zu. Die Meisterstücke der Edda wie der Skalden, das deutsche und englische Heldenlied, sie sind ebenso nordisch, unklassisch wie die urgermanische Kleindichtung. Sie übertreffen diese an Reichtum der Mittel, an Form in jedem Sinne, nicht an südlicher Haltung.

Dann die Buchwerke in der Linie Cædmons: ihre fremden Anreger und Stoffquellen haben auf Einzelnes auch an ihrem sprachlich-metrischen Kleide gewirkt; aber könnte man das, was das Bewegungsgefühl des Beowulf oder des Heliand von der weltlichen Art unterscheidet, eine Abkehr vom Nordischen und Zuwendung zum Antiken nennen? Ebenso wenig, wie man diesen Geistlichen eine schlechthin *höhere* Form als den Hofdichtern nachsagen dürfte.

In dem Umkreis, den wir überschauten, hat germanische Dichtkunst viel versucht und mannigfache Gestalten angenommen: gegenüber dem Schaffen des Südens hat sie auf all ihren Stufen starke, selbstsichere Eigenart bewahrt.

ABKÜRZUNGEN

Acta Philologica Scandinavica.
Anz.: Anzeiger für deutsches Altertum.
Archiv: Archiv für neuere Sprachen.
Arkiv: Arkiv för nordisk Filologi.
Beitr.: Beiträge zur Geschichte der deutschen Sprache und Literatur.
Bisk.: Biskupa sögur 1858/78.
Brandl: Geschichte der altenglischen Literatur I 1908 (in PGrundr. II).·
Bugge, Sophus, Bidrag: Bidrag til den ældste Skaldedigtnings Historie 1894.
CJS.: Corpus Juris Sueo-Gotorum antiqui 1827ff.
De Boor, Dichtung, in: Germanischer Altertumskunde hg. v. Hermann Schneider 1938, S. 306—430.
Edda: Die Lieder des Codex regius ... hg. von Neckel 1914.
'Edda': Nordisk Tidsskrift for Literaturforskning 1914ff.
Edd. min.: Eddica minora hg. von Heusler und Ranisch 1903.
Ehrismann: Geschichte der deutschen Literatur ... 1918ff.
EStud.: Englische Studien.
Ganzenmüller: Das Naturgefühl im Mittelalter 1914.
Genzmer: Edda, übertragen von Felix Genzmer, I Heldendichtung, II Götter- und Spruchdichtung (Sammlung Thule Band 1 und 2).
Golther: Nordische Literaturgeschichte I (Sammlung Göschen 1921).
Grein-Wülcker: Bibliothek der angelsächsischen Poesie.
GRMon.: Germanisch-romanische Monatsschrift.
Heimskr.: Heimskringla (Snorris Königsbuch) hg. von Finnur Jónsson 1893/1901.
Helgason, Jón: Norrön Litteraturhistorie 1934.
Herrmann, Paul, Erläut.: Erläuterungen zu ... der dänischen Geschichte des Saxo grammaticus 1901/22.
Finnur Jónsson: Den oldnorske og oldislandske Litteraturs Historie, 2. Ausg. 1920/23.
Kelle: Geschichte der deutschen Literatur ... 1894/97.
Kögel: Geschichte der deutschen Literatur ... 1894/97.
Liebermann: Die Gesetze der Angelsachsen 1903/16.
Meier, John: Werden und Leben des Volksepos 1909.
Mogk: Geschichte der norwegisch-isländischen Literatur, 2. Aufl. 1904 (in PGrundr. II).

MSD.: Müllenhoff und Scherer, Denkmäler deutscher Poesie und Prosa, 3. Ausg. 1892.
Neckel: Die altnordische Literatur 1923 (Aus Natur und Geisteswelt Nr. 782).
Neckel, Btr.: Beiträge zur Eddaforschung 1908.
Neckel, Balder: Die Überlieferungen vom Gotte Balder 1920.
NJahrb.: Neue Jahrbücher für das klassische Altertum ...
Noreen, Erik: Den norsk-isländska poesien 1926.
Noreen, Erik, Studier: Studier i fornvästnordisk diktning 1921/22.
Olrik, Axel, DHelt.: Danmarks Heltedigtning 1903/10.
Paasche, Fredrik: Norges og Islands Litteratur 1924.
PGrundr.: Pauls Grundriß der germanischen Philologie, 2. Ausg.
RA.: Jacob Grimm, Deutsche Rechtsaltertümer, 4. Ausg. 1899.
Ranke, Friedrich: Altnordisches Elementarbuch (Sammlung Göschen 1937).
RLex.: Reallexikon der germanischen Altertumskunde hg. von J. Hoops 1911/19.
Saxo: Saxonis grammatici Historia Danica edd. P. E. Müller et Velschow 1839; Saxonis Gesta Danorum ... edd. J. Olrik & H. Ræder I 1931.
Schneider, Hermann: Heldendichtung — Geistlichendichtung — Ritterdichtung 1925.
Schneider, Hermann, Heldensage: Germanische Heldensage, 3 Bände 1928/34.
Schück: Illustrerad svensk Litteraturhistoria I 1911.
Skjald: Den norsk-islandske Skjaldedigtning (B: Rettet Tekst) 1912/15
SnE.: Snorra Edda, Editio Arnamagnæana 1848/87.
Sturl.: Sturlunga saga (hg. von Kålund) 1906/11.
Thule: Altnordische Dichtung und Prosa (in Verdeutschungen) hg. von Niedner.
Thurneysen: Die irische Helden- und Königsage ... Teil I und II 1921.
Unwerth-Siebs: Geschichte der deutschen Literatur ... von W. v. Unwerth und Th. Siebs 1920.
Vogt, Friedrich: Geschichte der deutschen Literatur ... 4. Aufl. I 1920.
ZsAlt.: Zeitschrift für deutsches Altertum und deutsche Literatur.
ZsPhil.: Zeitschrift für deutsche Philologie.
ZsVolksk.: Zeitschrift des Vereins für Volkskunde.

* Der Stern bezeichnet die Textproben die auf Nachbildung des Stabreims verzichten.

REGISTER

INHALT